W9-BSZ-698

SV

Hermann Broch
Kommentierte Werkausgabe

Herausgegeben von
Paul Michael Lützeler

Band 13/2

Parallel zur
kommentierten Werkausgabe
in den suhrkamp taschenbüchern
erscheint, in limitierter Auflage,
die vorliegende textidentische
Leinenausgabe.

Hermann Broch
Briefe 2 (1938-1945)

Dokumente und Kommentare
zu Leben und Werk

Suhrkamp

Erste Auflage 1981

Satz: LibroSatz, Kriftel
Druck: Nomos Verlagsgesellschaft, Baden-Baden
Printed in Germany

Inhalt

Briefe

1938
(Juli–Dezember)

266. An AnneMarie Meier-Graefe Broch

8 Queens Gate Terrace[1]
London SW 7 29. Juli 1938

Glücklich und unglücklich zugleich hier eingelangt. Glücklich, weil es wahrscheinlich eine Lebensrettung ist, unglücklich, weil ich ebendeswegen schließlich auf das franz. Visum[2], dessen Ausfolgung sich immer wieder verzögert hat, verzichtet habe. Ich bin ein wenig vor den Kopf geschlagen, ein wenig alptraumerwacht und muß mich erst einmal zurechtfinden. Daß Anna[3] hier ist, ist mir eine ausgesprochene Hilfe. In ein bis zwei Tagen ausführlich u. vor allem die weiteren Pläne. Alle Gedanken inzwischen!

[AMB]

1 Anschrift von Stephen Hudson in London, wo Broch während der ersten Tage seines Exils wohnte. Da Broch völlig mittellos in England ankam, eröffnete Hudson ihm ein Konto. Hudson – gemeinsam mit einigen anderen Bekannten – hatte Broch auch am Flughafen Croydon abgeholt. Aus Dank widmete Broch später seinen Roman *Der Tod des Vergil* Stephen Hudson.
2 Vgl. Fußnote 1 zum Brief vom 9. 7. 1938 im ersten Briefband.
3 Anna Justina Mahler; vgl. Fußnote 2 zum Brief vom 21. 4. 1938 im ersten Briefband.

267. An Stefan Zweig

[30. Juli 1938]

Lieber Freund Dr. Zweig,
ich bin also – verzeihen Sie das harte Wort – gerettet und in London. Und höre, daß Sie gleichfalls wieder eingetroffen sind. U. z. durch Anna Mahler, welche für Montag einen Lunch vorschlägt. Ich freue mich unendlich, Sie zu sehen. Meine Adresse: 8 Queens Gate Terrace, Western 4618.

In Herzlichkeit Ihr
Hermann Broch
[SZA]

268. An Ruth Norden

8 Queens Gate Terrace
London SW 7 30. 7. 38

Liebe Freundin R. N.,
ich hoffe, daß Sie mein Stillschweigen verstanden haben: es gab ein paar Wochen in Wien, während welchen man – oder zumindest ich, der von der Polizei ein wenig ausgezeichnet worden ist –, absolut nichts schreiben durfte, konnte, sollte, wenn man nicht neuerliche Schwierigkeiten haben wollte. Was ich erlebt habe, war nicht schön, vieles war und *ist* weit entsetzlicher, als Sie es sich ausmalen können; allerdings war es – so weit es mich allein betrifft – eine Lebensstrecke, die gegangen zu sein, mir immer wertvoll bleiben wird. Doch heute will ich Ihnen nicht davon erzählen, sondern Ihnen nur sagen, daß ich keinen Augenblick lang ihre Freundschaft vergessen habe; ebensowohl das, was Sie getan haben, wie Ihre Gesinnung grenzte an manchen Tagen an Lebensrettung[1]. Irgendwann werden Sie dies noch mündlich zu hören bekommen: vorerst freilich gehe ich jetzt zu den Muirs, um die Bücher fertigzustellen und um anständig Englisch zu lernen. Also nächste Adresse: c/o Willa Muir, 20 Queens Garden, St. Andrews, Fife, Scotland. Bitte um ein Wort! Sehr dankbar, sehr freundschaftlich, sehr herzlich Ihr

H. B.

[DLA]

1 Vgl. Fußnote 1 zum Brief vom 8. 6. 1938 im ersten Briefband.

269. An Sarah F. Brandes[1]

c/o Muir, 20 Queens Garden, St. Andrews,
Fife, Scotland August 8th., 38

My dear Miss Brandes,
nach einigen Schwierigkeiten, unter denen ich Deutschland verlassen habe, in London eingelangt, werde ich von meinem

Freunde Paul Frischauer[2] mit der Nachricht erfreut, daß meine augenblicklich prekäre ökonomische Situation durch eine Dreimonatsrente von $ 30,–, welche die American Guild für mich auswirft, gefestigt werden soll. Ich glaube, daß er sich dieserhalb auch mit Herrn Toller[3] ins Einvernehmen gesetzt hat.

Ich möchte hiezu wiederholen, was ich bereits Herrn Frischauer gesagt habe, nämlich daß ich durch Annahme einer solchen Rente nicht etwa einem bedürftigeren Kollegen verkürzen möchte: ich habe zwar Deutschland mit bloß RM 20,- in der Tasche verlassen, und ich muß nun hier vor allem meine beiden begonnenen Bücher, die ich infolge der Ereignisse nicht hatte beenden können, unter sehr bedrängten Verhältnissen fertigstellen, aber ich hoffe trotzdem, mit den Verlegern meiner bisherigen Publikationen (den Romanen »Sleepwalkers« und »Unknown Quantity«) über kurz oder lang zu einer Abmachung zu kommen, welche mir die Weiterarbeit bis zu einem gewissen Grade finanziell ermöglichen wird. So gerne und dankbar ich also auch im Augenblick eine Beihilfe von der Guild annehme, so hoffe ich doch, eine solche bloß als Überbrückung betrachten zu können und möchte mir vorbehalten, die Summen Ihnen zurückzuerstatten, so bald meine Situation gefestigt sein wird.

Ob nun so oder so: ich bitte Sie, aufrichtigsten Dank entgegenzunehmen und bin mit dem Ausdrucke verehrungsvoller Ergebenheit

Ihr Hermann Broch

[DB]

1 Damals Executive Secretary der American Guild for German Cultural Freedom in New York City.

2 Paul Frischauer (geb. 1898), österreichischer Schriftsteller.

3 Thomas Mann und Ernst Toller hatten sich dafür eingesetzt, daß Broch die Unterstützung durch die Guild erhielt, und zwar für die Monate Juni, Juli und August 1938. Thomas Mann und Ernst Toller waren Mitglieder des European Council der Guild.

270. An AnneMarie Meier-Graefe Broch

20 Queens Garden, St. Andrews
Fife, Scotland 15. 8. 38

Nichts ist nebensächlich geworden, und wahrscheinlich würde ich mich schämen, wenn es nebensächlich werden könnte. Denn Beziehungen zwischen Menschen haben stets einen metaphysischen Untergrund – wenigstens möchte ich daran glauben –, und mein Bedürfnis, diesen Untergrund zu finden und klar zu legen, scheint mir mit zunehmendem Alter immer mehr zu steigen, was freilich sehr unpraktisch ist, vor allem wohl, weil die objektive Pflicht zur Einsamkeit immer mehr steigt.

Daß ich Dir nicht eher ausführlich geschrieben habe, ist also lediglich darauf zurückzuführen, daß es ein eingehender Bericht über all die Monate werden sollte, während welchen man auf Kartenkost gesetzt gewesen war, und da allerdings habe ich einerseits die Möglichkeit eines solchen Berichtes unterschätzt (– ein solcher Bericht ist überhaupt nicht zu geben –), andererseits aber habe ich meine Energie überschätzt: ich wußte nicht, als ich in London ankam, daß ich überhaupt zu nichts mehr fähig war. Jetzt erst, nach drei Wochen, beginnt sich in mir etwas zu sammeln, wobei ich allerdings nicht weiß, ob dies nicht nur eine Talmi-Sammlung ist und ob ich überhaupt noch je fähig sein werde, überhaupt noch etwas zu arbeiten.

Im Grunde genommen will ich ja überhaupt nicht mehr arbeiten, d. h. nicht mehr dichten (so sehr ich es jetzt für meinen Lebensunterhalt tun müßte): diese fünf Monate haben meine These von der Überflüssigkeit ästhetischer und sogar geisteswissenschaftlicher Produktion so gründlich bewiesen, wie ich es eben immer erwartet, wenn auch nicht gewünscht hatte, und obwohl es eine unerwünschte Zeit war, möchte ich sie aus meinem Leben nicht mehr missen. Nicht nur, weil es mir durchaus recht war, an dem allgemeinen Schicksal des Eingesperrtseins teilgenommen zu haben (– daß ich Dir die Karten[1] aus der Zelle hatte schicken können, war ein besonderer Glücksfall, und ich danke Dir sehr für die Weitergabe der Nachrichten; es hätte sonst ein fürchterliches Dachau sich sofort ergeben –), also nicht nur das Gefängnis als solches war mir durchaus wertvoll, sondern auch das Erlebnis der Massenpsychose und des Terrors, aus dem sodann die sogenannte Freiheit bestand, u. z. in einem Maße, daß das Gefängnis ein geradezu paradiesischer Zustand dagegen gewesen ist. Und wenn ich es jetzt überblicke, so sehe ich, wie schon gesagt, daß selbst die Aufreihung der nackten Tatsachen eine nicht zu bewältigende Aufgabe wäre; es genüge also festzustellen, daß ich ständig bedroht war, nicht etwa nur, weil jeder bedroht gewesen ist und weil die Nicht-Arier einfach auf der Straße zusammengefangen und nach Dachau verschickt worden sind, sondern auch noch überdies aus individuellen Gründen, so daß ich mir eine ganze Technik des Nichtzuhause-Schlafens etc. zurechtgelegt habe, um einer neuerlichen Verhaftung zu entgehen[2]: das Widerwärtigste daran war, daß sich alle diese Maßnahmen vorzüglich um Geld gedreht haben, weil eben der jüdische Besitz unter jedem Vorwand enteignet werden muß, ich aber meinerseits alles vorkehren mußte, um meiner Mutter wenigstens einen Rest halbwegs gesicherten Einkommens zu retten (– was freilich heute oder morgen schon wieder umgestoßen sein kann –): ich durfte also einerseits meiner Mutter wegen, die ich überdies noch übersiedeln mußte, nicht wegfahren, andererseits mußte ich ebendeshalb, weil ich nicht Verhaftungsobjekt sein durfte, trachten, schleunigst davonzukommen, und zwischen diesem Regen und dieser Traufe hatte ich zu lavieren. Nebenher spielte sich der aufreibende und kostspielige Kampf um Paß und Visen ab, verschärft durch die Sperrung der Geldkonti, und zuguterletzt trat noch – nicht durch meine Schuld oder Unvorsichtigkeit – eine richtige Erpressergeschichte dazu, genug also, um sich bemüßigt zu fühlen, umsomehr als ich die Finanzsachen der Mutter so weit geordnet hatte, nunmehr raschestens abzureisen und nicht mehr das französische Visum abzuwarten, mit dem ich vom Konsulat ständig weiter hingehalten worden bin. Dies ist die Geschichte meines direkten Fluges nach London.

Jetzt also bin ich in Schottland. Und ich sehe vor allem keinen andern Weg, als mit tunlichster Beschleunigung und ohne weitere innere Problematik und ohne Rücksicht auf meine Skrupel und Wünsche nunmehr mit äußerster Eile meine beiden Bücher[3] fertigzustellen. Gelingt dies, was eben durchaus fraglich ist, so werde ich eine Position haben, die es mir vielleicht erlauben wird, so zu leben, wie es mir als richtig erscheint. Zu fürchten bei alldem ist einesteils der Krieg, der mir alle Existenzmöglichkeit abschneiden würde, andernteils der eventuelle Zwang, meine Mutter erhalten zu müssen. Doch auch daran darf ich jetzt nicht denken; ich kann nur hoffen, daß alles glatt gehen wird und daß ich mit der Fertigstellung auch einen geraden weitern Weg sehen werde. An und für sich, d. h. nach den äußeren Umständen, wäre hier ein guter Arbeitsplatz, sehr ruhig und überdies von meinen Freunden Muir in sehr rührender Weise umhegt.

London wäre eine unmögliche Arbeitsstätte, wenigstens jetzt für den Anfang. Trotz Anni[4], deren Vorhandensein eine frohe Überraschung für mich war und auf die Du mit Recht und mit Unrecht eifersüchtig bist, mit Recht, weil sie wirklich liebenswert ist, mit Unrecht, weil sie ein so wahrhaft menschlicher Mensch ist, so daß man sie lieben muß. Ich hoffe sehr, ja, ich glaube daran, daß sie sich durcharbeiten und auch den äußern Erfolg haben wird, den sie haben muß und den sie verdient, denn sie kann wirklich etwas. Und dazu: irgendwie ist es sehr unrichtig, daß Du mir Deine Arbeiten so konstant verheimlicht hast.

Ich könnte natürlich stundenlang so weiter schreiben. Schöner wäre es gewesen, es Dir erzählen zu können, viel schöner. Ich kann und will aber jetzt keine Pläne machen; ich muß einen sparsamen Haushalt führen, und Wünsche dürfen darin keinen Platz haben: vielleicht ist Fatalismus ein Alterszeichen, doch gerade diese Monate haben mich gelehrt, das Schicksal hinzunehmen, vielleicht aber auch, ihm zu vertrauen. Ich denke sehr an Dich.

[AMB]

1 Vgl. Brief vom 26. 3. 1938 im ersten Briefband.

2 Vgl. Fußnote 2 zum Brief vom 21. 4. 1938 im ersten Briefband.

3 *Die Verzauberung* (zweite Fassung); *Der Tod des Vergil* (dritte Fassung). Zu den Entstehungsgeschichten der beiden Romane vgl. die »Anmerkungen des Herausgebers« in KW 3 und KW 4.

4 Anna Justina Mahler.

271. An Emmy Ferand

St. Andrews, Fife, Scotland, 17. 8. 38

Also endlich sitze ich in Ruhe, wenn auch noch immer von der völlig veränderten Umgebung befremdet, fast eingeschüchtert, und irgendwie daran verzweifelnd, daß man sich da je wird wirklich einleben können, woran freilich auch die Sprachschwierigkeiten, die ich wohl niemals überwinden werde, schuldtragend sind.

Eigentlich müßte ich alles erzählen, was seit Eurer Abreise vonstatten gegangen ist. Aber ich sehe, daß dies fast unmöglich ist. Die schlimmste Zeit kam nämlich erst nachher, und ich kann sagen, daß ich messerscharf und nur infolge eines besonderen Glückes einige Male einer neuerlichen Verhaftung entgangen bin, und damit aber auch Dachau, das mir diesmal sicher gewesen wäre. Dazu kam die Sorge um die Mutter und E. A.[1], deren gemeinsame Vermögensbasis zweifelsohne durch meine Verhaftung völlig zusammengebrochen wäre, weiters die Sorge, diese finanzielle Lebensbasis trotz alledem wenigstens halbwegs aus den verschiedenen Gefährdungen zu retten, und zu alledem die Übersiedlung der Mutter eben in die Peregringasse[2], wobei überdies die beiden Damen – obwohl E. A. sich in dieser Beziehung sehr tadellos gehalten hat – eigentlich den ganzen Ernst der Situation nicht zu erkennen vermochten. Und schließlich gab es fürchterliche Geschichten, die eine neuerliche schwere Bedrohung des Vermögens, aber auch meiner Person nach sich zogen. Und nebenher lief der Kampf um Paß und Visen; mein Paß lag drei Wochen bei der Gestapo, und als ich ihn endlich hatte, war mein englisches Visum infolge eines unbeabsichtigten Fehlers von seiten Anjas irrtümlich von Wien nach Paris instradiert worden, u. zw. via London, so daß das Wiener Konsulat keine Ahnung hatte, warum das Visum zurückgezogen worden ist. Und es hat wieder fast drei Wochen gedauert, bis man in London diesen Irrläufer aufgefunden hat. Und zu alledem konnte ich wegen des englischen Königsbesuches[3] nicht nach Paris, und selbst nachher gab es noch immer Formalschwierigkeiten, die meine Abreise um weitere Tage hinausgeschoben hätten, umso mehr als ich ja dann erst mich um die schweizerische Durchreise hätte bewerben können. Da jede Stunde die katastrophale Gefahr in sich barg, nun doch noch gefaßt zu werden, durfte ich Gott nicht weiter versuchen und bin kurzweg nach London abgeflogen. Daß ich dies alles überstanden habe, ist ein ausgesprochenes Wunder. Ich kann bloß sagen, daß die Haft ein Paradies gegen das war, was ich in diesen Wochen durchgemacht habe.

In London war ich vorerst vor den Kopf geschlagen und nahezu völlig apathisch. Und dann war ich von früh bis Abend auf den Beinen, in erster Linie, um Wege für Zurückgebliebene zu machen, vor allem für meinen Bruder. Nebenbei mußte ich meine Verleger[4] aufsuchen, denn schließlich muß ich mir ja eine neue Existenz aufbauen, und fürs erste ist dies auch gelungen, indem ich für das erste halbe Jahr eine kleine Rente vom Penklub[5] beziehe, so daß ich die Gastfreundschaft der Muirs nicht völlig kostenlos annehmen muß und halbwegs unbeschwert arbeiten kann. Im übrigen habe ich allenthalben soviel Hilfsbereitschaft, Freundschaft und Menschlichkeit angetroffen, daß ich ganz gerührt bin. Und wenn ich an die in Wien Zurückgebliebenen denke, so erscheint mir die Gunst des Schicksals mehr als unverdient; dies habe ich schon in dem Augenblick empfunden, als das Flugzeug[6] aufgestiegen ist, und ich empfinde es mit jedem Tage mehr.

Es ginge mir also über alle Maßen gut, und ich hätte alle Verpflichtung mehr als zufrieden zu sein, wenn mich das Los der Mutter und der E. A. nicht so sehr bedrückte: zwar habe ich alles vorgekehrt, was in meinen Kräften stand, um die beiden halbwegs zu sichern, aber es besteht die Gefahr der Vermögenskonfiskation, d. h. des systemisierten Vermögensentzuges, und es besteht die Gefahr, daß die Mutter ihre Pension verliert. Was dann?! dazu hätte ich den beiden die Hölle des Zusammenlebens auferlegt! Noch ärger ist natürlich die Sache im Kriegsfall, denn dann besteht die Gefahr, daß Juden nicht einmal Brotkarten bekommen. Es ist nicht auszudenken. Und es ist so arg, daß es sogar die Sorge um das eigne Los – wovon sollen wir alle im Kriegsfall leben? – weitaus überschattet.

All dies ist so schlimm, daß es genügen würde, um einem

jede Arbeitsmöglichkeit abzuschneiden. Nun weiß ich allerdings nicht, ob ich nicht auch ohne diese Realgründe völlig arbeitsunfähig geworden bin. Schließlich habe ich einen schweren Chok erlitten, und er hat mich in einem Zustand getroffen, der durch die vorhergegangenen zwei Jahre schon völlig deroutiert gewesen ist. Und darüber hinaus waren mir jene letzten fünf Monate – obwohl ich sie aus meinem Leben nicht streichen möchte – der vollgültige Beweis für meine These von der Überflüssigkeit jeglicher künstlerischer oder sonstwie geistiger Arbeit. Ich sitze also vor meiner Maschine, vorderhand freilich noch mit Korrespondenz überschwemmt, und bin vollkommen ratlos, wie ich die Sache von neuem anpacken soll, ja ob ich es überhaupt noch darf. Und ich fürchte mich beinahe, den Versuch zur Arbeit, den ich natürlich trotzdem noch machen werde, endlich zu unternehmen.

Ach, dies ist alles nicht schön und muß trotzdem durchgefochten werden. Man kann bloß hoffen. Und ich hoffe ebensosehr, daß ich Dich ungeachtet aller Mißstände doch in abschätzbarer Zeit werde sehen können. Nur müßte auch hiezu der Frieden erhalten bleiben. Wäre ich nicht so pessimistisch und so abergläubisch, so würde ich meinen, daß ich nach Abschluß des Vergils nach Paris kommen würde, weil ich ja die dortigen Leute und vor allem Anja[7] doch einmal treffen müßte. (Anja scheint es gut zu gehen, so hoffe ich wenigstens. Und nebenbei: ich habe in meiner entsetzlichen Geldnot in Wien von ihr dort Geld behoben, da ich sonst nicht hätte wegfahren können – möchtest Du also jene M 300.–, für deren Durchbringung ich Dir wie Ernst nochmals unendlich danke, an sie überweisen? bei Gelegenheit. Hôtel de l'Univers, 9 rue Victor Cousin, 5^{e}.) Aber zu alldem: wird der Vergil jemals fertig werden? werde ich jemals nach Paris kommen? Ach!!!

Soweit meine Biographie. Genug davon und genug für heute. Und nur wieder ein Ach. Und ich lasse Ernst vielmals für seine Karte danken; das Buch wird schon gut werden, darüber soll er sich auch jetzt keine Sorgen machen. Und er wird, ferne von jedem Krieg, in Amerika daraufhin eine Professur bekommen[8]. [. . .]

[GW 8]

1 Ea von Allesch.
2 Ea von Allesch wohnte in der Peregringasse 1 im neunten Bezirk Wiens.
3 König George VI (1895-1952) weilte im Juli 1938 zu einem Staatsbesuch in Paris. Die Polizei hielt während dieses Besuchs die Emigranten von der französischen Hauptstadt fern.
4 Broch besuchte die Verlage Secker und Collins in London. Secker hatte 1932 die Übersetzung der *Schlafwandler* und Collins 1935 die Übersetzung der *Unbekannten Größe* publiziert.
5 Robert Neumann und Franz Werfel, die Präsidenten des österreichischen Exil-PEN, hatten Broch bereits in London zu einem kleinen Stipendium von sechs Pfund und zwanzig Schillingen pro Monat verholfen. Vgl. Robert Neumann, *Vielleicht das Heitere. Tagebuch aus einem andern Jahr* (Wien, München, Basel: Desch, 1968), S. 499. Vgl. auch den Brief vom 23. 8. 1938.
6 Vgl. Brochs Gedicht »Nun da ich schweb im Ätherboot . . .«, KW 8, S. 43.
7 Anja Herzog.
8 Ernst Ferand stellte damals sein Buch *Die Improvisation in der Musik* fertig, das noch im gleichen Jahr im Rhein-Verlag, Zürich, erschien. Ein Jahr später erhielt er eine Professur für Musiktheorie an der New School for Social Research in New York.

272. An Ruth Norden

20 Queens Gardens
St. Andrews
Fife, Scotland 21. 8. 38

Liebe Freundin Ruth Norden,
ich muß mit dem Schluß Ihres Briefes anfangen, denn ich bin über das Schicksal Ihrer Schwester tief bestürzt. Mir ist der Gedanke an das Konzentrationslager, dem ich freilich wie durch ein Wunder entgangen bin, noch viel zu nahe, daß ich nicht von jeder derartigen Nachricht aufs äußerste berührt werde. Ich kann nur hoffen, daß Ihre Schwester in eine jener jetzt üblichen Aktionen geraten ist, mit denen man Juden zur Auswanderung zwingen will; ich weiß nicht, ob dies hier zutrifft und ob Sie hierüber orientiert sind: es werden ohne Auslese einfach eine größere Quantität Nicht-Arier aufge-

griffen, viele einfach auf der Straße – und gerade vor Ostern war dies der Fall – und die Leute gefragt, ob sie bereits ihre Ausreise vorbereitet hätten; diejenigen, die dies nicht nachweisen können, werden ohneweiteres ins Lager verschickt und so lange festgehalten, bis ihre Angehörigen oder ein Konsulat die anderweitige Einreisemöglichkeit vorweist. So wenigstens wurde es in Wien gehandhabt. Daß dies dann noch durch die oftmals unbezahlbare Reichsfluchtsteuer und außerdem durch freiwillige Spenden, die im Namen irgend eines Hilfsfonds eingehoben werden, maßlos erschwert wird, gehört mit zum Brauch. Aber es ist im allgemeinen noch die mildeste Form, in der einem Dachau oder ein anderes Lager treffen kann, und die Leute, die unter diesem Aspekt eingeliefert werden, kommen in eine erträgliche Haftkategorie. Es ist nur ungeheuer schwierig festzustellen, ob der Inhaftierte sich in dieser Kategorie befindet, oder ob ein Akt gegen ihn läuft, der ihn individuell belastet. In Wien ist dies schon eine Spezialität gewisser Advokaten geworden, welche die nötigen Gestapobeziehungen besitzen oder zu besitzen behaupten: bei dem ungeheueren Aktenwirrwarr, der bei der Gestapo notgedrungen herrscht, halte ich aber nicht viel von diesen Interventionen; ich habe nicht den Eindruck, daß man da wirklich etwas beschleunigen kann, die Akten werden zufallsmäßig erledigt, und wahrscheinlich dauert es auch bei Ihrer armen Schwester so lange, wenn es auch möglich ist, daß in Berlin andere Verhältnisse als in Wien sind.

Z. T. haben Sie damit nun auch meine Biographie der letzten Monate. Sie war kein Einzelschicksal, nur habe ich mehr Glück als andere gehabt. Ich dürfte an jenen Unstetigkeitspunkten durchgerutscht sein, die sich an den Berührungsgrenzen zwischen den Machtsphären der einzelnen Ämter befinden. Obwohl ich, wie mir nachträglich gesagt wurde, auf einer Verhaftungsliste figurierte – ich wäre sonst nicht am allerersten Tag verhaftet gewesen –, bin ich nach einem Monat entlassen worden, ja, es hat sich sogar diese sozusagen vorzeitige Verhaftung als sehr nützlich erwiesen, und dieses Glück ist mir in dem etwas sinistren Katz-und-Maus-Spiel treu geblieben. Dabei ist es nicht nur um mich gegangen, sondern auch um das Schicksal meiner alten Mutter, d. h. vor allem um ihr finanzielles Schicksal, denn ich mußte bei alldem unsere sehr verworrenen Vermögensverhältnisse, die teils jüdisch, teils viertelarisch, teils halbarisch, teils arisch sind, halbwegs zu Gunsten der Mutter ordnen; ob dies gelungen ist, weiß ich freilich noch nicht, und von dieser Sorge werde ich noch fortwährend bedrückt.

Sie sind etwas ungehalten, weil ich Ihnen nicht geschrieben habe: ich habe wochenlang beinahe jede Nacht irgendwo anders geschlafen (was keine Panik, sondern durchaus richtig gewesen ist), und meine Mitteilung an Sie, daß ich noch wohlauf bin, hätte bis zum Eintreffen zehnmal überholt sein können. Und ein wirklicher Bericht, auch ohne Unterschrift, lief Gefahr, einfach die Zensur nicht zu passieren. Außerdem wäre ich zu einem solchen Bericht wirklich nicht fähig gewesen. Hingegen bat ich Anja Herzog Ihnen zu schreiben, da ihre Mutter, die erst später zu ihr nach Paris gefahren ist, doch einiges mit mir miterlebt hat. Daß Sie von Anja Herzog nicht eingehender informiert worden sind, tut mir sehr leid; offenbar hängt dies damit zusammen, daß sie sich gerade um diese Zeit in Paris verlobt hat. Ich muß Sie daher darob um Entschuldigung bitten. Doch gerade weil ich gemeint hatte, daß dies richtig funktionierte, unterließ ich es, Frau Judd[1], welche damals eben nach Polen fuhr, eigens zu bitten, Ihnen noch außerdem zu schreiben. Seien Sie also über diese Unterlassung nicht böse. Und daß das Telegramm alarmierend war, hatte damals seinen guten Grund; es stand um diese Zeit besonders schlecht um mein Verhältnis mit den Behörden, denn ich stand gerade in Vermögensuntersuchung, und es gab noch einiges, was aber hinterher wirklich nicht erzählenswert ist.

Zu der Fülle der mangelhaften Nachrichten gehört auch, daß mir A. H.[2] wohl schrieb, Sie würden mir nach meiner Ankunft in N. Y. eine scholarship von $ 30.– verschaffen, nicht aber, daß diese von der American Guild f. G.C.F.[3] stamme und schon für mich bereit liege. Hingegen erfuhr ich von Herrn Paul Frischauer[4] nach meiner Ankunft in London, daß die Guild für mich $ 90.– bereithalte und daß ich darum schreiben möge, wobei er offenbar von Ihrer, resp. Th. Manns[5] Intervention nichts wußte. Vor ein paar Tagen schrieb ich also in diesem Sinne an Miß Brandes in der Ligue[6], selbstverständlich auch ohne Sie zu erwähnen. Natürlich nehme ich nun doppelt gerne an. Doch darf ich Sie bitten, mein Mißverständnis durch einen Telefonanruf bei Miß Brandes richtigzustellen? Dr. Mann habe ich natürlich sofort gedankt; ich hatte ja ohnehin die Absicht, ihm zu schreiben. [. . .]

[DLA]

1 Jadwiga Judd hatte sich ebenfalls um die Besorgung eines amerikanischen Visums für Broch gekümmert. Broch hatte Jadwiga Judd, deren Eltern in Wien Fabriken besaßen, in den dreißiger Jahren kennengelernt. Sie war amerikanische Staatsbürgerin und wohnte seit Mitte der dreißiger Jahre meistens in New York. Broch war eng mit ihr befreundet und dachte zeitweise (1939/40) an eine Heirat.
2 Anja Herzog.
3 American Guild for German Cultural Freedom. Vgl. Fußnote 1, KW 11, S. 410.
4 Paul Frischauer emigrierte 1938 nach England und arbeitete hier u. a. als Kontaktmann der American Guild for German Cultural Freedom.
5 Vgl. Fußnote 1 zum Brief vom 8. 6. 1938 im ersten Briefband.
6 Sarah Brandes arbeitete auch für die League of Americans of German Descent, die mit der American Guild for German Cultural Freedom kooperierte und den Hitler-Flüchtlingen aus Deutschland half. Vgl. auch den Brief vom 8. 8. 1938.

273. An Carl Seelig

St.Andrews, Fife, Scotland 23. 8. 38

Lieber,
Sie sind wirklich der rührendste und vorsorglichste Freund![1] Wie soll man Ihnen überhaupt noch danken? Natürlich ist mir Ihr Hinweis eine große Hilfe. Denn meine Finanzen sehen folgendermaßen aus: vom Penklub habe ich eine Rente von £ 7.– pro Monat, vorderhand für drei Monate, jedoch mit der Aussicht auf Verlängerung. Außerdem *soll* ich von der American Guild eine einmalige Beihilfe von 90 Dollar erhalten. Sonst habe ich nichts. Von diesen £ 7.– muß ich

doch meinen Freunden Muir, bei denen ich wohne und die es auch nicht dick haben, etwa £ 5.– für ihre Auslagen zahlen, und ich fürchte sehr, daß sie damit nicht auf ihre Rechnung kommen. Für meine eigenen Bedürfnisse bleiben also etwa £ 2.– was etwa *einem* Schweizer Franken pro Tag entspricht, und meine einzige Hoffnung besteht vorderhand in jenen 90 Dollars, die vielleicht doch noch eintreffen werden. Wie der Betrieb auf die Dauer aufrecht zu erhalten sein wird, wenn ich nicht mit einem Buch Glück haben sollte, weiß ich noch nicht, umsoweniger als ich gar keine Beziehung mehr zu den unterbrochenen Büchern habe: das Grauen, in dessen sogenanntes Antlitz ich geblickt habe, war eine allzu starke Bestätigung meiner alten These von der Überflüssigkeit des Künstlerischen in dieser Zeit. Nichtsdestoweniger bemühe ich mich aus Selbsterhaltungstrieb mit allen Kräften, wieder in die Arbeit zu kommen; aber es ist eine verzweiflungsvolle Angelegenheit. Jedenfalls wäre angesichts all dieser Umstände jede finanzielle Beihilfe eine wirkliche Erleichterung.

Nun weiß ich allerdings nicht, ob ich mich ohne weiteres direkt an Frau Frank[2] wenden soll. Das ist nicht nur die Empfindlichkeit des Menschen, der solche Verhältnisse noch nicht gewohnt ist – denn daran wird man sich gewöhnen müssen –, und es ist noch weniger eine falsche Würdesucht, sondern weit eher das Bewußtsein meiner weitgehenden Unbekanntheit: ich bin durchaus nicht überzeugt, daß Frau Frank über meine literarische Existenz orientiert ist, und es ist nicht leicht, sich da selber vorzustellen. Ich habe also die Absicht, Sie noch weiter auszunützen: wollen Sie, soferne Sie Frau Frank kennen sollten, mich für diese Sustentation vorschlagen? oder würde dies nicht andernfalls A. P.[3] für mich tun? resp., würden Sie ihn hiezu auffordern? Bitte schreiben Sie mir ein Wort darüber, aber auch seine derzeitige Adresse.

In gewissem Sinne genieße ich freilich das Glück des armen Mannes; wenn man zeitlebens mit finanziellen Sorgen größeren Stiles zu kämpfen gehabt hat, empfindet man es geradezu als Erleichterung, daß sich diese auf Differenzen von ein paar Pfund verringert haben und so überaus leicht in Evidenz zu halten sind. Leider gibt es daneben immer noch die großen Sorgen, nämlich die um die Existenzsicherung meiner Mutter in Wien, die natürlich schwer gefährdet ist. Wäre dem nicht so, ich könnte hier weitgehend zufrieden sein und mir denken, daß ich mich auf die eine oder andere Weise schon durchbringen werde, auch wenn es mit den Büchern nicht ginge. Zu diesen habe ich allerdings fürs erste auch noch die Sorge um die Manuskripte, nach denen Sie so freundlich fragen: ich habe mich nicht getraut, sie selber mitzunehmen, da ich Gefahr gelaufen wäre, deren etwaige Kontrolle abwarten zu müssen, was unter Umständen Wochen hätte dauern können; ein Teil[4] davon ist mir schon nachgeschickt worden, doch auf das wichtigste, ein Unikat[5], warte ich noch immer und, wie Sie sich denken können, in sehr banger Spannung.

Es ist nicht schön, daß Sie nichts von sich erzählen wollen. Aber ich weiß, daß man mit Korrespondenzen sparsam umgehen muß; der Tag wird ohnehin stets zu kurz. Lassen Sie sich also nur danken und die Hand drücken. [...]

[GW 8]

1 Carl Seelig hatte Broch zu einem Visum in die Schweiz verhelfen wollen, das Broch aber nach seiner Flucht nach England nicht mehr benötigte.
2 Liesl Frank (geb. Massary), die Gattin Bruno Franks (1887-1945), war Executive Secretary des European Films Funds in Hollywood, einer Hilfsorganisation für geflüchtete Schriftsteller aus Deutschland bzw. aus den von Hitler besetzten Ländern.
3 Alfred Polgar. Vgl. KW 9/1, S. 49 ff. Polgar hielt sich damals in Paris auf, wohin er aus Zürich gereist war. Zufällig hatte Polgar in der Schweiz zu tun gehabt, als der Anschluß Österreichs erfolgte.
4 Frank Thiess hatte Broch die dritte Fassung des *Vergil,* an der Broch vor und während seiner Verhaftung gearbeitet hatte, nachgeschickt.
5 *Die Verzauberung.*

274. An Albert Einstein

20 Queens Gardens
St. Andrews
Fife, Scotland 4. September 38

Hochzuverehrender Herr Professor,
als ich vor wenigen Tagen wegen meines U.S.A.-Visums[1], das ich in Wien nicht mehr abwarten konnte, beim amerikanischen Konsul in Glasgow vorsprach, zeigte mir dieser – auch er hievon sichtlich beeindruckt – das Empfehlungsschreiben, mit dem Sie mich bei der amerikanischen Behörde eingeführt hatten. Ich brauche wohl nicht zu sagen, daß es mir mehr war als nur eine freudige Überraschung: ich bin von Ihrem Schritt, der für die Möglichkeit meiner Einreise und wahrscheinlich damit auch für mein künftiges Leben wohl von ausschlaggebender Bedeutung ist, aufs tiefste bewegt und scheue mich fast, das Wort Dank auszusprechen, da es eben in solchen Situationen nicht mehr ausreicht.

Ich glaube annehmen zu dürfen, daß ich nur durch eine außerordentliche Schicksalsgunst – zu der ich auch Ihre Stellungnahme rechnen muß – vor einem Lose bewahrt worden bin, gegen welche meine Unzukömmlichkeiten in Deutschland als durchaus milde und glimpfliche zu bezeichnen sind. Und ich empfinde diese Begünstigung als weitaus unverdient, denn unendlich viel wertvolle Menschen, und wertvollere als ich es bin, haben keine Möglichkeit, sich dem tollblinden Vernichtungswillen zu widersetzen oder ihm zu entgehen. Doch war es mir schon vor der Katastrophe klar gewesen, daß die psychische Epidemie, an deren Ausbruch und Wachsen wir teilgenommen haben und teilnehmen, unaufhaltsam weitergreifen wird, wenn gegen sie – fast ist es schon zu spät – nicht wirksame Schutzdämme errichtet werden, so haben mich diese letzten Monate gelehrt, wie sehr gerade für denjenigen, dem es, wenigstens vorderhand, vergönnt worden ist, zu entrinnen und nicht Opfer zu werden, die oberste Pflicht erwachsen ist, rückhaltlos mitzuhelfen, daß einerseits die unbeschreibliche Not gelindert, andererseits die psychische Ansteckung abgewehrt werde. Ich weiß, wie schwach die Kräfte des Menschen und im besondern die meinen sind, ich weiß auch, daß man mit Papier und Tinte weder Tanks, noch eine Sturmflut aufzuhalten vermag, indes ich weiß auch, daß in der Seele des Menschen sowohl das Gute wie das Böse ruht, seltsam unvermittelt nebeneinander, und daß es zwar leichter ist, das Böse zu entfesseln, daß es aber trotzdem nicht ausgeschlossen ist, in gleicher Weise das Gute zu mobilisieren. Wäre dem nicht so, ich würde meine Rettung als vollkommen sinnlos betrachten[2].

Mit meiner dankbaren Verehrung, bitte ich Sie, Herr Professor, den Ausdruck herzlicher Ergebenheit entgegennehmen zu wollen; aufrichtigst Ihr

Hermann Broch

[AEA, DLA]

1 Vgl. Fußnote 1 zum Brief vom 8. 6. 1938 im ersten Briefband.

2 Vgl. Brochs »Vorschlag zur Gründung eines Forschungsinstitutes für politische Psychologie und zum Studium von Massenwahnerscheinungen«, den er Einstein 1939 unterbreitete. KW 12, S. 11-42.

275. An Stefan Zweig

20 Queens Gardens
St. Andrews
Fife, Scotland 11. 9. 38

Seien Sie, lieber Freund Dr. Z., für Ihre Zeilen sehr herzlich bedankt. Daß Sie eine Arbeit haben, zu der Sie gezwungen sind, ist beinahe beneidenswert: ich arbeite überhaupt nicht mehr, sehe bloß gebannt auf das Entsetzensvolle, das sich vor unsern Augen vorbereitet, und versuche mir vorzusagen, daß wir bloß durch einen besondern Glücks- oder Unglücksfall in einer Zeit tiefsten Friedens geboren worden sind, daß sich die Welt nun einfach wieder auf ihren normalen Kriegszustand eingerichtet hat, daß wir einfach zu verwöhnt und zu empfindlich sind, um dies zu ertragen, und daß man sich gegen allen Widersinn und alle Widerwärtigkeit zu behaupten hat, will man durch das Versagen seines Ichs nicht dieser psychischen Seuche noch neues Argumentationsmaterial liefern. Wollen wir uns aber behaupten, soll unsere Arbeit sich behaupten, so werden wir Anforderungen genügen müssen, die man sich eigentlich noch gar nicht vorzustellen vermag. Ich weiß nicht, ob Sie über die Stärke der antisemitischen Bewegung in diesem Lande – in England! – orientiert sind. Ich aber bin in den Highlands gewesen, also in Gegenden, wo der Großteil der Bevölkerung noch niemals einen Juden gesehen hat, und wenn man auch von Einzelfällen nicht auf eine Gesamtheit schließen darf, so ist es doch mehr als auffallend, daß die paar Einzelfälle, auf die ich gestoßen bin, *durchwegs* prompt sich als antisemitische Phänomene gezeigt haben: kleine Leute auf dem Schiff, in der Bahn, in der Bar, kleine Hotelbesitzer usw., die mich als Fremden erkannt haben, was bei meinem Englisch keine Kunst ist, begannen sofort über Deutschland zu sprechen, und wenn es vielleicht auch Liebenswürdigkeit war und das Bemühen, den reisenden Nazi zu erfreuen, ich wurde übereinstimmend mit der Ansicht beglückt, daß es keine Arbeitslosigkeit und keine Kriegsgefahr gäbe, wenn die Juden nicht wären. Bei einigen habe ich mir den Spaß gemacht, mich zum Abschied als Juden vorzustellen, was als ungeheuer guter Witz quittiert wurde, denn es ist ja klar, daß der jüdische Popanz, der in diesen Gehirnen vorhanden ist, keinerlei Realität entspricht. Ich weiß nicht, wie weit da das Wirken von deutschen Agenten mitspielt, jedenfalls ist es ein spezifisches Symptom für das Umsichgreifen einer psychischen Seuche. Davor fliehen? wohin noch? Sie haben die Möglichkeit nach Südamerika zu gehen, doch Sie sind ein Ausnahmsfall. Und überdies: sind diese südamerikanischen Länder überhaupt geeignet, eine Rückzugsstellung auszubauen? kann man sich vorstellen, daß dort der neue Hort der Humanität werde? ich kann es mir nicht vorstellen, denn ich sehe, was in Chile usw. vor sich geht. Doch um darüber ein Urteil zu haben, müßte man wohl die Verhältnisse genauer kennen. Eines scheint mir sicher zu sein: die deutsche antisemitische Propaganda ist daran, den moralischen Weltwiderstand gegen Deutschland zu lockern, und dies ist für den Kriegsfall natürlich ein außerordentlicher Vorteil; es ist eine Ablenkung der Haßgefühle, und da es überdies bequemer und sicherer ist, einen Feldzug gegen die

Juden statt gegen Deutschland zu führen, so ist die Entscheidung des Spießbürgers zu erraten –, wir müssen hoffen, daß es zu keinem Krieg kommt, wird er aber vermieden, so wird dies nicht nur heißen, daß England sich nicht für die Tschechen schlagen wolle, sondern noch viel mehr, daß es nicht die Absicht habe, sich für die Juden zu schlagen, denn dies scheint mir die (– eben vielleicht von Agenten ausgegebene –) Devise hier zu sein. Es ist eine schon weitgehend verzweifelte Angelegenheit: kommt es zum Krieg, so werden und müssen Emigrantenlegionen aufgestellt werden, und ich möchte nicht gerne lebendig in die Hände der Araber oder der Deutschen fallen; kommt es aber nicht zum Kriege, so muß sich die jetzige Spannung gegen die Juden entladen.

Um überhaupt irgend etwas zu tun, betreibe ich jetzt die Veröffentlichung der Völkerbundresolution[1]. Der Eindruck, den sie hier immerhin gemacht hat, bestärkt mich in solchem Vorhaben: gewiß ist St. Andrews eine spezifische auch-ä-Stadt, aber die Universität hier hat Niveau, sie ist zum großen Teil von Cambridge her alimentiert (offenbar sind diese ganzen kleineren engl. Universitäten zwischen den Cambridge people und Oxford people aufgeteilt), und wenn auch dieser Betrieb mit seiner Hochschätzung des Intellektuellen, des Gedruckten, mit dieser Überschätzung des Papiers etwas durchaus Vorkriegsmäßiges an sich hat, so ist es eben doch für diese Belange das adäquate Milieu, und wenn ich auch nicht recht daran glaube, daß im Wege Cambridges usw. schließlich auch eine breitere Wirkung zu erzielen sein wird, so ist dies kein Grund, mich der Drucklegung zu widersetzen. Ich arbeite jetzt die Sache mit einem jungen Universitätslektor[2], der auch die Übersetzung übernommen hat, auf englischere Ausdrucksweise um, was freilich keine leichte Arbeit ist; ich beginne hiebei den engl. Positivismus als Funktion der engl. Sprache zu verstehen, denn diese gemäßigt nüchterne Sprache duldet keine Ausflüchte ins Unanschauliche, oder richtiger, sie ist aus einem Geist geboren, in welchem das Unanschauliche als Unehrlichkeit gilt. Bei dieser Gelegenheit: darf ich Sie bitten, mir Ihr Exemplar auf Arbeitsdauer zu überlassen –, ich besitze nur ein einziges. Wie es mir ja überhaupt mit meinen Manuskripten furchtbar zu ergehen scheint: sie sind mir noch immer nicht nachgesandt worden, und wenn der Krieg ausbricht, so sind sie verloren. Aber wahrscheinlich ist es nicht nur überflüssig, sondern sogar Blasphemie darob klagen zu wollen.

Seien Sie, lieber Freund, von ganzem Herzen begrüßt. Stets Ihr

Hermann Broch

Muirs haben Huebsch[3] bloß mitgeteilt, daß sie im Augenblick noch ein Buch im Kontrakt haben, daß sie jedoch sodann frei wären: ich habe Ihnen ihre Grüße zu übermitteln.

[SZA]

1 Vgl. KW 11, S. 195-232. Broch publizierte die Resolution nicht, weder auf Deutsch, noch auf Englisch.
2 Gemeint ist wahrscheinlich Douglas Young. Vgl. KW 12, S. 572.
3 Benno W. Huebsch, Direktor der Viking Press in New York, wo Broch hoffte, die englischen Übersetzungen der *Verzauberung* und des *Tod des Vergil* veröffentlichen zu können.

276. An Sarah F. Brandes

20 Queens Gardens,
St. Andrews
Fife, Scotland 22. September 38

Hochverehrtes Fräulein Brandes,
soeben erhielt ich durch die Union Bank die zweite Rate von $ 30,– und bitte Sie, meinen herzlichen Dank entgegenzunehmen.

Darf ich Sie bei dieser Gelegenheit um eine Auskunft bitten?: Ich erfuhr erst vor wenigen Tagen, u. z. aus einer mir zugeschickten deutsch-tschechischen Literaturzeitschrift[1], daß die Guild ein Preisausschreiben für Manuskripte politischer Emigranten veranstaltet hat. Mit meinem großen Roman[2] (dessen Manuskript übrigens zu einem Dritteil verloren gegangen zu sein scheint; ich mußte es mir über Umwege nachsenden lassen) bin ich zwar an meine bisherigen Verleger gebunden, hingegen käme eine kleinere Erzählung[3], an der ich nun die Arbeit wieder aufgenommen habe, für das Ausschreiben in Betracht. In jener Zeitungsnachricht ist aber der Einsendungstermin nicht bekanntgegeben: ich hoffe, daß dieser nicht schon abgelaufen ist, und daß ich noch Zeit hätte, das Manuskript zu beenden, denn angesichts meiner materiellen Lage, fühle ich mich geradezu verpflichtet, mich um einen derartigen Preis zu bewerben. Und so bitte ich Sie, mir den Einsendungstermin bekanntzugeben.

Ob es bei der grauenhaften Verschärfung der europäischen Lage überhaupt noch möglich oder legitim sein wird, an Weiterarbeit zu denken, ist freilich ein anderes Problem. Ich habe ursprünglich die Absicht gehabt, die beiden Bücher hier bei meinen Freunden Muir fertigzustellen, hoffend, daß ich mir solcherart eine finanzielle Basis schaffen könnte, die es mir gestattet hätte, sodann nach Amerika zu gehen, ohne dort irgendjemanden beanspruchen zu müssen. Mein Visum habe ich auch endlich vor einigen Tagen erhalten, und da dasselbe nur für vier Monate gilt und nicht vom Konsulat, sondern bloß vom Staatsdepartement verlängert werden kann, wollte ich mir schon erlauben, bei Ihnen anzufragen, ob die Guild in der Lage wäre, ein solches Ansuchen zu unterstützen, denn es wäre mir natürlich wichtig gewesen, meine Arbeit in Ruhe beenden zu dürfen und nicht von der Abreise gedrängt zu werden. All dies kommt jedoch nur mehr in Betracht, wenn der Friede wider Erwarten aufrecht bliebe. Ansonsten wird man wohl vor ganz neue Aufgaben gestellt werden, und in Hinblick auf diese mache ich mich mit dem Gedanken vertraut, entweder sofort abzureisen oder aber, wenn die Umstände es verlangen, bis auf weiteres – und dies hieße wohl für lange Zeit – im Lande zu verbleiben.

Bitte empfangen Sie die besten Grüße Ihres aufrichtig ergebenen

Hermann Broch

[DB]

1 Es dürfte sich um die von Willy Haas im Prager Exil herausgegebene Zeitschrift *Die Welt im Wort* handeln.

2 *Die Verzauberung.*

3 Broch stellte damals die dritte Fassung seines späteren Vergil-Romans fertig, eine Erzählung mit dem Titel »Erzählung vom

Tode«. Vgl. KW 4, S. 511 f. Die Erzählung ist abgedruckt in: *Materialien zu Hermann Broch ›Der Tod des Vergil‹*, hrsg. von Paul Michael Lützeler (Frankfurt/M.: Suhrkamp, 1976), S. 88-169. Freilich handelt es sich bei dem Abdruck nicht um die fertige dritte Fassung, die verlorengegangen ist, sondern um das Fragment, an dem Broch während seiner Haft in Bad Aussee im März 1938 gearbeitet hatte.

277. An AnneMarie Meier-Graefe Broch

Auf der Fahrt nach London [28. 9. 1938]

Knapp vor meiner Abreise trafen noch Deine Zeilen ein. Ich habe nicht eher geantwortet, weil sich inzwischen ja die Ereignisse überstürzt hatten: *so* und nicht anders war mein letzter Brief zu verstehen –, ich habe all dies vorausgesehen. Jetzt allerdings habe ich gerade in Edinburgh die Nachricht von der Münchner Konferenz[1] erhalten – auch hier sehe ich auf *jeden Fall* so oder so pessimistisch. Ich fahre nach Amerika[2]. Vielleicht läßt sich dort etwas Neues aufbauen.

Ich glaube, daß die Verständigungsmöglichkeit aufrecht bleiben wird – eine Internierung ist kaum wahrscheinlich. Ich denke an Dich!

Adresse in N. Y. schreibe ich ehest.

[AMB]

1 Münchner Konferenz zwischen Chamberlain, Daladier, Hitler und Mussolini vom 29. 9. 1938 mit dem Münchner Abkommen, demzufolge die deutsch besiedelten Randgebiete Böhmens, Mährens und Schlesiens, die zur Tschechoslowakei gehörten, an Deutschland abgetreten wurden.

2 Am 23. 9. 1938 hatte Broch das US-amerikanische Visum erhalten.

278. An Ea von Allesch

28. 9. 38

Liebes, hier kann ich im Augenblick nicht mehr bleiben. Gerät das Land in eine europäische Verwicklung, so kann niemand hier einen Gast brauchen. Die letzten Tage waren eine einzige steigende Aufregung. Man hofft zwar noch immer auf eine friedliche Lösung, aber die Aussichten werden immer geringer. Für mich gibt es drei Möglichkeiten, entweder mich zum Roten Kreuz zu melden, oder nach Amerika zu gehen, oder mit der Gefahr einer Internierung zu rechnen. Ich fahre jetzt nach London und hoffe beim Home Office mich irgendwie orientieren zu können. Betr. Überfahrt käme bloß das Schiff eines neutralen Landes, also Hollands oder Schwedens in Frage; die amerikanischen Boote sind für die rückkehrenden Amerikaner reserviert. Dies alles habe ich soeben in Dundee erfahren, wo überall fieberhaft an dem Bau von Unterständen gearbeitet wird. Daß ich noch vorige Woche meine Dokumente erhalten habe, ist angesichts dieser Umstände ein geradezu unglaubliches Glück: dadurch war es möglich, mein amerik. Visum jetzt noch in letzter Minute zu bekommen. Allerdings ist es bloß für vier Monate gültig, d. h. ich muß innerhalb von 4 Monaten einreisen; sonst verfällt es und meine nächste Einreisemöglichkeit wäre frühestens erst in 18 Monaten wieder zu erlangen. Von hier aus gesehen, wäre es natürlich auch vernünftig, jetzt das Visum auszunützen, sich in Amerika die aliens-documents geben zu lassen, mit welchen man (nach einem halben Jahr) ungehindert aus Amerika aus- und wieder einreisen kann. So weit von mir. Was dies alles mit Hinblick auf die endlich begonnene Arbeit bedeutet, kannst Du Dir beiläufig vorstellen. Aber man muß sich daran gewöhnen, daß das Leben dramatisch geworden ist.

Was Dich und die Mutter betrifft, so kann ich mich natürlich nicht dran gewöhnen. Meine Angst um Euch ist grenzenlos; sie bohrt unaufhörlich. Ich bitte Dich nochmals, zu trachten, daß Du stets eine Barreserve im Hause hast, u. z. sollst *Du* sie haben, nicht die Mutter. Gib ihr diesen Brief zu lesen; ich bitte sie sehr, dies zu tun. Weiters soll unverzüglich die Frage des Ersatzmannes von Kr.[1] bereinigt werden, da er ja selber wahrscheinlich wird einrücken müssen; insbesondere ist darauf Rücksicht zu nehmen, daß eine Vollmacht nur für ein Jahr Gültigkeit hat, und die Durchführung nicht an einem solchen etwaigen Formalmangel (wie früherer Ablauf der Vollmacht) scheitern darf. Ich selbst bin mit jeder Lösung einverstanden, und ich wiederhole, daß ich es für das Richtigste halte, wenn Du und die Mutter langsam das Kapital bis zum Lebensende verzehrtest, eventuell durch Aufkauf von Leibrenten. Doch in diesem Fall verlangt es die Gerechtigkeit und die besondere Zeit, in der wir leben, daß ein gewisser, nicht allzu großer Teil an Hermann[2] ausgefolgt werde. Vorausgesetzt, daß Euer Leben gesichert sei. Was ich dazu zu sagen habe, findest Du in meinen Briefen an Kr. Und schließlich wiederhole ich es hier nochmals, daß ich auch nichts dagegen habe, mein Realitätsdrittel auf Dich zu überschreiben, soferne hiedurch irgendetwas für Euch zu erreichen ist; dies ist eine vorwiegend juristische Frage, resp. eine solche der Gebühren, welche sowohl für die Übertragung als auch für den Fall Deines Vorablebens in Betracht kommen, u. z. in einem Maße, daß sie kaum aufbringbar wären. Bitte besprich dies mit Kr., ev. auch mit Hemme[3].

Anbei die Liste der aus der Bibliothek herausgenommenen Bücher. Diese muß man dem Käufer loyalerweise zeigen, d. h., nicht nur loyalerweise, sondern auf jeden Fall, denn er würde ja bei Übergabe das Manko konstatieren und dann Lärm schlagen. Hiedurch wird sich der Preis natürlich etwas reduzieren. Sollten unter den herausgenommenen Büchern sich solche befinden, auf welche der Käufer besondern Wert legt, so könnten sie ihm noch immer zugesandt werden. Ich instruiere darüber Willa, welche meine Sachen für den Fall meiner Amerikafahrt verwalten wird, denn mein Hauptquartier bleibt bei ihr.

Ich fahre jetzt ab und schreibe von London aus weiter.

London Freitag Früh.

Nach einem unsäglich aufregenden Tag – denn trotz gegenteiliger Aufmachung hat niemand an das Gelingen der Konferenz geglaubt – habe ich einen Zwischendeckplatz auf einem schwedischen Schiff[4] bekommen. Und wenn nun auch der Friede erhalten werden dürfte – wie sehr ich dies vom Schicksal erbitte, brauche ich nicht zu wiederholen –, und so ekelhaft die Reise in dieser dritten Klasse sein wird (10 Tage mit drei Leuten – alle mehr oder minder seekrank – in einer Kabine ohne Luke), so ist die Sache nun einmal bezahlt und es wäre sinnlos, diese £ 16.–.– zu verlieren, um dann eventuell nochmals den ganzen Wirbel mitzumachen. Was mich drüben erwartet, weiß ich nicht; es wäre mir lieber gewesen, wenn ich mich hier bis zur Fertigstellung der Bücher hätte halten können. Aber irgendwie wird es auch drüben gehen, und die Wiedereinreise hierher ist mir ziemlich zuverlässig versprochen worden; ich hoffe bis zum April zurückkehren zu können. Sonderbar ist das Gefühl, so ohne Geld über die ganze Erdoberfläche zu fahren.

Ich hatte eigentlich die Absicht gehabt, Dich anzurufen, schon weil ich Dich vor der Abreise nochmals hören wollte, denn von drüben ist der Anruf allzuteuer. Doch ich fürchte, daß Du Dir dann während der ganzen Reisedauer Sorgen machst: hätte ich jemanden Verläßlichen, so würde ich diesen Brief auch erst Mitte der nächsten Woche aufgeben lassen, so daß er mit meinem Ankunftskabel tunlichst gleichzeitig einträfe.

Samstag
Soeben Dein Brief, der mich entsetzlich aufregt. Umsomehr als ich fahre. Mein amerik. Visum ist nicht verlängerbar (eben war ich auch bei der Gesandtschaft), und die nächste Quotennummer kommt erst in *zwei* Jahren dran. Hingegen kann ich in 6 Monaten schon wieder zu Besuch nach England oder sonstwohin kommen. Ich erwarte für Europa alles mögliche, das meine Überfahrt empfehlenswert macht: ich muß jetzt auf Nummer sicher gehen, umsomehr als ich eben Geld verdienen *muß*. Insbesondere brauche ich auch Geld, wenn es mit der Mutter und Dir nicht funktionieren sollte. Alles in allem bin ich guter Hoffnung. Sehr unberufen.

Nächste Adresse American Express Company, New York. Ich kable dann sofort.

Wegen Bücher schreibe ich dann sofort. Eventuell via Schrecker[5]. Doch sollte es zu lange dauern, so nimm das Anbot an. Alles in allem werden die Preise infolge des gefestigten Friedens wahrscheinlich steigen.

Anbei Brief für die Mutter zur eventuellen Verwendung. Ich bin mit allen Gedanken bei Dir.

H.

[DÖL]

1 Ludwig Krafft-Kennedy, Brochs Wiener Anwalt, der ebenfalls in die USA emigrierte, und den Broch in New York wiedertraf.
2 Brochs Sohn Hermann Friedrich.
3 Hermann Schwarzwald (1871–1939), der Gatte Eugenia Schwarzwalds.
4 Es handelte sich um den Dampfer Statendam, der allerdings ein holländisches, kein schwedisches Schiff war. Zwischen dem 28. 9. und 1. 10. 1938 hatte Broch wiederum bei Stephen Hudson in London gewohnt.
5 Brochs Freund Paul Schrecker, der damals in Paris lebte.

279. An Johanna Broch

[London, 30. 9. 1938]

Liebste Mutter, ich fahre nach Amerika. Das ist ein furchtbarer Entschluß, und meine Unruhe wächst, wenn ich an Euch denke. Ich habe alles tunlichst gut für Euch vorbereitet, doch für jeden denkbaren Fall konnte ich natürlich nicht vorsorgen. Und außerdem habe ich immerzu die Angst, daß es bei Euch nicht richtig intern funktioniert. Ich würde den größten Wert darauf legen, daß Ihr endlich über die verschiedenen Zahlungen ein reinliches Abkommen machtet. Ea hat Rechte, wohlverstanden Rechte, und es ist gut, daß sie sie hat. Bitte berücksichtige dies. Teilt Euch die gemeinsamen Zahlungen nach den vorhandenen Mitteln ein: Ea ist so besorgt für und um Dich, daß sie Dir sicherlich nichts wegnehmen wird. Aber Du darfst sie Deinerseits nicht reizen: was ihr gebührt, gebührt ihr. Und an Dir ist es, auch für sie zu sorgen. Mit einem Herumgerede ist da nichts getan, damit bringst Du sie genau so in Verzweiflung, wie Du mich in Verzweiflung gebracht hast. Die Hauptsache ist Klarheit und Rechtlichkeit.

Ich fahre furchtbar schweren Herzens. Aber es muß sein. Sobald ich anlange, telegraphiere ich. Die Überfahrt wird nicht herrlich sein, denn ich habe natürlich III. Kl. (Zwischendeck) genommen. Doch dies macht mir am wenigsten. Alles in allem bin ich – unberufen – voller Mut.

Sei umarmt, liebe Mutter, von Deinem alten

H.

[DÖL]

280. An Daniel Brody

An Bord Statendam[1] 6. 10. 38

Lieber,

Selber überrascht, mich hier zu befinden, glaube ich, daß dieser Entschluß, der durch die Kriegspanik wesentlich beschleunigt gewesen war, doch ein richtiger gewesen ist. Obwohl ich ungeheuer schwer von England fortgegangen bin. Sobald ich mich stabilisiert haben werde – was wegen der Arbeit sehr rasch vonstatten gehen muß und wahrscheinlich in Boston-Cambridge erfolgen wird –, berichte ich ausführlich, auch über mein *sehr* erfreuliches Zusammensein mit Deinen Söhnen. Viele gute Wünsche, Handküsse und alle Liebe Deines alten

H.

[GW 8]

1 Die Atlantikfahrt von London nach New York dauerte vom 1. bis 10. Oktober 1938.

281. An Willa Muir

New York, 3. Dezember 38

Liebe, liebe Willa,

so viele Briefe[1] habe ich von Dir und habe noch nicht geantwortet. Aber Du weißt trotzdem, daß ich nicht das unfreundschaftliche Schwein bin, für das Du mich jetzt hältst, sondern, daß es einfach nicht anders gegangen ist. Zuerst war das Warten auf eine Nachricht von Euch, denn Euer langes Schweigen war mir kurzerhand unerklärlich, ja, ich wollte Euch schon kabeln, und dann, als die große Sendung anlangte, da ging der Pogrom[2] in Deutschland los: war ich schon vorher wegen München vollkommen krank, so wurde ich es nun vollständig: ich habe keine Ahnung, was mit meiner Mutter weiter geschehen soll, besonders da man ihr ja nun wahrscheinlich jedweden Lebensunterhalt wegnehmen wird. Das Einzige, was ich gegen dies alles setzen konnte, war die Arbeit, denn nur dadurch kann ich überhaupt noch etwas unternehmen, sowohl privat, als auch öffentlich: ich arbeite also in der verbissensten Weise am Vergil, arbeite bis zur Erschöpfung und noch ein Stück darüber hinaus: an und für sich habe ich den Eindruck, daß das Buch etwas durchaus Neues und Echtes wird, doch wie weit es durch die entsetzlichen Umstände beeinträchtigt wird, vermag ich nicht zu ermessen.

Und nun beantworte ich Deine Briefe der Einfachheit halber der Reihe nach, wie sie datiert sind:

Politische Situation. Welche Wendung die Dinge nehmen werden, war nur am Tage meiner Abreise klar. Es ist geradezu mystisch, wie der Zeitgeist als solcher wirkt und welcher Mittel er sich bedient, um sich durchzusetzen. Die Frage ist nur, ob man überhaupt noch etwas gegen den Zeitgeist tun kann, oder ob man die Pest über sich ergehen lassen muß. Nun ist die Weltgeschichte zweifelsohne eine Kette derartiger Pestseuchen, und alles, was wir Wahrheit nennen, ist Produkt dieser Wahnsinnskette, die noch lange nicht abgeschlossen ist und niemals abgeschlossen sein wird. Nichtsdestoweniger gibt es hinter allem eine absolute Wahrheit (wenn auch das Absolutum nicht übersetzbar ist), und weil es diese Wahrheit gibt, können wir den Wahnsinn als das erkennen, was er ist, nämlich als verbrecherischen Irrsinn, und ebendeshalb muß er, genau so wie jede andere Seuche, bekämpft werden. Ich selber bin viel zu rebellisch, um solche Dinge apathisch über mich ergehen zu lassen, auch wenn sie mich persönlich nichts angingen, und ich werde alles tun, um diese verbrecherische Apathie und Gleichgültigkeit bei anderen anzugreifen: schließlich geht es nämlich jeden an, nicht nur die Juden, denn es werden gräßliche und noch weitaus gräßlichere Dinge erfolgen. Seit nahezu zwanzig Jahren prophezeie ich diese Entwicklung der Welt, u. z. nachweisbar, ebensowohl in meinen Schriften, wie in meinen vielen Briefen, und ich prophezeie heute, daß es noch viel, viel ärger werden wird, nicht etwa weil Italien Tunis bekommt oder Japan Indochina, von Gibraltar und Palästina etc. ganz zu schweigen, sondern weil wir in die Epoche einer Moral getreten sind, die man nur noch als die »Moral des Warum-nicht« bezeichnen kann: »Warum soll man einem Juden nicht die Augen mit Zigaretten ausbrennen dürfen?«, »Warum soll man nicht ruhig lügen?«, »Warum soll man Verträge nicht ruhig brechen?«, »Warum soll man nicht Menschenfleisch essen?«, wobei die Menschenfresserei bei uns selbstverständlich auch höchst modern in Konservenfabriken etc. vonstatten gehen wird. Nun weiß ich allerdings, daß man im Hause Muir mit Essensproblemen auf einen moralisch etwas aufgelockerten Boden stößt, und daß da die Ankündigung von Canned minced Jew oder Fresh child liver immerhin auf ein nicht geringes Interesse stoßen dürfte, aber gerade diese moralische Nachgiebigkeit in den Dingen des Genusses zeigt, daß das Grundproblem im Ethischen zu suchen ist: es ist einer der verhängnisvollsten Fehler des Marxismus, das Ethische im Ökonomischen begründen zu wollen und alles moralische Heil von der ökonomischen Situation zu erwarten; würde der Marxismus nicht im Unbewußten unausgesetzt mit ethischen Motiven (wie dem des Gerechtigkeitsgefühles etc.) arbeiten, und zwar ethischen Motiven von durchaus christlicher Derivation, so wäre er überhaupt nicht in die Massen zu tragen gewesen, und wenn er heute vor den nationalen und nationalistischen Motivationen zurückweichen muß (– vide sogar den schottischen Nationalismus! –), so liegt es an dem absolutierenden Abstraktismus, der sein jüdischer Einschuß ist: die Welt braucht aber die Wiederherstellung ihrer absoluten Moral, sie wartet darauf, ja, sogar das Nazitum ist ein Beweis für das *Pflichtbedürfnis* des Menschen, und da offenbar das Christliche nicht mehr plausibel und eingängig genug ist, so muß mit anderen Mitteln getrachtet werden, die moralischen Kräfte, die in *jedem* Menschen wohnen, wiederherzustellen; nicht etwa, daß ich mir einbilde, eine neue Religion statt des Christentums schaffen zu können, aber man muß die Dinge beim rechten Namen nennen und das Übel dort anfassen, wo es liegt, und das ist eben beim ethischen Punkt. Freilich ist dies kaum mehr Angelegenheit der Schreiberei, sondern der Organisation, und aus diesem Grunde bin ich froh, in Amerika zu sein, da hier das Land weniger apathisch, allerdings auch naiver und geldgieriger ist; immerhin wird hier allerlei bereits getan, um der Ausbreitung der Pest entgegen zu wirken, und ich rechne bestimmt damit, innerhalb dieses Wirkens jenen Platz zu erringen, der mir – bei all meiner Überheblichkeit und all meinem Minderwertigkeitsgefühl – zuzukommen scheint. Deswegen aber darf man noch lange nicht darauf verzichten, in England zu retten, was noch zu retten ist; ich beginne jetzt, mich hier mit den verschiedenen bereits bestehenden Organisationen in Verbindung zu setzen(– wenn ich nur besser schon englisch spräche! –), und nun wäre allerdings nichts so wichtig, *als daß die Resolution*[3] *endlich übersetzt wäre!* denn in dieser Resolution, so schwer sie auch verständlich ist, ist all das enthalten, was an Grundzügen für die Führung einer *Humanitätskampagne* vonnöten ist; so bald ich mit den beiden Büchern[4] fertig sein werde, soll auch der Resolutionsinhalt in einer Reihe von einfachen Broschüren popularisiert werden, doch für den Augenblick ist der Originaltext dringend vonnöten. Auch für England! Ihr wißt ganz genau, daß ich meine Produkte nicht überschätze; wenn ich aber sehe, wie sehr die Entwicklung mit meinen Voraussagen übereinstimmt, kann ich nicht den Gedanken abweisen, daß eine frühere Publikation dieser Arbeit vielleicht manches hätte verhüten können, einfach darum, weil man nie weiß, wann das richtige Zündholz am richtigen Fleck zündet, kurzum, weil man kein Zündholz wegwerfen darf, wenn es auf den Brand ankommt. Was also ist mit Douglas Young? nachdem Du jetzt den Roman und den Richelieu[5] (der übrigens ein wirklich gutes Buch ist) zu bewältigen hast, kannst Du Dir nicht auch noch die Resolution auflasten, ebensowenig Edwin[6], aber irgend jemand muß sich dazu finden. Was ist mit Bill Stewart?[7] oder eben sonstwem? sollte jedoch all dies nicht möglich sein, so müßte ich trachten, hier jemanden hiefür zu finden, obwohl es mir tausendmal lieber wäre, wenn die Arbeit unter Eurer Aufsicht vor sich ginge. Sollte aber die Arbeit hier gemacht werden müssen, so bitte ich Dich um den Text, da ich kein Exemplar hier habe, u. z. würde ich vorschlagen, ein versichertes Wertpaket zu machen, um die Verlustrisiken möglichst herabzumindern.

Barcatamanuskript[8]. Ich bin glücklich, daß es eingetroffen ist; Du weißt ja, wie sehr mich die Sache aufgeregt hat. Ich hoffe nur, daß es wirklich das richtige Paket ist, das da eingelangt ist und nicht etwa eines von Ea Allesch. Jedenfalls würde ich Dich nun bitten, mir *sämtliche* bei Euch eingetroffenen Manuskripte nun zuzusenden, denn vielleicht werde ich schon gleichzeitig mit dem Vergil an dem Roman[9] arbeiten, um diese Dichterei raschestens hinter mich zu bringen und um Luft für die Seuchenbekämpfung zu gewinnen. Und wie gesagt, aus all diesen Manuskripten machen wir ein Wertpaket. Versicherungswert? Je nach Taxe, aber doch £ 100!

Handbibliothek. Ich bin auch darüber froh, und ich hoffe nur, daß sie Dir keinen Platz wegnimmt. Natürlich habe ich auch da Bitten: wenn es Dir nicht zu viel Mühe macht, folgende Bücher herauszusuchen, so könnte ich brauchen:
Duden, Handwörterbuch der deutschen Sprache (ein dicker kleiner grauer Band)
Das große deutsch-englische Lexicon.
Schlessing, Deutscher Wortschatz[10], (großer brauner Leinenband)
Eisler, Philosophisches Wörterbuch[11] (drei Halblederbände, gelber Rücken)
Kafka, Tagebücher[12] (kleiner brauner Band)

Natürlich wird mir mit der Zeit noch eine Menge anderes einfallen, was ich brauchen werde, und natürlich ist dies alles nicht gar so wichtig. Also schicke diese Bücher nur, wenn es Dir keine Ungelegenheiten macht! Und im übrigen ist die Handbibliothek für mich besonders wertvoll, weil ja in ihr alle meine wissenschaftlichen Manuskripte untergebracht sind, ebenso die bereits erschienenen Essays etc. (aus denen ich einmal einen Band zusammenstellen will), kurzum ein Stück meines Lebens. Und ich bin froh, daß dieses Lebensstück in Deiner Obhut ist und lege es Dir an Dein gutes, großes Herz.

Und schön wird es sein, wenn ich nach Abschluß der Bücher und nach Einleitung der hiesigen Resolutionsarbeit zu Euch werde zurückkommen können und die Bücher in meinem von mir sehr geliebten Zimmer stehen werden. Hoffentlich wird dies der Fall sein. Sollte aber das Schicksal es anders wollen, wobei aufgeschoben nicht aufgehoben wäre, so würde ich versuchen, jemanden zu finden, welcher mir die Sachen aus England nach Amerika mitnähme. Doch dies hat Zeit. Nebenbei: was ist mit Oeser?[13]

Oeser. Jedenfalls bitte um seine amerikanische Adresse.

Große Bibliothek: Wenn Rothschild sie tatsächlich übernähme, so wäre dies ein ungeheurer Glücksfall. Nur ist dies wieder eine Belästigung für Dich: Du müßtest Dich erkundigen, ob die Sendung in England hereingelassen wird, wenn ich nicht selber dort bin. Natürlich läßt sich wahrheitsgemäß sagen, daß ich immer zu Euch zurückkehren will und es auch tun werde. Aber dann habe ich wieder kein Recht, die Bücher an Rothschild abzutreten! Also irgendwie müßte man aus diesem Dilemma herauskommen. Jedenfalls schicke ich Dir anbei den Katalog. *Letztes* Katalogexemplar, bitte achtgeben!!! Ein deutscher Antiquar hat dafür RM 2500,– angeboten, also zirka £ 200.– was also bedeutet, daß der wirkliche Wert ein Vielfaches davon beträgt, und wenn ich sie verkaufte, so müßte ich natürlich etwas mehr bekommen, weil ich ja dann die £ 200.– für meine Mutter, resp. Ea A. reservieren müßte, umsomehr als die beiden ja die bisherigen Einlagerungsspesen bezahlt haben. Könntest Du zu irgend einem Arrangement kommen, so wäre ich glücklich und würde Dich bitten, sofort Deine Dispositionen an Ea Allesch (Wien IX. Peregringasse 1) direkt zu erteilen. Von einer eventuellen Abgabe der Bücher an Rothschild darf nichts brieflich erwähnt werden!! die Bibliothek dient ausschließlich zu meinem *eigenen* Gebrauch! Sie würde sonst glatt beschlagnahmt werden. Du hast alle Vollmacht hiezu, und ich schreibe dies auch heute an Ea Allesch. Ebenso aber müßte ich Dich bitten, in einem solchen Fall Anja zu verständigen, da sich dieselbe gleichfalls wegen der Bücher in Paris bemüht (9 Rue Victor Cousin, Paris Ve.)[14].

Polizei. Selbstverständlich habe ich mich in London abgemeldet, und zwar lt. Eintragung in meinem Registration

Book am I. X. 38 bei der Polizeistation Kensington, Division »F«. Ich kann dies aber überdies auch noch an die so nette Polizei in St. Andrews schreiben, weil ich diese Leute dort liebe und gerne mit ihnen in Korrespondenz stehe.

Mein hiesiges Leben. Ich habe keinerlei Einladungen angenommen und wohne hier in N. Y. gegenüber der Columbia Universität in einem kleinen Boardinghouse. Niemand weiß meine Adresse, auch nicht Anja[15], und es hat auch keinen Sinn, sie Euch zu geben, denn ich werde wahrscheinlich nächste Woche in ein anderes Studentenhaus übersiedeln. Schreibe mir also weiter an die *American Express Comp.*, doch nicht Broadway, sondern *Fifth Avenue.* Ohne diese Zurückgezogenheit könnte ich die Arbeit, die ich leisten muß, überhaupt nicht leisten. Von N. Y. habe ich demgemäß auch nicht viel gesehen, doch was ich gesehen habe, ist imponierend. Natürlich ist dieses Leben nicht unser Leben, aber es ist eben das der modernen Stadt schlechthin, und das Leben im Kollektiv schlechthin, verpönbar also, dennoch großartig, und mit allen Gefahren des Nazitums durchsetzt, wenn eben nicht noch rechtzeitig eingegriffen wird. Vieles aber würde Dich begeistern.

Muirs. Ich bin froh, daß Dein Buch vorwärts geht (von der Mrs. Ritchie[16] bin ich begeistert in ihrer klaren und doch so kunstvollen Einsichtigkeit; ich schicke sie nächstens zurück), und ich bin überzeugt, daß gerade Du unerhört viel aus dem amerikanischen Leben gewinnen könntest. Ich glaube auch, daß sich für Edwin hier eine Professur finden lassen wird, meine aber, daß man fürs erste den Emigrantenschub abwarten muß, umsomehr, als man diesen armen, entsetzlich armen Leuten die Vorhand lassen müßte. Aber ich habe in dieser Beziehung bereits vorgefühlt und werde Euch in Kürze hierüber einen sachlichen Bericht geben. Gut wäre es nur, wenn Euer Name hier inzwischen tunlichst weitgehört werden würde, und dies wird hoffentlich auch durch Edwins Buch[17] geschehen, das ich in Living Age besprechen werde. Was ist mit Euren alten amerikanischen Verbindungen? jedenfalls müßtet Ihr beide hier publizieren und immer wieder publizieren. Und um damit einen Anfang zu machen: willst Du $ 10 000.- verdienen? ich schicke Dir anbei »Modern Romances«, (falls im Porto schwer, separat als Drucksache

– wird sich erst am Postamt entscheiden), in dem Du auf S. 12 eine Prize Competition findest. Solche Competitions gibt es hier jeden Monat. (Der Vergil ist leider zu spät zu der seinen gekommen.)

Meine Tode. Vorderhand sterbe ich zum sechsten Male, aber der Bauch ist in Ordnung, seitdem er von Dir so erbarmungslos satirisiert worden ist.

Korrespondenz. An Ea Allesch habe ich geschrieben, aber der ganze Korrespondenzwust ist liegen geblieben; von all den vielen Briefen ist noch kein einziger beantwortet. Mir macht die Vermögenskorrespondenz wegen meiner Mutter in Wien ohnehin genügend viel Arbeit und Sorge; das kannst Du Dir denken.

Gebräuchte Kleider heißen auf deutsch »gebrauchte Kleider« und auf amerikanisch »old clothes«; Zoll werde ich für dieselben nicht zahlen müssen. Doch wichtigst: ich glaube, daß eine *graue Weste* beim Auspacken in der Küche oder sonstwo liegen geblieben ist!

Hermon Ould[18]. Die £ 7.– war ich Dir *schuldig*, u. z. für September. Außerdem hast Du jetzt Auslagen mit den Nachsendungen, wie Dir ja auch die Kisten Auslagen verursacht haben. An Ould habe ich lt. beil. Durchschlag geschrieben. Vielleicht könntest Du meine Bitte um Weiterleitung der Rente bis zum Abschluß der Bücher bei Ould unterstützen. Denn Du kannst Dir ja vorstellen, was es heißt, ohne Geld in N. Y. leben zu müssen. Das ist schon eine ziemlich arge Sache. Und an die Verleger will ich erst mit den fertigen Büchern herantreten.

Hilde[19]. Für Haushaltspersonal ist hier immer Bedarf; ich bin überzeugt, daß man ihr hier einen guten Job verschaffen könnte. Die Schwierigkeit liegt in der Einwanderung: die deutsche Quota ist erschöpft und wird erst in zwei Jahren wieder eröffnet. Ob man für jüdische Flüchtlinge eine Ausnahme machen wird, steht noch dahin. Doch da sie glücklicherweise keine Jüdin ist, hat sie überhaupt wenig Hoffnung. Bitte sag ihr dies!

Lord Rector. Ich wäre begeistert, wenn Du dies wärest, und ich wäre begeistert, einen Lord Rector[20] zum Freunde zu haben. Was aber mein Ehrendoctorat anlangt, so wäre mir dies nicht nur eine Freude, sondern hätte geradezu einen *unermeßlichen praktischen* Wert, sowohl hier, als auch in England, da ich ja dann die unerläßliche Wiedereinreise jederzeit ohne weiteres bekäme. Dies ist im Ernst gesprochen: ich halte mich eines Ehrendoctorates für ebenso würdig wie Thomas Mann, genau so wie ich glaube, daß mir die beiden neuen Bücher inklusive der Resolution schließlich den Nobelpreis[21] eintragen werden, soferne die Nordländer nicht bis dahin gleichfalls nazisch geworden sind. Man müßte sich also mit alldem eilen –, und auch mit der Übersetzung der Resolution.

Stephen Spender werde ich schreiben, doch bitte ich Dich sehr, ihm Deinerseits sofort ein Wort wegen Rothschild zu sagen.

Basler Zeitung brauche ich natürlich nicht. Wenn Du irgend einen wichtigen Artikel findest, so schneide ihn bitte aus. Und ansonsten verbrenne sie!

Geburtstage. Daß ich von Gavins[22] Geburtstag nichts gewußt habe, tut mir ausgesprochen weh –, doch denkt der Lausbub überhaupt noch an mich? damit er es aber tue, schicke ich ihm anbei meine Füllfeder für Weihnachten. Die Feder ist *ausgezeichnet,* ich habe noch nie eine so gute Feder gehabt, aber sie hat auf einmal keine Tinte mehr saufen wollen. Und so schlage ich mit der Dedikation an Gavin zwei Fliegen auf einen Schlag: hier würde die Reparatur einer englischen Feder Geld kosten, während das unsympathische Geschäft an der Ecke der Churchstreet, in dem sie gekauft worden ist, diese Reparatur kostenlos besorgen muß. Für euch aber habe ich nichts zu Weihnachten, nur all die vielen guten Wünsche, von denen Du ohnehin weißt, genau so wie ich von den Deinen, was aber nicht hindert, daß mir Dein Geburtstagsgedenken trotzdem eine große Freude war: und ich möchte die Geburtstage von Willa und Edwin Muir wissen.

Reparaturen. Vergiß nicht, daß sich mein dem Badezimmer gewidmeter Rasierspiegel zur Reparatur in dem Installationsgeschäft in der Market Street (oben bei Bell Street) befindet. Weiters habe ich eine Lieblingspfeife am 21. Sept. dem Tabak- und Pfeifengeschäft G. Murray Irame, 43 Renfield Street, Glasgow, zur Reparatur übergeben und auch sofort *bezahlt.* Diese Pfeife sollte bereits längst in St. Andrews eingetroffen sein, und ich bitte Dich daher, sie dem Paket beizuschließen. Sollte sie aber nicht gekommen sein, so schreibe bitte dem Geschäft eine Karte, damit die Pfeife direkt nach N. Y. gesandt werde.

Möbel. Wenn Du für das leere Zimmer Möbel brauchtest, Bett, Schreibtisch, Kasten etc., so schreibe dies bitte an Ea Allesch. Wenn der Transport nicht so viel kostet, und vorausgesetzt, daß die beiden Damen in Wien überhaupt noch Geld haben, so wird sie die Absendung vornehmen. Natürlich gilt dasselbe wie für die Bücher: es ist Übersiedlungsgut, und es muß daher daran festgehalten werden, auch in der Korrespondenz mit Ea, daß es die Einrichtung für *mein* Zimmer ist und daß ich eben nach England zurückkehre.

Damit sind wir wieder dort, wo ich sein will, d. h. bei meiner Rückkehr zu Euch: ich kann Dir gar nicht sagen, wie glücklich ich bei Euch gewesen bin –, ich kann dem Hitler gar nicht dankbar genug sein, daß er mir diese Zeit verschafft hat. Und ich will sie wieder haben. Und ich will wieder Patting gehen, und ich will wieder um 12^h nachts Tee im Wohnzimmer trinken. Ich kann nur mit Rührung an St. Andrews denken. Und ich umarme Euch beide. In Liebe Dein alter

H.

[GW 10]

1 Vgl. Edwin Muir, *Selected Letters* (London: Hogarth, 1974), S. 106, wo Edwin in einem Brief an Sidney Schiff (= Stephen Hudson) vom 9. 12. 38 seiner Verwunderung darüber Ausdruck gibt, daß er von Broch seit seiner Abreise kein Lebenszeichen erhalten habe.

2 Kristallnacht vom 9. zum 10. 11. 1938.

3 »Völkerbund-Resolution«, KW 11, S. 195-232.

4 *Die Verzauberung, Der Tod des Vergil.*

5 Willa Muir übersetzte ein Buch von Burckhardt: C. J. Burckhardt, *Richelieu. His Rise to Power* (London: Allen & Unwin, 1940).

6 Edwin Muir empfand damals die Übersetzertätigkeit ganz allgemein als unbefriedigend. Vgl. Edwin Muir, *An Autobiography* (London: Hogarth, 1954), S. 244.

7 Bill Stewart, Douglas Young und Oscar Oeser gehörten zum Freundeskreis der Muirs in St. Andrews.

8 Louis Barcata, österreichischer Journalist und Schriftsteller. Barcata hatte über Broch geschrieben in seinem Artikel »Hermann Broch«, *Neue Freie Presse,* 1. 11. 1936. Damals war Broch fünfzig Jahre alt geworden. Er hatte Broch die Manuskripte zur *Verzauberung* nachgeschickt.

9 *Die Verzauberung* (zweite Fassung).

10 Anton Schlessing, *Deutscher Wortschatz* (Stuttgart: Klett, 1927).

11 Rudolf Eisler, *Wörterbuch der philosophischen Begriffe und Ausdrücke* (Berlin: Mittler, 1899).

12 Franz Kafka, *Tagebücher und Briefe* (Prag: Mercy, 1937).

13 Oscar A. Oeser (geb. 1904 in Pretoria, Südafrika), studierte Psychologie in Pretoria, Marburg und Cambridge/England. Von 1933 bis 1946 war er Professor und Abteilungsleiter am Department of Experimental Psychology an der St. Andrews University in St. Andrews/Schottland. Anschließend war er bis zu seiner Emeritierung 1969 Psychologieprofessor an der University of Melbourne/Australien. Vgl. Edwin Muir, *An Autobiography,* a.a.O., S. 244. Vgl. Oscar Adolf Oeser, *Tachistokopische Leseversuche als Beitrag zur strukturpsychologischen Typenlehre* (Leipzig: Barth, 1929).

14 Zum Verkauf von Brochs Bibliothek kam es damals nicht. Sie wurde erst kurz nach Brochs Tod 1951 in den USA veräußert.

15 Anja Herzog.

16 Gemeint ist der Roman von Willa Muir, *Mrs. Ritchie* (London: Secker, 1933).

17 Edwin Muir, *Journeys and Places* (London: Dent, 1937). Broch hat das Buch nicht besprochen.

18 Hermon Ould (geb. 1886), englischer Schriftsteller, war seinerzeit Generalsekretär des Internationalen PEN-Klubs.

19 Hilde war das deutsche Hausmädchen der Muirs. Sie ging wenig später nach Deutschland zurück. Vgl. Edwin Muir, *An Autobiography,* a.a.O., S. 244 und Willa Muir, *Belonging. A Memoir* (London: Hogarth, 1968), S. 200 f.

20 Willa Muir wurde nicht Lord Rector der Universität St. Andrews, und Broch erhielt auch keinen Ehrendoktortitel.

21 Broch erhielt keinen Nobelpreis.

22 Gavin war der Sohn Willa und Edwin Muirs.

282. An Stephen Hudson[1]

c/o American Express Comp. N. Y. 9. Dezember 38

Mein verehrter und lieber Freund,
während der Oktoberwochen, die außerdem auch noch mit all der Unruhe einer Auswanderung erfüllt waren, hatte ich gemeint, Ihnen meinen ersten Bericht nach einer gewissen Stabilisierung geben zu können, doch dann kam der furchtbare November mit dem Deutschen Pogrom, und seitdem war ich überhaupt nicht mehr zum Schreiben fähig, sondern habe bloß angstvoll von einer Post zur andern auf neue Nachrichten gewartet. Die letzte Nachricht meiner Mutter stammt vom 14. November, die persönliche Gefährdung der ersten Bluttage scheint also glücklich an ihr vorbeigegangen zu sein, doch was seitdem mit ihr geschehen ist, ob man sie aus der Wohnung vertrieben, ob und wie weit man sie des Lebensunterhaltes beraubt hat, das weiß ich alles nicht. Jetzt habe ich an Freunde in Ungarn gekabelt, um wenigstens irgend eine mittelbare Verbindung herzustellen.

Es ist mir klar, daß selbst im günstigsten Falle es unmöglich ist, die Mutter in Deutschland zu belassen. Glücklicherweise ist mein Bruder bereits in England, und er hat, so viel ich weiß, doch so viel von seinem Gelde gerettet, daß er die Mutter für einige Jahre wird erhalten können. Geldsendungen nach Wien sind ausgeschlossen, an Juden wird kaum Geld ausgefolgt werden, und außerdem besteht die Gefahr für den Empfänger, als Geisel behandelt zu werden, um den auswärtigen Verwandten das restliche Geld abzupressen. Das Raffinement, mit dem all dies gehandhabt wird, ist entsetzlich; so hat man z. B. sämtliche jüdischen Ärzte eingekerkert, um den Juden selbst ärztliche Hilfe zu entziehen. Was dies während des blutigen Pogroms bedeutet hat, läßt sich kaum mehr vorstellen.

Ich muß Ihnen nicht sagen, in welchen Zustand mich dies alles versetzt hat. Nichtsdestoweniger halte ich mich nicht zur Klage berechtigt; wer selber der Hölle entronnen ist, darf sein eigenes Leid nicht überschätzen, sondern hat seine Energie zu behalten, um einerseits womöglich doch noch irgend eine Hilfe zu bringen, andererseits aber seine Kräfte zur

Bekämpfung der Weltseuche verwenden zu können. Denn weitaus am ärgsten ist die eminente Ansteckungsgefahr, die in dem deutschen Beispiel liegt, und es ist mir klar, daß die Mächte in München genau so die Juden preisgegeben haben, wie sie Abessinien, Spanien und China preisgegeben haben, ja, daß man geglaubt hatte, die eigene Niederlage durch solche Preisgabe verkleinern zu können, in Wahrheit ist allerdings dadurch die Niederlage nur noch größer geworden.

Was also ist zu tun? Kurzsichtige behaupten, daß das Ganze ein ökonomisches Problem sei und daß der Antisemitismus bei einer neuen prosperity verschwinden werde; die ökonomische Weltbetrachtung, gleichgültig ob sie nun kapitalistisch oder marxistisch gefärbt ist, deckt aber nur einen kleinen Teil der Wirklichkeit, einfach weil sie nicht zu dem Kernpunkt der menschlichen Problematik gelangt, ja, nicht einmal hingelangen will, weil dadurch große Abschnitte des eigenen Lehrgebäudes zerstört werden würden, und dieser Kernpunkt ist immer das Ethische, letztlich also das Religiöse. Es geht stets um die moralischen Bindungen, denen sich der Mensch freiwillig unterwirft; wir können es gar nicht ermessen, wie groß und mächtig diese Moralität ist und wie sie – dank einer jahrtausendealten menschlichen Selbsterziehung durch das Religiöse – in alle unsere Lebensgewohnheiten eingedrungen ist und so unser tägliches Leben gewährleistet, das sonst unweigerlich zusammenbrechen würde: nichts aber zeigt die Erschütterung des Ethischen und damit des Moralischen mehr, als eine einseitige Durchbrechung, wie sie hier vorliegt und welche es gestattet, das jüdische Geschäft zu zertrümmern, zu berauben, zu verbrennen, während daneben das arische unangetastet stehen bleiben muß; es besteht gar kein Zweifel, daß über kurz oder lang auch das arische Geschäft der nämlichen Plünderung verfallen sein wird, denn für eine einmal durchbrochene Ethik gibt es wahrscheinlich kein Aufhalten mehr, sie hat sich selbst aufgehoben, selbst zersprengt.

Sodom hätte vor der Zerstörung gerettet werden sollen, wenn sich zehn Gerechte darin gefunden hätten – Hitler hat wegen des einen Pariser Attentates Hunderttausende »gestraft« –, nichts zeigt den Unterschied zwischen der religiösen und der antireligiösen Moral so sehr, wie gerade dieses

Faktum; hier soll der Unschuldige mit dem Schuldigen leiden, dort soll der Schuldige um des Unschuldigen willen gerettet werden, und bei allem geht es um das Prinzip der Gerechtigkeit. Humanität und Gerechtigkeit und Religiosität bilden eine untrennbare Einheit, dies herausgestellt zu haben, ist das ewige Verdienst des alten Testamentes, und die Humanisierung der abendländischen Welt, welche die Kirche in zweitausendjähriger Arbeit so gut es eben ging geleistet hat, geht auf das alte Testament zurück –, es ist nicht Überheblichkeit, in diesem Zusammenhang von der religiösen Genialität des Judentums zu sprechen, denn gerade die Furcht vor dieser religiösen Forderung bildet mit eines der Grundelemente allen Antisemitismus. Auch der »interne Antisemitismus« im Judentum, wie man ihn wohl nennen dürfte, wird zu einem Großteil davon gespeist, denn man darf sich darüber nicht täuschen, daß sich unter den Juden kein kleinerer Prozentsatz unreligiöser Menschen wie anderwärts findet, ja, daß all die schlechten Eigenschaften des Juden gerade daraus entspringen, weil der irreligiöse Jude eine Umkehrung seiner selbst, also das Böse schlechthin darstellt. Das Tragische liegt darin, daß es dieses Böse im Judentum wirklich gibt, und daß eben daran die Agitation sich immer wieder zu entzünden vermag, freilich nicht aus Abneigung gegen das Böse, sondern um die eigene Bosheit zu legitimieren, d. h. um den Juden »strafen« oder richtiger ausplündern zu dürfen. Dies bis in die letzten Konsequenzen auszunützen, ist die Genialität Hitlers, die Genialität der absolut areligiösen Bosheit, und daß sie ihre Wirkung hat, habe ich ebensowohl wie in England nun auch in Amerika feststellen können: das Land ist hier, genau so wie England mit tausenden von deutschen Agenten durchseucht, denn jeder Auslandsdeutsche wird als Agent verwendet und *muß* Propaganda machen, eine Propaganda, welche eben zum Großteil in Antisemitismus besteht, sehr geschickt mit der Angst vor dem Kommunismus verquickt. Das praktische Resultat ist die Unterhöhlung der demokratischen Mächte, und wenn dies auch in weiterer Folge deren Fascisierung nach sich ziehen wird, so daß dann die autoritären Staaten sich ebenso bekämpfen werden wie früher die demokratischen und halbdemokratischen, so ist nun doch durch diese

Aushöhlung ein Zwischenstadium geschaffen, das das Münchener Debakel, diese schwerste Niederlage Englands seit dem Bestand des Empires, möglich gemacht hat. Ich sehe absolut düster: ich sehe ein totalitäres England und ein totalitäres Frankreich voraus, vielleicht aber auch ein diktatorisches Amerika, und all dies wird notgedrungen nach deutschem Muster mit Hilfe von Pogromen erstehen, um nach Vernichtung der Juden in einer fürchterlichen Selbstvernichtung der Kultur zu enden.

Was also ist da noch zu tun? Ist überhaupt noch etwas zu tun? Ich glaube, daß die Frage trotz aller Entsetzlichkeit der Welt doch noch zu bejahen ist, u. z. aus zweifachem Grunde: erstens verläuft die Geschichte niemals gradlinig, sondern in Wellenbewegungen, so daß man immer mit Rückschlägen rechnen kann und muß, zweitens aber liegt in der menschlichen Natur das Gute unvermittelt neben dem Bösen, und wenn das Böse zu erwecken ist, so kann das nämliche mit dem Guten geschehen, es kann auch das Gute immer wieder im Menschen erweckt werden, und dies ist eben das ethische Problem. Gewiß kann sich niemand vornehmen, eine neue Religion zu gründen, es ist auch nicht eine politische Wiedererweckung des christlichen Glaubens durchzuführen (– Österreich ist eben daran gescheitert –), aber es kann auf Basis einer natürlichen Fairneß und Anständigkeit eine Gegenpropaganda gegen die Propaganda des Bösen aufgebaut werden, welche genau so wirkungsvoll sein kann wie die des Dr. Goebbels: es ist bezeichnend, daß die demokratischen Staaten es nicht für notwendig erachtet haben, Propagandaministerien einzurichten, wie es die diktatorischen besitzen, bezeichnend für die Verkennung und die Unterschätzung dieser Propaganda, für die psychischen Faktoren in der Massen-Willensbildung, und darauf muß vor allem hingearbeitet werden. Anders ist die psychische Seuche nicht zu bekämpfen. Und wenn dies nicht von Staats wegen geschieht, so muß es auf privatem Wege möglich gemacht werden; wir haben Gesellschaften zur Bekämpfung des Krebses, mit der nämlichen und mit noch größerer Berechtigung brauchen wir eine Gesellschaft zur Bekämpfung der seelischen Pest. Darunter ist aber wohlverstanden nicht eine Gesellschaft zur Bekämpfung des Antisemitismus gemeint, denn der Antisemitismus ist in diesem Zusammenhange, wie schon gesagt, bloßes Symptom, vielmehr geht es ausschließlich um das Ethische an sich, um die Gerechtigkeit, um das Religiöse schlechthin in der Seele des Menschen. Und es geht um die Zukunft des Menschlichen, ja, um unserer aller Existenz: immer wieder sehe ich mit Schrecken, wie blind und unbedacht der Mensch in sein Verderben rennt, wenn er die Gefahr nicht unmittelbar vor der Nase sieht, und am allerblindesten sind wohl die angeblich so überaus schlauen und gescheiten Juden, solange sie halbwegs gesichert sich fühlen, wollen sie von einer Gefahr nichts wissen, ja, sie sind empört, wenn man sie ihnen zeigt: sie wollen nicht aus ihrem gemächlichen Leben herausgerissen werden.

Es ist mir absolut klar geworden, daß ich mein künftiges Leben ausschließlich in den Dienst dieser Aufgabe zu stellen haben werde. Natürlich muß ich zuerst einmal meine beiden Bücher fertig haben, und eben darum arbeite ich mit solcher Intensität an ihnen, gewiß nicht freudvoll, da sie mir angesichts der Weltsituation und meiner persönlichen Sorgen so vollkommen überflüssig erscheinen, immerhin aber wissend, daß sie innerhalb der so überflüssig gewordenen Literaturkategorie ihren Rang behaupten werden. Ich glaube sogar behaupten zu dürfen, daß innerhalb der Literatur mein »Vergil« nicht viel weniger Aufsehen und Eindruck machen wird als der Joycesche Ulysses – doch was bedeutet dies in einer Welt, in der das Entsetzen regiert? nichts und aber nichts. Und eben diese Geringschätzung für das Literarische läßt mich auch zögern, Ihnen diesen »Vergil« zuzueignen[2], obwohl ich kein anderes Mittel habe, um Ihnen meine Dankbarkeit, Liebe und Freundschaft sinnfällig auszudrücken; lieber würde ich Ihnen die (wahrscheinlich wirklich wichtige) »Theorie der Humanität«[3] widmen, welche diesen beiden Büchern folgen soll, aber da es bis dahin sehr lange währen wird, werde ich Sie doch bitten müssen, die Widmung des »Vergil« anzunehmen und mir dadurch etwas mehr Freude zu dieser Arbeit zu schenken. Ich hoffe, mit dem »Vergil« in etwa vier Wochen fertig zu sein. Für den großen Bauernroman[4], dessen Manuskript nun endlich doch – ausnahmsweise eine gute Nachricht – aus Wien nach St. Andrews geschickt worden ist und bereits dort liegt, dürfte ich sodann etwa drei Monate brauchen.

Es erübrigt sich, von meinem täglichen Leben zu erzählen, denn dieses ist von all dem Wichtigeren, aber auch eben von der Arbeit derart überschattet, daß es an sich kaum vorhanden ist. Ich lebe in einem kleinen Boardinghouse bei der Columbia-Universität, und es ist mir bisher gelungen, mit der kleinen Rente vom Penclub und der American Guild mein Auslangen zu finden. Jetzt freilich besteht die Gefahr, daß diese Einkünfte versiegen, und es wäre daher schon die höchste Zeit, daß die Bücher fertig wären, damit ich mit den Verlegern zu einem Arrangement gelange. Und dies ist auch außerhalb des Pekuniären dringend notwendig: das Leben in Amerika hängt absolut vom äußeren Erfolg ab, und wenn ich meinen sogenannten Ruhm nicht auffrische, so kann ich auch in weltanschaulicher Hinsicht nicht wirken. Ich kann nicht sagen, daß mir die lärmende Rauheit, mit der dies hier alles vonstatten geht, sympathisch wäre. Ich glaube nicht, daß ich in Amerika jemals jenes Heimatsgefühl haben werde, wie ich es in England hatte und am allerwenigsten wie bei Ihnen: mein letzter Besuch bei Ihnen und Mrs. Schiff ist für mich mit dem Schleier tiefster, menschlichster Verbundenheit umhüllt, und ich bin der Vorsehung dankbar, daß sie mich am nächsten Tage nochmals mit Ihnen zusammengeführt hat. Nur der Brief, den Sie mir damals in Aussicht gestellt hatten, und den ich täglich erwartet hatte, ist ausgeblieben, und das war schmerzlich, denn er wäre mir in diesen schweren Wochen eine Hilfe gewesen. Hingegen hatte ich Ihr Buch[5], und auch dieses war mir in seiner schönen Klarheit eine Hilfe, denn es ist im Grunde alles darin, was ich selber für mich suche: die Bewußtwerdung und die Klarwerdung des Lebens, eine Bewußtwerdung, die im Grunde ja doch nichts anderes als die Suche nach dem Glauben, also eine Gottsuche ist. Und ebendeshalb ist es mir auch so begreiflich, daß Sie sich innerlich von der Literatur abgewandt haben –, es geht heute eben um wichtigeres, und dies ist ja auch das Thema dieses Briefes. Ich hoffe sehr, daß Sie und Mrs. Schiff sich wohl fühlen. Für fröhliche Weihnachts- und Neujahrswünsche ist die Zeit fast zu ernst, doch daß ich mit unendlich vielen Wünschen bei Ihnen bin, das brauche ich nicht zu sagen. Und ich füge den egoistischen Wunsch daran, daß Sie mir Ihre Freundschaft für 1939 erhalten mögen. Nehmen Sie und Mrs. Schiff bitte alle Gedanken; stets Ihr

Hermann Broch

[GW 10]

1 Stephen Hudson, Pseud. für Sidney Schiff (1869-1944), englischer Schriftsteller. Hudson war mit Proust, Joyce und den Muirs befreundet. Er verhalf Broch zum englischen Visum. Vgl. jeweils Fußnote 1 zu den Briefen vom 9. und 29. 7. 1938.

2 Broch widmete den 1945 erschienenen *Tod des Vergil* Stephen Hudson. Die Widmung lautet »In Memoriam Stephen Hudson«.

3 Vgl. »Zur Diktatur der Humanität innerhalb einer totalen Demokratie«, in KW 11, S. 24-71.

4 *Die Verzauberung* (zweite Fassung).

5 Stephen Hudson, *The Other Side* (London: Cresset, 1937).

283. An Carl Seelig

New York City, 10. Dezember 38

Lieber Freund Seelig,
Ihre letzte Karte – lange ist es her – blieb unbeantwortet, weil sich inzwischen in der Welt allerlei ereignet hat, sowohl an und für sich, als auch mit dem kleinen Nebeneffekt meiner Übersiedlung nach Amerika, welche zwei Tage nach München erfolgt ist. U. zw. weil ich, nicht zuletzt infolge meiner englischen Eindrücke, überzeugt bin, daß Europa unweigerlich der Fascisierung entgegen geht, soferne sich nicht noch eine Wendung in letzter Minute ereignet. Wenn man aber gewillt ist, das Humane zu verteidigen – und ich sehe kaum mehr eine andere Aufgabe für den Schriftsteller –, so kann dies nur von dort aus erfolgen, wo dies vielleicht, leider nur vielleicht, noch möglich sein könnte (besonders für einen Emigranten), und dies ist eben Amerika, wenn sich auch hier die Wirkungen der deutschen Propaganda in erschreckender Weise zeigen.

Sohin ist die Entfernung zwischen uns wieder größer und die Aussicht, Sie zu treffen, wieder kleiner geworden. Aber prinzipiell bin ich mit meinem Übersiedlungsentschluß zufrieden, obwohl ich damit gegen meine privaten Interessen verstoßen habe, denn in Schottland war ich ja doch bei den Muirs in guter freundschaftlicher Hut, umgeben von einer gewissen Gemächlichkeit und Geborgenheit, während ich hier der ganzen Rauheit dieser imponierend fürchterlichen und fürchterlich imponierenden Stadt, d. h. dieses ganzen amerikanischen Lebens ausgesetzt bin. Nichtsdestoweniger arbeite ich mit aller Intensität weiter, um vor allem die beiden Bücher fertig zu bekommen; denn bei aller, ach so berechtigten, Mißachtung der Literatur, sind ja diese Bücher noch etwas wert, und außerdem muß ich davon leben, wenigstens insolange, bis ich mir jenes Arbeitsgebiet geschaffen haben werde, das mir im Augenblick als das dringliche und wichtige erscheint. Daß diese Arbeitsintensität unter den obwaltenden Umständen nicht leichter aufzubringen ist, können Sie sich denken; zu allem anderen habe ich meine alte Mutter in Wien und kann sie nicht erhalten, selbst wenn ich Teller waschen wollte.

Was das neue Arbeitsgebiet, aber das eben auch so notwendige Geldverdienen anlangt, so habe ich soeben an Lion[1] geschrieben, ob er nicht doch noch jene Völkerbundresolution, »Aufforderung an einen nicht-existenten Völkerbund« jetzt abdrucken möchte. So weit ich die bisherige Literatur (inklusive der Mannschen Enunziationen) verfolgt habe, ist meine Arbeit noch weitaus die konstruktivste, mag sie auch nicht leicht verständlich sein: die Ereignisse haben mir recht gegeben, und mehr denn je sehe ich, daß der Kernpunkt des ganzen Problems im Ethisch-Religiösen liegt. Und ich bin der Ansicht, daß es immer notwendig, mehr noch, heilsam ist, die Dinge beim rechten Namen zu nennen und einen Kernpunkt aufzudecken. Mit einem bloßen Gerede über Demokratie oder Nicht-Demokratie ist nichts getan. Würden Sie also, soferne Sie mit Lion zusammenkommen, mich in diesem Sinne unterstützen? [. . .]

[GW 8]

1 Ferdinand Lion (1883-1965), Schriftsteller aus dem Elsaß; war damals Mitherausgeber der Schweizer Exilzeitschrift *Maß und Wert*. Brochs »Völkerbund-Resolution« erschien dort nicht.

284. An Jolande Jacobi

c/o American Express Comp.
New York City 12. 12. 38

Liebste Freundin,
Ihr Brief v. 24. Oktober, der also als richtiges Geburtstagsgeschenk am 1. November in St. Andrews eingetroffen ist, hat mich erst kürzlich hier erreicht, denn damals war ich bereits abgereist, einesteils weil mir nach dem Münchener Abkommen kein Zweifel an der weiteren Nazisierung Europas inkl. Englands mehr blieb, anderntheils weil ich gerade damals mein amerikanisches Visum unter so ehrenvollen Umständen bekam, daß ich es nicht unausgenützt lassen durfte. So wohl ich mich also auch in Schottland gefühlt hatte, so sehr ich dort bei meinen Freunden geborgen war, ich glaube doch, daß es ein richtiger Entschluß gewesen ist.

Ich bin froh, daß Sie in Zürich gelandet sind, und ich hoffe nur, daß die Schweiz noch für einige Zeit ungefährdet bleiben wird. Zumindest so lange, bis Sie Ihr Jungstudium beendet haben werden. Irgendwie vertraue ich sehr auf Ihren Stern, nicht so sehr wegen Ihres großartigen Horoskopes, das Sie zu erfüllen haben, als wegen Ihrer so guten und richtigen Lebensenergie. Der Ihnen prophezeite Aufstieg hat begonnen, wenn auch unter andern Umständen, als wir beide geglaubt hatten. Was nun weiter mit Ihnen erfolgen wird, ist eigentlich nur noch eine Frage der praktischen Geschicklichkeit. Denn daß Ihr Aufstieg nicht zu der angedrohten Köchin führen wird, scheint mir ziemlich sicher zu sein. Und eigentlich meine ich, daß Amerika für Sie der beste Boden sein wird, daß sie hier ganz außerordentliche Entfaltungsmöglichkeiten finden werden. Das Problem liegt nur in den Einreiseschwierigkeiten, und diese werden Sie überwinden, wenn Sie es rechtzeitig in Angriff nehmen.

Wahrscheinlich gehören Sie zu jenen Wenigen, für deren Schicksal Hitler als gütiger Vater gewirkt hat. Ich würde mich ja auch dazu rechnen, wenn ich nicht meine Mutter in Wien hätte. Jetzt habe ich seit vier Wochen keine Nachricht von ihr, und ich habe weder [eine] Ahnung, wie sie dort wird weiter leben können, noch wie ich sie herausbringen und erhalten soll. Sie können sich meinen Gemütszustand vorstellen. Nichtsdestoweniger muß ich arbeiten, denn sonst bleibt ja nichts als die nackte Katastrophe übrig. Außerdem muß ich diese beiden Bücher endlich fertig haben, um Kopf und Hände [frei zu haben] für meine wichtigere Arbeit, die in der Richtung der vorjährigen Resolution liegen wird.

Bitte wieder um ein Wort! Und nehmen Sie samt Dank alle guten Wünsche – und nun gar, wo wir Weihnachten haben –, alle guten Gedanken und alles Herzliche Ihres

H. B.

[DLA]

1939

285. An Ernst Polak[1]

c/o Canby
Killingworth
Clinton, Connecticut 5. 4. 39

Lieber alter Freund, es ist nicht schön, daß Du Dich nicht gemeldet hast. Ich war um Dich in großer Sorge. Von Frischauer, bei dem ich zweimal Deinetwegen angefragt habe, bekam ich keine Antwort. Und jetzt erfuhr ich erst durch Ili[2] Deine Adresse. Jedenfalls bin ich glücklich, daß Du draußen bist. Auch wenn Du jetzt genug mit Sorgen zu kämpfen haben wirst. Das ist nicht das Ärgste. Bös ist bloß die Sorge um die in der Hölle Zurückgebliebenen. Und man schämt sich fast, daß man dem entgangen ist.

Im Augenblick bin ich einigermaßen zusammengebrochen. Wahrscheinlich wirklich aus Überarbeitung. Ich habe neben dem Vergil eine große »Theorie der Humanität«[3] in Angriff genommen, welche auf der Völkerbundresolution fußt und eine ziemlich richtige Zusammenschau aller heute wirkenden geistigen und machtpolitischen Kräfte enthalten dürfte. Wichtiger als diese theoretische Arbeit erscheint mir aber die praktische Konsequenz, die daraus zu ziehen ist: auch diese liegt in der Richtung der Völkerbundresolution. Es ist dies eine Organisationsarbeit großen Stiles, und die ersten Schritte scheinen bereits geglückt zu sein. Aber ich gehe vermutlich bei dieser Überlastung drauf. Wir sind leider nicht mehr so jung; das merke ich erst jetzt.

Und um gleich bei der Völkerbundresolution zu bleiben: Frischauer versprach mir, sie zu vervielfältigen und eventuell sogar übersetzen zu lassen; er war während meiner Londoner Anwesenheit wirklich ganz besonders nett, und die Gattin Maritza ist ausgesprochen reizend; aber der Frischauer-Ruf der Unzuverlässigkeit scheint sich zu bewahrheiten. Bitte, möchtest Du Dich um den Verbleib des Dokumentes kümmern, umsomehr als ich es Hermon Ould versprochen gehabt habe. Und da ich annehme, daß Du manchmal zu Ould hinauf kommst, würde ich Dich bitten, es ihm zu übergeben, wobei es vielleicht ganz gut wäre, wenn Du ihn über den obskizzierten weitern Fortgang meiner Bestrebungen orientieren wolltest. Denn über kurz oder lang wird ja die Sache wohl auch hoffentlich offiziell zu ihm gelangen. Wäre ich nicht so skeptisch, wie ich bin, so würde ich nach der ehrlichen Begeisterung, die mein Programm hervorgerufen hat, schließen können, daß ich bald selber mit der ganzen Angelegenheit nach London designiert werden würde. Doch vorderhand denke ich nicht so weit; vorderhand muß ich den Vergil endlich fertigstellen.

Zu dieser Fertigstellung und zur Erholung nach meinem Zusammenbruch hat mir Prof. Canby[4] sein hiesiges Landhaus zur Verfügung gestellt. Mir geht es also gegenwärtig üppig; nach den letzten schweren Monaten ist es natürlich auch die Kontrastwirkung. Alles in allem finde ich, daß es mir zu gut geht. Freilich wissen wir nicht, was uns noch blühen wird; ich sehe nicht rosig, besonders nicht für Amerika. Für England habe ich eine bessere Prognose, und deshalb würde ich Dir empfehlen, tunlichst dort zu bleiben. Mein politischer Geruchssinn hat sich bisher bewährt. Was mich anlangt, so bin ich freilich sehr froh, mich zur Überfahrt entschlossen zu haben. Ohne Amerika zu kennen, läßt sich nichts Gültiges über demokratische Politik sagen. Ich habe ungeheuer viel gelernt, und ich muß immer wieder sagen, wie tief ich von der rauhen Großartigkeit dieses Landes und seiner Einrichtungen beeindruckt bin.

Getrennt flüchten und vereint schlagen; das hat schon Napoleon gesagt. Und das muß jetzt unser Slogan sein. Viel Mut habe ich nicht, aber dafür ein bißchen Zuversicht.

Alles Gute, lieber Freund. In alter Herzlichkeit, Dein

H

[DLA]

1 Vgl. Fußnote 2 zum Brief vom 10. 4. 1930 im ersten Briefband. Polak war nach dem »Anschluß« 1938 über die Tschechoslowakei nach England emigriert, wo er 1947 starb.

2 Ilona Voorm, eine Musiklehrerin, mit der Polak in den Jahren vor der Emigration nach England zusammengelebt hatte. Vgl. auch den Brief an Polak vom 6. 1. 1946.

3 Vgl. KW 11, S. 24-71.

4 Henry Seidel Canby (1878-1961), Anglist an der Yale University von 1900-1947 und einflußreicher amerikanischer Literaturkriti-

ker, seinerzeit Herausgeber der *Saturday Review of Literature*. Der engen Freundschaft mit Canby verdankte Broch zahlreiche für ihn wichtige Beziehungen zu Verlagen, Zeitschriften und Stiftungen. Vgl. Canbys Nachruf »Hermann Broch«, in: *The Saturday Review of Literature,* 34/25 (23. 6. 1951), S. 23. Von 1926 bis 1958 war Canby auch Schiedsrichter des New Yorker Book of the Month Club.

286. An AnneMarie Meier-Graefe Broch

c/o H. S. Canby
Killingworth,
Clinton, Connecticut 6. April 39

Liebste, in diesen Tagen der unmittelbaren Kriegsgefahr denke ich sehr an Dich, was aber nicht hindert, daß ich es nicht auch sonst immer getan hätte. Ich habe nicht geschrieben, weil ich bis zur Erschöpfung und Über-Erschöpfung gearbeitet habe. Neben dem Vergil hatte ich ein großes staatsphilosophisches, politisch-philosophisches Buch fertigzustellen (von dem freilich nur das erste Kapitel[1], allerdings 130 Druckseiten, druckfertig ist), und vor allem hatte ich aus dieser Arbeit die praktischen Konsequenzen zu ziehen, d. h. eine Organisation zu schaffen, die meine Prinzipien praktisch verwirklichen soll. All dies ist auf gutem Wege, und ich glaube, daß damit wirklich etwas Anständiges hätte geschaffen werden können. Doch nun ist wohl alles hinfällig: mit dem Krieg werden wir wahrscheinlich den völligen Zusammenbruch erleben oder vielleicht nicht mehr erleben, denn vermutlich werden die Juden als erste Opfer fallen. Besonders hier in Amerika ist diese Gefahr überaus ernst; nur sehr wenige sehen sie in ihrer ganzen Größe, und meine kassandrische Tätigkeit, die zur Aufklärung und zur Abwehr hätte führen können, ist wohl zu spät gekommen. Was soll man machen? man muß sein Schicksal tragen können.

Im März bin ich außerdem gesundheitlich zusammengeklappt. Ich begann plötzlich ganz hoch zu fiebern (über 40), man hat mich auf die hier übliche Pneumonia behandelt, und als es sich herausstellte, daß es keine war, haben mir die Ärzte aus Rache ein paar Zähne gerissen; auch dies ist hier landesüblich. So blieben Deine lieben Zeilen immer noch unbeantwortet liegen. Jetzt bin ich ebenso grundlos wieder gesund geworden und zur Erholung, resp. zur Fertigstellung des Vergil hier im Hause meines Freundes Prof. Canby. Aber ich habe nicht viel von dem Landaufenthalt; es schneit noch immer, und mit dem über uns schwebenden Unheil (– wozu noch die Sorge um meine Mutter in Wien kommt, eine Sorge, die Du ja auch kennst –) kann es einem nicht sehr gut gehen, obwohl äußerlich alles hiefür vorhanden ist, ein reizendes Haus, eine großartige Bibliothek, ein Hund, und überhaupt vollkommene Stille. Dabei habe ich sozusagen die Pflicht, mich zu erholen, denn ich soll nachher eine Vortragstournee für meine Aktion abhalten, im Radio sprechen, lauter Dinge, die nicht leicht zu bewerkstelligen sind, besonders bei meinem miserablen Englisch. Und seitdem man auf [meine] Zähne losgegangen ist, fühle ich, daß ich ein älterer Herr geworden bin.

Was aber ist mit Dir? ich hielte es für so wichtig, daß Du eine Namensehe mit einem Engländer eingingest –, es dürfte die einzige Möglichkeit für einige Sicherheit sein. Und wenn Du Dich bei dieser Gelegenheit verliebtest, umso besser. Ich sage dies trotz aller Eifersucht, denn Du bist eine junge Frau; im übrigen ist ein älterer Herr nicht mehr zur Eifersucht berechtigt.

Ich schicke den Brief nach Paris. Hoffentlich erreicht er Dich. Bitte bestätige ihn mit einem Wort, d. h. mit mehr Worten: ich möchte von Dir wissen. Sehr viele Gedanken, sehr viel Wünsche, sehr viel Liebes!

H.

Bitte grüße Werfels!

[AMB]

1 Vgl. KW 11, S. 30-71.

287. An Volkmar von Zühlsdorff[1]

c/o H. S. Canby
Killingworth
Clinton, Conn. 6. April 39

Lieber Dr. Zühlsdorff,
ich habe eine Bitte an Sie: in Schottland, bei meinen Freunden Muirs, befindet sich noch das Manuskript meines großen Romans[2] (– Unikat! –), und dieses möchte ich gerne noch womöglich vor Kriegsausbruch, obwohl wir im Kriege andere Sorgen als Romane haben werden, herüber bringen; doch da ich nicht weiß, wo ich mich nach Abschluß meines hiesigen Aufenthaltes befinden werde, möchte ich die Sendung (in der sich auch ein paar andere, in St. Andrews gebliebene Habseligkeiten befinden werden) an die Guild dirigieren. Es besteht sonst die Gefahr, daß es durch die verschiedenen Nachadressierungen zu einem Postverlust kommt, und das wäre bei einer Arbeit von mehr als zwei Jahren bitter. Ist dies also möglich? ich wäre Ihnen sehr dankbar.

Heute habe ich dem Prinzen wegen meiner politischen Arbeit und meiner Vorschläge geschrieben. Sie werden ja den Brief sehen. Ich bin gespannt, wie er, die Prinzessin und Sie sich zu meiner Idee stellen. Allerdings mag der Krieg dazwischen kommen –, und was dann sein wird, ist unausdenkbar. Selbst bei einer Meuterung der Deutschen und Italiener sehe ich nichts Gutes voraus. Aber sie werden nicht einmal meutern; das hat Spanien gezeigt. Das einzig Optimistische ist der Hitler-Aufenthalt in Berchtesgaden: er erinnert an die Wilhelmsche Nordlandsfahrt[3].

Aber um zum Alltag zurückzukehren: schicken Sie mir bitte gelegentlich den verloren gegangenen Fragebogen. Und in der Hoffnung noch friedlicher Ostern alle guten Wünsche hiezu; bitte übermitteln Sie sie auch an Mrs. Heinemann.

In Herzlichkeit Ihr ergebener
Hermann Broch

[DB]

1 Volkmar von Zühlsdorff (geb. 1912), seinerzeit Sekretär der American Guild for German Cultural Freedom. Vgl. Fußnote 1, KW

11, S. 410. Vgl. ferner Hubertus zu Löwenstein, *Towards the Further Shore. An Autobiography* (London: Gollancz, 1968), S. 175 ff. Zühlsdorff emigrierte 1933 aus Deutschland, promovierte zum Dr. jur. 1936 in Innsbruck und lebte von 1938 bis 1946 im amerikanischen Exil.

2 *Die Verzauberung*.

3 Gemeint sein dürfte Wilhelm II. Treffen mit dem russischen Zaren Nikolaus II. am 24. 7. 1905 im finnischen Björkö, wo die beiden Monarchen einen Vertrag schlossen, der jedoch bereits im Dezember 1905 durch die beiderseitigen Außenministerien wieder aufgehoben wurde.

Nachdem am 31. 3. 1939 England durch Chamberlain die Garantieerklärung für den Schutz Polens abgegeben hatte, leitete Hitler jene Verhandlungen mit der Sowjetunion ein, die zum Pakt mit Stalin vom 23. 8. 1939 führten.

288. An René A. Spitz[1]

c/o H. S. Canby
Killingworth
Clinton, Conn. 6. April 39

Lieber Dr. Spitz,
haben Sie Dank für Ihre Sendung; ich habe sie sofort an Mrs. Judd weitergeleitet.

Ich habe ein wenig gezögert, Ihnen jenen politischen »Bericht«[2] zu schicken, von dem ich Ihnen gesprochen hatte, einfach weil ich keine anständigen Durchschläge mehr zur Verfügung hatte. Doch da ich absolut keine Zeit zu neuen Abschriften finde, übermittle ich Ihnen anbei eine der mangelhaften Kopien, d. h. meine letzte. Verzeihen Sie also diese Mangelhaftigkeit, und wenn Sie sich damit plagen wollen, so legen Sie bitte ein weißes Blatt unter; dann ist die Sache ganz gut leserlich.

An und für sich sind die Vorschläge natürlich eine Banalität. Sie entheben sich erst derselben auf Basis der staatstheoretischen Theorien, die in dem Buche enthalten sind. Aber sie haben trotz ihrer Banalität einen Vorteil: sie sind minimal unbescheiden, d. h. sie stehen an jener Grenze, die man knapp mit seinen Wünschen überschreiten muß, wenn man die Wünsche verwirklicht haben will. Das Erreichbare muß immer um ein Gramm überbelastet werden, auf daß es erreichbar sein soll, doch ein Gramm mehr macht es zum Unerreichbaren. Man kann sich viel hübschere Dinge ausdenken und wünschen, so die Vereinigten Staaten Europas oder der Welt, oder aber eine Weltdemokratie. Damit wird man kein Glück haben. Hitler ist das beste Beispiel für den vorsichtigen Stufenbau des Erreichbaren.

Nun noch eine Bitte: da es das letzte Exemplar ist und ich eines Dr. Hammerschlag[3] versprochen habe, so geben Sie dieses bitte, sobald Sie es nicht mehr benötigen, an ihn weiter.

Bitte übermitteln Sie meine Handküsse. Und nehmen Sie einen herzlichen Gruß Ihres ergebenen

Hermann Broch

[DLA]

1 René Arpád Spitz (geb. 1887), Schwager von Brochs Verleger Daniel Brody. Spitz gehörte zum engeren Schüler- und Freundeskreis Sigmund Freuds. Von 1933 bis 1938 arbeitete er am Psychoanalytischen Institut in Paris. 1938 emigrierte er in die USA, wo er von 1947 bis zu seiner Emeritierung 1961 ein eigenes Institut für Kinder-Psychologie leitete.

2 »Bericht an meine Freunde«, KW 11, S. 25-30.

3 Ernst Hammerschlag, ein aus Wien stammender Mediziner (Internist), der in New York praktizierte. In Wien war Hammerschlag der Hausarzt der Brochs gewesen.

289. An Carl Seelig

c/o H. S. Canby
Killingworth
Clinton, Connecticut 8. April 1939

Lieber Freund C. S.,
Nachdem Ihr Scheck über $ 10,– eingetroffen war, wartete ich einige Tage auf eine Zeile von Ihnen. Und als die paar Tage um waren, war ich plötzlich ziemlich schwer erkrankt. Ich hoffe, daß Sie mich nicht für undankbar gehalten haben.

Doch Sie können sich auch vorstellen, daß die Sendung mir gerade bei der Krankheit – und Krankheit gehört hier zu einem recht kostspieligen Luxus – eine wirkliche Hilfe gewesen ist. Mit sehr viel Rührung habe ich Ihrer wahren, tatkräftigen Freundschaft gedacht, und so denke ich noch weiter an Sie.

Und im Hinblick auf diese Freundschaft fühle ich mich verpflichtet, Ihnen über meine Situation zu berichten: seit März beziehe ich eine Rente von $ 50,– von der American Guild[1] und damit hoffe ich, wenn auch nicht üppig, so doch für meine Bedürfnisse ausreichend bis zur Fertigstellung meiner Bücher durchhalten zu können. Zu hoffen ist nur, daß es dann auch wirklich möglich sein wird, sie zu verkaufen. Das Vergilbuch ist derart schwer geschrieben, daß man wohl alle Mühe haben wird, es anzubringen. Außerdem schreibe ich eine »Theorie der Humanität«, die auf breiter Basis die Linie der Völkerbundarbeit einhält. Auf dieses Buch kann ich bessere finanzielle Hoffnungen setzen, nur braucht es derart viel Fachstudium, daß ich nur sehr langsam damit vorwärts komme. Außerdem bin ich jetzt außerhalb von N. Y., auf dem Landgut Prof. Canby's (Adresse oben), teils um mich zu erholen, teils um den Vergil fertigzustellen, und dieser Aufenthalt ist mir zwar in jeder Beziehung zuträglich, insbesondere auch um meine zerrüttete Ökonomie, die während der Wintermonate in einen argen Zustand geraten ist, wieder auf gleich zu bringen, bedeutet aber eine Unterbrechung in der wissenschaftlichen Arbeit, die durch die New Yorker Bibliothek ja doch sehr gefördert war.

Dies also ist der augenblickliche Sachverhalt. Ich bin nicht hoffnungslos, und wenn keine neuerlichen Zwischenfälle eintreten – vor denen wir freilich allesamt nicht gefeit sind und für lange Zeit nicht gefeit sein werden –, so meine ich auf gutem Wege zu sein, meine es so sehr, daß ich sogar daran denke, wie ich nach Konsolidierung meiner Situation Ihnen Ihre Gabe werde zurückstellen dürfen. Vielleicht wird es Ihnen dann recht sein, daß man sie anderen Bedürftigen zuwendet; es gibt derer hier unendlich viele.

An Lion habe ich einen Teil meines Romans zum Vorabdruck geschickt. Auch dies krankheitshalber mit großer Verspätung. Aber ob er nun bleibt oder nicht bleibt: wie lange wird noch M. u. W. bleiben[2]? Mit unendlicher Besorgnis schaut man nach Europa hinüber, nein, nicht nur auf Europa: denn die Welt schlechthin ist bedroht, und man möge sich ja nicht einreden, daß Amerika eine glückselige Insel bleiben würde; schon jetzt ist von solcher Glückseligkeit nichts mehr zu spüren.

Im Augenblick darf ich mich ja nicht beklagen. Seit ich kein Großstadtpflaster mehr unter den Füßen habe, bin ich glücklich, oder könnte ich glücklich sein; nur ist es unmöglich, die Geschehnisse zu vergessen, selbst wenn einen Zeitung und Radio nicht verfolgten. Schreiben Sie mir wieder ein Wort, lieber Freund. Ich denke in Dankbarkeit und Treue zu Ihnen hin; stets Ihr

H. Broch

[GW 8]

1 Broch bezog die Rente von März bis Mai 1939. Mit dem Gründer der American Guild for German Cultural Freedom, Hubertus Prinz zu Löwenstein, und mit ihrem Sekretär, Volkmar von Zühlsdorff, war Broch befreundet.

2 Hermann Broch, »Die Angst«, in: *Maß und Wert,* 2/6 (1939), S. 748-795. Vgl. KW 3, S. 403.

290. An Robert Neumann

c/o Dr. H. S. Canby
Killingworth
Clinton, Connecticut 12. 4. 39

Lieber R. N.,
ein Dank in großer Eile. Es geht Ihnen ja sicherlich nicht besser mit der allzu kurzen Zeit. Bei mir hat sich außerdem Krankheit dazwischen geschoben, undefiniert, undiagnostiziert, jedenfalls aber ein Alterszeichen. Jetzt bin ich hier auf dem Landgut Prof. Canbys zur Erholung, die Arbeit bedeutet (und Korrespondenz). Zur Erklärung der Überbelastung: ich habe die politische Arbeit, die ich Ihnen auf der Fahrt nach Hampstead am Tage meiner Abreise skizziert habe,

ernsthaft gestartet[1]. Ich glaube, daß etwas sehr Anständiges herausschauen wird, nicht nur ein Buch, sondern auch praktische Konsequenzen. Sie hören bald darüber, umsomehr als Sie mitzuhelfen haben. Aber ich bin ziemlich ausgepumpt.

Nun Penklubkongreß: natürlich müssen Sie Auernheimern[2] als Hauptdelegierten hinschicken, natürlich darf man ihn nicht zweite Geige spielen lassen, natürlich wird ihm diese Funktion wieder ein bißchen Lebensmut geben. Und er hat es sich doch mit fünf Monaten Dachau ehrlichst und aber-ehrlichst verdient. Was habe ich daneben mit meinen 3 Wochen Aussee[3] zu sagen und zu bedeuten. Außerdem, wer weiß, wo ich mich zur Kongreßzeit befinde, obwohl es wegen der Politisiererei nötig sein dürfte, an der Sache teilzunehmen. Jedenfalls aber haben Sie Dank und ernennen Sie Auernheimern!

Ist der PEN Gowerstreet[4] jetzt Ihre Daueradresse? diesmal schreibe ich also dorthin. Und im übrigen sehne ich mich ein bißchen nach England und London zurück, obwohl ich hier unendlich viel gelernt habe.

Seien Sie beide sehr herzlich gegrüßt und lassen Sie sich die Hand drücken; stets

Ihr
H. Broch
[DÖW]

1 Robert Neumann war bereits 1934 nach England emigriert. Kurz vor seiner Abreise nach Amerika hatte Broch ihn am 1. Oktober in London besucht. Mit der »politischen Arbeit« ist »Zur Diktatur der Humanität innerhalb einer totalen Demokratie«, KW 11, S. 24-71, gemeint.

2 Raoul Othmar Auernheimer (1876-1948), österreichischer Schriftsteller und Journalist. Während der zwanziger Jahre war er Präsident des österreichischen PEN-Clubs. Nach dem »Anschluß« wurde er ins Konzentrationslager Dachau verschleppt, doch gelang ihm noch im gleichen Jahr die Flucht in die Vereinigten Staaten. Vgl. seine Autobiographie *Das Wirtshaus zur verlorenen Zeit. Erlebnisse und Bekenntnisse* (Wien: Ullstein, 1948). Er starb 1948 im kalifornischen Exil. Auernheimer sollte als Vertreter der amerikanischen Sektion des österreichischen Exil-PEN zur Teilnahme am 17. Internationalen PEN-Kongreß in Stockholm/Schweden nominiert werden. Der Kongreß war für September

1939 geplant, konnte aber wegen des Kriegsausbruches nicht stattfinden.

3 Gemeint ist Brochs Haft im Gefängnis in Bad Aussee vom 13.-31. 3. 1938.

4 Robert Neumann war Präsident des österreichischen Exil-PEN-Clubs.

291. An Else Spitzer[1]

c/o Canby
Killingsworth
Clinton, Connecticut 12. 4. 39

L., ich bin zwar überzeugt, daß Du inzwischen den Brief, den ich Dir während meiner Krankheit schrieb, schon erhalten hast (andere gleichzeitig geschriebene wurden mir aus England bereits bestätigt), doch das hindert nicht, daß ich Dir rasch für Deine Karte (abgestempelt vom 28., eingetroffen heute) danke.

Ich bin zur Erholung auf dem Landgut Prof. Canbys; es könnte mir gut gehen, wenn nicht Europa wäre, wenn ich die Mutter nicht dort sitzen hätte (– so etwas ist Dir erspart, also jammere nicht allzuviel! –), und nebenbei, wenn hier nicht noch voller Winter mit Schnee etc. herrschen würde. Zudem soll ich nach der bis zur Erschöpfung betriebenen staatsphilosophischen und politischen Arbeit nunmehr hier den Vergil beenden, finde aber nicht die für ihn nötige Konzentrationsfähigkeit; denn diese führt an den Rand des menschlichen Bewußtseins, muß dorthin führen, und gerade dazu ist nicht der richtige Augenblick gewählt. Ob ich das durchhalte, ob ich es überhaupt zustandebringe, ist sehr fraglich. Zehn Jahre früher wäre die ganze Angelegenheit großartig gewesen; überall komme ich zu spät, sogar zur Emigration. Gelernt habe ich in Amerika ungeheuer viel, aber ich sehne mich doch ein bißchen nach England und London zurück; die Abschiedstage waren trotz München irgendwie märchenhaft. Außerdem ist hier ein wildes Land, und wenn es nazisiert wird, was keineswegs ausgeschlossen ist, dann wird sich erst hier zeigen, was Diktatur eigentlich bedeutet: ich weiß darüber ungeheuer viel. Und deswegen schreibe ich ja auch ein Buch darüber, das nicht nur sehr anständig zu werden verspricht, sondern auch sehr reale Konsequenzen zeitigen dürfte. Nur ist dies alles ein Wettlauf mit den Ereignissen, und ich reibe mich dabei auf, umsomehr als ich dies alles mit der größten Skepsis betreibe. Ich komme mir vor wie ein Mann, der noch rasch sein Buch fertigschreibt, nur damit er es noch vor dem Brand in die alexandrinische Bibliothek einreihen kann; denn von Zeit zu Zeit muß immer wieder die alexandrinische Bibliothek dran glauben, denn sie ist immer wieder der babylonische Turm. Alles sehr interessant, wenn einem nicht das Herz dabei bräche. Bitte schreibe mir aber auch einmal über Deinen und Fritzens Alltag. Und grüße ihn, den Fritz, nicht den Alltag. Und nimm all die vielen unaufgeschriebenen Gedanken Deines

H.

[WSB]

1 Else und Fritz Spitzer waren Freunde Brochs aus Wien, die nach England emigriert waren.

292. An Stefan Zweig

c/o Prof. Canby
Killingworth
Clinton, Connecticut — 22. April 39

Lieber, lieber Freund,
soeben trafen Ihre Zeilen – fast könnte man sagen, Ihr Abschiedsgruß (doch er ist es glücklicherweise nicht) – hier ein. Ich bin etwas beschämt, daß ich erst Ihre Stimme abgewartet habe, um Ihnen zu sagen, wie viel ich an Sie denke, was Sie mir geworden sind (über Ihre Existenz als geistiger Mensch hinaus) und wie froh ich über Ihre Existenz bin. Und dabei hat dieses Schweigen einen etwas meskinen Grund gehabt, nämlich den des Recht-behalten-wollens. Das entdecke ich erst jetzt hinterher. Doch davon später. Zuerst muß ich Ihnen von den rein technischen Abhaltungen erzählen: ich

bin nämlich bald nach Ihrer Abreise etwas geheimnisvoll erkrankt, plötzlich mit 41° Fieber, sehr zur Besorgnis verschiedener Ärzte, die mich zuerst auf Lungenentzündung behandeln wollten, dann einsahen, daß da überhaupt keine Diagnose zu stellen ist und mir schließlich aus Rache und wegen der Landesüblichkeit, gegen meinen heftigsten Widerstand (– denn sie wissen, wie einem dies seelisch wehtut –) drei Zähne gerissen haben. Ich habe die Sache von allem Anbeginn an als eine Rebellion des seelisch etwas überanstrengten Organismus gehalten, meine noch immer, daß es dies gewesen ist, war aber davon ziemlich hergenommen. Und da der Mensch, ohne sein Zutun, stets in die gleichen Situationen gerät, hat mir Prof. Canby, den Sie ja kennen (Saturday Review, Book of the Month), mir sein leerstehendes Landhaus hier zur Verfügung gestellt, so daß ich richtig wieder in einem amerikanischen Aussee gelandet bin. Daß der Erholungszweck der Expedition sich wieder in Arbeit verwandelt hat, ist nur in Ordnung.

Nun mein Rechtbehalten: ich weiß, daß Sie mit meinen politischen Aspirationen nicht einverstanden sind[1], und ich war selber sehr unsicher ob der Richtigkeit des eingeschlagenen Weges. Und das irrsinnige Arbeitstempo, in das ich mich gestürzt hatte, war nicht zuletzt von dem Wunsch bedingt, so rasch als irgend möglich zu Resultaten zu gelangen, an denen ich mich selber kontrollieren kann. Und eben weil ich um Ihr Nicht-Einverständnis wußte, wollte ich erst diese Resultate abwarten. Nun: das Einleitungskapitel dieses Buches[2], dessen erste Seiten Sie gelesen haben, ist fertig und ist allein schon ein kleines Buch geworden, nahezu 40 000 Worte. Ich würde Ihnen das Ms. natürlich gerne senden, aber einesteils muß es noch überarbeitet werden, um über das Theoretische hinaus die notwendige amerikanische Konkretisierung zu bekommen, und andererseits habe ich noch immer eine Scheu, Sie zu etwas sozusagen zu zwingen, was Sie prinzipiell innerlich ablehnen. Hingegen übermittle ich Ihnen anbei den Waschzettel, sowie einen »Bericht«[3], welcher die praktischen Konsequenzen aus meinen theoretischen Überlegungen zieht. Und ich kann Ihnen nun gleich hiezu berichten, daß die Aufnahme dieser Rudimente hier eine überraschend günstige gewesen ist: gewiß überzeuge ich damit, wenigstens vorderhand bloß die ohnehin Überzeugten, und der schwerere Teil der Arbeit steht erst bevor. Nichtsdestoweniger, der erste Schritt scheint gelungen zu sein. Von meiner eigenen Skepsis brauche ich Ihnen nichts zu erzählen.

Alles in allem: ich glaube nicht an die Wirksamkeit politischer Bücher, aber ich glaube an die direkte Propaganda von Mund zu Mund, sowie an die Möglichkeit, eine Massenstimmung erzeugen zu können. Und hier in Amerika kommt es nun vor allem darauf an, die Massenlabilität, die erschreckende Parallelen mit der ehemaligen deutschen aufweist, an der geeigneten Stelle aufzufangen. Dies *ist* möglich, wenn der »Weltfeind Nr. 1« einmal genügend als solcher hingestellt wird; Sie sagten sehr richtig, daß es stets um ein »Niedar« geht, und dieses Niedar läßt sich hier wirklich organisieren. Der Slogan der »Totalitären Demokratie« hat irgend etwas Überzeugendes, da er eine Synthese (nicht ein Kompromiß) nach der Art der »konstitutionellen Monarchie« enthält. An und für sich sind die Vorschläge von größter Banalität – ihren tieferen Sinn haben sie bloß im organischen Zusammenhang mit der Theorie, wie dies eben bei jeder politischen Aufforderung der Fall ist –, doch sie haben den Vorteil einer richtigen Dosierung, d. h. der Beschränkung auf das unmittelbar Durchführbare. Und auf die Fertigstellung des Theoriengebäudes darf man heute nicht mehr warten; für mein Buch (– wie viel Bände es umfassen wird, ist ja nicht abzusehen –) brauche ich mit allen Vorstudien zumindest ein Jahr. Nun habe ich allerdings vorgeschlagen, daß die Guild[4] sich an die Spitze eines Sammelwerkes »Diktatur der Demokratie« stelle, in welchem die amerikanischen Fachwissenschaftler, jedoch keine Emigranten, sich mit dem Thema auseinandersetzen sollen; aber auch dieses Werk, mit dessen korrespondenzmäßiger Vorarbeit ich mich beschäftige, braucht seine Weile. Es muß jetzt eben noch außerdem der direkte Weg gewählt werden, wenn überhaupt noch etwas glücken soll. Woran ich ja, mit Ihnen, leider stark zweifle und manchmal sogar verzweifle. Indes –, soll man nicht einmal den Versuch machen? wenn man sieht, mit welcher naiven Sicherheit die Amerikaner trotzalledem an ihre Verfassung und ihre Demokratie glauben, so muß man sich sagen, daß da noch immer ausnützbare Kräfte vorhanden sind, und beinahe wird man geneigt, einen kleinen Teil solchen Optimismus für sich zu beanspruchen.

Kurz das Praktische zusammengefaßt: Löwenstein, Villard[5], Canby etc. wollen sich für die Startung der Aktion einsetzen, nebenbei auch andere, wie z. B. Thornton Wilder, der mich hier besucht hat und mit dem ich – da New Haven in unmittelbarer Nähe ist – in ständiger Fühlung bleibe. Weiters ist das Projekt des Sammelwerkes auf gutem Wege, und schließlich hat die Idee der »Massenwahngesellschaft« alles notwendige Interesse gefunden; ich werde jetzt wahrscheinlich für 14 Tage nach Yale übersiedeln, um mit dem Psychologen Oeser[6], welcher hiefür absolut der gegebene Mann ist, das Programm aufzustellen. [. . .]

Mit meinem großen Roman[7] hingegen, auf dessen praktische Verwertbarkeit ich weit fundiertere Hoffnungen setzen könnte, habe ich ein ausgesprochenes Pech: nach langem Warten ist sein Manuskript (Unikat, weil noch Rohniederschrift) aus Wien abgeschickt und in St. Andrews empfangen worden, nachdem ich bereits von dort abgereist gewesen war. Seit 6 Monaten mache ich vergebliche Versuche, dieses Ms. von den Muirs nachgeschickt zu erhalten; zuerst war die arme Willa ernstlich krank, und jetzt scheinen sie in dem Hause eine derartige Unordnung zu haben, daß sie überhaupt nichts mehr finden können. Bricht der Krieg aus, so ist diese Jahresarbeit wahrscheinlich endgültig verloren, und bei den Bosheitsbeziehungen, die der Kosmos zu mir unterhält, wird der Krieg bestimmt ausbrechen, wenn ich nicht baldigst in den Besitz dieser Ms. träte; wahrscheinlich wäre die Absendung zugleich auch das einzige Mittel zur Kriegsverhütung. Doch die Muiren läßt dies alles kalt, und sie reagieren auf nichts mehr. Sollten Sie einmal jemanden *Verläßlichen* wissen, der nach Amerika fährt, so würde ich Sie sehr bitten, die Muirs auf irgend einem Wege zu veranlassen, daß dem Betreffenden meine Sachen ausgefolgt werden[8]. So geht es wirklich nicht mehr weiter.

Am schönsten wäre es freilich, wenn Sie sich selber damit belasteten und herüberkämen. Und Sie könnten es ruhig tun, denn der Weltuntergang findet hier genau so statt wie drüben. Ich meine sogar, daß er hier um einige Grade intensiver sich gestalten könnte, und daß die Rückkehr in die Sklaverei für Juden, Neger und andere Minoritäten noch nackter als anderswo sich vollziehen wird. Wallstreet wird eine Notierung für Sklaven haben, prima, sekunda und Ausschuß, es wird dort Sklavenexperten geben, so wie es heute Tabak- und Tee- und Cottonexperten gibt, und wir werden es ertragen, genau so wie wir es in Ägypten ertragen haben. Denn der Pyramidenbau heißt heute Schwerindustrie, und diese kann ohne wirkliche Sklavenmassen nicht mehr bestehen. Das Arge ist, daß es Staats- und nicht Privatsklaverei sein wird –, darin wird sich die Angelegenheit sozusagen moralisch begründen. Übrigens, wer würde mich schon privat kaufen?

Ich halte dies, wie gesagt, wegen der Bedürfnisse der Schwerindustrie nicht für eine reine Phantasie. Außerdem würde es die Lösung für den bisher rätselhaften marxistischen Denkfehler bringen: Marx glaubte, daß der Herrschaftsanspruch automatisch von einer Klasse zur anderen hinabsteigen müsse und daß es unterhalb des Proletariats nichts mehr gäbe, also damit auch das goldene Zeitalter ohne weitere Ausbeutungsgeschichte anbrechen müsse. Daß künstlich, oder richtiger natürlich, ein neues Unter-Proletariat geschaffen werden müßte, hat er sich nicht vorstellen können. Und es wird eben geschaffen werden.

Und doch darf man sich nicht beklagen, in dieser Zeit zu leben. Sie ist erkenntnismäßig eine ungeheuere Bereicherung. Sie ist es aber auch menschlich. Der Wert wirklicher menschlicher Beziehung ist für mich unendlich gewachsen. Und ebendeswegen zähle ich gerade Sie zu meinen schönsten Bereicherungen. Und ebendeswegen war Ihr Brief samt der freundschaftlichen Nachschrift Frl. Altmanns[9] eine so echte Freude. Nehmen Sie beide alle Herzensgedanken; denn diese gibt es wirklich. Und wenn Sie Zeit haben, schreiben Sie bitte ein Wort; mir wäre es auch wegen der eingeleiteten Aktion so überaus wichtig. Inzwischen haben Sie Dank und lassen Sie sich die Hand drücken. Immer Ihr

H. B.

Ich habe Sie von Canby herzlich zu grüßen.

Nächste Adresse: 1294 Davenport College
York Street
Yale University
New Haven, Connecticut.

Soeben sah ich Wilders Our Town und bin sehr begeistert. Nochmals alles Herzliche!

[SZA]

1 Vgl. Zweigs Antwortbrief vom 7. 5. 1939 in: Stefan Zweig, *Briefe an Freunde*, hrsg. v. Richard Friedenthal (Frankfurt/M.: S. Fischer, 1978), S. 294-297. Broch wird in dem Band erwähnt auf den Seiten 293, 329, 337.
2 Vgl. KW 11, S. 24-71.
3 »Bericht an meine Freunde«, KW 11, S. 25-30.
4 American Guild for German Cultural Freedom. Der Plan dieses Sammelwerkes wurde nicht ausgeführt.
5 Oscar G. Villard (1872-1949), amerikanischer politischer Publizist und Zeitungsverleger. Vgl. *Our Military Chaos. The Truth about Defense* (New York: Knopf, 1939) und *Within Germany* (New York, London, 1940).
6 Oscar Oeser war Forschungsstipendiat an der Yale University.
7 *Die Verzauberung*. Vgl. Fußnote 8 zum Brief vom 3. 12. 1938.
8 In seinem Brief vom 7. 5. 1939 (siehe Fußnote 1) versprach Zweig, an die Muirs zu schreiben (S. 296). Zweig lebte damals im englischen Exil.
9 Charlotte Elizabet (Lotte) Altmann, Sekretärin Stefan Zweigs, die er 1939 heiratete.

293. An Trude Geiringer[1]

Davenport College, Yale University
York Street, New Haven, Conn. 4. 5. 39

L., ich kann es einfach nicht mehr leisten, und über kurz oder lang werde ich zusammengeklappt sein. Ich arbeite hier mit aller Intensität in der Massenwahnangelegenheit (s. meinen »Bericht«[2]), und je mehr ich ins Fachwissenschaftliche gerate, desto größer wird das Thema, desto undurchführbarer scheint es; nichtsdestoweniger sind die Leute hier von dem Projekt ausgesprochen begeistert, und vielleicht schaut wirklich noch etwas dabei heraus. Vorderhand habe ich neben dem Schaden bloß den Nutzen, unendlich viel zu lernen; auf den eingeheimsten Kowet[3] lege ich weniger Wert. Und hätte ich sonst nichts zu tun, so wäre dies alles nur sehr schön; aber ich muß noch außerdem mit dem Vergil zum Rande kommen, und so komme ich selber dabei zu Rande. Als Beweis anbei vier Seiten aus dem Ms.[4] Vielleicht oder richtiger wahrscheinlich wird es Dir nicht sehr imponieren, indes wenn Du bedenkst, daß Rilke an seinen 10 Duineser[5] fast zwei Jahre gearbeitet hat, also rund zwei Monate pro Elegie, während ich 4 in drei Wochen zustandegebracht habe, also in einem Zehntel der Zeit, so wirst Du es vielleicht mit mir als Rekord werten. Im übrigen meine ich, daß diese vier sich, sobald sie endgültig ausgeputzt sein werden, ruhig neben die Duineser stellen können.

Solcherart ist demnach nichts ausgegangen. Montag muß ich zum Pen-Kongreß nach N. Y.[6], und mir graust sehr davor. Aber ich darf jetzt nichts verabsäumen, was mir und meinen Angelegenheiten irgendwie vorwärtshelfen kann. Ich werde per Auto hingebracht, was bei meinem vielen Gepäck und aus Geldersparnis sehr begrüßlich ist, weniger hingegen, weil ich nicht bei Dir unterbrechen kann. Wo ich in N. Y. wohnen werde, weiß ich noch nicht. Mein Haus in der 121. ist wegen der Fair scheinbar vollkommen besetzt; wahrscheinlich werde ich irgendwo dort in der Nähe unterkommen. Ich rufe Dich dann an. Wirst Du nicht in N. Y. sein? wenn ich halbwegs kann, komme ich ja hinaus, aber Donnerstag-Freitag bin ich in Washington.

Das Ms. hätte ich auch schon gerne zurück. Es soll nun nicht nur ein Sammelwerk[7] über dieses Thema gestartet werden, sondern ich habe auch schon verlegerisch besprochen, dieses erste Kapitel zu einem eigenen Buch auszuweiten, das wegen seiner Aktualität raschestens erscheinen soll. Wann werde ich dies zusammenbringen? dabei soll ich ein paar Tage nach Cleveland[8]. Auch diese ständige Ambulanz ist kaum auszuhalten. Hinterher allerdings habe ich eine Einladung nach Saratoga Springs (N. Y.).

Ich bin recht müde und nicht sehr glücklich. Sehr viel Liebes!

[MTV, YUL]

1 Trude Geiringer (geb. 1895), Wiener Photographin, die auch eine Reihe von Broch-Aufnahmen gemacht hat. Sie war verheiratet

mit dem Wiener Fabrikanten Ernst Geiringer. Die Geiringers emigrierten 1938 nach dem »Anschluß« in die USA. Von Anfang Oktober bis Anfang Dezember 1936 und von Anfang November 1937 bis zu seiner Verhaftung am 13. 3. 1938 wohnte Broch im Sommerhaus der Geiringers, Alt Aussee 31 (Am Reiter)/Steiermark.

2 »Bericht an meine Freunde«, KW 11, S. 25-30.

3 Kowet, Jiddisch für »Ehre« (von Hebräisch: kôbôd = Ehre).

4 Es handelt sich um die »Schicksals-Elegien« zur vierten Fassung des *Tod des Vergil*. Vgl. *Materialien zu Hermann Broch ›Der Tod des Vergil‹*, hrsg. v. Paul Michael Lützeler (Frankfurt/M.: Suhrkamp, 1976), S. 175-178.

5 Rainer Maria Rilke, *Duineser Elegien,* entstanden zwischen 1912 und 1922, erschienen 1923.

6 Die amerikanische Sektion des österreichischen Exil-PEN traf sich in New York. Vgl. Fußnote 2 zum Brief vom 12. 4. 1939 an Robert Neumann.

7 Das Sammelwerk kam nicht zustande. Bei der 1940 entstandenen *City of Man* handelte es sich um ein anderes Projekt.

8 Broch wohnte während der ersten beiden Juni-Wochen 1939 bei Jadwiga Judd in Cleveland/Ohio, die dort an der Cleveland State University Psychologie studierte.

294. An H. F. Broch de Rothermann

New York
American Express Comp. 24. 5. 39

Lieber A.[1], endlich! hab Dank für Brief und Karte.
Weitaus das Wichtigste ist, was geschehen kann und soll: daß Du angesichts des Krieges aus Europa weg willst, ist verständlich. Ein Visitorvisum nach den Staaten bekommst Du als Arier wohl leicht; Juden bekommen keine mehr. Notwendig ist die Einladung eines Amerikaners oder sonst die Vorweisung eines triftigen Grundes. Die Einladung würde ich Dir verschaffen können. Doch es erhebt sich die Frage: was dann? denn gerade als Arier wirst Du nach einem halben Jahr unnachsichtlich ausgewiesen. Es gibt eigentlich nur noch ein einziges Mittel, um ohne Schwierigkeiten hereinzukommen: raschestens eine Amerikanerin zu heiraten. Denn auch mit der Preferencequota geht es kaum mehr: im allgemeinen

bekommen bloß Citizens die Bevorzugung, ihre nächsten Verwandten auf Preference hereinzubringen. Ich werde mich dieserhalb auch noch erkundigen.

Beschäftigung. Dies ist der wundeste Punkt. Ich sehe hier die Not der Einwanderer, und ich weiß, wie schwer es ist, auch nur einen Job mit $ 15.– in der Woche zu bekommen. Am ärgsten sieht es natürlich im Kommerziellen aus. Exzeptionelle Leistungen haben mehr Chance, doch auch für diese – das sehe ich an mir – ist die Ein-Amerikanisierung entsetzlich schwer. Weder aber würdest Du Dich mit einem 15-Dollar-Job begnügen, noch hast Du Leistungen aufzuweisen. Hiezu: hättest Du selbst jene paar tausend Dollar in der Tasche, derentwegen ich keine Vorwürfe mehr hören möchte, da Du genau weißt, wie sehr Du an der Vereitelung jeglichen finanziellen Planes mitschuldtragend gewesen bist, so würdest Du diese wahrscheinlich bloß in verhältnismäßig kurzer Zeit aufessen (umsomehr als man mit so kleinen Kapitalien hier überhaupt nichts anfangen kann), und dann stündest Du erst recht vor der Beschäftigungsfrage.

Ich weiß, daß Du auf mich nicht viel gibst. Aber immer wieder erkenne ich, daß es für Dich wahrscheinlich nur einen künstlerischen Weg gibt, der Dir Erfolg und Befriedigung verschaffen könnte. Wie weit Du Deine Begabungen heute schon verschüttet hast, kann ich nicht ermessen; jedenfalls jedoch sind sie ausgrabbar. Und wahrscheinlich sind sie nicht allzu gewichtig, dafür aber vermutlich sehr beweglich. Soweit sie im Schriftstellerischen liegen, sind sie – so könnte angenommen werden – hier verwertbar, besonders da Du imstande bist, Englisch zu schreiben: am ehesten ist hier mit kurzen Magazinsgeschichten Geld zu machen; ein origineller Thriller wie »Address unknown« bringt es auf eine Auflage von Hunderttausenden. Ich werde Dir einige Magazine schicken, damit Du Dich einlesen kannst, und dann würde ich Dir empfehlen, es selber zu versuchen; hast Du ein paar Geschichten, so schicke sie mir sofort, und ich werde versuchen, sie durch eine Agentur zu placieren.

Im übrigen hat Horch[2] hier eine Agentur aufgetan und scheint damit zu prosperieren.

Gelänge es, Dich solcherart literarisch einzuführen, so

fändest Du bei Deiner Herkunft sofort einen geeigneten Boden. [. . .]

[YUL]

1 Hermann Friedrich Broch de Rothermanns Rufname war Armand; er hielt sich damals im Exil in Frankreich auf.

2 Franz Horch (geb. 1901), war von 1933 bis 1937 Leiter der Theaterabteilung des Zsolnay-Verlages in Wien gewesen. Nach dem »Anschluß« emigrierte er in die Vereinigten Staaten und begründete eine erfolgreiche literarische Agentur. Franz Horch hatte Brochs Drama *Die Entsühnung* 1933 in die Theaterabteilung des Zsolnay-Verlags übernommen und im Programmheft des Zürcher Schauspielhauses (Nr. 22, 17. 3. 1934, S. 6-8) die »Kurze Biographie des Dichters« veröffentlicht.

295. An Ruth Norden

[Ende Mai/Anfang Juni 1939]

L., ich bin nun einen Tag hier, und dieser Tag ist mit Wohnungssuche vergangen, da das erste Zimmer arbeitsmäßig unmöglich gewesen ist. Wesentliches ist also noch nicht geschehen, aber ich sehe die Fülle der Komplikationen vor mir, weiß, daß ich sie werde lösen müssen und fürchte für die Arbeit, die eben keine Lebenskomplikationen mehr verträgt. Sie verträgt ja nicht einmal mehr Zeitbelastungen. Und das nämliche gilt für die Verantwortungslast, die eben in den letzten Wochen so unendlich angestiegen ist. Ich war neulich ein wenig erstaunt, daß Du mich »berechnend« findest, d. h. ich war nicht gar so sehr erstaunt, denn ich weiß ja, daß Du die Neigung hast, psychische Regungen von der rationalen Seite her zu nehmen, d. h. von dort aus, wo sich immer ein falsches Bild ergeben muß: ich glaube nicht, daß ich jemals – bei allem Bemühen, die Dinge kühl und rational zu sehen – auch nur im Geringsten »berechnend« gehandelt habe. Mein ganzes Leben ist in einem Verantwortungswirbel verlaufen, und wenn es irgendwo ein Leitprinzip gehabt hat, so war es das einer »Anständigkeit«, die im Grunde natürlich bürgerlich ist, die mich aber viel zu oft die Verantwortung gegen mich und die Arbeit hat vergessen lassen. Es wäre darüber unendlich viel zu sagen und zu erzählen, besonders weil Du ja eigentlich gar nichts über mich weißt, und wahrscheinlich hättest Du hiezu auch einiges zu antworten. Der Zustand des Nicht-offen-Schreiben-könnens darf übrigens auch nicht anhalten, da er einigermaßen unwürdig ist: vorderhand bitte ich Dich, ihn noch beizubehalten, doch ich werde einen Weg, u. z. gleichfalls einen anständigen, finden, um diesen Zustand aufzuheben. Ich muß nur jetzt vor allem andern den Vergil ins Tempo bringen; tue ich dies nicht, so wird er überhaupt nicht mehr fertig.

Im übrigen stehe ich im Augenblick sehr unter dem Eindruck von Tollers[1] Tod, denn ich habe ja Samstag – ich weiß nicht, ob ich es Dir gesagt habe – unausgesetzt daran gedacht, ihn zu besuchen; möglicherweise hätte ich die Sache verhindern können, umsomehr, als ich eben etwas derartiges herannahen fühlte.

Es ist sehr spät, Liebes. Ich denke an Dich.

Neue Adresse:
3171 Washington Boulevard
Cleveland Heights (Ohio)

[DLA]

1 Ernst Toller hatte am 22. 5. 1939 in New York Selbstmord begangen.

296. An René A. Spitz

3171 Washington Boulevard
Cleveland Heights (Ohio) 6. 6. 39

Lieber Dr. René Spitz,
anbei den Gründungsvorschlag für das massenpsychologische Institut, von dem ich Ihnen gesprochen habe[1]. Oder richtiger der Entwurf zu einem solchen Vorschlag. Denn wenn Ihnen Abänderungen wichtig erschienen, so könnten

sie jetzt noch angebracht werden. Im Großen und Ganzen aber hoffe ich, daß die Sache von Ihnen bejaht werden wird.

Der Vorschlag zeichnet sich nicht durch Kürze aus, aber die Ausführlichkeit war leider notwendig, u. z. nicht nur weil der Romancier ein in die Breite geratener Mensch ist: jedem, der erstmalig mit dem Thema in Berührung kommt, liegen skeptische Einwände auf der Zunge, und diese Einwände mußten von vorneherein entkräftet werden, damit die Angelegenheit nicht mit einer endlosen Diskussion starte.

Details habe ich tunlichst vermieden. Hingegen war es erforderlich, Beispiele anzuführen, wie etwa das der Minoritätenfrage, einesteils um die Verständlichkeit zu erhöhen, andernteils um die Aktualität darzutun. Von psychoanalytischen Erwägungen habe ich mich möglichst ferne gehalten, erstens wegen Laienhaftigkeit, zweitens wegen des über die Analyse hinausreichenden Rahmens des Institutes und drittens aus wissenschaftstheoretischen Überlegungen: ein Fachgebiet wird stets von einem theoretisch übergeordneten her bestimmt, so die Physik von der Mathematik her, und ich habe mich daher berechtigt gefühlt, die Fundierung in werttheoretischen Überlegungen, die übergeordnet und regulativ in die meisten Geisteswissenschaften eingreifen, zu suchen. Daß von analytischer Seite her hiezu eine Menge zu sagen wäre, so die Über-Ich-Rolle, die dem Führer im Massenbewußtsein zukommt, etc. etc., das ist mir natürlich klar; vor allem aber wäre der Freudsche Beitrag[2] zum Problem, der noch lange nicht ausgeschöpft ist, sehr intensiv zu behandeln. Doch all dies fiele bereits in das künftige Arbeitsprogramm.

Das Immediatprogramm hingegen zerfällt in vier Teile:

1) die Gründung des Institutes[3] selber, und hiezu ist die Konstituierung eines wissenschaftlichen Komitees (womöglich unter Heranziehung einiger namhafter Publizisten) vonnöten, dem die Aufgabe zufällt, den Gründungsaufruf zu zeichnen;

2) die Herausgabe eines wissenschaftlichen Sammelwerkes, an dem Psychologen, Analytiker, Soziologen etc. zur Aufstellung eines detaillierten Generalprogramms (Desideratenliste) mitzuarbeiten hätten, und zu dessen Herausgabe im übrigen sich die American Guild schon bereit erklärt hat;

3) die finanzielle Fundierung des Institutes, die sonderbarerweise aber im Augenblick als leichteste Aufgabe erscheint, und an der die Guild sich übrigens gleichfalls beteiligen will;

4) die Aufforderung an Dr. René Spitz, die Verwirklichung der obigen Punkte, insbesondere der beiden ersten, z. B. durch Aufstellung einer Mitarbeiterliste und durch Aktivierung seiner wissenschaftlichen Beziehungen zu fördern und zu unterstützen.

Die Schwierigkeiten dürfen nicht unterschätzt werden; z. B. wäre der beste Mitarbeiterstab wohl aus den Immigranten zu bilden, und gerade dies ist wegen des propagandistischen Kredites, den das Institut haben soll, tunlichst zu vermeiden.

Ich selbst habe bisher praktisch noch nicht viel unternommen; ich habe bloß das Organisatorische, resp. Finanzielle mit Löwenstein besprochen und hatte dann auf seine Anregung hin die Zusammenkunft mit Federn[4], von der ich Ihnen erzählt habe. Als weiteren Fortgang denke ich mir nun, den »Entwurf« an alle jene Personen zu senden, die für das Gründungskomitee oder für das Sammelwerk[5] in Betracht kommen, u. z. entweder in Vervielfältigung oder aber in Druck (als Separata), wenn es möglich sein sollte, nach erfolgter Übersetzung, den Text in irgend einer optisch wirksamen Zeitschrift (Harper, Virginia, etc.) unterzubringen.

Fürs erste sind aber wohl deutsche Vervielfältigungen vonnöten. Und da Sie sich hiezu so liebenswürdig erbötig gemacht haben, sollen Sie auch entsprechend ausgenützt werden: je mehr Kopien desto besser. Was aber die Übersetzung anlangt, so wird diese bereits von hiesigen Freunden in Angriff genommen, nur geht die Sache elend langsam vonstatten: könnten Sie auch hievon einen Teil übernehmen? in diesem Falle würde ich Ihnen die bereits übersetzten Abschnitte zusenden.

Selbstverständlich bitte ich Sie, Abschriften nach Ihrem Gutdünken weiterzugeben. Insbesondere aber bitte ich Sie, solche an Hammerschlag und Wittels[6] mit meinen besten Grüßen zu übermitteln, wobei freilich Wittels, dem ich noch immer nicht direkt geschrieben habe, über das Gesamtunternehmen ein wenig orientiert werden müßte.

Haben Sie Dank, übermitteln Sie meine Handküsse und nehmen Sie einen herzlichen Gruß Ihres

Broch

Adressen:
bis 15. Juni Cleveland (Adr. s. oben)
ab 20. Juni »Yaddo«, Saratoga Springs (N. Y.)
Dazwischen bin ich vielleicht in N. Y., in welchem Falle ich natürlich bei Ihnen anrufen würde.

[DLA]

1 »Vorschlag zur Gründung eines Forschungsinstitutes für politische Psychologie und zum Studium von Massenwahnerscheinungen«, KW 12, S. 11-42.
2 Vgl. Sigmund Freud, »Massenpsychologie und Ich-Analyse«, in: S. F., *Gesammelte Werke,* Bd. 13 (London 1940), S. 71-161.
3 Zur Gründung dieses Instituts kam es schon deshalb nicht, weil eine ähnliche Forschungsstätte bereits bestand, nämlich das von Hadley Cantril geleitete Office of Public Opinion Research in Princeton. Mit Cantril setzte Broch sich in der Folge in Verbindung. Vermittelt wurde dieser Kontakt durch Albert Einstein.
4 Paul Federn (1871-1950), Psychoanalytiker der Freud-Schule. Bei Federn war Broch damals in psychoanalytischer Behandlung. Vgl. P. Federn, *Ego Psychology and Psychoses,* New York 1952. Broch kannte Federn aus der frühen Wiener Zeit. Nach dem Ersten Weltkrieg hatte Federn Aufsehen erregt mit seinem Buch *Zur Psychologie der Revolution. Die vaterlose Gesellschaft* (Leipzig, Wien: Anzengruber Verlag, 1919).
5 Vgl. Fußnote 7 zum Brief vom 4. 5. 1939.
6 Fritz Wittels, ein aus Wien stammender Psychoanalytiker, der in New York praktizierte. Broch war – allerdings nur kurze Zeit – damals bei Wittels in Analyse.

297. An Albert Einstein

3171 Washington Boulevard
Cleveland Heights (Ohio) 6. 6. 39

Verehrtester Herr Professor,
da Sie wissen, was es bedeutet, im Einsteinschen Hause ein-

geladen[1] zu sein, brauche ich dies nicht zu erläutern. Ich kann nur sagen, daß ich dem Schicksal, Ihnen und Ruth Norden für dieses Geschenk tief dankbar bin.

Eine besondere Freude war es mir auch, von Ruth Norden zu hören, daß Sie für meine Bemühungen, einen Beitrag zur Bekämpfung der gegenwärtigen Welt-Übel[2] zu liefern, Interesse haben. Ich nehme an, daß dieses Interesse ein skeptisches ist, genau so wie meine Bemühungen skeptisch sind, weniger wegen meiner sicherlich zu geringen Fähigkeiten als wegen der Unmöglichkeit, selbst bei noch so großen persönlichen Fähigkeiten dem Weltgeschehen wirksam Einhalt zu gebieten. Vielleicht ist das Übel sogar notwendig, obwohl man den Nutzen der Pest im Physischen oder den der Hexenverbrennungen im Psychischen nicht recht einsehen kann; ich zumindest vermag es nicht. Und ich vermag auch nicht ruhig im Hause zu sitzen und eine im Grunde doch nur ästhetische Arbeit zu leisten, während das Dach bereits brennt; dies hängt mit der Überflüssigkeit des Ästhetischen, besonders des Schriftstellerischen in Grauensepochen zusammen. Beer-Hofmann sagte einmal: Dichter sein, heißt die Verantwortung für all das zu übernehmen, was einen nichts angeht[3]. Bessere Gelegenheiten hiezu sind dem Dichter noch selten geliefert worden.

Dies vorausgeschickt, gestatte ich mir, Ihnen anbei den Entwurf zu einem Gründungsvorschlag für ein massenpsychologisches Institut[4] zu überreichen. Im Technischen geht er auf meine Besprechungen mit Prof. Oeser zurück, der – wie ich schon anläßlich meines ersten Besuches bei Ihnen erwähnt hatte – seit einigen Jahren bereits sich mit derartigen Untersuchungen beschäftigt und zweifelsohne wichtige Resultate erzielt hat. Und so weit ich die Sachlage im Äußern überblicken kann, dürfte es wahrscheinlich möglich sein, die nötigen Geldmittel für eine derartige Forschungsstelle aufzubringen.

Bitte nehmen Sie nochmals aufrichtigsten Dank entgegen

verehrungsvoll und
ergeben Ihr
Hermann Broch

[DLA]

1 Broch wohnte in Einsteins Haus, 112 Mercer Street, Princeton/N. J., von Mitte August bis Mitte September 1939. Ruth Norden, die Übersetzerin Einsteins und Freundin Brochs, hatte Einstein gebeten, Broch das Haus für den Ferienmonat zu überlassen. Einstein selbst verbrachte den Sommer 1939 in Nassau Point, Peconic, Long Island/N. Y.

2 Vgl. Fußnote 2 zum Brief vom 6. 6. 1939 an René A. Spitz. In seinem Brief vom 23. 6. 1939 an Broch geht Einstein auf Brochs Vorschlag ein (AEA). Einstein spricht sich gegen die Neugründung eines Institutes aus, doch sagt er Broch für den Fall Hilfe zu, daß er selbst ein Buch zum Problem des Massenwahns schreiben will. Vgl. auch Fußnote 4 zum Brief vom 6. 6. 1939 an René A. Spitz.

3 Es handelt sich offenbar nicht um ein wörtliches Zitat. Gemeint sein könnte der Aphorismus »Ultra posse« vom 24. 12. 1930: »›Ultra posse nemo tenetur.‹ – Über seine Kraft, sein Können, seine Möglichkeiten hinaus, zu leisten – kann von Niemandem verlangt werden. – Von *Einem,* doch: Vom Dichter. Weh ihm, darum! – wohl ihm, darum!« Zitiert nach: Richard Beer-Hofmann, *Gesammelte Werke* (Frankfurt/M.: S. Fischer, 1963), S. 626.

4 Vgl. Fußnote 2.

298. An Oscar A. Oeser

dzt. 3171 Washington Boulevard
Cleveland Heights (Ohio) 7. 6. 39

Lieber Oskar,
haben Sie Dank für Ihre beiden Briefe; den ersten habe ich mit einer Karte nach Chicago beantwortet, die Sie vielleicht noch, vielleicht nicht mehr erhalten haben, aber ohnehin nur eine Adressenangabe war.

Anbei nun der Entwurf zur Hervorbringung von Massenwahn[1]. Sie werden meine New Havener und New Yorker Lehrjahre darin wiedererkennen. Ob sie mit der Fundierung im Werttheoretischen einverstanden sein werden, weiß ich nicht. Ich fühlte mich zu dieser Fundierung des Modells gedrängt, nicht nur, weil ich über die erkenntnistheoretische und logische Stellung des Wertbegriffes schon viel nachgedacht habe, sondern noch weit mehr, weil man zu jedem Arbeitsgebiet – besonders wenn es quasi erstmalig umrissen werden soll – eine übergeordnete Bestimmungssphäre benötigt; anders als mithilfe eines derartigen »kleinsten gemeinsamen Vielfachen« kann ich mir die Zusammenfassung von so weitverzweigten Wissenselementen überhaupt nicht vorstellen.

Meine Fragen an Sie:

1.) Sind sie mit dem Entwurf einverstanden, oder welche Abänderungen würden Sie für wünschenswert erachten?

2.) Sind sie bereit, einem Gründungskomitee für das Institut beizutreten?

3.) Haben Sie Ihrerseits Vorschläge für die Liste der Komiteemitglieder?

4.) Möchten Sie mit einem kurzen Beitrag an dem Sammelwerk mitarbeiten, das zur Aufstellung eines detaillierteren Forschungsprogramms von der American Guild for German Cultural Freedom oder richtiger mit deren finanzieller Beihilfe herausgegeben werden soll?

Natürlich werden Sie wenig Zeit haben, und Ihre geldgierige Camparbeit, zu der ich Ihnen aber doch gratulieren muß, und die ich für einen richtigen und überdies zukunftsträchtigen Entschluß halte, wird Ihr Zeitkonto unter Null bringen, d. h. Sie werden mit negativen Zeitbeträgen arbeiten müssen, und dies ist an und für sich ein Kunststück. Doch da es mit einem wienerischen Ausdruck heißt, daß »einem Geschwollenen nichts mehr schadet«, so hoffe ich sehr, daß Sie zur Überbelastung auch noch die Über-Überbelastung werden addieren können. Sie haben das Unglück, für diese Sache schlechthin prädisponiert zu sein, und bei aller gebotenen Skepsis gegen die Sache (nicht gegen Sie) meine ich, daß daraus noch etwas sehr Anständiges erwachsen könnte.

Schreiben Sie bald ein Wort. Bis zum 16. oder 17. bleibe ich hier (Adresse oben), ab 20. Juni bis 6. August bin ich in »Yaddo«, Saratoga Springs (N. Y.), und ab 15. August werde ich für 4 Wochen im Hause Einsteins in Princeton sein, über dessen Einladung ich mich begreiflicherweise besonders gefreut habe. Und da Princeton nahe genug von N. Y. ist, kann ich Sie ab 6. August, soferne Sie bis dahin schon wieder im Osten sein sollten, jederzeit sehen.

Inzwischen alle guten Wünsche, in Herzlichkeit Ihr
Hermann Broch

Ich habe meinerseits auch nichts aus St. Andrews[2] gehört, nicht einmal von dem schreibfreudigen Stewart[3]. Die Leute scheinen dort eine rätselhafte, wenn auch verständliche Schreibkrankheit zu haben.

[OAÖ]

1 »Vorschlag zur Gründung eines Forschungsinstitutes für politische Psychologie und zum Studium von Massenwahnerscheinungen«, KW 12, S. 11-42.
2 Von Willa und Edwin Muir.
3 Vgl. Fußnote 7 zum Brief vom 3. 12. 1938.

299. An Ruth Norden

Yaddo[1], 22. 6. 39

Sehr, sehr Liebes! natürlich ist auch dies wieder ein Abschiedsbrief, denn ich kann (überzeugungsgemäß) keine anderen schreiben, und wahrscheinlich habe ich auch deshalb Dichter werden müssen, denn Dichten ist nicht nur fortwährendes Abschiednehmen, sondern auch der dazugehörige Selbsttrost hiefür, aber ich will davon nicht weiter sprechen, weil ich mich bloß wiederholen könnte. Und seit zwei Tagen stecke ich außerdem wieder im Korrespondenzwirbel, der mich wie immer verrückt und rasend und verzweifelt macht; schließlich müßte ich ja doch auch arbeiten.

Und zur Korrespondenz gleich wieder eine Bitte: Robert Musil geht es miserabel, was ja für seinen schlechten miserablen Charakter ganz gesund ist, trotzdem aber verhütet werden soll; Rudolf Olden hat eine Rettungsaktion beim Londoner Pen eingeleitet, indem er für den in England unbekannten Musil Atteste einsammelt, und im Zuge dieses Verfahrens entstand natürlich ein Literaturtratsch, der aus der beifolgenden Briefkopie[2] zu ersehen ist. Dies ist an sich nicht von Belang, hingegen wohl die Oldensche Absicht, auch

Einstein für die Aktion zu gewinnen. Könntest Du dies übernehmen? natürlich nur, wenn Du es leicht und ohne Hemmungen machen kannst. Ich lege Abschrift meines Attestes[3] bei, mit dem allerdings Einstein wenig anfangen wird. [. . .]

[DLA]

1 Henry Seidel Canby hatte Broch den zweimonatigen Aufenthalt (Mitte Juni bis Mitte August 1939) in der Künstlerkolonie »Yaddo« in Saratoga Springs, N. Y., vermittelt.
2 Vgl. den Brief an Rudolf Olden vom 22. 6. 1939.
3 Hermann Broch, »Robert Musil und das Exil«, KW 9/1, S. 96-97.

300. An Rudolf Olden[1]

dzt. »Yaddo«
Saratoga Springs (N. Y.) 22. 6. 39

Lieber verehrter Dr. Olden,
Bermann[2] zeigte mir Ihren Brief, in welchem Sie ihm schreiben, daß Stefan Zweig sich geweigert hätte, für Musil einzutreten, »weil er (Zweig) mit Broch befreundet sei«. Dies ist derart unverständlich, daß es unbedingt nach Aufklärung verlangt: Zweig und ich sind uns in der unbedingten Hochschätzung des Musilschen Werkes einig, und Zweig dürfte auch wissen, daß ich stets und überall für Musil eingetreten bin, nicht nur in einigen Publikationen, sondern auch mit meinen (leider bisher erfolglosen) Bemühungen bei den verschiedenen Verlegern, den »Mann ohne Eigenschaften« zu der ihm gebührenden englischen Übersetzung zu bringen[3]. Es muß also hier irgend ein Mißverständnis vorliegen. Bevor ich mich jedoch dieserhalb an Zweig wende, wozu ich mich für verpflichtet halte, würde ich Sie um eine genauere Darstellung des Sachverhaltes bitten, denn es ist gut, eine Angelegenheit, die niemandem eine Freude macht, bereits im Anfangsstadium abzustoppen.

Obwohl meine Stimme kein sehr großes Gewicht hat, meine ich, daß ich in den Kreisen des P. E. N. etc. immerhin so weit bekannt bin, daß Sie die beifolgende Notiz über Musil eventuell verwenden könnten; bitte benützen Sie sie nach Ihrem Gutdünken. Und da Sie eine Äußerung Einsteins haben wollen, werde ich trachten, Ihnen so bald als möglich eine solche zu verschaffen[4]; so viel ich weiß, liest er wenig Literatur, wird also vielleicht auch über das Musilsche Werk nicht orientiert sein, aber ich werde mich bemühen, ihm diese Orientierung zu liefern, und dann wird es hoffentlich gehen.

Bitte empfehlen Sie mich Ihrer verehrten Gattin, die sich meiner vielleicht noch von Wien[5] aus erinnern wird. Und nehmen Sie einen herzlichen Gruß Ihres ergebenen

Hermann Broch

[DLA]

1 Rudolf Olden (1885-1940), deutscher Jurist und Redakteur. In den frühen dreißiger Jahren war er Mitherausgeber und politischer Redakteur des *Berliner Tageblatts*. Er verteidigte Carl von Ossietzky in dessen Hochverratsprozeß. 1933 floh Olden nach Prag, ging 1934 nach Paris und anschließend nach England, wo er an der Oxford University Vorlesungen hielt. Olden war Mitarbeiter zahlreicher Emigrantenblätter. Nach einer vorübergehenden Internierung wollte er 1940 in die USA emigrieren, um den Ruf einer amerikanischen Universität anzunehmen. Bei der Überfahrt kam Olden ums Leben, da das Schiff torpediert wurde.

2 Richard Bermann (Pseudonym: Arnold Höllriegel) (1883-1939), österreichischer Schriftsteller. Broch lernte Bermann in der Künstlerkolonie Yaddo kennen. Bermann war Mitarbeiter der American Guild for German Cultural Freedom, die er 1935 in den USA mitbegründet hatte. Vgl. H. Löwenstein, *On Borrowed Peace* (London 1943).

3 Zuletzt hatte Broch sich wegen einer Übersetzung von Musils *Mann ohne Eigenschaften* ins Englische an Herbert Read in England gewandt. Vgl. den Brief Edwin Muirs an Herbert Read vom 25. 10. 1939 in: Edwin Muir, *Selected Letters* (London: Hogarth, 1974), S. 111.

4 Vgl. Brief vom 22. 6. 1939 an Ruth Norden.

5 Olden war zwischen 1925 und 1930 Rechtsanwalt in Wien gewesen.

301. An Maria Heinemann[1]

»Yaddo«
Saratoga Springs (N. Y.) June 28th., 39

Dear Mrs. Heinemann:
some days ago I wrote to Dr. Sauerlaender – in German for greater speed – about the affidavit for the writer Mrs. Alice Schmutzer in Vienna. Pardon me if I insist on this affair: her children are afraid of many things; also she has been promised now a job in England which perhaps she would lose if she doesn't come out soon enough; in consequence the matter seems to be very urgent.

I profit by the occasion to ask from you something else: the Viennese writer and translator Miss Anja Herzog is now in Mexico on a tourist visa. In order to stay permanently the character as a »refugiada politica« must be certified by some organization in good standing. Therefore I ask you kindly to do it in the name of the »Guild«. Please, send something like the following letter (in English or better in Spanish) to *Miss Herzog's address:*

To the Chief of the Departamento de Poblacion, Mexico D. F.

Miss Anja Herzog, Calle Esperanza 106, Col. del Valle, Mexico D. F. escaped from Vienna on March 14th., 1938, on the day of the German occupation. She had to leave Austria because she was in great danger, having worked for anti-nazi newspapers. Since she stayed in Paris, but now she emigrated to Mexico, fearing a fascist course in French politics, which would mean to her the same danger. Being a Czechoslowak citizen she cannot return to her home country, the »American Guild for German Cultural Freedom« certifies that she is to be considered a political fugitive.

Signed by the Guild

I warrant the exactness of the above assertions. Probably Mrs. Irene Harand, once editor of the Viennese weekly »Gerechtigkeit«, now in New York, will know Miss Herzog, too.

I thank you, dear Mrs. Heinemann, most cordially. Very truly yours

Hermann Broch
[DB]

1 Sie hatte damals die Nachfolge von Sarah Brandes als Executive Secretary der American Guild for German Cultural Freedom angetreten.

302. An H. F. Broch de Rothermann

c/o »Yaddo«
Saratoga Springs (N. Y.) 1. 7. 39

L. H., Deine Zeilen v. 9. Juni erhielt ich hier in Yaddo. Das ist ein Heim für Schriftsteller etc., sehr luxuriös geführt: ich bin zwecks Erholung für 8 Wochen eingeladen, und so geht es mir im Augenblick gut. Die Gegend ist zwar nicht großartig, aber dem geschenkten Saratogen schaut man nicht in den Mogen.

Und ich eile mich, zu antworten, gewohnterweise in der Reihenfolge Deines Briefes:

Wie ich £ 150.—[1] auftreiben soll, ist mir im Augenblick nicht sichtbar. Ich habe, wie Du weißt, Wien mit Mk. 18,— verlassen, und ich lebe seitdem wie die Lilie auf dem Felde, d. h. mit der Zuversicht, daß es immer schon irgendwie weiter gehen wird. Hier z. B. brauche ich ja überhaupt nichts, aber die $ 2.— für die Laundry, die ich nächste Woche haben muß, habe ich heute noch nicht. Meine Budgetsorgen bewegen sich um diese Beträge, und ich muß sagen, daß mir dies lieber ist, als die Wiener Sorgen, bei denen für mich auch nicht mehr herausgeschaut hat. Daß die Sache bei mir weitergeht, beruht nicht zuletzt darauf, daß ich zum Unterschied von anderen Emigranten niemals etwas von jemandem verlange, am allerwenigsten Geld: ich habe die ungeheuer schwere Aufgabe, mir hier einen Namen zu machen, und dies tue ich mit aller Zielgerichtetheit; ich werde – soferne die Politik nicht über alles einen großen Strich zieht – ganz bestimmt auch mein Auslangen haben, aber dies kann nur auf Basis meines Namens geschehen, und dieser Aufbau kann nur mit aller Vorsicht vorgenommen werden. Ein Emigrant, der ins öffentliche Leben dieses Landes sich einschieben will, darf nicht den geringsten Fehler machen.

Aber selbst wenn ich den Fehler machen wollte, es würde mir nicht gelingen. Die Leute hier sind bereits »überzogen«: sie haben für die verschiedenen Komitees und Hilfsaktionen ungeheuer viel Geld hergegeben, und ich wüßte niemanden, der noch außerdem für eine Einzelaktion zu haben wäre. Du kannst mir aufs Wort glauben, daß dem so ist; ich beurteile die Dinge ganz richtig.

Am liebsten hätte ich Dich herüben, denn damit wäre auch die Frage der Staatsbürgerschaft gelöst. Die amerikanische Staatsbürgerschaft ist mir immerhin noch lieber als eine asiatische. Heiratest Du eine Amerikanerin, so kommst Du nicht nur ex quota ins Land, sondern bist außerdem in drei Jahren Staatsbürger. Schiffskarte kann entweder in Wien oder in Ungarn gekauft werden. Das ist der einfachste Weg. Über alle andern bist Du ja orientiert: sowohl das Immigrations- als auch das Visitorvisum bedürfen eines Affidavits. Hat Mama[2] dieserhalb an Sedlmayer[3] geschrieben?! (– wichtig weil dies ein Verwandtenaffidavit wäre, also vollgültig –!). Weiters: wenn Du auf der Liste bist (– hast Du Dich eintragen lassen? –), so kannst Du kein Visitorvisum mehr bekommen, sondern mußt Deine Nummer abwarten. Schließlich: die Umwandlung von Visitorvisen in Immigrationsvisen (via Cuba etc.) wird von Tag zu Tag erschwert.

Beschäftigung hier: alles was Du schreibst, ist gangbar. Allerdings ist nichts aus der Ferne zu machen; man muß hier persönlich dem Job nachrennen. Anders tun es die Leute absolut nicht. Außerdem wird jedem das Visum entzogen, der mit einem Job in der Tasche ankommt. Erst wenn Dir der Immigration-Officer Deine Landungskarte ausfolgt, bist Du arbeitsberechtigt. Was aber dann die Konkurrenz anlangt, so muß zweierlei im Auge behalten werden, erstens, daß viele jüdische Emigranten gute Sprachkenntnisse haben, zweitens, daß Sprachkenntnisse in Amerika nicht so viel wie in Europa bedeuten. Mit Griechisch oder Serbisch ist hier wirklich wenig anzufangen, und die wichtigste Außensprache, nämlich Spanisch, ist reichlich vertreten. So komisch es klingt:

Korrespondenten in Yiddisch werden gesucht. Mit einer Art Übersetzungszentrale könnte man vielleicht auch die Nebensprachen fruktifizieren.

Was nun die Regierungsanstellung betrifft, von der Du sprichst, so gäbe es bloß einen einzigen Weg: über ein amerikanisches Konsulat oder die Gesandtschaft. Ich glaube zwar nicht, daß ein Ausländer da oder irgendwie anders von der Regierung angestellt werden könnte, aber schließlich sind die politischen Verhältnisse so, daß es hier wirklich eine Möglichkeit gäbe, Dich mit Deinen Sprachkenntnissen zu präsentieren. Wenn Sprachen heute irgendwo in Amerika gebraucht werden, so in Washington.

Und nun hiezu: sowohl England wie Frankreich richten jetzt Propagandaministerien ein, und da diese eben ihren Wirkungskreis über ganz Europa erstrecken (Radio!), so wäre da wirklich etwas mit Sprachen zu machen. In London könnte ich vielleicht die eine oder andere Verbindung hiefür suchen.

Sleepwalkers: *Du* hast mich mißverstanden: ich habe gemeint, daß jemand für *mich,* resp. für Dich den Band kaufen könnte, wobei ich die Widmung auf einen Separatzettel schreiben würde. In Amerika ist kein einziges Exemplar mehr aufzutreiben, da nach dem Ausverkauf der ersten keine zweite Auflage gedruckt worden ist. Ich müßte also Exemplare aus England bestellen, um sie dann wieder nach England zu senden. Außerdem ist es mir bisher nicht gelungen, vom englischen Verleger auf Bestellung ein Exemplar zu erhalten. Ich habe nun bei Antiquaren nach Exemplaren suchen lassen; vielleicht taucht eines auf.

Marta Karlweis[4] bin ich nicht begegnet. Gerda Jensen[5] ist bisher nicht erschienen.

Bitte laß sehr bald etwas von Dir hören. Sollte ich etwas zu berichten haben, so schreibe ich sofort. Sei umarmt

H.

[YUL]

1 H. F. Broch de Rothermann hielt sich damals auf der Isle du Levant bei Lavandou in Südfrankreich auf. Wenig später ging er nach Nizza, wo er bis zum Ausbruch des Krieges lebte. Das Geld hätte er für die Überfahrt in die USA benötigt.

2 Franziska Broch, geb. v. Rothermann, Mutter H. F. Broch de Rothermanns.
3 Theodor Sedlmayer war ein in den USA lebender, wohlhabender entfernter Verwandter von Franziska von Rothermann. Sedlmayer war schon vor dem Ersten Weltkrieg ausgewandert.
4 Marta Karlweis (später Marta Wassermann, Pseudonym: Barbara Vogel) (1889-1965), Journalistin, die 1939 nach Kanada emigrierte. Sie war die zweite Gattin Jakob Wassermanns.
5 Ehemalige Freundin Broch de Rothermanns.

303. An Abraham Sonne[1]

c/o »Yaddo«
Saratoga Springs (N. Y.) 11. 7. 39

Lieber, lieber Freund, es wäre idiotisch zu sagen, daß ich Dir böse bin (eher bin ich es auf Deinen Zürcher Schwager, der meine sehr besorgte Anfrage nicht beantwortet hat), aber warum konnte ich wirklich nicht ein einziges Lebenszeichen von Dir bekommen? auch dies ist eine rhetorische Frage, denn mir ist Dein Leben, auch ohne um die äußeren Umstände zu wissen, halbwegs vorstellbar.

Ich will mich heute auf einen kurzen Bericht und auf ein paar Vorschläge beschränken.

Wahrscheinlich hast Du meine Übersiedlungsanzeige nach Amerika auch nicht erhalten (– wo übrigens die Briefe und Karten, die alle Rückadresse trugen, hingeraten sind, wäre eigentlich zu ergründen –); ich bin also am 1. Okt.[2] herüber übersiedelt, da ich erstens, sozusagen zufällig, ein amerikanisches Visum erhalten hatte, zweitens aber meine Freunde Muirs in Schottland für den Kriegsfall nicht mit einem jüdischen Emigranten belasten wollte. An und für sich war es ein guter Entschluß; ich habe in Amerika unendlich viel gelernt und auch unendlich viel gearbeitet. Diese Arbeit hat sich allerdings sehr gewandelt: ich kann sagen, daß ich bereits nach 48 Stunden gewußt habe, mich in einem Lande zu befinden, dessen Struktur dem vorhitlerischen Deutschland geradezu photographisch gleicht; und habe ich das Dichterische – wie Du weißt – immer als eine mehr als überflüssige Tätigkeit innerhalb unserer Epoche betrachtet, so wurde mir dies nun doppelt eindringlich vor Augen geführt; ich habe also weitgehend eine Umstellung vollzogen und gehe immer mehr auf politische Themen über, wobei mir als Basis die Dir bekannte Völkerbundarbeit dient. Doch da mit dem Bücherschreiben wahrlich nichts getan ist, versuche ich, mich durch persönliche Fühlungnahme und persönliche Einwirkung zu Einfluß zu bringen; die Dinge sind – wahrlich unberufen! – in gutem Fluß, denn meine Stimme wird mehr und mehr gehört, ich soll eine Vortragstournée unternehmen, und vielleicht mag es glücken, daß ich in zwölfter Stunde doch noch an der Errichtung des Staudammes gegen das Gräßliche mitarbeiten kann. Ich bin bloß durch zwei Dinge sehr gehemmt, einesteils durch die Sorge um meine Mutter, die sich noch drüben befindet, andernteils durch meine grauenhafte Erschöpfung, denn neben allem andern muß ich ja doch [das] Dichterische vorwärtstreiben, nicht nur weil es mir meinen Lebensunterhalt verschaffen muß, sondern auch weil es die Plattform ist, auf der sich meine Geltung behaupten muß. Und überdies wächst meine Korrespondenz von Tag zu Tag, ohne daß ich mir eine Sekretärin leisten könnte. Gesundheitlich bin ich also ein bißchen wacklig geworden; seit April allerdings geht es mir besser, nicht zuletzt infolge der mir bereits über den Kopf wachsenden Einladungen, die mich der unmittelbaren Nahrungssorgen entheben und mich wieder ins Futter gesetzt haben.

So weit der schematische Bericht. Nun meine Vorschläge. Dein Verbleiben in diesem Wetterwinkel dort macht mir allergrößte Sorge. Ich weiß, daß es eine gewisse ethische Befriedigung ist, an gefährdeter Stelle zu bleiben und daß Palästina sozusagen der naturgegebene Boden dafür ist. Nichtsdestoweniger ließe sich vertreten, so weit meine obenerwähnten Ansichten richtig sind, daß Amerika keineswegs ungefährdet ist, daß also die ethischen Ambitionen auch hier mehr als reichlich zu befriedigen sind; ein fascistisch-amerikanisches Konzentrationslager dürfte bei der hiesigen Wildheit den deutschen keineswegs nachstehen. Hingegen ist hier noch fruchtbare Arbeit zu Abwendung des Weltübels zu leisten (– immer mit der allergrößten Skepsis gesagt –), und ebenfalls meine ich, daß Du hierher gehörtest. Auf Grund

Deiner Wiener Lehrtätigkeit könntest Du auf Professorenvisum hereinkommen, soferne hier eine Professur auf Dich wartet, und ich bin überzeugt, daß eine solche (für hebräische Literatur und Philosophie) ohne weiteres für Dich zu erlangen sein wird. Da habe ich schon viel schwierigere Fälle hier gesehen. Soll ich mich also dahinter machen?! bitte schreibe mir tunlichst bald darüber; bis *Anfang August* bin ich hier in Saratoga, und am 15. treffe ich in Princeton (N. J.) ein, wo ich bis 15. September bei Einstein arbeiten werde. (Adresse poste restante.) Und ich meine, daß ich von dort aus auch die richtigen Verbindungen für Dich schaffen könnte. Wie sehr ich mich freuen würde, Dich herüber zu haben, brauche ich wohl nicht zu sagen.

Ansonsten habe ich zu berichten, daß Anja samt Mutter in Mexico ist, sehr verstrickt in ihre Liebesgeschichte, die aber noch immer nicht zur Heirat führt, daß ich Deine Adresse durch Canettis[3] in London erhalten habe und daß Dora Bek[4], die mir nicht schreibt, dort eine gute Anstellung hat. Du aber bitte schreibe mir, wenn auch nur kurz. Ich möchte Dir dann auch einen Teil meiner Arbeiten schicken, umsomehr als ich Dich ja eigentlich zur Teilnahme auffordern möchte. Inzwischen laß Dir die Hand drücken. Stets Dein alter

Hermann

[LBI]

1 Abraham Sonne (Ben Yitzhak) (1883-1950), studierte in Wien und Berlin jüdische Theologie und Geschichte. 1913 wurde er an das Lehrerbildungsseminar in Jerusalem berufen, um Vorlesungen über Hebräisch und Psychologie zu halten. 1918 kehrte er nach Berlin zurück, ging anschließend nach England, wo er für den Council of the World Zionist Organization in London arbeitete. In den zwanziger Jahren kam er nach Wien zurück, um dort am Jüdischen Pädagogischen Institut zu unterrichten, dessen Rektor er später wurde. 1938 emigrierte er nach Jerusalem. Mit Broch war er seit den frühen dreißiger Jahren befreundet.

2 Am 1. 10. 1938 verließ Broch mit dem Dampfer Statendam London.

3 Elias und Veza Canetti waren 1939 nach England emigriert.

4 Nicht ermittelt.

304. An Jolande Jacobi

c/o »Yaddo«
Saratoga Springs, N. Y. 12. 7. 39

Liebste Frau Jolan, liebe Freundin,
offenbar haben Sie meinen Winterbrief nicht erhalten; manchmal geht eben doch etwas verloren. Damals habe ich Sie aufgefordert, sofort nach Amerika zu kommen, heute wiederhole ich diese Aufforderung, allerdings in erster Linie aus egoistischen Gründen: denn eine Empfehlung zur Übersiedlung hierher ist zwar angesichts des europäischen Krieges (– an den ich übrigens nicht sehr glaube, außer in Anbetracht eines programmwidrigen Unglücksfalles –) immer zu vertreten, doch ansonsten ist die Entwicklung der politischen Situation bereits weitgehend der europäischen angenähert, und wenn da der liebe Gott nicht noch persönlich eingreift, so kann es hier einen Wahnsinnsausbruch geben, der bei diesen extravertierten Kindern noch ganz andere Dimensionen annehmen dürfte als in dem immerhin introvertiert gezügelten Europa. Es fällt einem also schwer, eine Wahl zwischen Regen und Traufe zu treffen, und wenn ich Sie zur Traufe rufe, so ist es eben nur der nackte Egoismus, Sie hier haben zu wollen.

Allerdings muß ich ehrlichkeitshalber noch hinzufügen, daß ein Laienanalytiker hier überhaupt nicht ankommt. Gewiß kann einem niemand das Analysieren verbieten, weil es kein Kurpfuschergesetz gibt: doch ein einziger nur ein wenig fehlgegangener Fall kann die übelsten Folgen mit Schadenersatzansprüchen usw. haben. In Kalifornien geht es liberaler zu; dort kann der Laienanalytiker, wenigstens vorderhand noch, arbeiten, ohne von der gesamten Ärzteschaft bekriegt zu werden.

Was mich anlangt, so wird meine Schreiberei von derlei Problemen glücklicherweise nicht eingeengt. Nichtsdestoweniger bin ich froh, sie nach Amerika verlegt zu haben. Nicht nur, daß ich hier unendlich viel gelernt habe, es ist auch (s. o.) noch der einzige Platz, an dem man dem lieben Gott unter die Arme greifen und ein wenig auf den rechten Weg weisen kann. Und dies zu tun, bemühe ich mich. Meine Arbeit ist auf

Basis der Ihnen bekannten Völkerbundresolution aufgebaut, und ich komme damit – gegen alle eigene Skepsis – bis auf weiteres Schritt für Schritt vorwärts. Allerdings ist Gott widerspenstig; er läßt sich nicht gerne helfen, und so gehen meine gesamten Kräfte drauf, umsomehr als ich ja daneben noch dichten muß. Meine Gesundheit ist bei diesem Regime auch tatsächlich etwas ins Wackeln geraten, doch ich meine, daß sich dies bei zunehmender Akklimatisierung, wenn auch nicht mit zunehmenden Alter, bessern wird.

Ich bin entzückt über Ihr Lebenswenden-Projekt[1]. Wenn Sie einmal Zeit haben, schreiben Sie mir bitte mehr darüber. Bis Anfang August bleibe ich hier (eine luxuriöse Schriftstellerstiftung) und ab 15. August bin ich in Princeton N. J. (poste restante), wohin ich, zu meiner Freude, von Einstein eingeladen worden bin. Sobald von meinen Arbeiten etwas fertig ist, bekommen Sie es, umsomehr als ich vielleicht – erschrecken Sie nicht – ein Attentat auf Sie ausüben werde, d. h. ich möchte Sie gerne zur Mithilfe auffordern. Inzwischen aber nehmen Sie alle guten und treuen Gedanken. In Herzlichkeit Ihr

H. B.

[DLA]

1 »Die Psychologie der Lebenswende« war das Dissertationsthema der 1938 abgeschlossenen Doktorarbeit von Jolande Jacobi. Vgl. Fußnote 1 zum Brief vom 23. 4. 1936.

305. An Oscar A. Oeser

»Yaddo«
Saratoga Springs (N. Y.) 14. 7. 39

Lieber Oskar,
eine zeitlang glaubte man, daß Sie zu den Sitten der Kulturvölker zurückgekehrt seien; nun zeigt es sich, daß Sie unrettbar in der St. Andrewerei[1] verbleiben, wo bekanntlich Brief-Beantworten als Sünde gilt.

Nun weiß ich, daß Sie ebenso arbeitsüberlastet sind, wie

ich es bin, und daß sogar eine Postkarte manchmal als unübersteigbares Hindernis erscheint. Aber trotzdem hätte ich gerne gewußt, ob Sie meinen Text bekommen haben oder nicht. Weiters möchte ich wissen, wo Sie sich befinden, etc.

Zu meinem Exposée habe ich zu berichten, daß ich es vorderhand bloß ein paar Analytikern und den Verbindungsleuten zu den in Aussicht genommenen Geldgebern gezeigt habe. Weiters habe ich es Einstein geschickt, der sich dafür interessiert und mich nach Princeton eingeladen hat: von ihm ist die erfreulichste Zustimmung gekommen (– für mich sehr überraschend –); er will seinen Einfluß bei der Finanzierung zur Verfügung stellen etc. Allerdings ist er gegen Kollektiv-Institute; in Überschätzung meiner Person meint er, daß ich die Forschung allein mit Hilfskräften vorzunehmen hätte. Ebensogut könnte ich eine chirurgische Klinik leiten. Aber da wird er schon Vernunft annehmen.

Mein Modell zur Massenwahnerzeugung bedarf noch einiger Rektifikationen. Insbesondere kann – wie ich aus der Diskussion gesehen habe – aus dem jetzigen Text mißverständlich der Schluß gezogen werden, ich leite alles Wertstreben aus der Angst ab. Das stimmt selbstverständlich nicht, war auch von mir nicht so intendiert (da ich ja nicht psychologisch, sondern erkenntnistheoretisch basiere), und wenn man sich auch hiezu auf das große Beispiel Kierkegaards[2] berufen könnte, ich tue es nicht, sondern werde dies noch klarstellen. Dann erhalten Sie die endgültige Fassung.

Praktisch geht es nun darum, ein Einladungskomitee zusammenzustellen. Und da kann ich Sie nicht auslassen; da müssen Sie mithelfen, zumindest durch Vorschläge, oder Sie müssen eben selber Mitglied werden. Durch Verstecken werden Sie sich nicht entziehen.

Der Sicherheit halber schicke ich den Brief in Doppelparie ab, einmal durch meinen Freund Bergmann[3], der sich jetzt mit Lewin[4] in Berkeley befindet und Ihre Adresse dort ausfindig machen soll, das andermal durch das Institute for Human Relations[5].

Ich bin bis Anfang August hier (– nahezu ausschließlich mit dem Vergil beschäftigt –) und ab 15. August bei Einstein in Princeton (N. J.), 112 Mercer Street. Zwischendurch ein paar Tage in Boston und New York.

Ich rechne bestimmt darauf, Sie zu sehen. Von Princeton kann ich ja jederzeit nach N. Y. kommen. Außerdem hatten Sie, so viel ich mich erinnere, die Absicht, nach Princeton zu fahren. Inzwischen aber schreiben Sie doch jene Postkarte.

Alles Herzliche Ihres
H. B.

[OAÖ]

1 Vgl. Fußnote 3 zum Brief vom 7. 6. 1939.

2 Vgl. Sören Kierkegaard, *Der Begriff Angst* (1844).

3 Gustav Bergmann (geb. 1906 in Wien), erwarb 1928 den Dr. phil. an der Universität Wien, emigrierte 1938 in die USA, wo er von 1939 bis 1974 Philosophie an der University of Iowa in Iowa City lehrte. Von der Wiener Universität her kannte Bergmann Broch nur flüchtig. Er lernte ihn kennen während der Überfahrt von London nach New York auf dem holländischen Schiff Statendam. Die Fahrt dauerte vom 1. bis 10. 10. 1938. Beide wohnten zunächst im gleichen Apartment-Komplex 420 West 121st Street in der Nähe der Columbia University. Bergmann wohnte dort bis zum Frühjahr 1939. Er und Broch trafen sich häufig, nahmen gemeinsame Mahlzeiten ein, und Broch bat Bergmann oft, ihm jene Seiten laut vorzulesen, die er gerade neu zum *Tod des Vergil* geschrieben hatte. Im Juli 1939 arbeitete Bergmann vorübergehend zusammen mit dem Psychologen Kurt Lewin, der damals für zwei Monate in Berkeley während des Sommersemesters unterrichtete.

4 Kurt Lewin (1890-1947), deutsch-amerikanischer Psychologe, der 1933 in die USA emigrierte. Seit 1935 war er Professor für Kinderpsychologie an der University of Iowa, Iowa City. Später leitete er das Research Center for Group Dynamics am Massachusetts Institute of Technology in Cambridge. Lewin versuchte eine topologische Psychologie (Feldtheorie) zu entwickeln, wobei sich seine Forschungsinteressen auf die Motivations- und Gruppenpsychologie konzentrierten. Vgl. sein Buch *Principles of Topological Psychology* (New York, London: McGraw Hill, 1936).

5 Institute of Human Relations, 1928 von Robert M. Hutchins (siehe Fußnote 1 zum Brief vom 14. 3. 1946) mitbegründetes Institut an der Yale University, dessen Ziel es war, die Ausbildung von Juristen und Medizinern vor fachspezifischer Verengung zu bewahren. Von 1927 bis 1928 war Hutchins Acting Dean der Juristischen Fakultät an der Yale University.

306. An Albert Einstein

c/o »Yaddo«
Saratoga Springs N. Y. 15. 7. 39

Hochverehrter Herr Professor,
Ihre Zustimmung zu meinem massenpsychologischen Versuch war mir eine begreifliche Freude. Gestatten Sie noch, daß ich nun, sozusagen aus Gewissenspedanterie und ohne Rücksicht darauf, ob Sie die Sache so weit interessiert, Ihnen eine Ergänzung[1] vorlege, die sich nach Ausschickung des Textes als notwendig erwiesen hat und die ich (– was auch meinen Dank an Sie verzögert hat –) infolge anderweitiger Arbeitsbelastung erst jetzt vornehmen konnte: es hat sich nämlich herausgestellt, daß ich das werttheoretische Schema, auf dem meine Skizze basiert und das eine Abbreviatur einer ziemlich ausgedehnten Untersuchung über werttheoretische Grundlagen ist, allzu weit simplifiziert hatte und daß hiedurch die Meinung entstanden ist, ich wolle den Wertbegriff – in gewisser Anlehnung an Kierkegaard[2] – ausschließlich aus dem Angstphänomen ableiten; dies war nicht meine Absicht, denn die Angst ist im Wertgeschehen bloß ein Phänomen zweiter Kategorie, und so habe ich die Einleitung zum Abschnitt II. meines Elaborates eben lt. Beilage erweitert und verdeutlicht.

Es war mir besonders ehrenvoll, daß Sie mir die Untersuchungsleitung in einer so wichtigen Materie zutrauen. Leider muß ich Sie aufklären, daß Sie damit meine Fähigkeiten weit überschätzen; ich bin kein Psychologe und kein Soziologe von Fach, und so trachte ich jetzt vor allem, Anschluß an die von Herrn D. Krechevsky an der Universität Colerado gegründete »Society for the Psychological Study of Social Issues«[3] zu gewinnen, annehmend, daß in deren Rahmen sich für meine Bestrebungen ein entsprechender Platz finden dürfte.

Wenn Sie nach Princeton zurückkommen werden, hoffe ich, Ihnen hierüber Genaueres berichten zu können. Inzwischen werde ich dort meine Haupttätigkeit im Sinne der Vorschriften von Frl. Dukas[4], für die ich ihr sehr herzlich danke, in erster Linie auf Titine richten und mich bemühen, mich mit derselben auf guten Fuß zu stellen. Hoffentlich gelingt es; mit Katzen ist das nicht so einfach.

Bitte empfehlen Sie mich Frl. Dukas und nehmen Sie mit meinen besten Wünschen für einen weiteren guten Sommer nochmals Dank sowie verehrungsvolle Grüße Ihres ergebensten

Hermann Broch
[DLA]

1 Es handelt sich um eine Ergänzung zum Kapitel »II. Die dynamischen Vorbedingungen im Arbeitsfeld« der Studie »Vorschlag zur Gründung eines Forschungsinstitutes für politische Psychologie und zum Studium von Massenwahnerscheinungen«, KW 12, S. 16-19. Diese Ergänzung ist verlorengegangen.

2 Vgl. Sören Kierkegaard, *Der Begriff Angst* (1844).

3 Die Society for the Psychological Study of Social Issues – einer Unterorganisation der American Psychological Association – wurde 1936 von Ross Stagner – dem ersten Chairman – und David Krechevsky (der sich seit den vierziger Jahren David Krech nannte) – dem ersten Sekretär – gegründet. Die Gesellschaft, die noch heute besteht und seit 1944 die Zeitschrift *Journal of Social Issues* publiziert, hatte es sich zur Aufgabe gesetzt, psychologische Forschungen unter sozialgesellschaftlichen Aspekten zu betreiben. Hadley Cantril – Direktor des Office of Public Opinion Research in Princeton –, mit dem Broch seit 1942 durch seine massenpsychologischen Arbeiten in Verbindung stand, war 1947 Chairman der SPSSI.

4 Helen Dukas war die Sekretärin Albert Einsteins. Von Mitte August bis Mitte September 1939 wohnte Broch in Einsteins Haus in Princeton.

307. An René A. Spitz

c/o »Yaddo«
Saratoga Springs N. Y. 16. 7. 39

Lieber Freund Dr. René Spitz,
ich bin tief betrübt, daß Ihnen offenbar noch eine Prüfungs-Etappe bevorsteht[1]. Die Formel vom New York, das nicht an

einem Tag erbaut worden ist, kann kaum als ausreichender Trost gelten. Aber um im Römischen zu bleiben und bei dem mir augenblicklich sehr innig vertrauten, doch darob nicht minder langweiligen Vergil: aus der Aeneis (V. 815) stammt, was nicht viele wissen, das unus pro multis[2], und wahrlich Sie sind nicht der einzige Fall, dem es so schwer gemacht wird. Allerdings auch kein Trost, der sich sehen lassen kann.

Die von Ihnen gerügte Domination des Vergils über meine sonstigen Agenden hat übrigens einen praktischen Grund: nicht nur, daß ich mich finanziell auf die Beine stellen muß, ich muß auch für die Auffrischung meines sogenannten Ruhmes bemüht sein, der ohnehin in diesem Lande erstaunlich lange vorgehalten hat, indes nachgerade den Charakter eines überzogenen Kredites annimmt. Und da ich nun einmal als Dichter abgestempelt bin und derartige Abstempelungen gerade in Amerika kaum abänderbar sind, muß ich zweifelsohne dieses Fundament unterbauen, das allein imstande ist, mir eine öffentliche Wirkungsmöglichkeit auch auf anderen Gebieten zu garantieren. Täte ich es nicht, ich fiele in die Unbekanntheit zurück, in eine Unbekanntheit, die mir auch den Eintritt in jedes andere Fachgebiet unendlich erschweren würde.

Zu unserer Sache aber habe ich zwei wichtige Fakten zu berichten: erstens daß Einstein, dem ich mein Elaborat[3] geschickt habe, diesem warm zustimmt und spontan, obwohl ich ihn natürlich nicht darum gebeten habe, seine Unterstützung anbietet; zweitens hingegen, weniger erfreulich, so weit es um den persönlichen Ehrgeiz geht, doch erfreulich in sachlicher Beziehung, daß es, wie Federn herausgefunden hat, in Amerika bereits seit vier Jahren eine derartige Gründung existiert, nämlich die von D. Krechevski[4] ins Leben gerufene und geleitete »Society for the Psychological Study of Social Issues«, welche sich an der University of Colorado, Boulder (Col.) befindet, mit der »American Psychological Association« verbunden ist und ihre Bulletins im »Journal of Social Psychology« veröffentlicht.

Mit dem Argument »Boulder, auch ä Stadt« läßt sich nun dieses Faktum nicht abtun; es wäre sinnlos, ein Konkurrenzunternehmen zu gründen. Einstein meint zwar, es möge das gedachte Institut nicht als großes Kollektiv aufgezäumt werden, sondern – sozusagen als meine Privatkanone – lediglich dazu dienen, um Forschungen auf Grund meines Modells unter meiner Alleinleitung, unterstützt von einigen Fachmitarbeitern, vorzunehmen, doch diese Überschätzung meiner Person und meiner Leistungsfähigkeit spricht lediglich für die Dummheit dieses großen Mannes. Man muß also unbedingt eine Zusammenarbeit mit D. Krechevski ins Auge fassen, resp. den Eintritt in seine Organisation, es sei denn, daß man die ganze Angelegenheit von vorneherein auf ein Teilgebiet, z. B. auf das Analytische einschränken wollte. Vor allem jedoch muß man sich anschauen, was da in Colorado eigentlich gearbeitet wird. Und da würde ich Ihnen den Vorschlag machen, daß Sie, der Sie technisch korrespondenzfähiger als ich sind, sich das Material von Krechevski kommen ließen.

Soeben habe ich hier eine unmittelbare Verbindung mit Boulder hergestellt, so daß ich die Sache recht einfach besorgen kann!!

Aus Europa habe ich leider recht unerfreuliche Nachrichten, leider recht zuverlässige: Polen soll preisgegeben werden! Man kann bloß auf die Unzuverlässigkeit hoffen.

Um aber nun meinerseits auch etwas zum weitern Fortgang beizutragen, habe ich Ihre Mahnung befolgt und die Ergänzung meines Textes vorgenommen. Ob er, der neuen Sachlage gemäß, überhaupt in der heutigen Form noch verwertbar sein wird, sei dahingestellt. Sozusagen wissenschaftlich erscheint mir ja noch manches präzisierungsbedürftig, insbesondere das Verhältnis zwischen den beiden opponenten Wertwegen, die hier allzusehr schematisiert sind, weiters der Rückfall von Ich-Bestandteilen an die Außenwelt, etc. etc. Ich will aber dieser Gefahr – es ist die Gefahr von 400 Seiten – in Ihrem Sinne entgehen und begnüge mich mit der ursprünglich gedachten primitiven Textergänzung, die ich anbei beilege: sie umfaßt den letzten Absatz von Seite 4 und die ersten 8 Zeilen von Seite 5, und da sie selber eine ganze Seite füllt, müßten drei Seiten, nämlich eben 4, 4 A und 5 frisch geschrieben werden. Mit der Ergänzung selber hoffe ich Sie einverstanden.

Mit den fertigen Exemplaren bitte ich Sie nach Gutdünken zu operieren. Zwei oder drei erbitte ich mir hierher.

Bei dieser Gelegenheit etwas nicht Dazugehöriges: vor meiner Abreise war ich im Restaurant Heinz, 1272 Amsterdam Avenue; der Wirt hörte mich deutsch sprechen und kam mit einem Bündel von Dokumenten, die einem *Dr. Alexander Nadas* gehören und die derselbe einige Wochen vorher in dem Restaurant vergessen oder verloren hatte; es handelte sich um sämtliche Zeugnisse der Wiener Universität, um die Zeugnisse über das Praktikum am Wiener Allgemeinen Krankenhaus, u. s. f., also durchaus um Dokumente, die für den Verlustträger unersetzlich sind. Angesichts des ungarischen Namens wäre es vielleicht möglich, daß Sie irgend eine Spur zu diesem Dr. Nadas wüßten.

Übermitteln Sie Handküsse und nehmen Sie alle guten Wünsche und Grüße

Ihres
Hermann Broch

Bitte schicken Sie jedenfalls ein Exemplar an Miß Ruth Norden, Redaktrice des »Living Age«, 420 Madison Avenue; sie ist an der Sache unmittelbar interessiert.

Sollten Sie die Absicht haben Edith Gyömröi oder Anja Herzog zu schreiben, so geben Sie denselben jedenfalls auch ein Exemplar. Die Adresse der letzteren ist: Calle Esperanza 106, Col. del Valle, Mexico D. F. (Mexico). Sollten Sie aber kein Bedürfnis nach diesen Briefen haben, so werde ich die Übermittlung gelegentlich von hier aus besorgen.

Nochmals alles Herzliche!

[BB, DLA]

1 René Spitz promovierte damals.

2 »unum pro multis dabitur caput« (»nur ein Haupt wird gegeben für viele«).

3 »Vorschlag zur Gründung eines Forschungsinstitutes für politische Psychologie und zum Studium von Massenwahnerscheinungen«, KW 12, 11-42.

4 Vgl. Fußnote 3 zum Brief vom 15. 7. 1939.

308. An Ralph Manheim[1]

c/o »Yaddo«
Saratoga Springs N. Y. 17. 7. 39

Lieber Dr. Manheim,
seien Sie bedankt. Und um gleich ins Meritorische zu springen: meine totalitäre Demokratie[2] ist auf dem Prinzip aufgebaut »Zwiebel ist gut, Schokolade ist gut, wie gut muß erst beides zusammen sein.« Mit diesem Slogan ist sie glattwegs zu vernichten; doch am liebsten würde ich mein Buch so nennen.

Anläßlich unseres ersten Zusammentreffens sagte ich Ihnen, daß man heute sich entweder mit Haut und Haaren, d. h. unter Preisgabe eigenen Nachdenkens (– um das [es] nicht immer schade ist –), dem Kommunismus verschreiben müsse, um als anonymer Soldat für ihn zu kämpfen, oder aber sich einmal die Dinge von der Nähe anschauen muß, um die realen Verwirklichungsmöglichkeiten zu erkennen. Ich bin immer dafür, tunlichst konkret zu denken, nicht nur im Politischen, und wenn dies auch zumeist ein unerreichbares Ideal für mich ist, weil Gott mich mit unaustreibbarem Abstraktismus geschlagen hat, so gelingt es mir doch manchmal: das bei Ihnen befindliche Kapitel ist im Dezember geschrieben, also zu einer Zeit, in der noch manches, was sich im Frühjahr entwickelt hat, undurchdringlich schien, und die Entwicklung hat meinen Ansichten recht gegeben. Meine Freunde werden Ihnen bestätigen, daß meine Analysen im Gespräch noch wesentlich konkret-präziser waren, als ich sie schriftlich niederzulegen wagte.

Und aus eben diesem Geruchssinn für Zeitströmungen glaube ich behaupten zu können, daß die Sozialisten *aller* Schattierungen jetzt in Amerika genau die nämlichen Fehler machen, die der europäische Sozialismus vor zehn Jahren gemacht hat, um unbelehrbar daran festzuhalten. Am Anfang steht immer der Flair; das Wort folgt erst nachher, und was ich gerochen habe, das kann ich auch beweisen und werde es auch – eben in meinem Buche[3] – beweisen. Wenn Sie also Ihre Attacke, die für mich nur ehrenvoll wäre, vom sozialistischen Ausgangspunkt her unternehmen wollen (wie ich wohl mit Recht annehmen darf), so wird sie gegen bereits vorbereitete Gegenargumente geritten werden müssen. Natürlich müßte ich im vorhinein die Segel streichen, wenn Sie mir vorwürfen, ich sei kapitalistischen Geistes, weil hinter all meinen Ausführungen unausrottbar sich Platonismus verberge; aber ich hoffe, daß Sie sich zu dieser Niederschmetterung nicht entschließen werden. Und mir ist ein gesunder Platonismus immer noch lieber als ein Materialismus, der sich stückweise von dem nicht minder materialistischen, d. h. schon unter-materialistischen Fascismus auffressen läßt. Wie es der europäische Sozialismus offenbar freudig tut.

Ich will unserer Diskussion nicht vorgreifen, umsoweniger als ich ja noch nicht einmal weiß, wogegen ich zu diskutieren haben werde, aber konkret gesprochen: die Auflösung der kapitalistischen Wirtschaftsform hat ohne Zweifel begonnen, und da ökonomische Gesetze eben stärker sind als jeder menschliche Wille, so wird *jede* Regierungsform diesem Tatbestand Rechnung tragen müssen, also auch jede demokratische und jede fascistische (insoferne hat Peter Drucker[4], dessen Buch ich nicht gelesen habe, gleichfalls recht). Es ist lediglich eine technisch-ökonomische Frage, welches Tempo diese Wirtschaftsumwandlung annehmen wird. Ich halte auch dieses Tempo für *fast* unbeeinflußbar, wenn sich hiezu auch das Gegenargument anführen ließe, daß die russische Sozialisierung unter einem Romanow jedenfalls langsamer als unter einem Lenin vonstatten gegangen wäre, ein Gegenargument, das nur an Hand genauer statistischer Aufstellungen über die Lebenshaltung des russischen Arbeiters wirklich konkret überprüfbar wäre, denn auf sozialistische »Benennungen« kommt es nicht an. Und fast will es mir scheinen, als ob in dem unbeirrbar selbständigen Tempo, das von der konkreten Tatsachenlogik vorgeschrieben wird und weder beschleunigt, noch verlangsamt werden kann (oder nur in Nuancen), eine der Hauptgründe für den Sieg des Fascismus, ja, seine Notwendigkeit zu erkennen ist. Ich glaube mit Fug vermuten zu dürfen, daß die marxistische Revolutionstheorie ebenso infolge ihrer mechanistischen, wie infolge ihrer romantischen Ursprünge schlechterdings falsch ist. Vieles spricht dafür, daß das Revolutionsphänomen, besonders in seiner romantisierten französischen Ausprägung, eine bereits zum Petrefakt gewordene Episode in der menschlichen Historie geworden ist. Auch die technische Entwicklung spricht für diese Annahme.

Sollen wir also den Fascismus aktiv oder passiv hinnehmen, weil er – alles, was geschieht, ist vernünftig[5] – offenbar der logischen und damit eben auch der ökonomischen Weltentwicklung entspricht? Wer absolut materialistisch denkt, wird diese Frage bejahen müssen, auch wenn er noch so sehr auf die bösen Kapitalisten schimpft, die damit das dialektische Steuerruder bis zur nächsten Ablösung in die Hand bekommen, und sein einziger Trost wird sein, daß es eben eine notwendige Zwischenphase sei. Ich habe genug derartige Ansichten gehört und gelesen. Aber ich vermag ihnen nicht beizustimmen. Und deshalb habe ich mich an meine Untersuchung gemacht, hoffend, jene *konkreten* Gegenkräfte aufzuzeigen oder richtiger aufzurufen, mit deren Hilfe man die europäischen Fehler vermeiden könnte. Es handelt sich nicht um eine ferne Zukunft, nicht um Idealkonstruktionen, nicht um die Vereinigten Staaten von Europa, nicht um eine Weltdemokratie, nicht um die klassenlose Gesellschaft, sondern um das hic et nunc.

Doch nun genug vor-diskutiert. Bleiben wir im unmittelbar Konkreten unseres persönlichen hic et nunc:

Ihre Idee, das vorliegende Kapitel in eine Reihe von Aufsätzen aufzulösen, ist ausgezeichnet, umsomehr als man diese Aufsätze ja dann immer wieder zu einem Buch zusammenfügen kann, wenn man dieses Einleitungskapitel tatsächlich als eigene Publikation erscheinen lassen will. Nun ist dies allerdings eine nachgerade dringliche Angelegenheit geworden. Denn wenn mein Abstraktismus auch den Vorteil einer gewissen Zeitferne – ungewollt – beinhaltet, so sind es doch aktuelle Themen, und seit Dezember sind bereits glücklich 8 Monate verstrichen. Nun hänge ich meinerseits noch immer am Vergil, der unbedingt jetzt fertig werden muß, und der eben leider auch sein unbeirrbar unbeschleunigbares Eigen-Tempo hat. Wann ich also zu der amerikanisierenden Umarbeitung gelangen werde, vermag ich heute noch kaum zu sagen, obwohl ich bereits einen 23-stündigen Arbeitstag erreicht habe. Es wird schier unmöglich sein, mich darüber hinaus zu steigern. Wie aber sieht es mit Ihrer Zeit aus?

vermögen Sie noch etwas einzuschieben? nachdem Sie ein Buch gegen mich schreiben wollen, müßte ja da noch eine Zeitlücke vorhanden sein, und sollte dies zutreffen, so würde ich Ihnen vorschlagen, mir die Zerlegung des Kapitels in Einzelartikel abzunehmen, also diese Aufsätze sozusagen in Kompagnie mit mir fertigzustellen, und anläßlich dieser Arbeit nicht nur gegen mich, sondern gegen uns beide gemeinsam zu polemisieren, was ja noch weitaus mehr efficient wäre als Ihr erstes Vorhaben.

Aber ernsthaft gesprochen: das Kapitel enthält eine Anzahl gut vertretbarer Theorien oder Halbtheorien, so über die deutsche Propaganda, über den Evolutions-Fascismus und Evolutions-Sozialismus als englisch-amerikanischen Gegensatz, über die imperialistische Freiheit Englands (sic Lenin), über die Annahme klassenloser Vertikalschichten in der Gesellschaft etc. etc. Der Kapitelabschluß »Aussichten«[6] wurde schon von mir selber tunlichst für den amerikanischen Leser zugeschnitten; allerdings noch nicht mit großartigem Erfolg. Mein Vorschlag ginge nun dahin, daß Sie im Zuge einer sehr freien Übersetzung, die sich nicht mehr an meine Bandwurmsätze hält, gleich auch die Zerteilung in Einzelaufsätze vornähmen, u. z. würde ich mir vorstellen, daß Sie vorderhand nur einen dieser Aufsätze tatsächlich fertigstellten, z. B. wirklich den über die deutsche Propaganda, jedoch über die ganze Serie eine für den amerikanischen Verlag zweckdienliche outline verfaßten, eine Arbeit, zu der mir jede amerikanische Sachkenntnis fehlt. An Hand eines solchen ersten Kapitels und der Inhaltsübersicht über die übrigen glaube ich, daß es mir mit Hilfe einer geeigneten Zwischenperson gelingen dürfte, mit der ganzen Artikelserie bei Harper oder Virginia[7] etc. anzukommen; vielleicht haben Sie auch selber hiezu Wege.

Würde Ihnen ein solcher Vorgang passen? es versteht sich, daß Ihre Mehrarbeit dann nicht mehr als Übersetzung gewertet werden darf, sondern sich das Kompagnieverhältnis finanziell weitgehend zu Ihnen hin verschiebt.

Natürlich kann der Krieg, an den ich wegen der – s. das Kapitel – englischen Abkaufmethode nicht glaube, der aber wegen der drohenden Umkehrung des Rüstungsvorsprungs von den Mittelmächten immer mehr in den Vordergrund geschoben werden muß, durch alle Publikationspläne einen großen Strich machen. Über das, was dann folgt, wäre erst recht ein Buch zu schreiben, doch dies werde ich nicht schreiben.

Es wäre schön und erfreulich, dies alles mündlich besprechen zu können, aber die Aussicht, Ihrer lieben Einladung folgen zu können, hat sich für mich verringert: meine Bostoner Freunde, die ich unbedingt hatte besuchen wollen, fahren gerade für den August weg, so daß also die Fahrt nach Boston jetzt sinnlos wäre, weil ich sie später wiederholen müßte. An und für sich macht mir eine Reise natürlich nichts aus, im Gegenteil, sie ist mir ein Vergnügen, aber finanziell sieht es wahrscheinlich noch knapper als bei Ihnen aus. Ich könnte also bloß kommen, wenn meine Freunde wider Erwarten in Boston blieben; dann aber komme ich gerne! Würden Sie mir inzwischen folgende Fahrplanfragen beantworten:

1.) Wie lange braucht das Boot von Boston nach Provincetown[8] und wie weit ist es dann noch bis zu Ihnen?

2.) Wie lange von Truro[9] sodann die Rückreise nach New York?

Inzwischen nehmen Sie einen herzlichen Gruß Ihres

Hermann Broch

[YUL]

1 Ralph Manheim (geb. 1907), amerikanischer Übersetzer deutscher Herkunft, der nach Hitlers Machtübernahme in die USA emigrierte. Er übersetzte Brochs Roman *Die Schuldlosen* ins Englische. Vgl. Hermann Broch, *The Guiltless* (New York: Little, Brown, 1974).

2 Broch hatte an Manheim den Aufsatz »Zur Diktatur der Humanität innerhalb einer totalen Demokratie« (KW 11, S. 24-71) geschickt.

3 Broch plante ein Buch über die Demokratie, das er in der Folge als dritten Teil in seine *Massenwahntheorie* integrierte. Vgl. KW 12, S. 331-564.

4 Vgl. Peter F. Drucker, *The End of the Economic Man. A Study of the New Totalitarianism* (New York: The John Day Co., 1939). Drucker, geb. 1909 in Wien, emigrierte 1933 nach England, 1937 in die USA, wo er Professor für Politische Wissenschaft und Volkswirtschaft an der New York University wurde.

5 Vgl. G. W. F. Hegel, *Grundlinien der Philosophie des Rechts* (Vorrede), Glockner-Ausgabe Bd. 8, S. 33: »Was vernünftig ist, das ist wirklich; / und was wirklich ist, das ist vernünftig.«
6 Vgl. Fußnote 2. In der erhalten gebliebenen fragmentarischen ersten Fassung des Aufsatzes ist das Schlußkapitel »Aussichten« nicht enthalten.
7 *Harper's Magazine,* eine 1850 begründete New Yorker Monatsschrift; *Virginia Quarterly Review* erscheint seit 1925.
8 Stadt in Massachusetts, an der äußersten Spitze der Cape Cod Halbinsel.
9 Stadt in der Nähe von Provincetown auf Cape Cod; vgl. Fußnote 7.

309. An Carl Seelig

Saratoga Springs, N. Y., 19. 7. 39

Lieber Freund,
Sie schreiben nichts. Aber ich weiß, wie sehr Sie überlastet sind. Allerdings, niemand ist überlasteter, als ich es bin. Aber ich möchte Ihnen bereits die Früchte dieser Überlastung zeigen können.

Vorderhand gibt es bloß eine Frucht, nämlich das Kapitel in M. u. W[1]. Und da nun dieses mir heute $ 75.– gebracht hat, fühle ich mich sozusagen reich: darf ich Sie nun auf Grund dieses Reichtums fragen, ob Sie über Ihre gute spontane Hilfe, die Sie mir im Winter angedeihen ließen, irgendwie disponieren wollen. Ich weiß nicht, ob Sie nicht in Anbetracht der drohenden europäischen Situation jede Reserve sammeln wollen, ja, sammeln müßten; sollte dies aber nicht der Fall sein und wollten Sie Ihre Hilfe weiter bedürftigen Emigrationskollegen geben wollen, so würde ich Ihre Summe in Ihrem Namen der »American Guild« überreichen, deren Wirksamkeit Ihnen ja bekannt ist; ich habe Ihnen ja auch schon einmal darüber geschrieben. [. . .]

Sonderbarerweise geht mir das Gefühl der Existenzsorge vollkommen ab, und ich meine stets, daß sich dies noch rächen wird. Ich bin durchaus zur Lilie auf dem Felde geworden, und sonderbarerweise funktioniert dies. Augenblicklich sitze ich hier in »Yaddo« in einer unglaublich luxuriösen und darob schon beinahe komischen Schriftstellerstiftung, und ab 15. August bis 15. Sept. bin ich bei Einstein in Princeton N. J. (112 Mercer Street). Wo ich über den Winter sein werde, weiß ich noch nicht. Wahrscheinlich entweder in Princeton oder in irgend einer andern Universitätsstadt. Denn ich arbeite sehr viel wissenschaftlich, und im Grunde meines Herzens möchte ich ja immer mehr auf Mathematik, Logik und Physik übergehen.

Wenn nur die Politik nicht wäre! Und wenn sie einem nicht noch einen Strich über alles machen würde! Möchten Sie nicht doch auch aus diesem Europa flüchten? es wäre schön, Sie hier zu haben. [. . .]

[GW 8]

1 Hermann Broch, »Die Angst«, in: *Maß und Wert,* 2/6 (1939), S. 748-795 (Kapitel aus der zweiten Fassung des Romans *Die Verzauberung*. Vgl. KW 3, S. 403).

310. An Stefan Zweig

»Yaddo«
Saratoga Springs N. Y. 27. 7. 39

Lieber, lieber Freund,
in aller Eile: meine Karte an Sie, mit welcher ich Ihnen mein Adressenprogramm mitgeteilt habe, scheint verloren gegangen zu sein. Ich hatte mich auf eine Karte beschränkt, weil ich Ihren guten ausführlichen Brief vom 7. V. erst beantworten wollte, bis ich mein ganzes Material beisammen haben würde (was sich freilich immer weiter und weiter schleppt). Hingegen ist Ihre Karte v. 23. Mai, die Sie an Oskar Oeser gerichtet haben, erst *heute* bei mir eingelaufen; Oeser, schlampert wie alle St. Andrewser, hat sie mir erst jetzt geschickt. Hingegen habe ich Mrs. Judd, welche vor 5 Wochen nach London gefahren ist, ersucht, Sie sofort anzurufen oder Sie aufzusuchen, um Ihnen zu sagen, daß sie die Loseisung meiner Sachen und Manuskripte bei den Muirs vornehmen kann. Auch dies scheint nicht geschehen zu sein. Kurzum, Gott hat

diesmal einen konzentrischen Angriff auf unsere Verbindung unternommen, und in dieser Pechserie ist bloß zu hoffen, daß erstens die Muirs Ihnen auch das richtige Manuskript (d. h. jenes mit dem unikösen Schlußteil[1]) geschickt haben, und daß zweitens es von H. E. J.[2] auch richtig abgeliefert wird. Ich bin darob in begreiflicher Spannung, fast Aufregung, gesteigert durch die Bejahung, die Sie dem Buch angedeihen lassen. Denn nun begänne ich ob dessen Verlust zu trauern. Und seien Sie für alles bedankt.

Für heute nur noch – denn der Brief soll mit der Mauretania abgehen – Äußerliches: die politische Sache geht langsam aber stetig vorwärts; das Ihnen bekannte erste Kapitel des Buches wird übersetzt und für Zeitschriften in Aufsätze aufgelöst, hingegen bereite ich mit Siegfried Marck[3] ein Sammelwerk über die Grundlagen einer totalen Demokratie vor, an dem die namhaftesten Wissenschaftler mitarbeiten sollen. Über die im Konnex damit stehende Massenwahn-Erforschung habe ich eine Arbeitsgrundlage skizziert, die bei den Psychologen und Soziologen ziemliches Aufsehen erregt hat; sogar Einstein, der sonst allen derartigen Bestrebungen recht skeptisch und ablehnend gegenüber steht, hat spontan seine Mitarbeit angeboten. Auch diese Schrift wird übersetzt (daneben deutsch vervielfältigt), und Sie erhalten nächstens eine Kopie. Organisatorisch habe ich hingegen noch nicht viel unternommen, da ich endlich den Vergil fertig bringen muß; gewissermaßen damit er noch zum Brand der alexandrinischen Bibliothek zurecht komme; etwas anderes scheinen wir ja nicht mehr zu tun.

Immerhin, ich bemühe mich, vielleicht doch noch etwas zur Abdämmung des Brandes beizutragen; könnte ich selber daran glauben, so wäre es wahrscheinlich wirkungsvoller. Nichtsdestoweniger bin ich von dieser frustranen Tätigkeit besessen, ein Agitator, der die Leute von der Überflüssigkeit seines Tuns zu überzeugen sucht. Was sich dabei (s. o.) so an Erfolgen einstellt, betrachte ich als Provisorium euphorischen Charakters. Auch daß Canby sich in rührender Weise bemüht, mich an eine der drei großen Universitäten zu bringen, betrachte ich unter diesem Gesichtswinkel. Natürlich nehme ich an, wenn es käme, muß es annehmen, wenn auch die Vorbereitung von Vorlesungen (– und noch dazu englisch –) für mich zeitlich und energiemäßig eine nicht mehr tragbare Überbelastung darstellen würde. Ich bin bereits weitgehend erschöpft.

So weit von mir. Ich weiß, daß es bei Ihnen nicht viel anders aussieht und will Sie daher nicht zum Schreiben auffordern. Die Zudirigierung der Mrs. Judd zu Ihnen hatte auch den Zweck, direkte Nachrichten von Ihnen zu erhalten, ohne Sie mit Schreiben zu belasten; vielleicht meldet sie sich doch noch. Gerne wüßte ich, ob Sie sich an den Balzac[4] gesetzt haben: es gehört eine mutige Gelassenheit dazu, solches in solcher Zeit zu unternehmen.

Nehmen Sie alle herzlichen Gedanken, grüßen Sie Frl. Altmann.

Immer Ihr
H. B.

Adressenprogramm:
Bis Anfang August bleibe ich hier, zumindest bis zum 5., wahrscheinlich aber bis zum 11.

Hierauf, nach kurzem Aufenthalt in N. Y. (American Express), gehe ich nach Princeton, N. J., wo ich bei Einstein, 112 Mercer Street, vom 15. Aug. bis 15. Sept. bleiben werde.

Und hernach hängt noch alles in der Luft. Ich hoffe aber zuversichtlich, daß Sie im Herbst herüber kommen.

[SZA]

1 Es handelt sich um das Typoskript der ersten Fassung der *Verzauberung*. Nur diese Fassung enthält einen Schlußteil. Vgl. KW 3.

2 Stefan Zweig hatte das Typoskript von den Muirs erhalten und es weitergegeben an den Schriftsteller Heinrich Eduard Jacob, der es wenig später Broch aushändigte. Vgl. den Brief vom 28. 7. 1939.

3 Siegfried Marck (1889-1957), deutsch-amerikanischer Philosoph. 1933 emigrierte er nach Frankreich (Dijon), 1939 in die USA (Chicago). Vgl. *Der Neuhumanismus als politische Philosophie* (Zürich: Der Aufbruch, 1938).

Der Plan des von Broch erwähnten Sammelwerkes blieb unausgeführt. Mit dem Projekt *The City of Man* scheint es nicht in unmittelbarem Zusammenhang zu stehen.

4 Stefan Zweig, *Balzac* (aus dem Nachlaß veröffentlicht, Stockholm 1946).

311. An Wolfgang Sauerländer[1]

c/o »Yaddo«
Saratoga Springs N. Y. 28. 7. 39

Lieber Dr. Sauerländer,
auf die Gefahr hin, wieder einmal Postkreuzungen hervorzurufen, muß ich mit einer raschen Bitte kommen: Heinrich E. Jacob hat mir von Stefan Zweig ein Manuskript mitgebracht, das *Unikat* meines unvollendeten Romans[2], das bereits eine Odyssee hinter sich hat (Absendung aus Deutschland, Postverlust in England, etc.); Zweig hat Jacob beauftragt, das Manuskript bei der Viking Press für mich zu hinterlegen, doch da Mr. Huebsch sich augenblicklich in Europa befindet und ich dieses so überaus wichtige, d. h. unersetzliche Manuskript nur absolut verläßlichen Händen anvertrauen will, ließ ich Jacob durch Bermann bitten, das Paket bei Ihnen für mich abzugeben. Ich wollte in diesem Sinne auch selber an Jacob schreiben, indes, da alles was mit diesem Ms. zusammenhängt seltsam schief geht, hatte Bermann die Adresse Jacobs verloren.

Sollte Jacob das Manuskript bei Ihnen hinterlegt haben, so ist natürlich alles in Ordnung, und ich bitte bloß um schärfste Bewachung. Sollte es jedoch noch nicht eingetroffen sein, so würde ich Sie bitten, sich bei Jacob nach dem Verbleib zu erkundigen, u. z. nach den zwei Möglichkeiten:

a.) ist es bereits bei der Viking Press, so hat natürlich nichts weiter zu geschehen, und ich werde bloß auch noch direkt an die Viking wegen sorgsamster Aufbewahrung schreiben,

b.) sollte es sich aber noch bei Jacob befinden, so möge er es allerraschestens zu Ihnen bringen.

Und auf jeden Fall grüßen Sie bitte Jacob herzlich von mir und sagen Sie ihm meinen allerbesten Dank für seine Mühe. Besonders verbunden wäre ich, wenn Sie mir noch überdies seine Adresse sagen wollten, damit ich ihm auch noch direkt danken kann.

Haben Sie übrigens schon die Adresse des Prinzen?

Wenn Ihnen die Absendung der Bücher irgendwelche Schwierigkeiten machen sollte – meine Bitten sind stets mit schlechtem Gewissen beladen –, so unterlassen Sie bitte dieselbe! Ich komme ja Mitte des Monats nach N. Y. und werde dann die Expedition an Bermann selber vornehmen. Sollten Sie hingegen mit den Absendungsschwierigkeiten wirklich ohne Belastung fertig werden, so würde ich um *zwei* Trilogien bitten, denn Mrs. Ames möchte gleichfalls eine haben. (Mrs. Ames ist Yaddos Leiterin.)

Bermanns Aufenthalt hier ist um einen Monat verlängert worden. Ich [bin] darob sehr froh, sowohl für ihn, wie für seine Arbeit. Hingegen wird die meine durch die Übersiedlungsunterbrechung sehr leiden.

Zum Schluß: ceterum censeo Alice Schmutzer esse delendam, aber leider muß man gerade dies durch ein Affidavit verhüten.

Bitte empfehlen Sie mich Mrs. Heinemann. Und nehmen Sie sowohl Bermanns Grüße entgegen wie die meinen. Herzlich Ihr ergebener

Hermann Broch

[DB]

1 Wolfgang Sauerländer war einer der frühesten und engsten Mitarbeiter Kurt Wolffs, in dessen Pantheon Verlag 1945 Brochs Vergil-Roman erschien. Damals half Sauerländer bei der American Guild for German Cultural Freedom aus.
2 *Die Verzauberung*.

312. An Oscar A. Oeser

»Yaddo«
Saratoga Springs, N. Y. 30. 7. 39

Geht der Dichter dran, die Massen
Wissenschaftlich zu erfassen,
Muß er sich's gefallen lassen,
Daß zum Wissenschaftserlöser
Reimend wird der Oskar Oeser.

Leider ist es, lieber Oskar, nicht auf Englisch geglückt, denn auf Oeser will sich Poet nicht reimen lassen, sondern bloß Proser, und so habe ich es aufgegeben. Aber Bild und Gedicht habe ich begeistert an Ruth Norden weitergeschickt. Und im übrigen kann ich Sie ob Ihrer Überarbeitung nicht bemitleiden, denn wenn Sie Ihre Zeit dransetzen, ein deutscher Klassiker zu werden, verdienen Sie es nicht besser.

So weit die wichtigen Angelegenheiten, nun die unwichtigen:

Daß Sie ins foundation committee[1] einzutreten bereit sind, ist zweifelsohne von aller Bedeutung für die ganze Angelegenheit; allerdings sollen Sie sich vor Augen halten, daß Sie von Zeit zu Zeit einen Brief vermittels einer Postkarte werden beantworten müssen, und daß an derselben alles scheitern kann.

Bevor jedoch ein solches Komitee gebildet werden darf, erscheint es mir notwendig, sich mit den bereits in Gange befindlichen Bestrebungen ähnlicher Natur zu befassen: in Colorado besteht eine Gruppe unter der Leitung von D. Krechevsky[2] »Society for the Psychological Study of Social Issues«, und in Washington soll Harold Lasswell[3] (– vom Institute for Human Relations! –) eine Art Forschungsinstitut. u. z. mit stark psychoanalytischem Einschlag betreiben. Sobald ich das Material habe, welches der Analytiker Spitz[4] zur Vervielfältigung, resp. Übersetzung übernommen hat, will ich mich mit den beiden Stellen in Verbindung setzen. Sollten Sie jedoch Ihrerseits dorthin direkte Beziehungen haben – und dies scheint mir bei Lasswell durchaus möglich zu sein –, so schreiben Sie mir bitte bereits eine jener Postkarten, u. z. ob ich mich auf Sie berufen darf. Wissen Sie vielleicht schon etwas über den Bestand jenes Institutes in Washington? Ich halte es nicht für ausgeschlossen, daß Ihnen inzwischen davon bereits etwas zu Ohren gekommen sei.

Ob Ihrer Detailkritik bin ich geehrt, erfreut und gerührt. Aber ich kann vorderhand noch nicht darauf eingehen, weil ich kein einziges Exemplar meines Textes zur Hand habe: meine Kopien sind alle ausgeschickt, und die neuen lassen eben auf sich warten. Nur zum Einwand Nr. 1 kann ich sofort Antwort geben: natürlich sind aus Modellbildungen bereits Wissenschaften entstanden: Marx hat ein nationalökonomisches, Freud ein psychisches Modell aufgestellt.

(Über die definitorischen Unterscheidungen zwischen Theorie, Hypothese und Modell wäre natürlich einiges zu sagen, doch erscheint mir eben der Ausdruck Modell am geeignetsten, er erscheint mir auch richtiger als etwa »Hypothesensystem«.) Sohin beschränke ich mich für heute darauf, Ihnen ein Einlageblatt 4 A, zu meinem Text zu senden; es ist der Ersatz für den letzten Absatz auf Seite 4 und die ersten 8 Zeilen auf Seite 5.

Und im übrigen kann ich nur die Formel wiederholen, die der Jude aus Wien seinen amerikanischen Verwandten telegraphiert hat: »Seid besorgt, Brief folgt.«

Betr. Besorgnis: haben Sie Nachricht über Willas[5] Befinden??!

Alles Herzliche Ihres
Hermann

Dank für die Briefnachsendungen! Ich bleibe bis 10. hier. Und ab 15., wie gesagt: 112 Mercer Street, Princeton, (N. J.).

[OAÖ]

1 Vgl. den Brief vom 7. 6. 1939.
2 Vgl. Fußnote 3 zum Brief vom 15. 7. 1939.
3 Vgl. Fußnote 2 zum Brief vom 2. 8. 1939.
4 René A. Spitz.
5 Willa Muir war erkrankt.

313. An René A. Spitz

»Yaddo«, Saratoga Springs, N. Y. 2. 8. 39

Lieber Freund,
und diese Vereinfachung zur eigenen Freude.

Ich habe Ihre lieben Zeilen v. 22. nicht eher beantwortet, weil ich mit jedem Tage das Eintreffen der Abschriften erwartet habe. Und da ich nun nur noch etwa eine Woche hier bleibe, urgiere ich carrément: ich möchte gerne die Aussendung noch von hier aus vornehmen.

Ihre Annahme über die Bedeutung der Krechevski-Gesellschaft[1] scheint sich nach den Mitteilungen meiner wissenschaftlichen Gestapo zu bestätigen. Trotzdem werde ich Fühlung nehmen.

Hingegen soll der sehr ausgezeichnete Harold Lasswell[2] vom »Institute of Human Relations« angeblich ein psychoanalytisch orientiertes Massenwahngeschäft innerhalb der Regierungsetablissements in Washington aufgetan haben. Ich werde also auch mit ihm Fühlung nehmen. Oder sind Sie ihm etwa schon auf psychoanal. Gebiet begegnet?

Für das vorbereitende Komitée denke ich an folgende *Amerikaner:* Bakke[3] (Yale, Sociology), Allport[4] (Harvard, Social Psychology), Tolman[5] (Berkeley, Experiment. Psychology), Hilgard[6] (Stanford, Psychology), *Engländer:* Glover[7] (London, Psychoanalyse?), Oeser (St. Andrews, Soc.) *Emigranten?* Erikson[8]? es gibt da eine zu große Anzahl.

Von Oeser habe ich eine warme Zustimmung zu meiner Skizze erhalten.

Doch wie gesagt, zu all diesen Fühlungnahmen brauchen wir Exemplare.

Politik: vielleicht interessiert Sie die Analyse[9], die ich im Jänner-Februar geschrieben habe. Ich wollte sie Ihnen ja schon längst geben, und jetzt ist sie durchaus geeignet, Ihre Ferienruhe zu stören. Die Sache war ursprünglich als Einleitungskapitel meines großen Buches gedacht, soll aber jetzt wegen Aktualität separat publiziert werden. Selbstverständlich wird diese erste Niederschrift mit ihren Riesenabschnitten etc. noch entsprechend appretiert, damit sie etwas lesbarer werde. Das geschieht bereits unter gleichzeitiger Übersetzung.

Danis[10] Hoffnung, es werde durch diese Art Tätigkeit sich der Romanabsatz heben, dürfte sich kaum erfüllen. Ich lege seinen Brief bei, denn vielleicht enthält er die eine oder andere Adressenangabe, die Sie noch nicht bekommen haben.

Alle guten Wünsche für den Sommeraufenthalt. In Herzlichkeit Ihr

H. B.

[DLA]

1 Vgl. Fußnote 3 zum Brief vom 15. 7. 1939 an Albert Einstein.

2 Harold D. Lasswell (geb. 1902), Politologe, von 1939 bis 1945

Direktor der Abteilung »War Communication Research« an der Library of Congress in Washington D. C. Vgl. seine Bücher *Psychopathology and Politics* (Chicago 1934), *World Revolutionary Propaganda* (New York 1939).

3 Edward W. Bakke (geb. 1903), amerikanischer Soziologe. Vgl. *Citizens Without Work* (New Haven: Yale University Press, 1940); *The Unemployed Man. A Social Study* (New York: E. P. Dutton, 1934).

4 Gordon W. Allport (geb. 1897), amerikanischer Psychologe. Vgl. *Personality. A Psychological Interpretation* (New York: H. Holt, 1937). In Zusammenarbeit mit Hadley Cantril veröffentlichte er: *The Psychology of Radio* (New York, London: Harper & Brothers, 1935).

5 Edward C. Tolman (1886-1959), amerikanischer Psychologe. Vgl. *Purposive Behaviour in Animals and Men* (New York, London: The Century Company, 1932).

6 Ernest R. Hilgard (geb. 1904), amerikanischer Psychologe. Vgl. *Conditioning and Learning* (New York, London: D. Appleton – Century Co., 1940).

7 Edward Glover (geb. 1888) englischer Psychologe. Vgl. *The Dangers of Being Human* (London: G. Allen & Unwin, 1936).

8 Erik Homburger Erikson (geb. 1902), deutsch-amerikanischer Psychoanalytiker. Er emigrierte 1933 in die USA, wo er von 1936 bis 1939 an der Yale University lehrte. Vgl. *Childhood and Society* (New York: Norton, 1950).

9 »Zur Diktatur der Humanität innerhalb einer totalen Demokratie«, KW 11, S. 24-71.

10 Daniel Brody, Brochs Verleger.

314. An Ralph Manheim

270 Grand Avenue
Saratoga Springs (N. Y.) 3. 8. 39

Lieber Ralph Manheim,
ich habe Ihren Brief nicht eher beantwortet, weil ich es lieber mündlich getan hätte. Nun ist es aber entschieden: ich fahre nicht nach Boston (– meine dortigen Freunde sind abgereist –), und ich habe mich daher, da meine Zeit in Yaddo abgelaufen ist, für ein paar Tage bei obiger Adresse eingemietet, um keine allzulange Arbeitsunterbrechung eintreten

zu lassen. Daß ich gerne zu Ihnen gekommen wäre, brauche ich nicht zu wiederholen, hingegen den Dank für die Einladung.

Ihr Brief benötigte eine Abhandlung als Antwort. Und da diese ohnehin ein Kapitel meines Buches werden soll, nämlich das Kapitel »Theorie der Revolution«, habe ich auch sofort damit begonnen. Für heute möchte ich mich bloß auf ein paar Bemerkungen beschränken.

Sie haben vollkommen Recht, wenn Ihnen die politische Tätigkeit Thomas Manns[1] als inadäquat erscheint. Mit der Lobpreisung der demokratischen Einrichtungen ist wahrhaft nichts getan; für viele allerdings ist es Balsam, solches zu hören. Doch es ist einiges dazu festzuhalten:

1) es geht Mann im Grunde bloß um die Aufrechthaltung der menschlichen Würde und Freiheit, kurzum um eine Humanität, welche bisher unter dem Schutze der Demokratie schlecht und recht gediehen ist, und möge auch der Zuschuß des »schlecht« vom kapitalistischen System herstammen, es bleibt immerhin noch eine beträchtliche Portion »recht« übrig, deren Herkunft im Moralischen zu suchen ist;

2) in der Bibel gibt es die 12 großen und die 12 kleinen Propheten[2], und außerhalb der Bibel gibt es die Klasse der kleinsten Propheten, vielleicht etwa 24 Stück, welche die Dichter sind; denn was den Dichter ausmacht, das ist ein gewisses Zeitlosigkeits-Gefühl, mit dem er nach vor- und rückwärts hört, und kraft dieses Gefühls weiß Mann, daß alles, was kommen wird, ob nun Fascismus oder Revolution, notgedrungen den Keim in sich trägt, das Kulturchaos zu entfesseln;

3) rein persönlich betrachtet, spricht also aus Mann die Angst um den Verlust seines Werkes; er will den Brand der alexandrinischen Bibliothek hintanhalten und muß daher konservativ sein.

Allerdings, mit der Lobpreisung des demokratisch-parlamentarischen Instrumentes wird die Freiheit nicht zu retten sein.

Wer heute politisch denken will, muß den Mut haben, sich mit dem Brand der alexandrinischen Bibliothek abzufinden. Ich halte ihn für unausweichlich, denn es gibt so etwas wie eine »logische Revolution« in der Entwicklung des Menschengeistes: es ist die babylonische Situation, die immer wieder wiederkehrt. Daß von den Trümmmern aus ein neuer Humanitätsvorstoß erfolgen wird, steht allerdings ebenso fest. Nichtsdestoweniger gibt weder das eine, noch das andere die Legitimation zum Fatalismus: weder darf das Übel hingenommen werden, weil es unausweichlich sein könnte, noch darf dies geschehen, weil es hinterdrein ohnehin automatisch wieder besser werden wird. In gewissem Sinn spiegelt sich dieses Dilemma auch im Marxismus: es ist in ihm auf der einen Seite ein großes Stück Fatalismus enthalten, nämlich der »ökonomische Fatalismus«, der das Gesamtgeschehen dem automatischen Wirtschaftsablauf überläßt, und auf der anderen Seite ist er ethischer Wille, welcher zur Revolution als ethische Tat aufruft.

Denn Marx ist (gleich Mann und noch viel mehr als dieser) ein Kind des 19. Jahrh., und es war ihm schlechterdings unvorstellbar, daß die Revolution zu etwas anderem führen könnte, als zu einem Vorstoß in eine erweiterte Humanität (möge selbst diese nur in einer gerechteren Güterverteilung liegen), und in dieser Vorstellung war er noch überdies bestärkt, weil er wie das ganze 19. Jahrh. von dem Glanz der französischen Revolution geblendet war. Der deutsche Philosophie-Idealismus, dem er angehörte, war und ist Theologie des Protestantismus, der seinerseits sich weitgehend im Freiheitsbegriff begründet, und indem Marx den Hegelschen Weltgeist, der eben der Geist der Menschheit (und der Gottes zugleich) im Geist des Proletariats konkretisiert sehen wollte, war ihm die klassenlose Gesellschaft, die das Ziel der Revolution ist, zugleich auch die Konkretisierung der Freiheit schlechthin.

Konkretisierung von Absolutheitsideen innerhalb des Irdischen muß stets zu Antinomien führen. Doch ich darf es mir ersparen, auf deren Aufdeckung hier einzugehen, denn es kommt nicht darauf an: für das weltliche Leben ist bloß das Empirische maßgebend, nicht die intellektuale Interpretation mit ihren Fehlschlüssen, und die marxistisch-empirische Entdeckung der ökonomischen Verursachungen bleibt vielfach richtunggebend und daher geschichtsbildend. Ich glaube daher, folgenden Standpunkt präzisieren zu dürfen:

1) Die marxistische Revolutionstheorie ist überlebt, d. h.,

sie ist nicht mehr zeitgerecht, und sie ist es umsomehr, als (– eben durch die verhängnisvolle Gleichsetzung von Menschheit und Proletariat, von absolutem Geist und Klassenbewußtsein –) eine unerlaubte Mechanisierung nunmehr zu Tage tritt: der glückliche Endzustand ist bloß ein Ziel, dem man sich wohl annähern kann, ja, annähern muß, das aber als solches unerreichbar bleibt, und gerade die ökonomische Entwicklung (– die Marxschen Vorstellungen bereits überflügelnd –) weist erschreckend darauf hin, daß unterhalb der angeblich letzten Klasse der Ausgebeuteten sich eine neue Klasse, ein versklavtes Unter-Proletariat, bilden könnte.

Die Unzulänglichkeit der Theorie ist auch an der Zersplitterung des Proletariats ersichtlich, die geradezu bereits zum Selbstmord der Bewegung führt: wäre das gesteckte Ziel nicht derart realitätsferne, wie es eben ist, so könnte es nicht den Klarheitsverlust erzeugen, den es eben erzeugt hat.

2) Genau so wie der nächste Krieg, der bereits da ist, also wahrscheinlich niemals die Dekoration der Kriegserklärung benötigt, sich zu einem totalen Krieg ohne Kriegsrecht entwickelt, genau so muß die neue Revolution zu einer totalen Revolution werden. Was dies im Praktischen bedeutet, ist vorderhand unabsehbar. Keinesfalls werden Kriegshandlungen und Revolutionshandlungen voneinander zu trennen sein, vielmehr werden beide chaotisch ineinanderlaufen und einander verursachen. Ich könnte dieses grause Bild noch mit guten empirischen Gründen präzisieren, aber es soll ja nicht als Abschreckung, sondern als Feststellung dienen.

Das Wesentliche daran ist die Aufhebung des überkommenen Ethos. Dies eben ist der Punkt, der von Marx nicht vorausgesehen worden ist: stimmt sein Glaube an den dialektischen Dreischritt, dann muß auch das ethische System eben zum »Umschlag« gebracht werden, ehe die neue Synthese (s. o.) eintritt. Dieser Umschlag ist nicht erfreulich.

3) Die Fascisten haben diese Konsequenz bereits gezogen. Für sie ist der ethische Umschlag bereits eingetreten; der Humanitätsfortschritt ist zur Regression in die Barbarei geworden, und der moralische Umschlag der Dialektik bedeutet für sie in äußerster Simplifizierung: Ethik-Schweinerei-Neue Synthese (wobei ihnen die künftige neue Synthese eben wurscht ist).

4) Es ist zu vermuten, daß derjenige, welcher heute noch ein begeisterter Revolutionär ist, die Furchtbarkeit dieser Vorstellungen einfach nicht erträgt. Oder aber, daß sein Ressentiment und seine Panik unter dem Drucke der heutigen Weltlage (nicht nur der ökonomischen und politischen, sondern auch der moralischen) bereits so groß geworden ist, daß sie seelisch unbedingt nach einer Entladung verlangt, nach einer Entladung, die psychischen Gesetzen gemäß herostratisch in der Auslebung sadistischer Triebe liegen muß.

Und somit zur Konklusion:

5) Ich halte die Aufrechthaltung des Marxschen Revolutionsbegriffes, welcher darin besteht, daß der Wertbestand der Kultur, also vor allem ihr ethischer Inbegriff der menschlichen Freiheit und Würde, unangetastet durch die Revolution hindurchgetragen werde, für ein nicht mehr erreichbares Ideal.

Nichtsdestoweniger muß alles getan werden, um diese Möglichkeit, so verschwindend klein sie auch sei, doch noch zu retten. Dies ist ein erlaubter Konservatismus. Allerdings weder die Methode der Lobpreisung des Bestehenden, noch mit sonstigen Moralpredigten ist dieser Sache irgendwie beizukommen. Gegen Härte hilft bloß Härte.

Mein (marxistischer) Glaube an die Eigenlogik des ökonomischen Geschehens ist nicht so dogmatisch, daß ich nicht wüßte, daß daneben noch andere (ökonomisch nicht erfaßbare) Motive im menschlichen Geschehen mitspielen. Zu diesen psychischen Faktoren gehören sogar metaphysische. Es gehört ziemlich viel Geschichtsklitterung dazu, um dieselben auf die ökonomische Formel zu bringen.

Wie viel außerökonomische Momente von den Fascismen (und auch von den Sowjets) mobilisiert worden sind, wird immer deutlicher ersichtlich. An den Fascismen ist die Labilität der Menschenseele zu lernen; diese ist eine reale Größe, die bisher noch nie ins Kalkül gesetzt worden ist, zumindest nicht in dem Ausmaße, mit der dies von den Fascismen aus geschieht und ihr Erfolg ist.

In einem Zustand wie dem heutigen aber muß eben diese Massenseele zur Ethik gezwungen werden, weil man bloß mit Zwang (zu dem auch die Propaganda gehört) etwas ausrichten kann. Heute ist in den sozusagen demokratischen Ländern – eben dank der Labilität der Massenseele – noch die Möglichkeit vorhanden, die Massen zur Humanität zu zwingen; morgen wird dies nicht mehr der Fall sein. Dies ist das hic et nunc, das ich meine. Daß dies nicht durch ein »Gesetz zum Schutz der Republik«[3] bewerkstelligt werden kann, wie dies in Deutschland und Österreich geschehen ist, mag als ausgemacht gelten. Die Organisierung eines solchen Unternehmens muß auf ganz andere Weise erfolgen: es würde zu weit führen, wenn ich auf Einzelheiten einginge, doch daß ich die Durchführbarkeit nur sehr pessimistisch und skeptisch betrachte, muß nach dem Gesagten kaum nochmals erwähnt werden.

Keinesfalls jedoch ist die fascistische Depravierung der Massenseele und damit die Depravierung der sozialen Revolution aufzuhalten, wenn nicht eben die ethische Front gegen die Fascismen als solche gekehrt wird. Man kann heute nur in Weltdimensionen denken, und der Kapitalist im eigenen Land wird durch den Fascismus im andern repräsentiert. Insoferne stehen wir wirklich einer handgreiflichen Konkretisierung gegenüber. Man möchte fast sagen, glücklicherweise!

Gelänge es, diese ethische Fundierung wiederzufinden, so würde ich nicht nur die Eindämmung der Fascismen für möglich halten, u. z. in einem München[4] mit umgekehrtem Vorzeichen, sondern würde auch der sozialen Revolution wieder Hoffnungen geben, einer Revolution, die dann gleichfalls nicht auf den Barrikaden, sondern unter Gewaltsandrohung am grünen Tisch ausgetragen werden würde. Dies wäre der Idealfall. Aber all dies muß Hand in Hand gehen, weil Shanghai dabei eine ebenso große Rolle spielt wie die Bethlehem-Steel-Works. Und man möge gegen Roosevelt sagen, was man will, ich bin überzeugt, daß er die Dinge ziemlich ähnlich sieht.

Lieber wäre es mir freilich, wenn die republikanische Partei sie so sehen würde. Dies ist rein von der praktischen Seite her gedacht. Und rein von der praktischen Seite her habe ich den Slogan »Totalitäre Demokratie« gewählt.

Ich weiß, daß in meinen Ausführungen noch Lücken sind. Und ich weiß auch, daß man mit alldem – obwohl ich es dem Th. Mannschen Standpunkt einigermaßen vorziehe – kaum etwas ausrichten wird. Denn eine neue Absolutheitsethik wird sich eben immer wieder nur auf religiöser Basis etablieren lassen. Und dazu braucht man einen richtigen Erlöser. Wie weit dies Marx schon gewesen ist, vermögen wir heute noch nicht zu sagen. Doch wenn wir mystisch spekulieren wollen, so können wir sagen, daß eben jetzt zuerst einmal das ganze Judenvolk gekreuzigt werden muß, nachdem es einmal einen der ihren gekreuzigt hat; wir leben im Zeitalter der großen Dimensionen. Nichtsdestoweniger lassen sich wirklich bereits Parallelen zum Frühchristentum ziehen: die Nonresistenz-Bewegung ist keineswegs auf Gandhi beschränkt, sondern ist auch im Sozialismus vorhanden, u. z. mit sonderbar rationalen Unterbauungen, so z. B. mit einem Pazifismus, der sich für die Kapitalisten in keinen Krieg begeben will und daher lieber dem fremden Fascismus die zweite Backe hinhält, usw. Doch dies sind müßige Überlegungen. Daß es aber bei alldem um das »Absolute« geht, genau so wie es auch Marx um das Absolute gegangen ist, weil die Menschheit eben ohne eine absolutheitsfundierte Ethik überhaupt keine Spielregel für ihr Geschehen aufstellen und halten kann, weder für das ökonomische, noch für das kulturelle, noch für sonst irgend ein Wertgeschehen, das ist klar. Nur so ist die Wertzersplitterung, die am Grunde des heutigen Zustandes liegt, aufzufangen und –: Werteinheit ist Religion.

Bitte lesen Sie also das Kapitel des Buches ein wenig unter dieser Beleuchtung; ich glaube, daß dann manches darin verständlicher sein wird. Daß ich mich über Ihre Bearbeitungs-Bereitschaft freue, brauche ich nicht zu sagen. Wegen der Publikationsmöglichkeit habe ich verhältnismäßig wenig Sorge; das wird sich sicherlich machen lassen.

Ich bleibe noch ein paar Tage hier. Wenn Sie mir bald schreiben, erreichen mich Briefe noch bestimmt an dieser Adresse. Und ab 15. VIII. also: 112 Mercer Street, Princeton (N. J.). Inzwischen seien Sie herzlich begrüßt;

freundschaftlichst Ihr
Hermann Broch

[DLA]

1 Auf einer Vortragsreise durch fünfzehn Städte der USA im Frühjahr 1938 hielt Thomas Mann die Rede »Vom kommenden Sieg der Demokratie«. (Erschienen bei Oprecht in Zürich 1938.)
2 Vgl. das »Zwölfprophetenbuch« innerhalb der »Prophetischen Bücher« im Alten Testament.
3 Vgl. KW 11, Seite 69, Fußnote 4.
4 Anspielung auf das Münchner Abkommen vom September 1938.

315. An René A. Spitz

Saratoga Springs, 9. 8. 39

Lieber Freund,
vom Schicksal dazu bestimmt, Kampf-, Bundes- und Leidensgefährten zu sein, ist die Freude, Sie als Freund betrachten zu dürfen, natürlich auf meiner Seite. Dank für Ihren lieben Brief. Sowie für die Beilagen.

Nun gleich zu diesen: mit 6 Exemplaren[1] ist natürlich nicht das Auslangen zu finden –, schon das in Aussicht genommene Komitée umfaßt mehr als 6 Leute, und man wird wohl mindestens die dreifache Anzahl auf den ersten Anhieb für die Sache interessieren müssen. Gelänge es, die Übersetzung rasch fertigzustellen und die Sache in Druck zu geben, so wäre die Frage gelöst. Haben Sie vielleicht einen Übersetzer, der sich mit dieser psychologischen Terminologie auskennt und soweit daran interessiert ist, daß er die Arbeit ohne Vorschuß auf sich nähme? Die in Cleveland begonnene Übersetzung ist infolge Abreise der Mrs. Judd nach Europa stecken geblieben.

Zum Komitée: würden Sie den Kontakt mit Lasswell herstellen wollen? Daß dieser Kontakt jedenfalls gesucht werden muß, scheint mir gegeben zu sein.

Erikson-Homburger ist natürlich nicht auf meinem Mist gewachsen: ich schrieb meinem Freund Bergmann[2] (Assistent von Lewin[3]) nach Berkeley, er möge sich dort in der Angelegenheit mit Tolman in Verbindung setzen, und Bergmann fragte zurück, warum ich nicht auch besagten Erikson wählte, da dieser sehr aktiv sei und außerdem von der Rockefeller-Stiftung favorisiert werde. Das Fragezeichen hinter seinem Namen hat Ihrer Meinung zu dem Fall gegolten.

So weit der Massenwahn: ich gebe Ihnen jedenfalls ein Exemplar zurück, damit Sie eventuell betr. Lasswell oder Übersetzung damit operieren können.

Ich habe vergessen, mir aus Danis Brief den Namen des Schiffes zu notieren, mit dem Jancsi[4] reisen wird. Ich möchte ihm gerne einen Abschiedsgruß aufs Schiff senden. Soferne Sie den Brief noch haben sollten, bitte ich Sie, die beil. Karte zu adressieren.

Zum Fall des Dr. Alexander Nadas werde ich meinerseits beim Schriftstellerverband nachfragen. Daß es sich um einen früheren Nathansohn handelt, dürfte klar sein.

Ich bin Montag und Dienstag in N. Y. und rufe jedenfalls bei Ihnen an. Hoffentlich sind Sie da. Sollte es aber nicht glücken: ab Mittwoch bin ich in Princeton (N. J.) 112 Mercer Street.

Seien Sie sehr herzlich begrüßt von Ihrem

H. B.

[DLA]

1 »Vorschlag zur Gründung eines Forschungsinstitutes für politische Psychologie und zum Studium von Massenwahnerscheinungen«, KW 12, S. 11-42.
2 Vgl. Fußnote 3 zum Brief vom 14. 7. 1939.
3 Vgl. Fußnote 4 zum Brief vom 14. 7. 1939.
4 Janós (Jan, Jancsi) Brody (geb. 1912), ältester Sohn des Ehepaares Daniel und Daisy Brody. Dr. med. in Zürich 1937; besuchte als »post-graduate« in den Jahren 1937 und 1938 die Universitäten Glasgow und Edinburgh. 1939 emigrierte er nach Australien.

316. An Stefan Zweig

112 Mercer Street
Princeton (N. J.) 18. 8. 39

Lieber! seien Sie bedankt! ich habe das Ms. vorgestern bei Jacob[1] abgeholt, und so kann es den nächsten Pogrom in Ruhe wieder bei mir abwarten. Verzeihen Sie den etwas bittern Scherz, der leider ernst ist, denn meine Erfahrungen werden mit jedem Tag bedrückender; die Nazi-Penetration des Landes macht rapide Fortschritte, und die Gegenmaßnahmen sind genau so unwirksam, wie sie es in Deutschland gewesen waren. Und ebendeshalb will es mir – ich glaube, ich habe es schon einmal gesagt, und dann verzeihen Sie die Wiederholung – nicht aus dem Sinn, daß das Fertigmachen der Bücher nur dazu dient, um mit ihnen rechtzeitig den Brand der alexandrinischen Bibliothek zu erreichen. Das gilt für uns alle, also auch für Ihren Balzac: und doch wäre es schön, diesen noch vor dem Ausbruch des Endes in den Händen zu haben. Der Vergil dürfte ja dieses Ziel nun allerdings noch erreichen, denn er liegt nun wirklich, unberufen, in den letzten Zügen, soferne mich der Krieg [nicht] vollkommen lähmt –, hingegen mit dem Bauernroman[2] sieht es windig aus: nicht nur, daß er mir infolge der neuen Technik des Vergil einigermaßen uninteressant geworden ist, und nicht nur, daß es schwer fällt, ein Alpenbuch nunmehr in Princeton oder sonst-so-irgendwo fertigzustellen, es brennt mich das Politische immer mehr und mehr, vielleicht auch nur, um nicht völlig grundlos erschlagen zu werden.

Nun zum Politischen: wahrscheinlich wäre es am bequemsten, sich dem Marxismus zu verschreiben, und wahrscheinlich wäre es am richtigsten hiezu seine böseste Abart, nämlich den Stalinismus zu wählen, denn dieser allein kann sich – gleich den hiesigen Naziparteien – auf die realen Kampfmittel einer auswärtigen Macht stützen; ich bin also für meine »konstruktive Totaldemokratie« äußerst skeptisch, und von dieser Skepsis können mich auch nicht die sogenannten Erfolge abbringen, die ihr bereits zugewachsen sind, denn der eigentliche demokratische Boden, aus dem all dies erwächst oder erwachsen soll, wird immer mehr zum Schwemmsand. Nichtsdestoweniger, wundergläubig, wie der Mensch im Grunde ist und bleibt, versuche ich weiter zu gehen, und als erste Realresultate formen sich neben meinem eigenen Buch: *erstens* die Herausgabe eines Sammelwerkes gemeinsam mit Prof. Marck, das sich die Aufgabe stellt, den Begriff der Totaldemokratie von staatsjuristischer, soziologischer, ökonomischer und realpolitischer Seite her abzustecken und zu dem bereits eine Reihe führender Wissenschaftler gewonnen

ist (– die Schwierigkeit liegt im Augenblick darin, daß die Sache keine reine Emigrantenangelegenheit werde, obwohl wir gerade hier die fähigsten Mitarbeiter hätten –);
zweitens die Schaffung eines Forschungsinstitutes für Massenwahn und andere massenpsychische Erscheinungen, für welches ich ein hier beiliegendes Arbeitsmodell[3] angefertigt habe; Sie werden sich erinnern, daß die Forderung nach einem solchen Institut bereits in meinem ersten »Bericht«[4] (ja sogar schon in der Völkerbundschrift) enthalten gewesen war, und die Aufstellung des Modells war notwendig, weil ich mit allerlei fachwissenschaftlichen Einwänden wegen Nichtdurchführbarkeit zu tun hatte, Einwände, die nun hiedurch so weit aus dem Wege geräumt sind, daß wir daran gehen können, ein vorbereitendes Komitée zu gründen, freilich auch dies unter Bedachtnahme auf allerlei akademische Eifersüchteleien.

So weit also Tätigkeitsbericht. Zu dem beil. Text wäre noch zu sagen, daß er umarbeitungsbedürftig ist: manches gehört noch verschärft, manches gestrichen, manches in eine andere Beleuchtung gesetzt, denn bei meiner Übererschöpfung war ich außerstande, das Elaborat weiter als zum Rohstadium zu bringen; indes, vorderhand will ich nicht daran rühren, da ja die Diskussion über das Thema in Schwung gekommen ist und sich hiebei sicherlich noch weitere Gesichtspunkte ergeben werden. Und überdies mag in 8 Tagen Krieg sein, so daß man sich um weitere Massenwahnerzeugung nicht fürder zu scheren brauchte, und in welchem Fall Sie sich auch nicht die Mühe nehmen sollten, die Geschichte zu lesen. Sollte aber, wie anzunehmen ist, wieder einmal bloß eine große Schweinerei stattfinden – das ist wertfrei gesagt, denn Weltgeschichte ist eben Weltschweinerei stets gewesen –, so schicken Sie mir bitte die Arbeit zurück, wenn Sie sie nicht mehr brauchen, denn ich bin in stetem Exemplarmangel.

(Nebenbei: glauben Sie, daß Freud sich für die Sache interessiert? Von den New Yorker Psychoanalytikern habe ich bisher bloß Federn und Spitz herangezogen – ersteren in Kenntnis seiner theoretischen Schriften über das Ich, letzteren weil er als Schwager meines Verlegers Brody freundschaftlich in mein Leben getreten ist –, und insbesondere die

Zustimmung wie die Kritik Federns waren mir wertvoll. Besonders erfreuend war auch die spontane Zustimmung Einsteins, die ja sonst in wissenschaftlichen Belangen schwer erreichbar ist.)

Nun aber wahrlich dies alles nebenbei. Denn wenn der Brief bei Ihnen sein wird, kann das Unheil schon losgebrochen sein. Was soll dann geschehen? d. h., was werden wir persönlich machen? ich werde es kaum aushalten, von ferne aus untätig zuzuschauen und würde wohl alles daran setzen, nach London zu kommen, um mich irgendwie einzugliedern. Natürlich hätte ich mir ein erfreulicheres Wiedersehen mit Ihnen gewünscht, aber ich werde auch mit diesem froh sein: ohne Pathos gesagt, kann und will ich Sie aus meinem Leben nicht mehr wegdenken, also auch nicht aus der letzten Etappe desselben, wenn es tatsächlich diese werden sollte. Aber bis dahin nehmen Sie alle Gedanken, ebenso Frl. Altmann, und lassen Sie sich die Hand drücken.

Stets Ihr
H. B.
[SZA]

1 Vgl. Fußnoten 1 und 2 zum Brief vom 27. 7. 1939.
2 *Die Verzauberung.*
3 »Vorschlag zur Gründung eines Forschungsinstitutes für politische Psychologie und zum Studium von Massenwahnerscheinungen«, KW 12, S. 11-42.
4 Vgl. Fußnote 3 zum Brief vom 22. 4. 1939.

317. An Jean Starr Untermeyer[1]

23. 8. 39

L.!!
Du sagst, ich möge nicht wieder so trocken schreiben: jede Zeile ist mir, das weißt Du doch, bereits zu einer namenlosen Anstrengung geworden. Hiezu kommt, daß ich teils durch die Arbeitsunterbrechung, teils durch die Hitze, vor allem jedoch infolge der Kriegssituation seit gestern überhaupt mit

der Arbeit stocke, also mich in einem ziemlich unzurechnungsfähigen Zustand befinde.

D. h., es ist ein durchaus zurechnungsfähiger Zustand: ich weiß, daß das Unheil nunmehr unmittelbar vor der Türe steht, daß also eigentlich jegliche Arbeit sinnlos geworden ist, und daß einem im Grunde nichts anderes übrig bleibt, als mit möglichster Würde zu krepieren. Warum einem diese Würde noch eine letzte Befriedigung verschafft, weiß ich nicht, doch jedenfalls gehört die Arbeit bis zum letzten Augenblick zu ihr (vielleicht aus Gründen des Seelenheiles).

Außerdem: wenn es tatsächlich noch ein Wunder geben sollte – und nur ein Wunder könnte es sein –, das befähigt wäre, das Unheil aufzuhalten, so müßte auch das Wunder erarbeitet werden. Daß ich daran bin, weißt Du, doch Du weißt auch, wie grauenhaft klein meine Kraft ist, und daß ich an den letzten Resten meiner Lebenssubstanz zehre.

Was ich für mein privates Leben noch will, ist Anständigkeit. Ansonsten habe ich mich auszustreichen. Du hast recht, wenn Du sagst, daß es kein Vergnügen, aber trotzdem Leben ist. Und dieses muß eben durchgelebt werden, wie es eben ist. Es bleibt uns keine andere Wahl.

Sollte sich meine Arbeitssituation in den nächsten Tagen bessern, so rufe ich Dich sofort an oder telegraphiere. Auf Birnbaum[2] soll und kann hiebei keine Rücksicht genommen werden, weil ich mich selber nicht seinem Reiseprogramm unterordnen kann: er mag zwar kommen, wann er will, aber er wird nach einer halben Stunde wieder weggeschickt werden; für ihn spielt das keine Rolle, da er ja ohnehin nach dem Westen weiterfährt. Dies schreibe ich ihm auch heute.

Ich betrachte die Dinge nicht tragisch, und ich weigere mich auch gegen jede private Tragik, weil die Welt übertragisch geworden ist. Hoffnungen? ich wage nicht mehr, irgendwelche auszusprechen, und ich wage mich auch nicht einmal mehr an irgend eine Glückssehnsucht heran: was noch Schönes kommt oder kommen könnte, werde ich ebenso als ein Geschenk entgegennehmen wie das, was mir bereits geworden ist, und ich werde Dir dafür ebenso danken wie für alles Gewesene. (Und nebenbei danke ich Dir für die Geschenke Äckert-Baer[3], welche natürlich Zeit haben.) Und im übrigen mußt auch Du darüber nachdenken, worin das

»Something« besteht, das vielleicht, allerdings nur vielleicht noch »to do« ist: es mag sein, daß ich Dir dazu werde einiges liefern können, und das wird vielleicht auch ein guter und anständiger Zukunftsweg sein.

Sehr viel Gedanken, sehr viel liebe Gedanken, kurzum sehr viel Liebe*s* (denn dies ist darunter zu verstehen).

H.

[YUL]

1 Jean Starr Untermeyer (1886-1970), amerikanische Lyrikerin, Liedersängerin und Übersetzerin. 1907 heiratete sie den amerikanischen Lyriker Louis Untermeyer, von dem sie sich 1950 scheiden ließ. Broch lernte sie während seines Aufenthaltes in der Künstlerkolonie Yaddo in Saratoga Springs kennen, als er an den »Vier Elegien an das Schicksal« der vierten Fassung des Vergil-Romans arbeitete. Jean Starr Untermeyer übertrug diese Elegien ins Englische und entschied sich danach, den ganzen in der Entstehung befindlichen Roman zu übersetzen. Vgl. das Kapitel »Midwife to a Masterpiece« in Jean Starr Untermeyers Autobiographie *Private Collection* (New York: Knopf, 1965), S. 218-277. Neben Jean Starr Untermeyer und Richard A. Bermann lernte Broch in Yaddo auch Rudolf von Ripper kennen, der ein Porträt Brochs zeichnete. Vgl. die Abbildung in *Saturday Review of Literature,* 22/26 (19. 10. 1940), S. 8.

2 Gemeint sein könnte S. A. Birnbaum (geb. 1891), der von 1922 bis 1933 Dozent für jiddische Sprache an der Universität Hamburg gewesen war und dann nach London emigrierte. Von 1936 bis 1957 unterrichtete er Paläographie an der Universität London. Es könnte sein, daß er sich damals auf einer Amerikafahrt befand.

3 Nicht ermittelt.

318. An Carl Seelig

Princeton, N. J., 28. 8. 39

Lieber Freund Seelig,
Ich bin sehr froh mit Ihren Zeilen und bin gerührt, daß Sie trotz Überlastung so ausführlich geschrieben haben.

Heute stehen wir zwischen Krieg und Frieden. Und für Sie

heißt der Kriegsfall natürlich Einrückung zu den Waffen. Das ist alles höchst unvorstellbar. Und am unvorstellbarsten ist, was dann folgen soll: d. h. es ist leider vorstellbar.

Seit Jahren habe ich es so kommen sehen. Und darum ist meine Abneigung gegen das Dichten immer mehr und mehr gestiegen. Meinen Vergil mache ich noch fertig, muß ihn fertig machen, und irgendwie empfinde ich es als richtig, daß er nicht mehr gedruckt werden wird: ich glaube, mit ihm wirklich neue Ausdrucksgebiete eröffnet zu haben, und dies scheint eben schon unzulässig zu sein: an diesen Grenzen beginnt das Problem des babylonischen Turmes.

Was ich machen werde, weiß ich noch nicht. Meine Bemühungen zur Stärkung der Humanitätsstellung in der Welt brechen selbstverständlich mit Kriegsausbruch zusammen. Die Humanität wird in dieser Welt nicht mehr viel zu tun haben. Aber weil dem so ist, wird es wohl nicht angängig sein, ruhig hier in der Loge zu sitzen, ohne einen Teil des Risikos, das andere auf sich nehmen müssen, gleichfalls mitzutragen. Was ich tun werde, hängt von der Haltung dieses Landes ab; keinesfalls kann ich völlig untätig bleiben, zumindest würde ich mich zum Roten Kreuz melden. [. . .]

[GW 8]

319. An René A. Spitz

112 Mercer Street
Princeton (N. J.) 29. 8. 39

Lieber Freund R. S.,
soferne Sie sich in diesen Tagen noch zu einem la-séance-continue-Standpunkt aufschwingen können – mir fällt dies reichlich schwer –, übermittle ich Ihnen anbei Brief und Material, welches ich von Krechevsky erhalten habe. Weiters lege ich meine Antwort in Original bei, einesteils weil ich verabsäumt habe, eine Abschrift zu machen, andernteils weil es mir nur angenehm ist, wenn Sie ein kontrollierendes Auge darauf werfen; soferne Sie einverstanden sind, geben Sie bitte den Brief zur Post, soferne nicht, so retournieren Sie ihn mir

mitsamt Korrektur. Das übrige Material erbitte ich später gelegentlich zurück.

Ich habe Krechevsky so dilatorisch geantwortet, weil man ja eben auch wissen müßte, welches Geschäft Lasswell eigentlich in Washington betreibt. Dies ist der Zweck der Fühlungnahme mit ihm, welche ich von Ihnen erbeten habe. Ob man ihm hiezu gleich meinen Text übermitteln soll, scheint mir nicht einmal sehr angebracht, doch dies möchte ich Ihnen überlassen.

Möglicherweise daß Einstein recht hat, wenn er meint, man möge bloß ein ganz begrenztes Institut errichten, welches versuchen soll, auf Grund meines Forschungsmodells zu arbeiten.

Doch ob großes oder kleines Institut: die Frage ist, ob derlei Dinge überhaupt noch irgend einen Sinn haben. Und darüber hinaus: was hat, von unserem noch bestehenden Wertsystem aus gesehen, noch irgend einen Sinn? ich habe zwar die Entwicklung richtig analysiert und prophezeit, zuerst geschichtsphilosophisch und nun, seit etwa zwei Jahren, auch praktisch (– Sie fänden manches davon in dem bei Ihnen befindlichen Einleitungskapitel, soferne es sich noch verlohnte, es zu lesen –), indes ich habe mir niemals das persönliche Entscheidungsproblem vorgelegt, sondern ich habe mich lediglich an die Möglichkeit geklammert, die Demokratien oder richtiger die Humanitätsstaaten mit der ihnen nötigen neuen Ideologie zu versehen. Doch da dies eben anscheinend nicht möglich oder richtiger, nicht mehr möglich sein wird, so heißt es für das neue hic et nunc eine neue Entscheidung zu treffen. Fast sieht es nach dem Stand der Dinge so aus, als müßte sie, mag es auch grotesk klingen, stalinistisch ausfallen. Die Welt scheint bloß durch bitterste Leiden hindurch sich bessern zu wollen.

Sehr viel spricht dafür, daß sich die Bolschewisierung Europas als letztes Ergebnis der Geschehnisse entwickeln wird; wir werden noch allerlei Überraschungen von Stalin erleben, der im Augenblick wirklich zielgerichtete Politik macht. Und die Amerikaner werden sehr bald lernen, daß sie nicht ausgeschaltet bleiben können.

Ich versuche noch, meinen Vergil fertig zu machen, so sinnlos es ist, denn er dürfte wohl niemals gedruckt werden.

Aber er betritt tatsächlich neue Gebiete des menschlichen Ausdruckes, und so ist es sozusagen eine Angelegenheit des persönlichen Seelenheiles geworden, also eine Privatangelegenheit. Irgendwie ist ja die Hervorbringung solcher Bücher, wie der Joyceschen und meiner neuen, symptomatisch für den babylonischen Turm, der von Zeit zu Zeit immer wieder zur Ruine werden muß.

Allerherzlichste Grüße Ihres

H. B.

[DLA]

320. An Ruth Norden

3. 9. 39

L.! von der Kriegstatsache[1] sehr gelähmt, war ich auch schreibgelähmt. Wie man weiterarbeiten soll, ist mir unvorstellbar. Ich habe mich jetzt drei Tage mit dem Vergil abgequält, zu dessen Fertigstellung so wenig fehlt, daß er doch unbedingt beendet werden sollte, aber alle Bemühungen waren bisher vergeblich.

Es ist mir also auch ein wenig merkwürdig, jetzt mit einem Arbeitsprogramm herauszurücken, dessen Durchführung mit jedem Tag über den Haufen geworfen werden kann. Nichtsdestoweniger muß man la-séance-continue spielen; unter Umständen kann meine Werttheorie mit ihren politischen Folgerungen sogar wirklich noch einen Beitrag zur Neugestaltung der Welt liefern (wenn ich auch selber nicht daran glaube).

Ich schicke Dir also, ungeachtet dieser Vorbehalte, anbei das Guggenheim-Material[2]. Die Fragebogen habe ich ausgefüllt, obwohl in der gleichfalls beiliegenden Anleitung vermerkt ist, daß es bei lediglich künstlerischer Produktion genügt, eine Liste der bereits veröffentlichten sowie der geplanten Werke vorzulegen. Doch da ich nicht weiß, ob diese scholarship mit dem Universitätsplan in Verbindung gebracht werden soll, ist es vielleicht richtiger, auch dieser Formalität zu genügen.

Und da ich, wie gesagt, nicht weiß, unter welchem Titel diese scholarship angesprochen werden soll, habe ich einige Rubriken unausgefüllt gelassen und muß Dich bitten, dies für mich zu tun; u. z.

auf S. 1 des Fragebogens: »In what field of learning, or of art, does your project lie?« Hier wäre also aus den Beilagen die entsprechende Auswahl zu treffen, soferne nicht das ganze Programm vorgelegt werden soll;

auf S. 3: »When would you wish to commence the study proposed?«

»What is your estimate of its probable duration?«

Die Frage ist beinahe nicht zu beantworten; der Vergil ist fast fertig, der große Roman[3] braucht etwa noch 3 bis 4 Monate, das politische Buch sicherlich 6 Monate, die Werttheorie mindestens 12 Monate, die Massenpsychologie desgleichen einige Monate. Es kommt also darauf an, womit man eigentlich beginnen will. Allerdings sollten zuerst die beiden literarischen Werke fertig sein.

auf S. 4 Referenzen? kann Canby und eventuell Einstein (Zustimmung zum Massenwahn) angeführt werden?
Welche anderen scholarships wurden angesprochen? und unter welchem Titel?

Mir tut es weh, daß ich zu allem andern Dir auch noch diese Arbeit auflasten muß! Und gar, wenn die Einreichung nicht vermittels des Fragebogens, sondern brieflich erfolgen sollte, so müßte ich Dich um die Abfassung des Briefes bitten.

Angesichts des Weltzustandes bin ich mir auch über die allernächste Zukunft nicht im Klaren. Ich meine, daß es am gescheitesten sein wird, wenn ich mich nach der Einstein-Rückkehr vor allem einmal hier in Princeton einmiete.

Hab Dank und viel Liebes!

H.

[DLA]

1 Hitler hatte am 1. 9. 1939 den Krieg gegen Polen begonnen, und am 3. des gleichen Monats erfolgten die Kriegserklärungen Englands und Frankreichs an Deutschland.

2 Broch beantragte damals bei der John Simon Guggenheim Memorial Foundation in New York ein Stipendium für die Fertigstel-

lung des *Tod des Vergil* und der *Verzauberung*. Er erhielt das Guggenheim-Stipendium in Höhe von $ 2500,— für die Zeit von Mitte 1940 bis Mitte 1941.
3 *Die Verzauberung* (zweite Fassung).

321. An Jean Starr Untermeyer

Princeton, 9. 9. 39

Dear Jean,
nur ein rascher Dank; die Übersetzung ist wirklich prachtvoll. Ich habe sie soeben an die Canbys geschickt, und ich meine, daß wir die Publikation bald haben werden.

Ich habe bloß zwei Einwendungen:

1) in der vierten Elegie erscheint mir das Verspaar
»Fate-intoxicated the circlings into the Beautiful, untraversable undetainable/
Executes itself, drunken of death.«[1]
nicht nur sehr trocken, sondern weitgehend unverständlich, d. h. als eine Aneinanderreihung von Worten, die dem Leser nicht viel sagen, umsomehr als hier auch der Rhythmus auszusetzen scheint. Vielleicht wäre auch »drunken with death« besser als »drunken of death«. Aber es mag sein, daß mein lack of English an diesem Urteil schuld ist;

2) ist es in der fünften Elegie gestattet, creation als weiblich zu gebrauchen? wahrscheinlich ist es gestattet, aber dann ist der Beistrich am Ende der ersten Zeile falsch, denn formfreed ist das Attribut zu Creation[2].

Der Artikel über Bermann ist fertig[3]. Doch da gerade Judith Heller[4] hier war, habe ich ihr die Übersetzung wegen rascherer Erledigung übergeben: ich meine auch, daß wir Übersetzungen wegen besserer Deutsch-Verständlichkeit gemeinsam machen müßten, sonst gibt es Irrtümer, und um solche richtigzustellen, reicht diesmal nicht die Zeit.

Der Lunch war gestern besonders reizend; bloß daß es ein Leichenschmaus für den armen Bermann war, war traurig. Und Dank auch für die Besorgnis um die Heimfahrt; sie ist trotz des Gewitters gut und glatt erfolgt, hingegen weniger gut in Ansehung der Kriegsnachrichten aus Polen, die fürchterlich bedrückend sind.

Sehr viel Liebes, wie immer, und Dank wie immer

H.

[YUL]

1 In der vierten Schicksals-Elegie der vierten Fassung von Brochs Vergil-Roman lautet die betreffende Stelle: »Und die Welten, unausschreitbar unaufhaltsam ihr leerer / Kreislauf in Schönheit, sind deiner trunken, / Sind trunken des Todes.« Vgl. *Materialien zu Hermann Broch ›Der Tod des Vergil‹,* hrsg. v. Paul Michael Lützeler (Frankfurt: Suhrkamp, 1976), S. 178. Die Stelle lautet in der Schlußfassung der Untermeyerschen Übersetzung: »Ravished with thine own fate, thou fallest back in empty reversion, / While worlds are wheeling, – interminable, inevitable their course / In the vacant orbit of beauty – drunken of thee / And drunken of death.« Vgl. Hermann Broch, *The Death of Virgil,* translated by Jean Starr Untermeyer (London: Routledge, 1946), S. 204.

2 »Wann, oh, wann? wann war formenbefreite Schöpfung«, *Materialien,* a.a.O., S. 178. Vgl. *The Death of Virgil,* a.a.O., S. 206: »When, oh when? / When was there Creation delivered from form, /«.

3 Vgl. Fußnote 2 zum Brief vom 22. 6. 1939. Vgl. ferner: Hermann Broch, »Nachruf auf Richard A. Bermann«, KW 9/1, S. 100-103.

4 Judith Heller-Bernays war eine Übersetzerin, die auch in verschiedenen Flüchtlings-Komitees arbeitete.

322. An Ruth Norden

10. 9. 39

L.!, ich habe in aller Eile (nach Einvernehmen mit Canby) einen Nachruf für Bermann geschrieben, den ich mit gleicher Post an Amy Loveman[1] geschickt habe, u. z. bereits in der Übersetzung der hier in Princeton ansässigen Frau Heller-Bernays (Freundin der Mann-Übersetzerin Lowe[2]). Ich lege den deutschen Text bei, da ich keine englische Kopie habe. Unsicher war ich bloß wegen der englischen Titel der Bermannschen Bücher und habe daher Amy Loveman gebeten, die korrekten Titel, die ja sicherlich leicht aufzutreiben sind, in den Text einzufügen.

Von mir ist sonst nicht viel Neues zu berichten. Daß man über das Kriegsfaktum nicht hinweg kommen kann, braucht nicht mehr erwähnt zu werden; am ärgsten ist das drohende Rußland[3], wobei man natürlich sagen muß, daß die Leute richtige Politik machen. Denn Machtpolitik wird nicht von Ideen, sondern von der Geographie bestimmt, und die sogenannte Weltrevolution ist, wie ich schon seit langem behauptet habe, nur mehr Funktion und untergeordnetes Instrument der Gewaltpolitik. Wie ich da den Vergil fertig machen soll, wird mir mit jedem Tag unerfindlicher; seit einer Woche quäle ich mich ab, ohne eine Zeile wirklich vorwärts zu bringen: mag sein, daß man sich auch noch an diesen Weltzustand gewöhnen wird – eine gewisse Verrohungszeit ist wohl immer notwendig –, doch hinter allem steht ja die große Überflüssigkeit aller sogenannt geistigen Produkte.

Ich hoffe nur, daß mir der Weg ins Politische noch irgendwie offen stehen wird; all dies, was da geschieht, scheint mir eine Bestätigung meines Standpunktes zu sein. Aber an seiner Durchsetzung zweifle ich mit aller Skepsis.

Viele Gedanken!

H.

[DLA]

1 Amy Loveman war damals Herausgeberin der *Saturday Review of Literature.* Brochs Bermann-Nachruf erschien dort nicht.

2 Helen Tracy Lowe-Porter (1876-1963), Übersetzerin deutscher Literatur ins Englische. Bekannt wurde sie vor allem mit ihren Übertragungen der Romane Thomas Manns.

3 Der russische Einmarsch in Ostpolen erfolgte am 17. 9. 1939.

323. An Stefan Zweig

Princeton, 23. Sept. 1939

Ich warte dringendst auf eine Nachricht von Ihnen, lieber Freund! Sie können sich vorstellen, wie sehr ich zu Ihnen hindenke. Wie richten Sie jetzt Ihr Leben ein? was werden Sie tun? (Daß ich Sie gerne nach Schottland schicken möchte, ist ein Privatwunsch von mir, den Sie wahrscheinlich nicht befolgen werden.) Ich bleibe vorderhand in Princeton (neue Adresse: 11 Alexander Street), denn am Vergil fehlen nur noch ein paar Seiten, und dies noch abzuschließen, ist eine Angelegenheit internen Seelenheiles; mehr sicherlich nicht. Und dann? ich weiß es noch nicht: die Wirrnis muß noch größer werden, auf daß wir klarer sehen. Übermitteln Sie Handküsse und sehr herzliche Grüße. Und lassen Sie sich die Hand drücken. Von Herzen Ihr

H. B.

[SZA]

324. An Emmy Ferand

Princeton, 29. 9. 39

L.! gar nichts hört man mehr von Dir. Ich arbeite endlich wieder, nach dreiwöchentlichen qualvollen leeren Anstrengungen. Jetzt hoffe ich durchzukommen – allerdings wofür noch? Anbei ein paar Seiten.

Ich bin Montag wahrscheinlich in der Stadt, nachmittags, rufe dann gleich an. Solltest Du inzwischen downtown kommen, so bitte ich Dich, mir dringendst Vergil-Papier zu bestellen. Ich weiß das Geschäft nicht, konnte also nicht drum schreiben. Bis Montag komme ich knapp aus; jedenfalls muß ich das Paket Montag mit herausnehmen. Solltest Du nicht downtown kommen, so mußt Du mir die Adresse dann per Telephon sagen, damit ich gleich selber hingehe. [. . .]

[GW 8]

325. An Oscar A. Oeser

[Princeton, Anfang Oktober 1939]

Lieber Oskar,
ich hoffe, daß meine letzte Karte Sie richtig erreicht hat. Und nachdem ich mich von dem Kriegsschock langsam zu erholen beginne, kehre ich zum Massenwahn zurück.

Hiezu nun: Sie kennen wahrscheinlich die hiesige »Nebenuniversität«, nämlich das »Institute for Advanced Study«[1]. Dasselbe wurde zu dem Zwecke gegründet, besondere Spitzenforschungen zu fördern und zu ermöglichen; Einstein z. B. ist hier nicht der Universität, sondern dem Institute attachiert, an welchem er mit seinen Assistenten seine Forschungen betreibt. Die Hörer sind keine Studenten, sondern Mitarbeiter; es gibt also auch keine eigentlichen Vorlesungen, sondern bloß seminarhafte Aussprachen.

Meine Freunde wollen mich seltsamer Weise an dieses Institute bringen. Ich hatte auch schon eine Besprechung mit dem Direktor, der von mir meine Vorschläge hören wollte. Sie können sich denken, wie hochstaplerisch ich mich gefühlt habe. Das Bewußtsein meiner Ignoranz ist zwar erhebend, aber unangenehm.

Nichtsdestoweniger wäre das Institute absolut der gegebene Platz für den »Massenwahn«: dieser ist ein neues und ein wichtiges und ein außerordentliches Forschungsgebiet, und ich habe den Eindruck, daß man damit dort eventuell ankommen könnte. Allein jedoch tue ich es nicht; ich wünsche nicht, mich zu blamieren. Hingegen mache ich alles mit Ihnen gemeinsam[2]. Und wenn Sie sich auch von meiner Ignoranz überzeugt haben dürften, so dürften Sie sich auch überzeugt haben, daß ich lern- und arbeitsfähig bin und daß mir unter Umständen auch etwas Ersprießliches einfallen kann. Und da eine Position am Institute immerhin eine höchst ehrenvolle Sache ist und überdies ausgezeichnet honoriert wird, so glaube ich, daß die Sache Sie interessieren könnte.

Die Angelegenheit ist natürlich auch eine Finanzfrage. D. h. es steht noch aus, ob das Institute die Dotation für eine neue Forschungsstelle wird erlangen können. Doch dies alles kann erst entschieden werden, wenn ein konkreter Antrag von uns beiden eingebracht werden würde.

Bitte schreiben Sie mir also umgehend. Am besten per Luftpost, wie ich auch diesen Brief auf diesem Wege sende.

Inzwischen grüßen Sie die Gattin sehr herzlich von mir. Und grüßen Sie überhaupt ringsum in St. Andrews. Ihnen alles Gute

Ihres
Hermann Broch
[DLA]

1 Vgl. die Fußnoten 3 und 7 in KW 11, S. 426.
2 Zu einer Zusammenarbeit mit Oeser kam es nicht.

326. An Volkmar von Zühlsdorff

11 Alexander Street
Princeton (N. J.) 7. 10. 39

Lieber Freund Zühlsdorff,
wie besprochen, habe ich angefangen, über die künftige politische Betätigungsmöglichkeit der »Guild« nachzudenken. Ich habe dies schriftlich getan, weil ich leider ein langsamer Denker bin, außerdem ein vergeßlicher (– Maler sind kurzsichtig, Komponisten sind schwerhörig, und Schriftsteller denkschwach –), und versuchte, meine Überlegungen in einem Memorandum für die Guild unterzubringen: während des Schreibens aber merkte ich schon, daß dies ein Buch oder zumindest ein großer Essay und nicht ein Memorandum wird. Nichtsdestoweniger übermittle ich Ihnen anbei die ersten (9) Seiten dieses Rohmanuskriptes[1], damit sie Weg und Richtung meiner Erwägungen sehen. Ich glaube, daß das, was ich da festgestellt habe, zu vertreten ist, schließlich sind es ja Ergebnisse mannigfacher Vorarbeit, doch wir stehen heute vor einer neuen Situation, und wenn wir mit der Guild tatsächlich eine politische Wirksamkeit beginnen wollen, so muß die Frage, ob dies geschehen darf und in welcher Weise dies dann geschehen soll, mit größter Gewissenhaftigkeit

und allem Verantwortungsgefühl beleuchtet werden. Abschließendes vermag ich heute noch nicht zu sagen. [...]

[BA]

1 »Memorandum für die ›American Guild‹«, neunseitige erste Fassung von »Politische Tätigkeit der ›American Guild for German Cultural Freedom‹«, KW 11, S. 399-410 und S. 500.

327. An René A. Spitz

11 Alexander Street
Princeton (N. J.) 15. 10. 39

Lieber Freund, je böser die Zeit wird, desto knapper wird sie: meine New Yorker Besuche sind Hetzjagden, und meine Korrespondenz darf über Korrespondenzkarten nicht hinausreichen. Also nur eine Bitte, nämlich um die Zusendung des Krechevsky-Briefes an mich, während das übrige Material (Zeitschriftenhefte und Krechevsky-Exposé) an Jadwiga Judd, 11 508 Mayfield Road, Cleveland (Ohio) gehen soll. Sie wissen ja, daß sie nun dort in diesen Materien arbeitet, und daß Sie der eigentliche Anreger hiezu gewesen sind. Wohin wir aber noch arbeiten? der Tod Freuds[1] war ein Symbol: nicht für den Untergang einer alten Welt, der er nicht angehört hat, sondern für den einer neuen, die unseren Wünschen entsprochen hätte. Sehr viel Herzliches

Ihres
H. B.
[DLA]

1 Sigmund Freud war am 23. 9. 1939 im Londoner Exil gestorben.

328. An Carl Seelig

Princeton, N. J., 16. 10. 39

Lieber Freund,
Es war gut, von Ihnen diesen Brief bekommen zu haben, und es war gut und rührend von Ihnen, daß Sie ihn geschrieben haben. Er war über drei Wochen auf dem Wege, und wenn Sie diese Zeilen erreichen, können wir aufs neue vor völlig veränderten Situationen stehen, freilich kaum vor besseren. Wobei das »besser« freilich nicht in einem sentimentalen Sinn gemeint ist, sondern in jenem relativen, der ihm beikommt: es ist klar, daß wir jetzt jene Weltumwälzung erleben, die wir nun seit so lange schon vorausgeahnt haben, und es ist klar, daß sie eine Notwendigkeit darstellt, nicht nur, weil sie dies durch ihre Realität beweist, sondern noch als gewaltsame Durchbrechung der Entwicklungsstagnierung, die infolge der Sturheit und Verstocktheit des Menschengeistes stets aufs neue in der Menschheitsgeschichte eintritt, nun auch wieder eingetreten war und zu gewaltsamen Lösungen auffordert. Von hier aus darf man also die Geschehnisse nicht beklagen, doch wenn man bedenkt, wie viel Barbarei, Niedertracht und Lüge als deren Gegenkräfte wirken, wenn man bedenkt, daß neben der Hoffnung auf eine Welterneuerung die noch weit größere Gefahr eines allgemeinen Kulturzusammenbruches steht, dann wird die Klage berechtigt. Und unfaßbar will es einen dünken, daß die Wahrheit aus der Niedertracht hervorgehen soll; oft genug hat sie ja schon diesen Weg eingeschlagen.

Meine Schreibtischexistenz bedrückt mich immer mehr unter diesen Verhältnissen. Nichtsdestoweniger werde ich noch einige Zeit an diese Tätigkeit gefesselt bleiben müssen. Der Vergil wird nun freilich fertig, und ob ich den großen Roman[1] überhaupt noch beenden soll, ist mir vorderhand noch nicht klar (– irgendwo drängt es einen ja, nichts Unfertiges zu »hinterlassen« –); aber mehr als alles andere liegt mir meine staatsphilosophische Arbeit am Herzen, deren Grundzüge ich in der Ihnen bekannten Völkerbundskizze entworfen hatte, denn gerade diese Arbeit könnte zu der künftigen Gestaltung der Welt ein wenig mithelfen, sie hat dazu wirklich einiges zu sagen. Nur meine ich eben, daß sich die Kriegsgeneration nichts von jemandem wird sagen lassen, der die physischen Gefahren nicht mit ihr geteilt hat, und auch dies ist ein Grund, der mich zum Roten Kreuz hinleitet. Das ist aber keineswegs eine einfache Sache für jemanden, der noch nicht die amerikanische Staatsbürgerschaft hat. Ausländer zu sein, ist in dieser Zeit ein schwerer Beruf, vor allem einer mit beschränkter Entschluß- und Bewegungsfreiheit. Also heißt es noch zuwarten. [. . .]

[GW 8]

1 *Die Verzauberung* (zweite Fassung).

329. An Ruth Norden

18. 10. 39

L.! sehr viel Dank für Deine Zeilen, ebenso für den Ausschnitt. Dazu also wäre zu sagen.

Institut[1]. Es täte mir ausgesprochen leid, wenn daraus nichts würde. Ich sagte es ja schon neulich, daß ich die soziale Position für wichtiger halte als den unmittelbaren finanziellen Erfolg. Von C.[2] weiß ich hierüber gar nichts; auch Mrs. C. hat nicht geschrieben. Jedenfalls werde ich ja von Flexner[3] morgen etwas hören. Mit Aydelotte[4] wollte Loewenstein[5] mich schon früher in Verbindung bringen, u. z. wegen der politischen Arbeit. Natürlich darf man nichts tun, ehe nicht C. sich geäußert hat; ich hoffe sehr, daß er nicht abspringen wird. Im übrigen ist ja auch hier eventuell der Massenwahnweg zu gehen, nachdem er Einsteins Zustimmung gefunden hat. (Nebenbei hiezu: wenn Du das Ms. nicht mehr brauchst, es interessieren sich hier Leute dafür.) Freilich hat C. recht, daß vor allem die Bücher fertig gestellt werden müssen.

Guggenheim. Angesichts der Finanzlage ist das natürlich höchst erfreulich; daß Du der Erfinder dieses Rettungsbootes gewesen bist, dürfen wir nicht vergessen.

Finanzlage. Ich habe heute den Scheck mit $ 15.– für nächste Woche einkassiert. Dies ist das Wochenbudget; darunter komme ich nicht, trotz aller Sparsamkeit. Aber ich habe ja noch Geld in N. Y., wie Du weißt, und so müssen wir jetzt vor allem wieder abrechnen!

Wörterbücher[6]. Ohne daß ich für meine eigenen Finanzen mir etwas davon verspreche oder etwas davon haben will, meine ich, daß diese gesunde Idee nun doch weiter verfolgt werden soll: wird die Guild zu Grabe getragen, so kann die Sache trotzdem gemacht werden, und da Du Dich selber dafür interessiert hast, so meine ich, daß Du Dich ganz gut an die Spitze stellen kannst. Wenn Du es nämlich in Deine schmalen Hände nimmst, so wird es gehen. Man braucht nicht die Guild zur Finanzierung, sondern man kann das Geld hiezu wahrscheinlich auch von einer Reihe anderer Committees bekommen, denn es ist einer der wenigen Wege, mit denen man den Refugee-Intellektuellen wirklich helfen könnte. Wie ich mir die Wörterbücher denke, habe ich Dir ja gesagt, und ich werde Dir nächstens auch ein Muster bringen. Canby hat außerdem die Idee eines »Petit Larousse«, und er sagt, daß Macmillan[7] dafür interessiert sei. Aber Horch oder Fles[8] können bestimmt auch noch andere Verleger auftreiben. Bitte sprich doch mit C. darüber. Mitarbeiter finden wir leider eher zu viel, als zu wenig. Anbei wieder ein solcher, u. z. ein ausgezeichneter; ich habe ihm von dem Projekt noch nichts gesagt, doch behalte bitte sein Material in file. Es sei denn, daß Du ihn anrufen und ihn Dir anschauen willst.

Merkel[9]. Gehört gleichfalls zum Elend. Ich schicke Dir anbei seinen heutigen Brief, weil er Dich auch wegen der franz. Lager interessieren dürfte. Weiters sende ich eine (selbstverfertigte) Übersetzung an Mrs. Canby, die sich mit M. in Paris angefreundet hat: ich bin der Ansicht, daß sie die Angelegenheit in die Hand nehmen soll; Du kannst Dich damit unmöglich befassen. Ob es für so etwas Spezialagenten gibt, weiß ich nicht. Jedenfalls schreibe ich Mrs. Canby hierüber, und wenn sie einverstanden ist, übergib ihr bitte das ganze bei Dir befindliche Material.

Muir. Dank für die Absendung. Ich hatte gerade erfahren, daß die Guild eingefrorene Guthabungen in England hat, und da sie hier in Geldnot ist, schlage ich ihr ein Clearing für die £ 2.–.– vor.

Vergil. Augenblicklich macht er mir wieder einmal Freude, aber ich sehe immer deutlicher, daß Joyce recht hat: für ein wirklich gutes Buch braucht [man] Dezennien; daß Joyce es 17 Jahre durchgehalten hat, macht ihn zu dem Genie, das er ist, doch wenn ich den Vergil so lange in der Maschine behalte, werde ich nicht minder genial. So aber ist diese Hetzjagd, wahrlich eine Hetzjagd im Schneckentempo, zu einer ausgesprochenen Qual geworden. Und ich dürfte überhaupt daneben nichts machen, und schon gar nicht Briefe schreiben! [. . .]

[DLA]

1 Broch strebte damals eine Stellung am Institute for Advanced Study in Princeton an.
2 Henry Seidel Canby.
3 Abraham Flexner (1866-1959), begründete 1930 in Princeton das Institute for Advanced Study, deren Direktor er bis 1939 war.
4 Frank Aydelotte (1880-1956), damals neuer Direktor des Institute for Advanced Study. Von 1921 bis 1940 war er Präsident des Swarthmore College in Swarthmore, Pennsylvania/USA.
5 Hubertus Prinz zu Löwenstein.
6 Als Arbeitsbeschaffungsprojekt für Emigranten hatte Broch die Erstellung von Wörterbüchern auf verschiedenen wissenschaftlichen Gebieten vorgeschlagen.
7 Amerikanischer Verlag mit der Hauptverwaltung in New York.
8 Barthold Fles war 1925 aus den Niederlanden in die USA eingewandert. Er betrieb eine literarische Agentur besonders für ausländische Autoren.
9 Georg Merkel (1881-1974), Maler, mit Broch seit der Wiener Zeit bekannt. Merkel wurde in Lemberg geboren, besuchte 1903 die Maler-Akademie in Krakau, verbrachte die Jahre 1905 bis 1914 in Paris, wo er sich an Poussin und Lorrain schulte. In Österreich lebte er von 1917 bis zu seiner Emigration nach Frankreich im Jahre 1938. Merkel malte fast ausschließlich arkadische Idyllen.

330. An Stefan Zweig

11 Alexander Street
Princeton, N. J. 30. 10. 1939

Dear friend:
Difficult to tell you in English (– but it is better to do so –) *how* glad I am with your good news: at last an alliance, which seems to be reasonable. And I would add, even [if] it isn't very nice in respect to your young wife[1], that we are in age, in which marriage certainly is the best form of life. But I can also say it a little nicer for her ears: you had to wait long to find the right-one, and I [think] she is it.

There you were and you are right. But you are not right in respect of the war. *More* than 1914 we are called up to fill up the ranks of the »ethical army«! I wrote a paper about it[2], and I just discussed it with Th. Mann, who approbates me: may I send it you in German or will you wait, to have it in English?

All wishes to you both. And all thoughts,

always yours
Broch

[SZA]

1 Stefan Zweig hatte gerade Lotte Altmann geheiratet.
2 Hermann Broch, »Ethical Duty«, in: *Saturday Review of Literature,* 22/26 (19. 10. 1940), S. 8. Vgl. »Ethische Pflicht«, KW 11, S. 411-413.

331. An Stefan Zweig

11 Alexander Street
Princeton, N. J. 16. 11. 39

Lieber! wenn es auch angezeigter ist, jetzt englisch zu schreiben, ich weiß nicht, wie »ergriffen« auf Englisch zu sagen wäre, und muß Ihnen doch sagen, daß Ihre eigene Ergriffenheit, die aus der Freud-Rede[1] herauszuspüren ist, unmittelbar auf den Leser übergeht; die Rede ist eine Ihrer schönsten und ernstesten und menschlichsten Leistungen, und ich danke Ihnen von ganzem Herzen für das wahrhafte Geschenk, das Sie mir mit ihr gemacht haben. Ich weiß nicht mehr, ob ich Ihnen geschrieben habe, wie sehr ich vom Tode Freuds[2] berührt gewesen bin: es war, als verschwände eine Welt mit ihm, nicht eine alte Welt, zu der er ja nicht gehört hat, wohl aber jene neue, welche wir uns erträumt haben und an deren Kommen ich kaum mehr glaube.

Nichtsdestoweniger habe ich meine Bestrebungen für diese Traumwelt wieder aufgenommen, einesteils mit aller Skepsis, andernteils mit recht praktischen Absteckungen. Daß ich hiezu gerade nach Princeton geraten bin, war eine glückliche Fügung. Haben Sie übrigens meine Massenwahn-Abhandlung[3] bekommen? auch dies beginnt sich zu entwickeln.

Und haben Sie meinen letzten Brief bekommen? Wenn nicht, so lassen Sie mich alle guten Wünsche für Sie beide Ihnen nochmals sagen. Wie sehr sie von Herzen kommen, wissen Sie. Ich drücke Ihnen die Hand; immer Ihr

H. B.

[SZA]

1 Stefan Zweig, *Worte am Grabe Sigmund Freuds* (Amsterdam: De Lange, 1939).
2 Sigmund Freud war am 23. 9. 1939 in London gestorben.
3 »Vorschlag zur Gründung eines Forschungsinstitutes für politische Psychologie und zum Studium von Massenwahnerscheinungen«, KW 12, S. 11-42.

332. An Ernst Polak

11 Alexander Street
Princeton, N. J. 27. 11. 39

Lieber! es ist so ein Jammer, daß Du nicht hier bist; dies haben mir Deine Zeilen wieder klar gemacht. Gewiß, die englische Atmosphäre ist in vieler Beziehung unersetzlich (– und irgendwo geht ja der Krieg auch um ihre Erhaltung –), aber Princeton hat auch seine Atmosphäre, und außerdem wärest Du hier. Aber daran ist ja vorderhand nicht zu denken. Und nachderhand? Und der noch größere Jammer: daß wir nicht schon vor zehn Jahren ausgewandert sind. Für mich ist es ein entsetzlicher Verlust; das sehe ich erst jetzt in voller Bedeutung. Aber für Dich wohl nicht minder, denn offenbar gerätst Du ja jetzt immer mehr in befriedigende Arbeit: kannst Du mir über diese nichts erzählen?

Von mir ist zu viel zu erzählen. Also schweig ich ganz. Aber trotzdem sei es in Kürze angedeutet. Also erstens ist der Vergil fertig; ein Monstrum von nahezu 600 Seiten, dessen Korrektur mir Üblichkeiten verursacht, immerhin aber zu Joyce sich verhält wie 2 zu 17, und damit darf ich ganz zufrieden sein, umsomehr als ich es mir nicht leisten darf, 17 Jahre an einem Buch zu arbeiten, es übrigens auch gar nicht möchte, da mir das Geschichtel-Erzählen mit jedem Tag mehr beim Hals heraushängt. Weiters komme ich mit meinen staatstheoretischen Arbeiten ganz schön vorwärts, auch in der praktischen Auswirkung (– dies in zunehmendem Kontakt mit Mann –), und endlich habe ich ein paar ganz fruchtbare Ideen zur politischen Psychologie gehabt (Massenwahnphänomene etc.), die viel Interesse, insbesondere auch von Seiten Einsteins gefunden haben, so daß es nicht unmöglich ist, daß ich in eine gewisse lose Verbindung zur Universität gerate. Vorderhand habe ich einen Vortrag gestottert und nehme an einem sehr interessanten Seminar teil. Schrecklich ist, was man noch alles zu lernen hätte.

Aber: so erfreulich dies alles ist und so dankbar ich dem Schicksal dafür bin, niemals verliere ich das Gefühl des Euphorischen, das all dem anhaftet. Nicht nur die konstanten Sorgen sind daran schuld (u. a. um meine Mutter in Wien, um meinen Sohn im franz. Konzentrationslager), sondern noch weit mehr das konstante Wissen um die neue Zeit, der wir im Guten oder Schlechten entgegengehen (– à la longue ist es nämlich gleichgültig, ob wir uns im Augenblick auf der guten oder schlechten Seite befinden –) und das Wissen um die beinahe schon eingetretene Wertlosigkeit der Werte, denen unsere Bemühungen noch gelten; gewiß, nichts war noch nie, sagt ein ungarisches Sprichwort, und das Geistige wird nicht verschwinden, aber die Formen, unter denen es wiederaufleben wird, werden andere sein, unvorstellbar für uns. Und so ist es fast schade, daß man seine letzten Kräfte daran setzt, anstatt diese zu benützen, um mit einer netten Frau nach dem Süden zu fahren. Und die letzten Jahre, die einem bleiben, hedonistisch zu verbringen. Was ich treibe, ist das strikte Gegenteil hievon; ich stehe unaufhörlich am Rande einer völligen Erschöpfung – bei meinem Programm ja kein Wunder –, und meine Gesundheit, die bisher immer gehalten hat, rieselt bedenklich im Gemäuer. Jetzt wollen mir die hiesigen Barbaren nicht weniger als 7 Zähne ziehen, um meinem Fieber beizukommen. Angeblich eine Emigrationserscheinung.

Ich hätte Dir furchtbar gerne schon Abschriften geschickt. Aber da ich keine Sekretärin habe, – wahrscheinlich wird auch dies noch werden –, muß ich alles allein machen, und so ist es einfach nicht mehr bewältigbar. Irgendwie erscheint mir ja mein Plan, zum Roten Kreuz zu gehen, beinahe wie ein Fluchtversuch aus dem Arbeitsübermaß: ich geh in den Krieg, um mich endlich einmal auszuschlafen. Daß es mit dem Plane fürs erste nichts ist, dürftest Du ja wissen; das Amer. Rote Kreuz nimmt nur Citizens, und Leute, die noch nicht Citizens sind, dürfen das Land überhaupt nicht verlassen.

Hab Dank für die Adressen (– mein Adreßbuch hat sich übrigens wieder gefunden –), und wen immer Du von Freunden triffst, Ehrenzweig[1], Neumann[2], Frischauer[3], den grüß von mir. Und so weit sie Erfolge haben, sage ihnen, daß ich mich über jeden Erfolg, den einer von den unseren hat, aufrichtig freue. Besonders aber freue ich mich über Deine aufwärtsgehende Kurve, wobei ich auftragsgemäß geklopft habe und unberufen hinzufüge.

Bitte bestätige den Brief. Wenn auch nur mit einer Karte. Von wegen der Postverluste. Und im übrigen wäre ich dafür, daß wir einander regelmäßig mit Karten Nachricht gäben! Ich werde es so halten. Inzwischen sei von Herzen gegrüßt. Stets Dein alter H.

[DLA]

1 Nicht ermittelt.
2 Robert Neumann.
3 Paul Frischauer.

1940

333. An Thomas Mann

dzt. 420 West, 121st Street, N.Y.C. 16. 1. 40

Verehrter lieber Herr Doctor,
seit zwei Wochen im Begriffe, nach Princeton zurückzukehren, habe ich diesen Brief von Tag zu Tag aufgeschoben, nicht aus Bequemlichkeit, wohl aber in der Hoffnung, Sie bald sehen zu dürfen. Offenbar jedoch ist durch solche Zuversicht wieder einmal die Bosheit des Schicksals heraufbeschworen worden: die Dauer-Grippe, die mich diesen Winter verfolgt, wurde aufs neue virulent, und so getraute ich mich nicht in meine etwas allzu arge Princetoner Primitivität zurück; jetzt scheint die Sache zwar halbwegs überstanden zu sein, dafür aber bin ich aufs äußerste mit dem Vergil belastet, dessen nun wirklich allerletzte Atemzüge nicht durch eine neuerliche Übersiedlung unterbrochen werden sollen.

Nach meiner Schätzung müßte diese Agonie bis Ende der Woche beendet sein; allein, mein Zeitoptimismus hat schon zu oft mich getäuscht, und der Wunsch, Ihnen für die »Lotte«[1] zu danken, ist bereits allzu dringend geworden: Doppelgeschenk im wahrsten Wortsinne, einerseits als Faktum Ihrer Gabe als solcher, überhöht durch die Widmung, die mir – vertrauensbekundend – so wichtig und teuer ist, andererseits als das sachliche Werk, dessen herrliche Vollkommenheit man eigentlich nur noch schweigend bewundern kann, ist sie in dem einen wie in dem andern innigste Freude, und daß sie mir in dieser Form von Ihnen zuteil wurde, empfinde ich als Beglückung. Unstatthaft wäre es, wie gesagt, ja, fast sogar ein wenig Vermessenheit, dies auch noch an dem objektiven Gehalt des Werkes begründen zu wollen; nichtsdestoweniger darf ich hinzufügen, daß das Vorhandensein dieses Buches etwas sehr Tröstliches bedeutet: vieles läßt darauf schließen, daß die inneren Gründe, welche Sie zu diesem Buche und seinem Thema geführt haben, zum Teil in dem uns aufgezwungenen Abschied von der Humanität gelegen waren – das dreifach verspiegelte Abschiedsmotiv, welches das ganze Werk durchzieht, spräche dafür –, und daraus ist nun eine Verheißung für den Fortbestand der Menschlichkeit geworden, nicht nur in des Buches

Inhalt, sondern auch, und vielleicht noch mehr, durch sein Gelingen; tröstlich ist es, daß so Großes eben in dieser Zeit und trotz dieser Zeit zu entstehen vermochte!! Kann man Ihnen da überhaupt noch genügend danken? daß kein Dank an das, was Sie geben, heranreicht und heranreichen wird, ist nachgerade zum Naturgesetz geworden, doch es ist Freude, Ihnen danken zu dürfen.

Mit der Bitte, meine Handküsse an die gnädige Frau zu übermitteln, bin ich in Herzlichkeit und Verehrung Ihr

Hermann Broch

[YUL, DLA]

1 Thomas Mann, *Lotte in Weimar. Roman* (1939).

334. An René A. Spitz

420 W., 121st. Str. 16. 1. 40

Lieber Freund R. S.,
unsere Befürchtungen wegen Holland erhalten täglich wachsende konkretere Grundlage. In der Suche nach Entweichungsmöglichkeiten für Dani[1] hatte ich mich nun auch an Anja[2] in Mexico gewandt, und von dieser erhielt ich folgenden Bescheid:

Einwanderung in Mexico ist lediglich Geldsache. Verlangt wird eine Taxe von etwa 1500 Pesos per Person für eine einjährige Aufenthaltsbewilligung auf Grund der sogenannten »Forma 1 A«; weiters ist ein Bankdepot von 750 Pesos pro Person bei einer mexikanischen Bank nachzuweisen. Dazu kommen noch einige Taxen, sowie Landungsgeld. Alles in allem dürfte man also mit etwa 2500 Pesos per Person auskommen. Die Verlängerung der Aufenthaltsbewilligung nach einem Jahr dürfte lediglich Angelegenheit erschwinglicher Bestechung sein. Wenn Anja in der Sache etwas vorbereiten soll, so müßte sie die verschiedenen Personaldaten bekommen: ich neige dazu, daß Sie die Initiative ergreifen sollten, denn die Ereignisse in Holland können sich ja überstürzen. Ich wiederhole also jedenfalls Anjas Adresse: Calle Concepcion Basteigni 106, Col. del Valle, Mexico, D. F.

In meinem Brief, den ich Samstag an Dani geschrieben hatte, habe ich diesen Punkt noch nicht berührt, denn erstens war Anjas Information noch nicht eingetroffen, und zweitens hatte Dani meine verschiedenen Emigrations-Ansinnen derart entschieden abgelehnt, daß ich jedenfalls die Behandlung der Frage Ihnen überlassen wollte. Ich habe mich also diesmal aufs Verlegerische beschränkt, und wenn auch der Brief mittlerweile wahrscheinlich dank Hitlern gegenstandslos geworden ist, so schicke ich Ihnen anbei doch die Kopie zur Vervollständigung unserer Unterredung, hoffend einerseits, daß Sie Ihrerseits damit einverstanden sind, andererseits daß vielleicht doch noch ein Wunder mit der holländischen Intaktheit geschehe.

Ich habe Donnerstag Ihr Haus mit besonders freundschaftlichen Gefühlen verlassen; Ihre Anteilnahme an meiner neurotischen und sonstigen Person war und ist rührend, und Ihr kleiner analytischer Vortrag, leider zu kurz, war in seiner bestechenden Luzidität für mich ein wirklicher Gewinn. Seien Sie sowie die liebe verehrte Gattin nochmals für den Abend bedankt. Aufrichtigst

in Herzlichkeit Ihr
H. B.

[DLA]

1 Daniel Brody.
2 Anja Herzog.

335. An einen nicht festzustellenden Adressaten

[Jan. 1940]

[...] Ich brauche Dir nicht zu sagen, daß wir in einem unausgesetzten Strom fluktuierender Erlebnis-Atome leben, bestehend aus mikroskopischen Empfindungseinheiten, Erinnerungsstäubchen usw. Ich brauche Dir auch nicht zu sagen, daß unsere Lebenspraxis uns gelehrt hat, die Unerfaßlichkeiten dieses Atom-Stromes in gewisse Schemata einzugliedern, so daß sie sich daselbst zu fiktiven Einheiten ordnen und mehr oder minder handlich werden. Das Kleinkind mit seinen erwachenden Sinnen ist wehrlos diesem Empfindungsstrom ausgeliefert, er ist ihm völlig ungeordnet, es greift nach dem Mond, weil es das Wesen der Distanz nicht kennt, und im Traum schimmert uns noch immer ein Teil der ungeordneten Welt auf.

Der Wissenschaftler ist der Mensch, welcher vorsichtig von einer Fiktionsebene zur nächsten vorschreitet, um zu größerer Welt-Realität zu gelangen; der Künstler hingegen erlebt die Welt in jedem Augenblick »zum ersten Mal«, d. h. als fluktuierendes Ur-Chaos, und jedes wirkliche Kunstwerk ist ein erneuter Versuch, mit einem Schlag zu neuen Wahrheits-Einheiten zu gelangen (wobei in der Anwendung der technischen Mittel natürlich auch gewisse »wissenschaftliche« Elemente einfließen). Dies ist an unzähligen Beispielen zu erhärten; für Dich ist die Malerei am zugänglichsten, und da brauchst Du bloß den Ausdrucksweg vom Impressionismus bis zum späten Picasso zu betrachten, um zu sehen, wie es immer darauf ankommt, neue Realitätssphären zu erschließen. Und um es gleich vorweg zu nehmen: letztlich muß jeder solche Weg im ethischen Problem münden (Guernica!).

Genau das nämliche vollzieht sich in der Realitätssphäre der eigenen Ich-Erfassung. Auch hier haben wir den Strom fluktuierender Erlebnis-Atome, einen Strom, von dem wir bloß wissen, daß er in den Tod mündet. (Daher überall die Vorstellung vom Totenschiff.) Alles »Seelenheil« des Menschen besteht in der Gewinnung seiner eigenen Ich-Realität, in seiner Loslösung aus dem Fluktuierenden, denn nur dann vermag er sich mit dem Todesproblem auseinanderzusetzen, aber vielleicht siehst Du schon aus diesen Andeutungen, daß es sich um ein konstantes Wechselverhältnis zwischen innerer und äußerer Realität, die beide unausgesetzt aneinander aufgebaut werden, handelt. Das ganze Wert-Erlebnis spielt sich in einem Bereich ab, den man in einem sehr erweiterten Sinn den der »Erkenntnis« nennen könnte, denn in allem, was wir tun und fühlen, steckt Erkenntnis, jede Realitäts-

Einheit, welche wir aus dem fluktuierenden Strom gewinnen, *ist* Erkenntnis, wie ja eben auch jedes Kunstwerk, sogar das musikalische, voller Erkenntnis steckt. Das Verhältnis dieser »erweiterten Erkenntnis« zur rationalen, wissenschaftlichen oder wie sonst man sie heißen will, ist beiläufig das nämliche wie das der Freudschen Libido zur realen Sexualität, mit der sie fortwährend verwechselt wird.

Das Wesen des »wertbewußten« Menschen liegt im »Sucherischen«: und nochmals sei hiezu gesagt, daß dieses »Sucherische« nicht auf wissenschaftliche Wahrheiten und ähnliches beschränkt bleibt; das »Humane« und damit der humane Mensch weiß um den realen Einheits-Kern in sich, und eben deshalb muß die Einheitsordnung in der Welt gestiftet werden. Der »Bürger« begnügt sich mit der Erreichung einer gewissen Realitätsebene, auf der er dann verharrt (– dies muß nicht nur die Ebene der Geldrealität sein, vielmehr findet man diese Bürger ebensowohl im Wissenschaftlichen wie im Künstlerischen –), während sich das eigentlich Humane immer zugleich auf allen Realitätsebenen abspielt, dabei aber immer zugleich bemüht ist, zu einer nächsten vorzustoßen. Und um wieder das malerische Beispiel dazu heranzuziehen: der große Maler hat stets alle Techniken, ja, mehr noch, alle Seh-Perzeptionen parat, er arbeitet stets in ihnen allen zugleich, um damit die nächste Stufe malerischer Realität zu gewinnen.

Für den Maler ist die Sache verhältnismäßig einfach: er hat das Dreidimensionale ins Zweidimensionale zu verwandeln, und seine Wissenschaftlichkeit ist aufs Optische beschränkt. Ungeheuer kompliziert wird es im sprachlichen Ausdruck, denn hier sind unendlich viel Dimensionen in eine einzige, nämlich in die der Zeit zu verwandeln, und dies geht immer nur wieder mit Hilfe der »nullten« Dimension, die eben die des lyrischen Ausdruckes ist.

So weit – bequemlichkeitshalber – der Ausschnitt aus meinem gestrigen Brief; es ist ungeordnet, weil ich viel zu viel und viel zu kurz sagen wollte. Und vor allem muß ich etwas nachtragen: jeglicher menschliche »Wert« bedeutet zugleich »Ich-Erweiterung«, und nur in ständig weiterschreitender Ich-Erweiterung, also in ständiger Aktion und im »guten Willen« hiezu produzieren sich Werte. Und überall dort, wo diese Ich-Erweiterung zum Stillstand kommt, wird der Mensch wertlos. Es ist ein ununterbrochener »Wachstumsprozeß«, um den es dabei geht, und wenn ich die Dinge werttheoretisch betrachte, so stellt sich fast jede Neurose als Wachstumsunterbrechung dar, bei dem einen als Unterbrechung des Gefühls-Wachstums, bei dem andern als eine des rationalen. Ich habe zu alldem so viel gearbeitet, daß ich stundenlang weiterreden könnte. Aber ich muß immer wieder dazu sagen, daß ich die werttheoretische Behandlung psychischer Fragen erst dann für erlaubt erachte, wenn es gelingen sollte, sie auf eine gesunde mathematische Basis zu stellen: dies ist ja auch der Grund ihrer Nicht-Veröffentlichung.

Nun aber zum Persönlichen: ich bin gewiß nicht von jener Schlichtheit, welche ihre Ich-Erweiterung ausschließlich vom Gefühlsmäßigen her suchen kann. Aber dafür bin ich vielleicht mehr oder zumindest bewußter als die meisten anderen Menschen – so weit ich deren begegnet bin – vom Phänomen der fluktuierenden Unerfaßlichkeit des Seins, sowohl der innern wie der äußern Welt, ergriffen und bewegt, unausgesetzt den Zwang in mir fühlend, durch alle Fiktionsebenen zu neuen »wirklicheren« Wahrheitsgestaltungen durchzustossen. Das ist nicht Überheblichkeit, im Gegenteil, ich glaube, genau so wie das schlichteste Individuum von der eigenen Unzureichendheit überzeugt zu sein, aber ich bin auch nicht trottelhaft genug, um nicht zu wissen, daß es mir immerhin gelungen ist, sowohl rational wie irrational, mich einiger Fiktionsebenen zu bemächtigen. Wenn ich jetzt mein Leben irgendwie als »reich« empfinde, so doch vor allem, weil ich mich in diese Lebensvielfalt hineingearbeitet habe. Das Leben beginnt jetzt, mir das zurückzuzahlen, was ich an Arbeit hinein investiert habe, und das ist immerhin ein gutes Gefühl, auch wenn dabei und vielleicht sogar hiedurch auch der Zwang des »Sucherischen« immer weiter und weiter steigt. [...]

[GW 8]

336. An Emmy Ferand

Princeton, 5. 2. 40

Ich bin sehr froh, wieder hier zu sein. Es ist doch eine andere Arbeitsatmosphäre. Anbei das Resultat eines einzigen Tages. Seite 304 und 305 ist aus Deinem Manuskript[1] auszuwechseln. Die beiden neuen Seiten tragen rote Striche, damit sie nicht verwechselt werden. Wirst Du das können? [. . .]

Freitag

Anbei der Vergil-Schluß. Jetzt sollst Du ihn lesen, wenn Du Zeit hast. Außerdem liegt die erste Partie der Anfangsseiten bei. Du hast schon früher einmal Seite 1 und 2 erhalten; diese erbitte ich zurück. Die neuen Seiten 1 und 2, welche also die richtigen sind, tragen einen roten Strich, um Verwechslungen vorzubeugen. Wirst Du das zusammenbringen? [. . .]

[GW 8]

1 Es geht um Austauschseiten aus dem Typoskript der vierten Fassung von Brochs Vergil-Roman, die den Titel *Die Heimfahrt des Vergil* trug. Vgl. KW 4, S. 513 f.

337. An Emmy Ferand

12. 2. 40

Anbei die Seiten 12 bis 17 J. Ich nehme an, daß Dein Exemplar[1] mit Seite 18 beginnt und hoffe, daß der Anschluß stimmt. Damit ist Dein Exemplar nun komplett. Aber jetzt wird leider ausgewechselt. Anbei auch schon die ersten Auswechslungsseiten, nämlich 89, 89 A, 115 und 116. Sie tragen zur Vermeidung von Irrtümern wieder je einen roten Strich. Wirst Du imstande sein, diese Auswechslung vorzunehmen? Du siehst, es ist jetzt ein Riesentempo. Leider fühle ich mich selbst bei alldem nicht sonderlich wohl. Und irgendwie kann ich es nimmer leisten! [. . .]

[GW 8]

1 Vgl. Fußnote 1 zum Brief vom 5. 2. 1940.

338. An Volkmar von Zühlsdorff

11 Alexander Street
Princeton (N. J.) 15. 2. 40

Lieber Volkmar Z.,
den Tod Schickeles[1] habe ich bei Manns erfahren, u. z. am Tage vor ihrer Abreise nach dem Westen und Süden, wo Th. M. durch einen Monat hindurch sich durch-lecturern wird. Es ist also ziemlich ausgeschlossen, daß er jetzt einen Nachruf schreibt, und im März dürfte es wohl schon zu spät sein. Ich würde mich ja sehr gerne hiezu antragen, aber erstens bin ich kein genügend repräsentativer Name hiefür, und zweitens bin ich ein schlechter Kenner des Schickeleschen Oevres. Was nicht hindert, daß mich sein Tod doch sehr berührt hat, teils weil da wieder ein wirklich wertvoller Mensch, dem ich immer leider nur flüchtig begegnet bin, weggegangen ist, teils wohl auch, wesentlich egoistischer, weil es sich um einen Altersgenossen gehandelt hat. Doch wer soll nun den Nachruf schreiben? am geeignetesten schiene mir Thornton Wilder, der bei seinen langen Aufenthalten in Südfrankreich zweifelsohne mit Schickele in Kontakt getreten sein dürfte. Im Alpha Delta Phi Club wird man Ihnen wahrscheinlich sagen können, ob er sich in New York oder zu Hause in New Haven befindet (50 Deepwood Drive), soferne Sie ihn dazu auffordern wollen. Aber verraten Sie tunlichst nicht, daß ich der Anreger bin!

Daß Sie schon $ 1000.– haben, ist schön. Ich wollte nur, ich könnte mit meinen Rückzahlungen an die Guild bald beginnen; ich wünsche mir dies aus Egoismus, denn Voraussetzung ist, halbwegs selber gesettled zu sein, aber vielleicht geschieht sogar auch dieses, wenn auch kaum mit Hilfe des Vergil, dessen Korrekturen sich überdies fürchterlich anlassen.

Nun aber zu diesen $ 1000.–: anbei Ansuchen Werner Richters, wohl einer der würdigsten Anwärter, sowohl als Schriftsteller, wie als Charakter; er gehört zu jenen wenigen, welche sich aus reiner Gesinnung, trotz Gegenverlockung der Nazi, aus ihrem Herrschaftsbereich entfernt haben. Dies habe ich Ihnen sozusagen offiziell, nämlich nicht nur im eigenen, sondern auch im Auftrage Thomas Manns zu sagen. Da Richter die Verlängerung des deutschen Passes verweigert worden ist, dürfte wohl das Verbot seiner Bücher in Deutschland bald folgen, und wenn er sich, wie ich vermute, für den Augenblick gerade noch knapp halten kann, so wird dann seine Lage, wie bei so vielen anderen, höchst prekär werden. Könnte man ihm nicht fürs erste eine kleine, einmalige »Ermutigungsaushilfe« geben?

Ruth Norden habe ich gesagt, daß Sie sie anrufen werden: sie ist aber nicht mehr beim Living Age, sondern bei der North American Review, wo sie immer nachmittags erreichbar ist: Eldorado 5-2362.

Von mir nicht viel Neues. Ich habe einen Altersschub erlitten, aber damit muß man sich abfinden und the best of it machen. Es wird vielleicht ganz nett und gut sein, zum muntern Greise zu werden; nur der Übergang ist peinlich, besonders infolge der zahnärztlichen Begleitumstände. Ob ich das nächste Mal bereits als Greis erscheinen werde, weiß ich noch nicht. Jedenfalls wird es im Laufe der nächsten Woche erfolgen. Übermitteln Sie inzwischen Handküsse. Und nehmen Sie alle freundschaftlichen Gedanken. Herzlichst Ihr

H. B.

[BA]

1 René Schickele (1883-1940), deutsch-französischer Schriftsteller, der am 31. 1. 1940 in Vence bei Nizza gestorben war.

339. An Werner Richter[1]

11 Alexander Street
Princeton (N. J.) 15. 2. 40

Lieber Freund Dr. Richter,
schönen Dank für Ihre Briefe v. 12., 19. u. 21. I. Ihr Schiffsbrief traf am 5. hier ein, hingegen die Air mail-Kopie erst vorgestern. Man kann jetzt überhaupt nichts mehr abschätzen. Nun, es ist aber gerade noch zur rechten Zeit eingetroffen, denn Thomas Mann war gerade in der Abreise für eine vierwöchentliche Vortragstournée. So aber konnte der Empfehlungsbrief noch aufgesetzt und an Sie abgesandt werden. Ich konnte die Kopie nicht mehr sehen, hoffe aber, daß der Brief Ihren Wünschen entspricht und vor allem, daß er auch richtig eingetroffen ist.

Das Ansuchen an die Guild habe ich zur Weiterbehandlung übernommen, unterstützt von der wärmsten Befürwortung Th. M.s. Doch dürfen Sie sich, wie schon einmal erwähnt, nicht allzuviel Hoffnungen machen: die Guild befindet sich in Rekonstruktion, d. h. ihre früheren Geldquellen sind infolge der Kriegsverhältnisse versiegt, und sie kann bloß weiterbestehen, wenn sie neue erschließt. Aber selbst wenn dies glückt, werden wohl die scholarships recht bescheiden ausfallen, etwa $ 30.– pro Monat und auch dies nur auf beschränkte Termine, da es ja vom Fortbestand der Eingänge abhängt. [. . .]

[DLA]

1 Werner Richter (1888-1969), deutscher Historiker, Biograph und Essayist. Während der Zeit der Weimarer Republik arbeitete er als Auslandsredakteur bzw. Korrespondent zunächst für den *Berliner Börsencourier*, dann für das *Berliner Tageblatt*. 1931/32 besprach er die einzelnen Romane von Brochs *Schlafwandlern* für das *Berliner Tageblatt*. Vgl. BB. S. 1108 f. 1936 emigrierte er nach Italien, 1938 in die Schweiz. Von dort aus bat er Broch um Hilfe bei der Besorgung eines Visums in die USA, das er 1941 erhielt.

340. An Ruth Norden

21. 2. 40

L.!! Dank für alles. Anbei der Refugee-Artikel retour; er ist so solid wie alles, was Du anpackst, doch wahrscheinlich steckt noch mehr darin und jedenfalls mehr in Dir. Es ist wirklich nicht nur Neugierde oder Eifersucht, wenn ich danach aus bin, mit Deinem Tun vertraut zu werden. Eher ist es ein Gerechtigkeitsgefühl, denn schließlich siehst Du ja auch jede Zeile von mir.

Nun zu diesen Eigenprodukten: das Haus Mann, inkl. Meisel[1], ist jetzt bekanntlich von meiner politischen Einsicht beeindruckt, insbesondere auch von dem im Vorjahr geschriebenen Einleitungskapitel[2] des projektierten Buches, und ich werde zur Veröffentlichung gedrängt. Dem Rat Canbys folgend, könnte ich aus diesem Einleitungskapitel ein eigenes kleines Buch machen, doch wegen der Aktualität will Meisel zuerst einmal Magazinsartikel daraus herausschneiden; ich überlasse ihm diese Arbeit sehr gern, und er ist daran. Er hat auch eventuell einen Übersetzer parat. Nur handelt es sich jetzt dann um die Placierung. Da ich aufs Noble gehe, hätte ich natürlich die »Oxford Pamphlets on Worlds Affairs« am liebsten (Oxford University Press), aber ich tue es natürlich auch billiger, und dazu müßte man jetzt eben doch einen geeigneten Agenten auftreiben.

Leider erscheint mir das Unternehmen reichlich spät: ich habe gestern Rauschnings »Gespräche mit Hitler«[3] gelesen, wohl eines der aufregendsten Dokumente dieser Zeit, da sie die Größe der Hitlerschen Konzeption enthüllen, und ich finde eben darin alles das bestätigt, was ich nur in sehr vorsichtigen Vermutungen äußern konnte. Aber es spricht wenigstens für meine Blicksicherheit, und ich weiß jetzt auch so ziemlich, was ich weiter zu tun und zu schreiben habe.

Meisel werde ich selbstverständlich Deinen Wunsch bestellen; Mann kommt erst Anfang der nächsten Woche zurück, und inzwischen wäre es gut, wenn Du Meiseln ein paar offizielle Worte schriebest, die er als Unterlage für sein Anliegen verwenden kann. Ich glaube, daß Mann ohneweiteres einverstanden sein wird.

Nicht schlecht wäre es, wenn Du Dir Meisel ein für allemal verpflichtetest, indem Du Dir einmal seinen Roman auf Verwertungsmöglichkeit anschauen würdest. Bei seiner prekären Lage wäre es außerdem ein gutes Werk. Vielleicht wäre doch irgend ein Avant-Garde-Verlag (– New Directions[4] z. B. –) für diese etwas ausgefallene Sache zu interessieren. [...]

[DLA]

1 Hans Meisel (geb. 1900 in Berlin) von 1938-1940 Sekretär Thomas Manns in Princeton, Schriftsteller. Wenige Monate später trat er eine Professur für Politologie am Wilson College, Chambersburg/Pennsylvania an. Von 1945 bis 1971 lehrte er Politologie an der University of Michigan, Ann Arbor. Seine wissenschaftlichen Veröffentlichungen publizierte er unter dem Namen James Meisel auf Englisch. Für seinen Roman *Torstenson. Entstehung einer Diktatur* hatte Meisel 1927 den Kleist-Preis erhalten.

2 »Zur Diktatur der Humanität innerhalb einer totalen Demokratie«, KW 11, S. 24-71.

3 Hermann Rauschning, *Gespräche mit Hitler* (New York 1940).

4 Der Verlag »New Directions« aus Norfolk/Connecticut veröffentlichte während des Krieges Rilkes *Stundenbuch* (1941) und Hölderlinsche Gedichte (1943) zweisprachig.

Bekannt wurde der Verlag durch das seit 1936 erscheinende Jahrbuch – Herausgeber James Laughlin – *New Directions in Prose & Poetry*.

341. An Ruth Norden

Sonntag [Ende Februar 1940]

Du Liebe, vorgestern bin ich unter dem Drucke der Wiener Korrespondenz zu »Gone with the Wind«[1] geflüchtet; wenn es mir seelisch schlecht geht, beginne ich stets besser zu leben, werde nahrungs-, kino- und radiosüchtig.

Das Resultat dieses Besuches ist der beil. Artikel[2], sozusagen als erster Vorstoß ins Populäre. Wie weit mir dies geglückt ist, weiß ich nicht, hingegen weiß ich, daß das Gesagte wichtig ist.

Willst Du es übersetzen? in diesem Fall stelle ich Dir frei, jede mögliche Stilabänderung, die das Verständnis erleichtern kann, anzubringen. Ich bin in meinen Text nicht verliebt, umsoweniger als er ja kaum durchgearbeitet ist. Nur der Gesamtaufbau und die Themenkonstruktion sind, wie mir scheint, von Belang.

Verwertungsmöglichkeit: am schönsten wäre natürlich Saturday Evening Post[3] oder etwas Ähnliches mit Millionenverbreitung; denn es geht ja hier um Propaganda. Und mit der Sklaverei ist der richtige Slogan gefunden. Außerdem wäre der Artikel ganz gut zur Bebilderung geeignet, erstens Lincoln und Hitler, zweitens ein paar Szenen aus »Gone with the Wind«. Doch wenn man an eine solche Placierung denkt, ist die Popularität und Durchsichtigkeit des Ausdrucks doppelt wichtig. Ich habe meinerseits z. B. auch gar nichts dagegen, wenn dies durch erläuternde Zwischensätze erreicht werden könnte.

Und außerdem ist es wegen der Aktualität auch eilig. Ich würde sodann Canby bitten, sich mit den betr. Magazinen in Verbindung zu setzen. Nebenbei bezahlen diese auch am meisten; aber dies ist mir nicht einmal gar so wichtig.

In zweiter Reihe kämen »New Republic«[4] und »Nation«[5] in Betracht. Allerdings wäre zu erwägen, ob dies dann nicht einen andern Übersetzungsstil erforderte.

Ich hätte Dich morgen sehr gerne hier gehabt. So werde ich zum Ersatz Abends anrufen; doch das ist nicht viel.

Sehr viel!
H.

Das fehlende Hitler-Zitat auf S. 1 wird noch nachgetragen[6].

[DLA]

1 Der Film *Gone with the Wind* – nach Margaret Mitchells gleichnamigem, 1936 erschienenem Roman gedreht – wurde im August 1939 in Atlanta/Georgia uraufgeführt.

2 »*Gone with the Wind* und die Wiedereinführung der Sklaverei in Amerika«, KW 9/2, S. 237-246.

3 *The Saturday Evening Post,* 1821 in Philadelphia begründete amerikanische Wochenzeitung.

4 *The New Republic,* 1914 in New York begründete amerikanische Wochenzeitschrift.

5 *The Nation,* 1865 in New York begründete amerikanische Wochenzeitschrift.
6 Zitiert nach Hermann Rauschning, *Gespräche mit Hitler* (New York 1940), S. 67/68. Vgl. KW 9/2, S. 237/238.

342. An Giuseppe Antonio Borgese[1]

11 Alexander Street
Princeton (N. J.) 3. III. 40

Lieber Freund Borgese,
meine Entschuldigungen wegen Nichtbeantwortung Ihrer lieben und wertvollen Zeilen stehen bereits in meinem letzten Brief an die Gattin, und ich rechne mit Ihrer Verzeihung. Ebenso habe ich bereits über das Rauschning-Buch berichtet, das Sie ja mittlerweile bestimmt gelesen haben. Und daran möchte ich heute anknüpfen.

Die »Gespräche mit Hitler«[2] geben ein recht komplettes und m. E. auch ein recht authentisches Bild von dem politischen Welt-Konzept, das Hitler in seinem Hirn, in seiner Seele, in seinem Herzen hegt und dem er dient: es ist das Konzept einer neuen Welt-Sklavenwirtschaft; eine hochgezüchtete heroische Übermenschen-Schichte, das »edle Blut«, soll über [einer] zum Leiden und Fronen bestimmte Sklavenrasse »minderen Blutes« auf der gesamten Welt herrschen, und alle »Herrennationen« der Menschheit sind zur Durchführung dieses Projektes, das er »biologische Politik« nennt, eingeladen. Daß die Engländer, dieses Herrenvolk kat'exochen, ihm da nicht Gefolgschaft leisten wollen, bringt ihn in die ihm eigentümliche hysterische Wut, denn hier wird er in seinem romantischen Idealismus, in seinem mystischen Apostolat unmittelbar getroffen, hier wittert er einen »Menschheitsverrat«, und er fühlt sich als gottgesandtes Instrument, dem es obliegt, England hiefür zu »züchtigen«. Das Konzept ist kein nationalistisches, vielmehr soll der Nationalismus ihm bloß als Vorspann zwecks seiner Durchsetzung dienen: es wird angenommen, daß aus den Herrennationen sich erst die internationale Führerschicht (– vermittels rassischer

Auslese und regulierter Züchtung –) herausbilden werde, während die übrige Volksmasse in den Stand des versklavungsbestimmten unedlen Blutes zurückfallen oder bestenfalls eine Art Unteroffiziersstelle zwischen den eigentlichen Herrschern und den übrigen Weltbevölkerungen zugewiesen erhalten wird; sogar innerhalb des »kostbaren Geblütes«, nämlich dem der Germanen, ist eine solche Trennungslinie bereits vorgesehen. Ist einmal die Erde auf diese Weise eingerichtet, so werden sich alle wohl befinden. Daß Amerika, das mangels eines einheitlichen Herrenblutes auch nicht als wirklicher Staat gelten kann, wieder in einzelne Kolonialgebiete zerfallen muß, versteht sich von selbst.

Es ist ein grotesker Traum, es ist die absurde Phantasie eines halbgebildeten Knaben. Nichtsdestoweniger muß die Groteskheit ernst genommen werden. Denn der, welcher sie in sich ausgebrütet hat und sie zu verwirklichen sucht, ist ein politisches Genie. Man möge sich erinnern, wie er Schritt für Schritt vorgegangen ist, wie langsam und vorsichtig er seine Pläne enthüllt hat, wie lange es gedauert hat, bis er den ersten direkten Angriff gegen England gewagt hat (in der Rede gegen Eden)[3], wie es ihm gelungen ist, Grenzvolk um Grenzvolk zu täuschen, und mit welcher Meisterschaft er dann seine Trümpfe ausspielt, immer wissend, wann der richtige Zeitpunkt hiefür eingetreten ist, immer wissend, wo brüchige, schwache, angreifbare Stellen vorhanden sind, bei denen er zum Stoß ansetzen kann; der Kampf gegen die Kirchen wie gegen die Juden gehört zu diesem Aufspüren der schwächsten Stellen.

Verzeihen Sie, daß ich da so ausführlich werde: aber die Realisierbarkeit einer Absurdität – und das haben wir vor uns – ist mir ein so aufregendes Faktum, daß ich es mir stets aufs neue vor Augen führen muß, beinahe als selbsttätige Funktion meiner Schreibmaschine; denn bei allem Glauben an den Fortschritt zunehmender Humanität, den die Menschheit schließlich und endlich seit der Steinzeit zwar ein bißchen langsam aber eben doch realisiert hat, bei allem Glauben an ein ethisches Absolutum, welches sich darin auswirkt, müssen wir trotzdem festhalten, daß die Entwicklung der material-ethischen Wertsysteme nicht den ungebrochen logischen Fluß besitzt, von dem z. B. die Entwicklung der Naturwissenschaften gekennzeichnet wird, sondern daß die Wertlogik, wie dies eben dem empirischen Leben entspricht, Singulartypus auf Singulartypus hervorbringt, in gewissem Sinne, wenn auch nicht in jedem, mit der Hervorbringung von Einzelkunstwerken vergleichbar, die zwar in ihrer Gesamtheit gleichfalls in einer notwendig logischen Entwicklungsabfolge stehen, also gleichfalls ein irreversibles System darstellen, dennoch aber immer wieder zu »Rückschrittsformen« führen, ja, führen müssen. Die politischen Wert-Formen stehen methodologisch zwischen denen der Wissenschaft, deren innere Logizität derart sachgebunden ist, daß der wissenschaftliche Arbeiter prinzipiell immer anonym bleibt, und denen der Kunst, deren Produkte absolut subjektgebunden sind, und erhalten sie von der einen Seite her den Charakter der »Unentrinnbarkeit« (historische Notwendigkeit), so läßt sich von der andern (der subjekt-betonten) Seite her die Möglichkeit von »Fehlleistungen« konstatieren, eine Möglichkeit, ohne die wir ja sonst für immer und ewig zum politischen Fatalismus verdammt wären.

Hitler tritt mit dem Anspruch auf neue politische und damit ethische Wertformen auf. Sie sind uns so absurd wie ein Kunstwerk, das wir nicht mehr verstehen, sie sind uns so absurd wie jede neue Ethik, die in das Leben des Menschen tritt, etwa wie es für den konservativen Römer die christliche gewesen war, wir sehen aber zugleich eine weitgehende Realisierbarkeit, wir sehen, daß der »Zeitgeist« sich dafür aufnahmsfähig zeigt, und wenn wir uns auch unserer eigenen Generationsgebundenheit bewußt bleiben wollen (die uns bei der Aufnahme von »neuen« Kunstwerken seit eh und je blind gemacht hat), so sind wir trotzdem verpflichtet zu fragen, ob es sich hier nicht um eine »korrigierbare Fehlleistung« des Zeitgeistes handelt.

Jedes Wertsystem ist – zumindest in Annäherung – ein geschlossener Gedankenaufbau, auch das des Narren ist es, und wenn man sich in die Innenseite des Systems begibt, wird es kraft seiner Geschlossenheit plausibel. Das Hitlersche System enthält außerordentlich viele und starke Plausibilitätselemente, nämlich alle jene, welche sich an Urtriebe des Menschen wenden. Es gibt keine Menschengruppe, die sich nicht selbst zum »edlen Blut« rechnen würde, es gibt keine, die sich nicht zur Herrschaft bestellt fühlte, denn es gibt keine, die ihre sadistischen Urtriebe nicht auf diese Weise auszuleben wünschte. Das Hitlersche Versklavungsbild ist sonderbarerweise selbst für die Sklaven oder präsumptiven Sklaven plausibel und verlockend, und dies wird – mit einer leichten Vertuschung der Versklavungsabsichten – von der Nazi-Propaganda auch weidlich ausgenützt. Von hier aus gesehen hat das Hitlersche Weltbild weitaus stärkeren Plausibilitätscharakter und demnach auch weitaus bessere Verwirklichungsaussichten als das lediglich abstrakte des marxistischen Zukunftsstaates und seiner theoretischen Endgültigkeit.

Nichtsdestoweniger ist damit noch keine »unentrinnbare« historische Notwendigkeit gegeben; auch die Mithrasreligion ist Hunderttausenden plausibel gewesen und ist trotzdem vom Christentum sehr gründlich korrigiert worden. Und die übrigen Gemeinplätze, wie die vom ewigen Fortbestand und der Notwendigkeit des Krieges, könnten unter dem Eindruck der ersten wirklichen Kriegserfahrungen sehr bald an Plausibilität verloren haben.

Wenn wir also von Realitätsnähe und historischer Notwendigkeit des Hitlerschen Versklavungskonzeptes sprechen, so müssen wir an realere Fakten herangehen, nämlich die der ökonomischen Notwendigkeit, um die sich Hitler eigentlich nicht kümmert, zumindest nicht in seinen bewußten Überlegungen und in seinen Äußerungen, um die jedoch sein unheimliches Realitätsgefühl sicherlich weiß. Ich bin nun sicherlich kein »Ökonomist«, d. h. ich glaube viele Gründe anführen zu können, welche dafür sprechen, daß die Wirtschaftsform nur ein Teil des allgemeinen, jeweils herrschenden Wertaufbaus darstellt, daß sie also – ohne daß die Wechselwirkung geleugnet werden soll – von den ethischen Grundwerten her dirigiert wird und nicht umgekehrt, indes, aus meiner immerhin ziemlich vertrauten Erfahrung mit dem industriellen Denken und Leben hat sich mir nun schon seit Jahren, dringlicher und dringlicher werdend, eine Doppelfrage aufgedrängt:

1) ist die Industrie, im besonderen die Schwerindustrie und der Bergbau überhaupt noch imstande, den Lebensstandard des Arbeiters auf der heutigen, ohnehin nicht übermäßig

hohen Ebene zu halten? muß sie, falls dies nicht möglich sein soll, zur Betriebsaufrechthaltung notwendig zu einer Sklavenwirtschaft drängen, welche dem Arbeiter die Streikflucht verwehrt – denn nicht einmal Streikbrecher können mehr von den Eigenkosten her getragen werden –, kurzum, muß die Freizügigkeit des Arbeiters nicht ebendarum aufgehoben werden?;

2) sind die Versklavungstendenzen des Fascismus nicht eben aus diesem industriellen Erfordernis zu verstehen? handelt es sich ihm nicht darum, den Arbeiter dem »Betrieb« (– nicht dem Unternehmer, der ja zu seiner eigenen Überraschung vom Fascismus sehr bald entthront wird! –) »leibeigen« zu machen? ist hier nicht das eigentliche Interesse der Gemeinschaft an der Sklaverei begründet, da sie ja zu ihrem Fortbestehen die Aufrechthaltung der Betriebe braucht?

Es ist insbesondere das russische Beispiel, welches diese Fragen im bejahenden Sinne beantwortet, und das Hitlersche Buch tut es nun auch von der romantischen Seite her.

Sie erinnern sich, daß ich auf dieses Kern-Problem immer wieder hingewiesen habe. Ich habe dies in unzähligen Briefen getan, ebenso aber auch in meinem »Einleitungskapitel«[4], das Sie in Händen haben; meine Vermutungen waren sehr vorsichtig gehalten, erstens weil es nur Vermutungen waren, zweitens weil mir selber vor den Konsequenzen gegraut hat, doch heute – angesichts der Hitlerischen Äußerungen –, dürfen wir den Kopf nicht mehr in den Sand stecken: es geht um die neue Sklavenwirtschaft in der Welt.

Ist dies also die historische Notwendigkeit, als deren dumpfer Heilsbringer sich Hitler fühlt? So weit die ökonomische Seite in Betracht kommt, kann die Theorie eigentlich keine Antwort erteilen, sondern bloß das Wirtschaftsexperiment als solches, und da haben wir zu unterscheiden

A) das Wirtschaftsexperiment im Vorstadium, wofür England und Frankreich als Grundbeispiele zu betrachten sind, und hier tendiert die Industrie zweifelsohne zum Fascismus;

B) das Wirtschaftsexperiment in der Durchführung

a) Rußland, Deutschland und Italien, wo die Versklavung im vollen Gange ist,

b) der New Deal Nord-Amerikas, welcher – gehemmt durch

unendlich viel Gegenströmungen und sicherlich mit mancherlei Irrtümern und Fehlversuchen – danach trachtet, den industriellen Krisenzustand durch Regulationen zu überwinden, ohne die Freiheit des Individuums anzutasten.
Wenn auch meine volkswirtschaftliche Einsicht sehr gering ist, also [ich] nicht weiß, welche Maßnahmen in den übrigen Ländern getroffen worden sind – in Österreich wurde z. B. in den Jahren 1936/37 recht geschickt operiert –, so glaube ich doch annehmen zu dürfen, daß vom Gelingen oder Nicht-Gelingen des Rooseveltschen Versuches beinahe alles abhängt.

Freilich sind die Chancen gering, und sehr viel spricht dafür, daß die Welt-Sklavenwirtschaft Hitlers zur Wirklichkeit werde, allerdings nicht als Herrschaft des »edlen« Blutes über das »unedle«, sondern als eine Verelendung aller, als eine notdürftige Kriegswirtschaft, die sich auf den Trümmern der niedergetrampelten Welt-Ökonomie etablieren wird müssen, eine auf Generationen hinaus perpetuierte Hungersnot, unter deren Druck die Menschheit, sklavengleich, zu fronen haben wird. Daß die jetzigen Diktatoren darüber gestürzt sein werden, wird kaum mehr als Befriedigung empfunden werden können.

Dies also ist der schwärzeste Aspekt. Aber er ist ein Aspekt, der sich bereits in voller Entwicklung befindet. Kann eine Apokalypse überhaupt noch aufgehalten werden?

Soferne den Diktatoren tatsächlich eine apokalyptische Mission zugefallen wäre – wofür ja der Zustand der Welt in noch nie gesehener Gräuelshäufung spräche –, gäbe es nur stillschweigendes Erdulden, soferne es sich jedoch bloß um Verbrecher handelt, gegen die man nicht rechtzeitig genug die Polizei alarmiert hat, was freilich auch schon eine apokalyptische Unterlassung ist, besteht noch die Pflicht, nach Abhilfe zu sinnen. Allerdings kann Macht nur mit Macht begegnet werden.

Wir sind uns darüber klar, daß die Haltung der amerikanischen Innen- und Außenpolitik der ausschlaggebende Faktor für die Ereignisse der nächsten Zeit sein wird[5].

[YUL]

1 Giuseppe Antonio Borgese (1882-1952), italienischer Historiker, der aus politischen Gründen Italien 1931 verließ und in die USA auswanderte. 1937 veröffentlichte er das antifaschistische Buch *Goliath. The March of Fascism.* Von 1936 bis 1948 unterrichtete er italienische Literatur an der University of Chicago. Vgl. auch Fußnote 2 zum Brief vom 2. 4. 1940.
2 Vgl. Fußnote 3 zum Brief vom 21. 2. 1940.
3 Gemeint sein könnte Hitlers Rede vom 16. 3. 1935, in der er die Wiedereinführung der allgemeinen Wehrpflicht im Deutschen Reich verkündete. Anthony Eden war maßgeblich an den Gesprächen zwischen Deutschland und England über eine Beschränkung der Rüstung beteiligt gewesen. Da Hitler in jener Rede den Plan vorlegte, 36 Divisionen mit 550 000 Mann aufzustellen, mußte dies als Affront gegen England aufgefaßt werden.
4 »Zur Diktatur der Humanität innerhalb einer totalen Demokratie«, KW 11, S. 49 f.
5 Dieser nur als Fragment überlieferte Brief bricht hier ab mit den Worten »Es ist der einzige freie Stein auf dem Brett –«.

343. An Ernst Polak

11 Alexander St.
Princeton (N. J.) 8. 3. 40

Lieber,
ich hoffe, daß es Dir nichts ausmacht, wenn ich deutsch schreibe. Mit meinem Englisch sieht es noch immer miserabel genug aus, und das ist ein fürchterliches Handicap. Daß Du viel liest, ist ein ungeheuerer Vorteil, auch wenn es nur Gesellschaftsromane sind – das Niveau des englischen Gesellschaftsromans entspricht bezeichnenderweise dem des unübertrefflichen amerikanischen Detektivromans –, während ich durch den Vergil abgehalten war, überhaupt nur eine Zeile zu lesen; und mit dem Kuchel-Englisch, das man so zwischenzeitig spricht, dringt man niemals in den Geist der Sprache ein.

Sonderbarerweise beneide ich Dich. Nicht um Dein Englisch, das ich nachholen werde, sondern um Dein Leben. Du läßt Dich von etwas treiben, was wirklich Leben heißen darf und sicherlich nicht Resignation genannt werden kann, denn es gibt keine »resignierte Weisheit«; ich hingegen werde von etwas getrieben, das mit Leben so wenig etwas zu tun hat wie die ganze Literatur, wie überhaupt das »Getriebe«: gewiß, sowohl in der einen, wie in der andern Form geht es um das »Seelenheil«, gewiß, die eine wie die andere ist »schicksalsgegeben« und daher unentrinnbar, aber während die Deine immerhin den Keim einer inneren »Vollendung« in sich trägt, sehe ich nichts als das Unvollendete, Unvollendbare schreckhaft vor mir; m. a. W. Du dürftest Dir gestatten (bis zu Hundert) jeden Augenblick zu sterben, während ich schreckhaft an alles Unausgeführte denke, das zurückbleibt, wenn ich heute oder morgen werde abtreten müssen, d. h. mein Seelenheil ist nicht vollendet, und mein Sterben wird ein Krampf sein.

Todesgedanken verfolgen mich jetzt unaufhörlich. Das hängt z. T. mit dem Vergil zusammen, der ja die für mich weitgehendste und erreichbarste Todesnähe darstellt; man identifiziert sich nicht ungestraft monatelang mit einem Sterbenden. Dies macht aber auch den objektiven Wert des Buches (zumindest für mich persönlich) aus und die Notwendigkeit, aus der heraus es geschrieben wurde. Kunst hat den Tod zu suchen, nicht das Leben: für das Leben genügt die empirische Wissenschaft. Aber damit es wirklich ein Buch werde, müßte ich noch zwei Jahre daran arbeiten. Dies ist unmöglich. Ich muß trachten, den Druck zu beschleunigen, denn sonst wird es niemals gedruckt werden. Aber es ist schade darum.

Wärest Du hier, so wäre es eine große Hilfe für mich. Mit vierwöchentlicher Postspanne aber läßt sich nicht kooperieren. Und ich hätte *so* gerne Dein Urteil, gerade Deines, doch eine Manuskriptkopie geht jetzt an Brody nach Holland, eine bekommt die Viking Press, und die dritte brauche ich zur Korrektur bis zum Druckbeginn. Also werde ich Dir erst die Fahnen schicken können. – Ausgezeichnet und herrlich, was Du über die Lotte[1] sagst.

Um auf die Todesgedanken zurückzukommen: körperlich geht es mir nicht gut, und man will mir sieben Zähne reißen, angeblich wegen mikroskopischer Infektionen der Wurzeln, herrührend von alten Wurzelfüllungen. The American Way of Dentists. M. E. steht hinter allem bloße Überarbeitung und Sorgenüberlastung: die Lage meiner Mutter in Wien scheint schwierig zu werden, ohne daß ich wüßte, wohin und wie ich sie emigrieren könnte, und mein Sohn ist seit September im franz. Konzentrationslager[2]. All dies ergibt zu allem andern ein Übermaß an Korrespondenz.

Ich schrieb Dir neulich eine Karte wegen Milena[3]. Und es ist eben auch dieses Entsetzen, das mich stets zu neuer Aktivität treibt.

Wenn es jetzt zu meiner Zahnoperation kommt, so bin ich für vier Wochen außer Gefecht gesetzt. Doch hinterher stehe ich Dr. Brunner[4] natürlich mit Freuden zur Verfügung.

Bitte schreibe mir bald wieder ein Wort. Ich möchte auch wissen, ob Dich dieser Brief erreicht hat. Und inzwischen von ganzem Herzen immer

Dein H.

[DLA]

1 Thomas Mann, *Lotte in Weimar. Roman* (1939).

2 Bei Ausbruch des 2. Weltkrieges wurde H. F. Broch de Rothermann in ein Internierungslager in Antibes eingewiesen, das Ende Oktober 1939 in das Hauptinternierungslager für Südfrankreich Les Milles bei Aix-en-Provence transferiert wurde. In diesem Lager lebten rund 2100 Internierte, vor allem Deutsche und Österreicher. Zwischen Februar und Mai 1940 arbeitete Broch de Rothermann im Arbeitslager Lambesc bei Aix-en-Provence.

3 Milena Jesenská (1886-1944), erste Gattin Ernst Polaks. Mit Broch war sie während des Ersten Weltkriegs eng befreundet. Kafkas Beziehung zu ihr begann 1920. 1927 heiratete sie J. Krejcar. Seit dieser Zeit war sie als Redakteurin in Prag tätig. Von 1931 bis 1936 war sie Mitglied der Tschechischen KP. Wegen publizistischer Widerstandstätigkeit wurde sie 1939 in Prag von der deutschen Besatzung verhaftet und in das Konzentrationslager Ravensbrück (Mecklenburg) verbracht, wo sie 1944 starb.

4 Jerome S. Brunner, amerik. Soziologe und Psychologe; arbeitete zusammen mit Hadley Cantril am Office for Public Opinion Research in Princeton.

344. An Siegfried Marck[1]

11 Alexander Street
Princeton (N. J.) 8. 3. 40

Lieber Professor Marck,
ich glaube, daß Sie mich mißverstanden haben oder daß ich mich mißverständlich ausgedrückt habe.

Meine Vermutung lautet: die Industrialwirtschaft drängt zu einer Versklavung des Menschen, u. z. zu einer kollektivistischen; die kapitalistische Industrie mit ihrer aktiven Neigung zum Fascismus ebnet dieser Entwicklung selber den Weg, nichtahnend, daß sie sich damit selber preisgibt (aber diese Nichtahnung von Seiten der handelnden Personen gehört eben zum Wesen historischer Automatismen). Auch Hitler weiß im Grunde nicht, worum es da geht, aber er ist der erste, welcher die Versklavungstendenzen ungeschminkt auszusprechen wagt, und er wird damit zum rationalen Ausdruck des »Zeitgeistes«.

Von jeder im Sinne der Freiheit wirkenden politischen Aktion glaube ich daher fordern zu müssen – und die Hitlerschen Enunziationen geben das Recht zu solcher Forderung –, daß sie sich in erster Linie mit diesen Punkten befasse:

1) besteht diese apokalyptische Gefahr? ist sie eine ökonomische, ist sie eine historische Notwendigkeit?
2) gibt es Mittel, eine derartige Gefahr – soferne sie tatsächlich bestünde – überhaupt noch abzuwehren?

Ich bin noch immer optimistisch genug, um an Abwehrmöglichkeiten zu glauben, obwohl diese Welt mehr denn je mit Blindheit geschlagen ist. Dies habe ich mit der von mir angedeuteten »Programmänderung« gemeint, und ich glaube, daß damit die Diskussion – ohne ihre frühere Basis zu verlassen – ein »realitätswichtigeres« Aussehen gewänne, was eben für Amerika besonders wichtig wäre.

Betr. der $ 50.– vergessen Sie bitte nicht, daß $ 1.– für Ihre Fahrkarte nach N. Y., die ich Ihnen abgenommen habe, in Abzug zu bringen ist. Im übrigen habe ich diesen Belang an Mrs. Judd weitergegeben.

Ich werde wohl erst nächste Woche abreisen. Meine

Adresse in Cleveland werde ich Ihnen natürlich melden. Inzwischen mit Handkuß und einem herzlichen Gruß stets Ihr

Hermann Broch
[YUL]

1 Vgl. Fußnote 3 zum Brief vom 27. 7. 1939.

345. An Ruth Norden

8. 3. 40

Sei bedankt, L.! ich war sehr froh, als Dein Express eintraf, denn es war schon unheimlich, so lange nichts zu hören.

Meine Überarbeitung ist entsetzlich. Nun bin ich seit 14 Tagen ausschließlich mit Briefschreiben beschäftigt: die Sache mit meiner Mutter sieht ausgesprochen katastrophal aus, umsomehr als es wirklich keine Emigrationsmöglichkeiten mehr gibt. Ich muß mir insoferne einen Vorwurf machen, als mir Görings Versprechung, Wien bis 1943 »judenrein« zu machen[1], zwar stets in den Ohren geklungen hat, daß ich aber trotzdem nichts veranlaßte, d. h. meinte, daß man eine 78-jährige Frau ruhig ab-vegetieren lassen würde.

Auch mit meinem Sohn gibt es unendlich viel Schreiberei. Kannst Du mir übrigens sagen, ob die franz. Bank, welche die $ 17.– weitergegeben hat, mit der Pariser »Zukunft«[2] in Verbindung steht, resp. mit den American Writers[3]? Mein Sohn bestätigt nämlich frcs 1000.–, und dies würde beiläufig jenen $ 17.– entsprechen. Hingegen schreibt Landauer[4] vom Verlag De Lange, daß er aus dem Thomas Mann Fond frcs 2000.– für ihn reserviert hätte, dieselben aber nicht überweisen könne. Bei den langen Postzeiten weiß man nun nicht, was er eigentlich bekommen hat, entweder meine $ 17.– oder die *Hälfte* aus dem Fond.

Verzeih, daß ich Dich noch mit diesen Dingen behellige; Du hast gerade genug eigene Sorgen.

Nun zu diesen: auf Deine neuen Stellungs-Möglichkeiten

bin ich natürlich ungeheuer gespannt. Möchte schon sehr gerne etwas wissen.

Die Geldanforderungen Deiner Verwandten sind natürlich arg, umsomehr als sich dagegen kaum etwas machen läßt. Und Du bist dem Spencer 100 schuldig. Aber bitte geh doch zu einem andern Zahnarzt, denn solche Dinge darf man nicht anstehen lassen.

Sollte ich wirklich Guggenheim bekommen, so versteht es sich, daß wir da eine gemeinsame Verrechnung einführen, um derartige Katastrophalausgaben zu decken. Natürlich wollen wir die Bärenhaut noch nicht verteilen; Moe[5] hat nicht geantwortet, und von Mrs. Canby habe ich nur eine kurze Nachricht erhalten, daß sie wegen fürchterlicher Arbeitsüberlastung nicht schreiben könne. Ich habe ihr nämlich die Merkel-Geschichte[6], die auch mit jedem Tag komplizierter wird (Bilderversicherungen etc.) einfach zur Erledigung zugeschickt.

Daß Nathan in Analyse ist, scheint mir in Ordnung zu sein.

Soll ich Dich bei alldem noch mit meinem Artikel plagen[7]? Nach neuerlicher Durchsicht dieses sozusagen in unmittelbarer Leidenschaft nach dem Kino geschriebenen Ausbruches, will es mir scheinen, daß folgendes abgeändert werden müßte:

1) es muß mehr zum Ausdruck kommen, daß es sich um keine Filmkritik, sondern um die Konstatierung eines Zeitsymptoms handelt, denn sonst stehen ja Anlaß und Folgerung in keinem organischen Verhältnis;
2) man darf natürlich nicht von einer »Nazi-Gesellschaft« sprechen (z. B. auf S. 1), sondern von einer *pseudo*-feudalen, die mit den Nazi-Idealen bloß die romantische Allüre einer Treue gemein hat, nämlich einer recht erzwungenen Treue;
3) die Sherman-Aktion[8] in Georgia nach der Einnahme von Atlanta ist sicherlich kein Ruhmesblatt der nordamerikanischen Geschichte, denn es scheint dort fürchterlich zugegangen zu sein, nicht viel anders als jetzt in Polen;
4) in mancher Beziehung hat sich der Süden, der bis zum Bürgerkrieg eine wohlausgewogene Wirtschaft gehabt hat, nie mehr völlig erholt, und es ist kein Zweifel, daß die

wirtschaftliche Lage der Neger sich durch die Freilassung (einkommensmäßig) kaum gebessert hat, wobei natürlich gesagt werden kann, daß die Baumwollkrise auf jeden Fall eingetreten wäre und sie durch die Wirtschaftseinheit – unbeweisbar – immerhin noch gemildert worden sei.

Kannst Du diese Punkte in der Übersetzung[9] *andeuten?* Ich glaube, daß dies ohneweiters gehen müßte, denn es kommt ja wirklich nicht auf meine eigenen Worte an.

Canby kann man die Sache leider erst englisch zeigen. *Aber bitte plage Dich nicht damit, wenn Du anderes zu tun hast!* Wir werden dies besprechen, wenn ich in N. Y. sein werde.

Ich muß den Abbruch der Zelte hier noch um ein paar Tage verschieben; ich werde nicht fertig. Jedenfalls rufe ich an.

Anbei Marck-Korrespondenz zur Sklavenfrage. Ich fühle mich da sehr im Recht gegenüber seinem Akademikertum. Weiteres Positives, das ich dem Marck vorderhand nicht verrate, folgt in einem Brief an Borgese.

Ich wollte Dir eigentlich auch noch über Cleveland und J. J.[10] schreiben; indes dies vertage ich, bis auch Du einen freieren Kopf wieder hast. Der meine ist gar nicht frei, aber er ist voll von guten Gedanken an Dich.

H.

[DLA]

1 Hermann Göring hielt nach dem »Anschluß« am 26. 3. 1938 in Wien eine Rede, in der es hieß, daß Wien in den nächsten Jahren wieder »eine deutsche Stadt« werden müsse. Vgl. Gerhard Botz, *Wien vom ›Anschluß‹ zum Krieg* (Wien, München 1978), S. 163.

2 Willi Münzenberg (1889-1940) edierte zwischen Oktober 1938 und Mai 1940 in Paris im Namen der nicht-kommunistischen Deutschen Freiheitspartei die Emigrantenzeitschrift *Die Zukunft*.

3 Die »League of American Writers«, die von 1935 bis 1939 in New York bestand, half vor allem emigrierten sozialistischen Schriftstellern mit kleinen Stipendien. Unter den Stipendiaten befanden sich z. B. Ludwig Renn, Oskar Maria Graf und Bodo Uhse.

4 Walter Landauer (1902-1944) leitete von 1933 bis 1940 den Amsterdamer Emigrationsverlag Allert de Lange. Landauer verhungerte 1944 im Konzentrationslager Bergen-Belsen.

5 Vgl. Fußnote 1 zum Brief vom 2. 10. 1939.
6 Vgl. Fußnote 9 zum Brief vom 18. 10. 1939.
7 *»Gone with the Wind* und die Wiedereinführung der Sklaverei in Amerika«, KW 9/2, S. 237-246.
8 William Tecumseh Sherman (1820-1891), US-amerikanischer General, der während des Bürgerkrieges im Juli 1864 für die Nordstaaten Atlanta einnahm.
9 Brochs Aufsatz – siehe Fußnote 7 – wurde nicht ins Englische übersetzt.
10 Jadwiga Judd.

346. An Ruth Norden

10. 3. 40

Mein Liebes, ich verheimliche Dir gar nichts, ich bin nur der Ansicht, daß man Dich in einer Zeit der Überhetzung und Überarbeitung, wie es eben die ist, in der Du Dich befindest, mit nichts Überflüssigem oder Aufschiebbarem behelligen darf, am allerwenigsten mit Seelenproblemen, deren Wichtigkeit zwar vorhanden ist – ich bin der letzte, der dies abstreiten würde –, die aber im Augenblick von weitaus aktuelleren Dingen überschattet werden; wenn ich sehe, was Du da jetzt alles leisten sollst, wird mir angst und bang, und ich bedauere nur, daß ich Dir da den dummen »Gone with the Wind«-Artikel auch noch angehängt habe (– freilich war mein Stolz über den erreichten Popularitäts-Stil nicht zu bändigen –), schicke Dir demnach auch nicht die inzwischen angesammelten Auswechslungsseiten des Vergil, sondern verschiebe alles, bis Du wieder ein wenig aufatmen kannst, denn Deine Leistungsfähigkeit geht nicht ins Ungemessene, und das ist auch vollständig in Ordnung, soll so sein, weil Du sonst eben keine Frau wärest, nicht die Frau wärest, die Du bist: ein bißchen Schonungsbedürftigkeit gehört schon dazu. Wenn ich Dir aber etwas verheimlicht habe, so ist es mein neuerlicher Fieberanfall von voriger Woche; herauskommen hättest Du ohnehin nicht können, und außerdem verheimliche ich gern diese Alterserscheinungen, von denen hier nicht feststeht, ob sie von den Zähnen oder einer Erkältung herrühren, jedenfalls aber nun wieder im Schwinden begriffen sind, freilich bloß als Symptome, nicht jedoch als Grundtatsache des Alterns.

Durch diese neuerliche Attacke bin ich aber wiederum im Tempo aufgehalten worden: ich werde bis Mittwoch den Vergil noch kaum startbereit haben, und früher will ich diesen Schreibtisch unter keinen Umständen verlassen, weil ich das Manuskript sonst überhaupt nicht hinausbringe. Ein arger Fehler war es, daß ich das letzte Mal nicht Dein Exemplar mitgenommen habe, denn die Korrekturen müssen ja gleichgeschaltet werden, nun muß dies in N. Y. nachgeholt werden, aber diese Verzögerung ist nicht sehr übermäßig groß; es wäre nur wesentlich bequemer gewesen, dies gleich in einem Aufwaschen zu erledigen. An und für sich handelt es sich jetzt tatsächlich nur noch um Stunden, und da möchte ich mein Hineinkommen noch nicht festlegen: mit dieser Woche ist jedenfalls Schluß.

Daß ich jenen Artikel gemacht habe, tut mir nun natürlich auch wegen des Zeitverlustes leid. Denn je länger ich darüber nachdenke, desto deutlicher wird mir, daß man sich vor allem bloß Aperçuhaften hüten soll; man sticht damit immer nur in ein Wespennest: was weiß ich z. B. von den Auswirkungen der Sklavenbefreiung auf 1.) die wirtschaftliche Lage des Südens überhaupt, 2.) auf die der befreiten Neger im speziellen? nichts weiß ich darüber, und ich würde Monate brauchen, um halbwegs eine Ahnung von den wahren ökonomischen Verhältnissen zu bekommen. Mein Studienprogramm, angefangen vom Englisch, wächst überhaupt ins Gigantische.

Meisel hat übrigens einen sehr richtigen Einwand: er hält die von mir aufgeworfene Problemstellung für so wichtig, daß er es für unangebracht hält, den ersten Schuß aus dem Kleinrevolver einer Filmbesprechung abzugeben; er meint, daß ich sofort an mein politisches Buch zurückkehren müßte, dem er unter dem Titel »Sklavenwirtschaft« einen großen Erfolg zu prophezeien geneigt ist, und derartige Zeitsymptome, wie dieser Film, wären innerhalb des Buches als ein Kapitel zusammenzufassen. Das ist nicht dumm; insbesondere das mit dem großen Erfolg.

Irgendwo graust es mir ja jetzt manchmal, wenn ich an

meine Finanzlage bei Nicht-Eintreffen Guggenheims denke. Es muß also etwas geschehen, ebensowohl universitär, wie schriftstellerisch. Und aus diesem Gedanken heraus war ja z. T. auch der Artikel geboren. Nun, dies wird sich alles machen lassen; ich täte es bloß mit wesentlich besserm Gewissen, wenn ich vorher mich noch ein paar Monate mit dem Vergil beschäftigen dürfte. Je mehr ich darin herumlese, desto klarer sind mir seine unausgeschöpften Möglichkeiten.

Aber ich darf auch keine so langen Briefe schreiben; es geschah, weil der Deine eine Freude war, und sachlich wäre zu ihm noch zu sagen, daß die Jewish Organization, die Du da in Aussicht hast, bei allen Nachteilen doch irgendwie begrüßenswert ist angesichts des Refugee-Elends, für das zu arbeiten immerhin sinnvoll ist.

Was ich mit meiner Mutter anfangen soll, weiß ich noch immer nicht.

Ja, noch etwas: die Borgese-Konferenz[1] wird wahrscheinlich nicht stattfinden, weil sie – vorderhand noch geheim – von einer original-amerikanischen konkurrenziert werden würde. An und für sich ist es meiner Schüchternheit natürlich eine Entlastung, sich jetzt nicht exponieren zu müssen, aber da mich andererseits die Amerikaner bestimmt nicht einladen werden, so zeigt sich wiederum in mystischer Weise der Unstern meines Lebens: zu spät kommen zu müssen.

»Grapes of Wrath«[2], das ich vorige Woche gesehen habe, ist ein ausgezeichneter Film; mir hat es weh getan, daß wir nicht gemeinsam hineingegangen sind. Auch hier bin ich nur mit Widerstreben hineingeraten, eigentlich aus Arbeitsunfähigkeit, und dann war es ganz großartig.

Wenn Du Zeit fändest, als Antwort auf einen so langen Brief ein kurzes Wort zu schicken, wäre ich froh: diese Schweigepausen mag ich nicht.

Sehr viel Gutes und Liebes
H.

[DLA]

1 Vgl. Fußnote 2 zum Brief vom 2. 4. 1940.
2 Film nach dem sozialkritischen Roman gleichen Titels von John Steinbeck (1939). 1940 wurde das Buch von John Ford bei Twentieth Century Fox verfilmt mit Henry Fonda als Tom Joad.

347. An Emmy Ferand

Princeton, 14. 3. 40

L.!! Daß Du nichts von Dir hören läßt, ist nicht fein von Dir. Es ist sogar häßlich.

Dabei bin ich beunruhigt, ob Du die letzten Auswechslungsseiten[1], die ich Dir vor drei Wochen geschickt hatte, auch richtig bekommen hast. Wenigstens mit einer Karte hättest Du es doch bestätigen können. Auch sonst hätte ich gerne gewußt, was bei Dir geschieht.

Ich bin beleidigt.

Bitte, sag dem Ernst, er soll doch den Dani[2] veranlassen, daß tunlichst viel Exemplare seines Buches[3] aus Europa herüber gerettet werden. Anbei eine Briefkopie Krause[4]. Vielleicht schickt Ernst dieselbe mit ein paar Begleitworten an Dani weiter.

Weiters wieder Auswechslungsseiten, von 25 bis 27C. Aber bist Du überhaupt noch verläßlich?

Nächste Woche bin ich wieder in N. Y.

Inzwischen sehr viel Liebes!

H.

[GW 8]

1 des *Tod des Vergil*.
2 Daniel Brody.
3 Ernst Ferand, *Die Improvisation in der Musik* (Zürich: Rhein-Verlag, 1938).
4 Friedrich Krause war ein emigrierter Buchhändler und Verleger, der sich in New York vor allem um den Vertrieb deutschsprachiger Literatur bemühte.

348. An Emmy Ferand

15. 3. 1940

Also hast Du Dich aus eigenem entschlossen! Ich war schon sehr beleidigt!

Also dies sind die letzten Auswechslungsseiten, 136, 141, 142, 279.

Ich bin froh, daß bei Dir so weit alles gut geht. Aber entsetzlich bedrückt ob der politischen Entwicklung. Es ist das Grauen schlechthin.

Nächste Woche bin ich für ein paar Tage in N. Y. Inzwischen sei bedankt. Und viel Liebes!

H.

[GW 8]

349. An Emmy Ferand

[März 1940]

L., ich war, d. h. ich bin noch in N. Y., aber bereits wieder im Wegfahren nach einer üblichen Durchhetzerei, so daß es nicht ausgegangen ist, noch zu Euch zu kommen. Anbei wieder Auswechslungsseiten, u. zw. werden jetzt sogar schon *neue* Seiten, nämlich 17J bis inkl. 20 ausgewechselt und außerdem 297.

Ich komme immer mehr darauf, daß das Buch ein Dreck ist. Aber sag es nicht weiter. Hoffentlich geht alles weiter gut. Sehr viel Liebes.

H.

[GW 8]

350. An Willa Muir

11 Alexander Str.
Princeton, N. J. March 17, 1940

Willa, dear:
»Vergil« is finished. Of course, the book is not *really* finished at all; to satisfy my own criticisms, I would need about three additional years – you see, compared with Joyce who worked 17 years to accomplish »Finnegans Wake« I am speedy. But I leave it as it stands now, for, I feel, in these times you have no right to dwell for ever on a work which – in spite of the truth it may contain – is much too far away from the actual misery of this world. It would be immoral, or at least not far from immoral.

From the practical point of view, too I had to finish the book: I have the impression that the credit given to me in this country is already overdrawn, and that it is high time to fill up my account. Well, then, I guess, »Vergil« has the qualities to do so. You know I do not overestimate the importance of literature, and today less than ever; but within its realm I am quite sure that this »Vergil« is approaching to a new border of human expression, to a new border of the soul or of the world (for all these things mean the same). But everything depends on the possibility and quality of translation, and so I am deeply glad and grateful that you and Edwin are willing to do it[1]. I am absolutely in your hands, for I cannot imagine anyone else capable to overcome the terrific difficulties of this task which is not merely a linguistic one, but an act of friendship and identification with the book and its author, and the craziness of them both. I have the arrogance to pretend that I have written poetry, and I very well realise how selfish I am when asking of you to write a new book for me, a book of English poetry.

To remain on the practical side: It seems to me impossible that you translate »Vergil« and get for a work probably twice as long than an average translation only the usual royalties. I do not know how this problem is to be solved, for Huebsch is no Maecenas, and even if he were willing to, he could not spend much for this book whose commercial success I am afraid, will not be overwhelming. [. . .] I am not even sure that Huebsch will accept it at all. He will soon have the manuscript; another copy is going to Brody who is resolved to go into print with it at any rate. (By the way, his son Peter[2] must be in St. Andrews, but I do not know whether he called on you.) I hope Brody Sen. will have the book out of press before something happens to the Netherlands[3]. The third copy I must keep here for the last touches. Only of the last 70 pages I made a fourth copy which I am sending you as a sample, adding the two introductory pages of the book, furthermore: the outlines of »Vergil«[4] and the peasant novel[5], and also the German text of the Vergil elegies. How did you like Mrs. Untermeyer's translation[6]? I have absolutely no judgment, but as I went with her through this translation word for word, I hope it is at least correct. And did you receive the check which I enclosed in my last letter, together with these poems?

I am terribly tired now, it was something to come so far in a single year, especially as I started besides this – Oscar[7] probably told you – a lot of theoretical and scientific work, preparing myself to quit art for good; there is only that peasant novel to be finished before – but after Vergil everything seems easy to me. Only I cannot go on with the same speed; in January and February I was gravely ill, and I have still not quite recovered.

But I must not complain. In view of and compared with all the present misery of the world I am a happy man, which gives me a feeling of bad conscience. The atrocities are going on, and among those in danger is my own mother. She probably will lose everything and will have to emigrate, in her age [. . .] And there is no country to take her. You may imagine how this depresses me. This not being enough, my son is in a French concentration camp, and I desperately try to free him, without success as far as now. [. . .]

[GW 10, MTV]

1 Willa und Edwin Muir übersetzten Brochs Vergil-Roman nicht.
2 Peter Brody (geb. 1917 in Budapest), Sohn Daniel und Daisy Brodys. Zwischen Peter Brody und Hermann Broch bestand eine enge Beziehung. Sie begegneten einander 1937 in Alt Aussee, 1938

in London und 1946 in Princeton. 1940 studierte Peter Brody Chemie an der Universität St. Andrews in Schottland.

3 Die Brodys lebten damals im holländischen Exil.

4 Vgl. »›Erzählung vom Tode‹ *(Der Tod des Vergil)* I, II«, KW 4, S. 457-464.

5 *Die Verzauberung* (2. Fassung).

6 Jean Starr Untermeyer hatte die »Schicksals-Elegien« aus der vierten Fassung des Vergil-Romans übersetzt.

7 Oscar A. Oeser.

351. An Wolfgang Sauerländer

c/o Newman
3081 Lincoln Boulevard
Cleveland Heights (Ohio) 28. 3. 40

Lieber Dr. Sauerländer,
vielen Dank für Ihre lieben Zeilen. Daß Sie erst nach meiner Abreise sich zu Ihrer Princetoner Fahrt entschlossen haben, war nicht schön von Ihnen, aber da ich in absehbarer Zeit zurückkomme, werden wir uns hoffentlich bald entweder dort oder in N. Y.-Claremont Ave., Apt VI D treffen: inzwischen Glückwunsch zum neuen Heim.

Keineswegs schön war es auch von Ihnen, den unbewachten Moment zu benützen, um sich der »Angst«[1] zu bemächtigen. Nicht als Kommentar, sondern als Entschuldigung sei hiezu nur angeführt, daß dieser Bauernroman niemals fertiggestellt und das Manuskript nicht ein einzigesmal durchgesehen wurde; der Druck erfolgte aus dem Rohmanuskript, denn ich war einfach innerlich nicht mehr imstande, den Text durchzusehen und zu korrigieren. Ich habe jegliches Interesse an diesem Buch – wie eigentlich an der ganzen Dichterei und Erzählerei – verloren, ich fühle mich damit irgendwie »zeitunwürdig« und denke mit einigem Grauen an den Gewissenszwang, die angefangene und beinahe fertiggestellte Arbeit nun doch beenden zu müssen. Ob es mir unter solchen Umständen überhaupt noch gelingen mag, das Buch auf jenes gleichmäßige Niveau zu bringen, dessen es bedürfte, um vollgültig zu sein (– immer unter der Einschränkung der

Überlebtheit des Literarischen und damit auch seiner Vollgeltung –), erscheint mir mehr als zweifelhaft; was den – mit allem Recht – beanstandeten Dialog anlangt, so erinnere ich mich genau der Schwierigkeiten, die er mir bereitet hatte: ich wollte keinen Bauerndialekt verwenden, weil hiedurch eine dem Buche nicht adäquate Lokalisierung der Geschehnisse vollzogen worden wäre, wie ich ja auch mich gehütet hatte, mich auf eine konkrete Landschaft festzulegen, vielmehr mich bemühte, den Schauplatz in einer Alpenkomposition schlechthin zu lokalisieren; durch diese Neutralisation der Bauernsprache im Hochdeutschen entstand aber leider eine Art Rustikalseminar über philosophische Belange, so sehr ich mich auch bemüht hatte, bis zu einer Simplifikation der Sprache vorzudringen, in der die rein menschliche Primitivität der Haltungen hätte aufscheinen sollen; das ist in dieser Fassung noch nicht geglückt, und jetzt wird es, wie gesagt, wohl nicht mehr glücken, einfach weil die inneren und äußeren Voraussetzungen verloren gegangen sind.

Und um noch weiter bei meinen Werken zu bleiben: ich habe keine Ahnung, welches »Schlafwandler«-Exemplar Ihnen von Kahler zurückgegeben worden ist, doch da es nun zur Verfügung steht, wollen wir es für Prof. Ferand und Gattin reservieren; ich schreibe ihnen, daß sie es gelegentlich bei Ihnen abholen mögen. [. . .]

[YUL]

1 Hermann Broch, »Die Angst«, in: *Maß und Wert,* 2/6 (1939), S. 748-795. Es handelt sich um einen Vorabdruck des sechsten Kapitels aus der zweiten Fassung von Brochs Roman *Die Verzauberung*. Vgl. KW3, S. 403.

352. An Willa Muir

March 29, [1940]

I just got the Copy of the »Atlantic« with the Essay of Edwin[1], and I am very happy with it. I guess it will give a good help to the »Vergil«! And I was so glad, to read at last again something from Edwin. What are *you* writing now?

And as good news are always twins, I got today the Guggenheim-fellowship: if times wouldn't be so dark as they are, I would be very glad. Anyway, a ray of light (but only a private one). [. . .]

[GW 10]

1 Edwin Muir, »Time and the Modern Novel«, in: *The Atlantic Review* 165/4 (April 1940), S. 535-537. Muir geht dort auf Brochs *Schlafwandler* ein.

353. An Henry Allen Moe

11 Alexander Str.
Princeton (N. J.)
now: c/o Newman
3081 Lincoln Blvd.
Cleveland Heights
Ohio

March 31,-40

Dear Mr. Moe:
You can imagine how deeply touched I was by your letter of March 27th[1]. I was not only honoured by this nomination but I appreciate profoundly the confidence the Trustees and you expressed in my work, and I can assure you this belief in my efforts is a tremendous encouragement for me, perhaps exceeding the much needed financial aid granted me.

I eagerly accept with warmest thanks this grant and agree to fullfil all conditions, which have been stipulated.

With my heartiest gratitude to you and the Trustees I am

very sincerely yours
Hermann Broch

PS.:
I am in Cleveland for about two weeks. Returning to New York and Princeton, I shall be very glad to see you in your office.

H. B.

[GF]

1 Henry Allan Moe war seinerzeit Sekretär der Guggenheim Foundation in New York.

354. An Ruth Norden

Cleveland, 2. 4. [1940]

L.!, endlich komme ich zum Schreiben. Es ist in den letzten Tagen zu viel auf einmal passiert, und ich stehe nicht ganz richtig in meinen Schuhen, denn sonderbarerweise bedrückt mich all diese Schicksalsgunst; damit will ich sie natürlich nicht verkleinern, am allerwenigsten den Teil, den ich Dir verdanke, und ich will sie nicht einmal aus Aberglauben verkleinern, etwa um die Götter zu beschwichtigen, auf daß sie den Allzuglücklichen nicht strafen, nein, es [ist] nicht dies, was mich bedrückt, wohl aber das Gefühl der Vergeblichkeit, das Wissen um eine zusammenbrechende Welt; die nur noch so tut, als ob sie im alten Gleis und mit den alten Werten weiterwurstelte, kurzum der so durchaus provisorische Charakter dieses Aufstieges, um den mich so viele beneiden werden. Ich beklage mich nicht, daß dem so ist, darf mich nicht beklagen, da ich ja doch nun schon seit so vielen Jahren den Zusammenbruch unserer Wertwelt vorausgesagt habe und mich innerlich mit ihr auch nicht mehr verbunden fühle (– weder die Dichterei noch die sonstigen überkommenen, sogenannt geistigen Werte können mir noch etwas besagen –), aber ich trauere ein wenig dem Erfolgsgefühl nach, das ich noch vor ein paar Jahren gehabt hätte, wenn ich in eine ähnliche Situation gekommen wäre; es geht mir heute so, wie bei meinem Zürcher Theatererfolg[1], d. h. ich habe das Gefühl des Zuspätkommens. Nebenbei, wenn auch nicht der Hauptsache nach, hängt dies natürlich auch mit meinem Alter zusammen, mit dem Wissen um die eigene private Brüchigkeit innerhalb der großen allgemeinen Wertbrüchigkeit.

Das nämliche Gefühl des Zuspätkommens und der Vergeblichkeit habe ich gegenüber dem Borgeseprogramm[2], das nun doch verwirklicht wird. Zugleich mit dem Moe-Brief erhielt ich die offizielle Einladung. Es sieht wunderschön aus – die Teilnehmerliste sende ich Dir nächstens –, aber ich sehe beinahe keine Möglichkeiten für eine praktische Auswirkung: die zwölfte Stunde ist eben bereits überschritten. Was hier mit unzulänglichen Mitteln an einem privaten grünen Tisch geschieht, genau dies hätte vor vier Jahren im Rahmen des Völkerbundes noch geschehen können; damals warnte ich vor dieser zwölften Stunde, aber offenbar war ich nicht eindringlich, nicht verständlich genug, denn es hat mich eigentlich niemand verstanden, und wenn ich auch zufrieden sein sollte, wenigstens jetzt noch anerkannt zu werden, so befriedigt es mich doch keineswegs, weil es eben praktisch nichts mehr nützen kann. Außerdem – wieder vom kleinen Selbst aus gesehen – bin ich für die amerikanischen Verhältnisse weit weniger gut ausgerüstet als ich es für die europäischen gewesen bin; weder sprachlich noch sachlich bin ich genügend gewappnet. Nichtsdestoweniger ist es wenigstens der Richtung nach eine akzeptable Arbeit (– sicherlich eine akzeptablere als die Dichterei –), und ich werde halt noch tun, was ich tun kann. Die Konferenz findet Ende Mai statt. *Ihr Bestand soll streng geheim gehalten werden!*

Dies sind im großen und ganzen die günstigen Nachrichten. Ungünstig hingegen die Nachricht von meiner Mutter, die man gepfändet hat; ich weiß nicht, was da noch geschehen soll. Daß meine Guggenheim-Fellowship in den Zeitungen publiziert wird, kann u. U. auch dazu führen, den finanziellen Druck auf sie in Wien zu verschärfen; ich habe bei Canbys angefragt, ob man Moe zumuten kann, bei mir von der Zeitungspublikation abzusehen. Allerdings viel Ärgeres als die Pfändung aller Aktiven kann nun schon kaum mehr geschehen. Die Zeitungspublikation soll am 8. erfolgen.

Und schließlich kann ich ja auch den Vergil nicht anonym veröffentlichen. Huebsch[3] dürfte ihn angesichts der Guggenheimerei nun zweifelsohne nehmen; schon meine letzte Unterredung mit ihm war ja bereits ganz anders gefärbt als die vorangegangenen. Ich bin recht neugierig, wie er zu Dir sprechen wird, wenn Du ihn siehst. Keinesfalls darf er vor der Guggenheimpublikation etwas von der Sache erfahren. [. . .]

[DLA]

1 Vgl. Fußnote 1 zum Brief vom 4. 4. 1934 im ersten Briefband.
2 Vgl. KW 11, S. 87/88, Fußnote 1. Es geht um das Projekt *The City of Man*. Vgl. KW 11, S. 81-90 und S. 91-109.
3 Benno W. Huebsch von der Viking Press nahm Brochs Vergil-Roman nicht zur Publikation an.

355. An Benno W. Huebsch

dzt.
3081 Lincoln Blvd.
Cleveland Heights
Ohio April 6,-40

Lieber Herr Huebsch,
ich weiß nicht, ob Ihnen die Nachricht von meiner Beteiligung mit einer Guggenheim-fellowship schon zugekommen ist, aber auf jeden Fall fühle ich mich gedrängt, Ihnen sehr aufrichtig für eine Mithilfe zu danken, welche zur Erreichung dieses günstigen Resultates zweifelsohne von großer Bedeutung gewesen ist.

Die fellowship wurde mir auf Grund der beiden Bücher »Tod des Vergil« und »Verzauberung« zugesprochen. Vom »Vergil« kann ich Ihnen melden, daß die Korrekturen gut vorwärts gehen, so daß ich bald nach meiner Rückkunft Ihnen das Manuskript werde geben können. [. . .]

Brody hat ein Leseexemplar erhalten und will raschestens mit dem Druck beginnen: auch dies ist einer der Gründe, die mich zur tunlichsten Beschleunigung der Korrekturen drängen. Leider will Brody in der Schweiz drucken; sein politischer Optimismus ist erstaunlich, aber vielleicht bringe ich ihn doch noch dazu, den Druck außerhalb der Gefahrenzone zu besorgen. [. . .]

Die Beendigung des Bergromans[1] »Verzauberung« wird dann ehestens folgen. Am liebsten würde ich ja beide Bücher zugleich veröffentlichen, und Zweig bestärkt mich darin: er hält den Bergroman (der noch nachträglich aus Österreich herausgerettet worden war und dessen Manuskript mir durch ihn nach Amerika nachgeschickt worden ist) für sehr publikums- und chancenreich, und er schlägt daher vor, dieses als eigentliches Verkaufsbuch zu behandeln und daneben den »Vergil« als numerierte, sehr teure Luxusausgabe herauszubringen. Ich teile Ihnen dies jetzt nur mit, weil ich soeben einen Brief Zweigs gleichen Inhaltes erhalten habe: über die Fakten und Möglichkeiten werden Sie sich selber ein Bild machen, sobald Sie die Manuskripte in Händen haben werden, und vorderhand übermittle ich Ihnen hiezu, sozusagen als Ansichtskarte, die outlines[2] der beiden Bücher. [. . .]

[YUL]

1 In diesem Brief benutzt Broch neben dem Titel *Verzauberung* zum ersten Mal den Arbeitstitel »Bergroman«, den er in der Folge meistens verwenden wird.

2 »›Erzählung vom Tode‹ *(Der Tod des Vergil)* II«, KW 4, S. 459-464 und »Die Verzauberung (Roman)«, KW 3, S. 383-386.

356. An Hubertus Prinz zu Löwenstein[1]

dzt. Cleveland, 11. 4. 40

Lieber Freund Prinz H. L.,
ich bin zwar in Chicago gewesen, bin aber nicht weiter westwärts vorgestoßen, denn mein Programm hat sich völlig geändert: ich kann die Druckkorrekturen zum Vergil nicht wie geplant in Cleveland vornehmen, weil mir meine Hilfskraft Dr. Bunzel nicht nachkommen konnte, und so muß ich nun zu dieser Arbeit raschestens nach New York zurückkehren. Außerdem drängt die Princetoner Arbeit, die bis Ende Mai abgeschlossen sein soll, so daß ich mich zwischen N. Y. und Princeton werde aufteilen müssen.

Ich habe kein Glück mit Ihnen, und das tut mir weh; ich wäre furchtbar gerne gekommen. Daß ich auf anderer Seite Glück habe, m. E. sogar unverdientes Glück, werden Sie wahrscheinlich aus den Zeitungen ersehen haben; so wenig geld-bedacht ich im Grunde bin (– offenbar in Opposition zu meiner langen Industrie-Vergangenheit –), ist mir die Guggenheim-fellowship doch eine große Erleichterung. Allerdings kann ich, angesichts des apokalyptischen Zustandes, unter dessen Schatten wir leben, jede Schicksalsgunst nur als Provisorium empfinden, als ein Geschenk, das man zwar dankbar hinzunehmen hat, dessen provisorischer Charakter [jedoch], will man sich nicht eines richtigen Frevels schuldig machen, niemals vergessen werden darf.

Immerhin, das Geschenk ist da. Und damit erscheint mir auch der Augenblick gekommen, in welchem ich mich meiner Erklärung zu erinnern habe, mit welcher ich szt. die scholarship der Guild empfangen habe: ich sagte damals, daß ich diese Hilfe als ein Darlehen betrachte, welches ich zurückzuzahlen habe, sobald ich wieder auf eigenen Füßen stehe. Nun kann man eine andere scholarship allerdings noch nicht »eigene Füße« nennen, und es würde bei Guggenheim auch nicht gerne gesehen werden, wenn ich deren Zahlungen zu Rückzahlungen an eine andere Organisation ohneweiters verwende, zumindest dürfte ich dies nicht allzu offiziell tun; hingegen scheinen mir die Honorare, welche ich in absehbarer Zeit aus dem »Vergil« werde erwarten dürfen, ohneweiters als »eigene Füße« aufgefaßt werden zu dürfen, und so hoffe ich, bald mit den gedachten Rückzahlungen beginnen zu können.

Im Augenblick ist meine finanzielle Position noch einigermaßen angespannt, vor allem durch meinen Sohn. Ich habe die Beschaffung eines mexikanischen Visums für ihn eingeleitet, doch er hat seinerseits nun inzwischen eine chilenische Verbindung angebahnt und hofft, auf diese Weise rascher aus dem Lager zu kommen. Dies alles aber erfordert Geld, erstens für Vorspesen, welche ich bereits erlegt habe, zweitens aber für Schiffskarte etc. Sprachen Sie nicht einmal von einem katholischen Committee in Mexico, das Beihilfen zu diesen sehr großen Auslagen gewährt? irgendwie entspricht es ja sicherlich auch nicht den Guggenheim-Statuten, daß ich einen so großen Teil der mir zugestandenen Rente für derartige Zwecke verausgabe. Es bleibt ja immer noch die große Sorge für meine Mutter auf mir lasten, für die ich unbedingt etwas Geld reservieren muß, da sie ja tatsächlich vom Hungertod bedroht ist; dabei besteht nahezu keinerlei Möglichkeit, sie aus dem Land herauszubringen, und Geldüberweisungen an sie sind gleichfalls fast undurchführbar.

Nach den Berichten, welche ich aus Wien bekomme, ist die Knappheit bereits sehr weit vorgeschritten: die Situation dürfte etwa das Niveau derjenigen von 1917 haben, und wenn auch 1918 noch lange nicht die völlige Erschöpfung bedeutet hat, so ist doch kaum anzunehmen, daß das Land einen dritten Kriegswinter überstehen könnte; Skandinavien ist da nur eine zusätzliche Belastung, und die rumänische Angliederung würde nicht ausreichen, besonders wenn die Russen nach Bessarabien marschierten. Nichtsdestoweniger glaube ich viel zu sehr an die mystische Zerstörermission dieser Diktaturen, als daß ich auf Grund einer so einfachen rationalen Rechnung an ihren Zusammenbruch glauben könnte: würde Deutschland jetzt schon geschlagen werden, so würden wir Restauration und Reaktion erleben, und es wäre wiederum nichts getan gewesen; ich glaube an fünfjähriges steigendes Leid, an eine Verelendung fürchterlichsten Ausmaßes, aus der sich dann langsam und in Primitivformen der ethische Wiederanstieg entwickeln wird.

Die Gestaltung des Kommenden ist das einzige, was einen über das Aktualgrauen hinwegbringt; es ist auch das einzige, was wahrhafte Pflicht jetzt ist. Ich arbeite wieder allerlei Staatsphilosophisches, und vieles möchte ich mit Ihnen besprechen; aber vielleicht ist die Verschiebung ganz günstig, denn inzwischen ordne ich mein Material.

Wie lange bleiben Sie in Ames[2]? ich bin von jetzt bis 5. Mai in N. Y. (420 West, 121st. Str.) und übersiedle dann wieder nach Princeton. Übermitteln Sie bitte Handkuß an Ihre beiden Damen[3], welche ja wohl schon eingetroffen sind, grüßen Sie Zühlsdorff aufs Herzlichste und lassen Sie sich die Hand drücken; stets Ihr

Broch

Anbei ein Brief [Werner] Richters!

[BA]

1 Hubertus Friedrich Prinz zu Löwenstein-Wertheim-Freudenberg (geb. 1906), Journalist, Schriftsteller und Politiker. 1932 wurde er Vorsitzender des Republikanischen Schutzbundes in Berlin. 1935 emigrierte er nach England, 1936 in die USA, wo er die American Guild for German Cultural Freedom gründete. Bis 1946 – dem

Jahr seiner Rückkehr nach Deutschland – war er als Gastprofessor an verschiedenen amerikanischen und kanadischen Universitäten tätig.

2 Stadt in Iowa/USA, wo Prinz zu Löwenstein damals am Iowa State College (heute: Iowa State University) eine Gastprofessur für Geschichte und Staatsrecht innehatte.

3 Gemeint sind die Ehefrau Prinz zu Löwensteins, Prinzessin Helga Maria zu Löwenstein-Wertheim-Freudenberg, geb. Schuylenburg (geb. 1910) und Löwensteins Tochter, Prinzessin Elisabeth (geb. 1939 in New York).

357. An Hubertus Prinz zu Löwenstein

dzt. 628 West, 114th Street, N. Y. C. 22. 4. 40

Lieber Prinz Hubertus,
haben Sie Dank für Ihre Zeilen, haben Sie Dank für Ihre Freundschaft; ich freue mich, daß sie zwischen uns besteht, freue mich von ganzen Herzen darüber, aber die Beilagen Ihres Briefes machen mich traurig. Und ich stimme Ihnen bei, wenn Sie – unter Hinweis auf den englischen Usus – sagen, daß politische Differenzen nicht zu derlei persönlichen Auseinandersetzungen führen dürfen. Denn dies ist ja gerade in unserer besonderen Lage das unbedingt Wesentliche: jeder von uns kann sich im Sachlichen irren, muß es sogar tun, heute mehr denn je, da eben das Sachliche sich in raschester Veränderung befindet und sich immer mehr verwirrt, doch eben im Hinblick auf diese Unbeständigkeit im Sachlichen, haben wir menschlich beständig zu bleiben und zusammenzuhalten.

Nichtsdestoweniger wäre sachlich viel zu sagen, und hätte ich nach Ames kommen können, wir hätten stundenlang darüber reden müssen; andererseits ist es gut für Sie, daß ich nicht gekommen bin, denn ich hätte Sie mit meiner Skepsis gegen jedwede Bemühung wahrscheinlich recht sehr deprimiert: ich glaube – und jeder neue Tag bestärkt mich darin –, daß wir auf die Gestaltung des künftigen Friedens überhaupt keinen Einfluß mehr werden ausüben können; für den unvorstellbaren Fall eines vollen Alliierten-Sieges sind die Rachegefühle der europäischen *Völker* gegen das schuldbeladene deutsche *Volk*, das sich einem Hitler einstmals freiwillig unterworfen hat, nicht mehr zu besänftigen, und für den wesentlich wahrscheinlicheren Fall eines allgemeinen Chaos ist eine Wiedererrichtung irgend einer historischen Ordnung, wozu auch das Neuaufgreifen des alten Reichsgedankens gehörte, gänzlich unmöglich geworden. Gewiß, die Geographie ist ein konservatives und konservierendes Element in der Weltgeschichte – auch der heutige Krieg beweist dies, nicht zuletzt die durchaus folgerichtige russische, oder richtiger zaristische Außenpolitik –, aber auch die Geographie lagert sich je nach den Weltzentren um, wennzwar langsam, und welch neue Zentren einstens einmal bestimmend sein werden, vermögen wir heute kaum zu erahnen; ob Deutschland in ein Nord- und Südgebiet, ob England in seine einstigen Bestandteile »zerschlagen« werden wird, oder ob die Provence wieder zur römischen Provinz erhoben werden mag, all dies ist seiner kulturellen Wertigkeit nach kaum mehr abzuschätzen, wird sich aber auch in verhältnismäßig kurzer Frist vermutlich als recht gleichgültig erweisen, ja, es mag sogar sein, daß die kleinen separatistischen Lokalpatriotismen Schottlands, Bayerns oder der Bretagne für lange Zeit hinaus die letzten, freilich recht sturen Kulturinseln bleiben könnten, denn das kommende Gesamtelend Europas, das zugleich das Gesamtelend der Welt bedeutet, wird großkulturelle Konzeptionen wohl sehr gründlich verschütten. Wenn wir irgend etwas noch erhoffen wollen, so müssen wir unsere Hoffnungen auf das kleinste Ausmaß reduzieren, und das ist die Rettung des Individuums vor völliger Versklavung. Ich persönlich meine freilich, daß wir einer solchen Versklavungsperiode entgegen gehen und daß sie Jahrhunderte währen wird, ehe die Humanität sich wieder durchringt.

Wenn ich die Motive des Klausischen[1] Briefes verstehen will – als Faktum ist er nicht minder unverständlich als der Angriff Franks[2] – so glaube ich auch hieraus jene Versklavungsangst zu verspüren: siegen heute die Diktatoren, so wird die Weltversklavung unvermeidlich, und daß sie auf bestem Wege hiezu sind, das zeigt Skandinavien, nicht nur als militärischer Erfolg, sondern noch weit mehr als organisatorischer. Und ich kann hiezu nur immer wieder das nämliche sagen, nämlich, daß ich die Naziorganisation in Vor-Hitler-Bayern und Vor-Hitler-Österreich mit eigenen Augen gesehen habe, und daß ich von ihrer gleichen Organisationstüchtigkeit in Amerika überzeugt bin. Ich kann also die englische Propaganda in diesem Lande nur als eine (überdies schwächliche) Gegenaktion gegen das Nazi-Treiben betrachten, vielleicht ein wenig dazu beitragend, daß hier nicht schließlich dasselbe wie in Norwegen geschehe; niemand von uns weiß, wie weit die Nazi-Durchsetzung bereits vorgeschritten ist, besonders in den Schlüsselstellungen der militärischen Verwaltung. Aber selbst wenn die englische Propaganda noch so wirksam wäre, kriegsverursachend wird sie niemals sein, denn die Gründe, welche Amerika wahrscheinlich doch in den Krieg führen werden, liegen im wesentlichen auf ganz anderen Gebieten, d. h. in Ostasien und in Mexico. Auch hier ist es geographiebedingte Politik, und unsere Hoffnung kann nur sein, daß hier die Humanitäts-Idee von der Geographie aufgenommen werde.

Und noch dazu eine etwas abwegige Zwischenbemerkung: es gibt zwei geographische Mächtekonstellationen, die eine als deutsch-russisch-amerikanischer Block gegen einen englisch-japanischen (wie dies im Frieden zu Portsmouth[3] der Fall gewesen ist), die andere als englisch-russischer Block gegen eine japanisch-amerikanisch-deutsche Allianz, und da die Erde rund ist, müssen sich in beiden Konstellationen immer wieder Unstimmigkeiten ergeben. Der Krieg 1914 mit der Union einer ganzen Welt gegen einen einzigen »Feind« war sozusagen ein »günstiger« Ausnahmefall, wurde aber auch von allen Beteiligten als solcher behandelt. Heute haben wir einen spezifisch »ungünstigen« Fall, der über die geographische Komplikation hinaus auch noch durch die weltanschaulichen Divergenzen kompliziert wird. Und hieraus wieder zurück zum Anfang: all dies spricht für das kommende Chaos, all dies spricht für den Verlust der absoluten Werte, oder richtiger für deren Außerkraftsetzung, besonders da diese Außerkraftsetzung – chaosbefördernd – schon längst begonnen hat. Und hiezu darf nicht unerwähnt bleiben, daß die »Reichsidee« nur von einem absoluten Glauben her als sinnerfüllt gelten kann.

Ich muß stoppen, da sonst dieses wieder eine Abhandlung wird. Und Sie werden ohnehin bald eine solche von mir bekommen. Wie ich die Aufgaben, die ich mir da gestellt habe, bewältigen soll, ist mir vorderhand unerfindlich. Vorderhand bleibe ich noch etwa 14 Tage in N. Y. (– die neue Adresse ließ Ihren Brief verspätet eintreffen, so daß Sie die verspätete Antwort entschuldigen mögen –), und dann gehe ich nach Princeton zurück, freilich zweifelnd, ob ich die Seminararbeit noch werde aufnehmen können. Fürs erste müssen die Vergilkorrekturen fertiggestellt werden. Wozu? für wen?

Meine Nachrichten aus Europa von Mutter, Sohn usw. sind nicht gut. Haben Sie Dank für die Adressen; ich werde mich mit ihnen unverzüglich in Verbindung setzen.

Alle guten Gedanken Ihnen und der Prinzessin, viele gute Grüße an Zühlsdorff. In Freundschaft herzlichst Ihr

HB

[BA]

1 Prinz zu Löwenstein hatte in der *New Yorker Staats-Zeitung und Herold* vom 17. 3. 1940 den Artikel »Gefahren der Vernichtungspolitik für die Alte Welt« veröffentlicht. Darin trat er den damals aufkommenden Plänen der Aufteilung und Pastoralisierung Deutschlands entgegen. Kriegsziel, so schrieb er, müsse der Sturz Hitlers und des Nationalsozialismus sein, nicht aber die Zerstörung Deutschlands, das als Demokratie neu aufgebaut werden müsse. Klaus Mann protestierte in einem Brief vom 9. 4. 1940 an Löwenstein gegen diesen Artikel. Der Brief ist abgedruckt in: *Klaus Mann. Briefe und Antworten,* hrsg. v. Martin Gregor-Dellin (München: edition spangenberg, 1975), S. 103-107.

2 Bruno Frank hatte Prinz zu Löwenstein in einem nicht veröffentlichten Brief scharf angegriffen, weil das von der American Guild for German Cultural Freedom organisierte Preisausschreiben für das beste Nachwuchsmanuskript der deutschen Emigration ohne Resultat und Erfolg blieb. Infolge der sich überstürzenden Kriegsereignisse fielen jene europäischen Verlage, die sich ursprünglich zur Kooperation entschlossen hatten, fort, und der amerikanische Verlag Little, Brown & Co. in New York hatte sich das Rücktrittsrecht bei dem entsprechenden Vertrag mit der American Guild ausbedungen. Dieser Vertrag war aber während der Abwesenheit Prinz zu Löwensteins in Europa von den Vertretern der Guild in New York unterzeichnet

worden. Frank bezog sich in seinem Angriff auf Löwenstein vor allem auf diese Rücktrittsklausel.

3 Portsmouth, Stadt in New Hampshire/USA, wo am 5. 9. 1905 der Friede geschlossen wurde, der den russisch-japanischen Krieg um die Mandschurei beendete.

358. An Stefan Zweig

11 Alexander Street
Princeton, N. J. April 23, 1940

My dear friend:
I thank you for your letter. I am always touched about a friendship which is always filled with care for me. And so I am sure that you will be pleased to hear of the latest news: namely of my receiving a Guggenheim fellowship. This last year was a succession of sucesses. And somehow, somewhere, I am beginning to have a polycratic feeling, realizing as I do the profound irony of such rewards while around me there seems to be nothing but deepest distress and catastrophe. No wonder, therefore, that under the circumstances I can't be quite happy about my piece of fortune, all the less so, since the reports from my mother and my son are anything but reassuring.

My relations with Huebsch have likewise improved considerably. It may be that the Guggenheim matter has done its share in that respect. I saw him today and have given him the peasant novel – as much of it as there is. Altogether I have the feeling that he is willing to publish. The Vergil manuscript will follow within a few weeks; at present I am still putting on the finishing touches and realize ever more clearly that the theme is by no means exhausted, and actually still requires the work of years. But as I told you before, I am loosing all interest in purely literary things; and even the fact that Brody in Holland[1] will probably be unable, because history moves too fast, to publish the German edition of the book does not touch me any too much.

My only interest concerns my philosophy of politics, and I am glad to be able to tell you that the matter has entered a practical phase: last fall already I discussed my ideas with which you are familiar, in great detail with Thomas Mann and Borgese, and Borgese has arranged for a Conference[2] to take place in May, when all these subjects will be discussed. All this, as you can see, embodies your own ideas; enclosed is the list of participants. Please keep it in confidence.

I am a little afraid of the amount of work all this will involve, all the more so, since I still have the work at the University in Princeton in addition. I have just been in Chicago to talk over the preparation of the Conference with Borgese. I am to give you the best greetings of his and of his young wife[3].

I add my own greetings to you and to your wife.

All my thoughts to you,
H. B.

I hope you will admire my English again.

[SZA]

1 Von 1939 bis 1942 lebte das Ehepaar Brody im niederländischen Exil in Den Haag. Anschließend emigrierte es nach Mexico City.

2 Es handelt sich um eine Konferenz, die vom 24.-26. 5. 1940 in Atlantic City/New Jersey stattfand. Einberufen worden war die Konferenz von einer sich als »Committee on Europe« bezeichnenden Gruppe amerikanischer und emigrierter europäischer Intellektueller: G. A. Borgese, Robert M. Hutchins, Thomas Mann, Lewis Mumford, William A. Neilson und Reinhold Niebuhr. Die Einladung wurde an eine Anzahl sympathisierender Intellektueller verschickt, u. a. an Hermann Broch. Vorher hatte sich das »Committee on Europe« im Mai 1939 zu einer Arbeitskonferenz getroffen, nachdem es sich im Oktober 1938 – nach dem Münchner Abkommen – konstituiert hatte. Dem »Committee on Europe« ging es darum, die Grundlagen der Demokratie neu zu überdenken und die demokratische Staatsform der faschistischen und nationalsozialistischen entgegenzusetzen. Während der Tagung im Mai 1940 wurde die Schrift *The City of Man* (vgl. KW 11, S. 81 ff.) in ihren Grundzügen entworfen. Die abschließende Konferenz fand vom 24.-25. 8. 1940 in Sharon/Connecticut statt. Vgl. »Note«, in: *The City of Man. A Declaration on World Democracy*, hrsg. v. Herbert Agar et al. (New York: The Viking Press, 1940), S. 97-113.

3 Borgese war mit Elisabeth Mann, der jüngsten Tochter Thomas Manns, verheiratet.

359. An Hubertus Prinz zu Löwenstein

628 West 114 Street, N. Y. C. 10. Mai 1940

Lieber Freund Prinz Hubertus,
Verzeihen Sie, daß ich nicht sofort geantwortet habe, ich war wieder einmal krank. Ich gebe Ihnen anbei die beiden Durchschläge zurück und kann wieder nur sagen, wie schmerzlich mich die ganze Angelegenheit berührt. Was eigentlich im Hause Mann vorgeht, entzieht sich meiner Beurteilung, umsomehr als ich nicht in Princeton war, aber daß dortselbst die Nervosität über den Vorstoß der Nazis[1] und die offenbare Hilflosigkeit Englands auf das Höchste gestiegen ist, scheint mir klar zu sein.

Schließlich hängt jetzt alles von der Haltung Amerikas ab, von der Präsidentenwahl[2], usw. Lauter Dinge, die Sie ohnehin wissen. Hat es da überhaupt noch einen Zweck irgendetwas zu arbeiten?

Dafür steigt das Elend unter den Emigranten hier in der fürchterlichsten Weise, und man würde die Guild mehr denn je brauchen, außerdem aber eben besonders enge einträchtige Zusammenarbeit der Gesamtemigration. Ich habe meinen Plan einer Art von Selbsthilfe der intellektuellen Emigration wieder aufgenommen. Ich übermittle Ihnen also eine Kopie inliegend (– ich habe den früheren Zsolnay-Lektor und Übersetzer Dr. V. Polzer[3] dafür gewonnen –) bis auf den etwas anrüchigen Ausdruck Charity economy bin ich ganz d'accord und habe das Exposé an Canby weitergegeben, den der Plan außerordentlich interessiert.

Wie lange bleiben Sie eigentlich dort? Ich bin nächste Woche wieder in Princeton.

Alle guten Wünsche Ihnen und
der Prinzessin in Herzlichkeit
Ihr H. B.

[BA]

1 Im April war der deutsche Angriff auf Dänemark und Norwegen unternommen worden. Am 10. 5. 1940 begann Hitlers Westfeldzug.
2 Franklin D. Roosevelt wurde 1940 zum dritten Mal als Präsident der USA gewählt.

3 Victor Polzer war bis zu seiner Emigration aus Österreich im Jahr 1938 Lektor des Paul Zsolnay Verlags in Wien gewesen. Im New Yorker Exil half er Broch bei dessen Arbeit für andere Emigranten. Es ging dabei u. a. um Arbeitsbeschaffung für die Exilierten (Wörterbücher, Übersetzungen etc.).

360. An Jean Starr Untermeyer

V. 21 – 40, Princeton

Dear, it was my fault, excuse me –, my watch was too late, and so I had just to jump in my train.

The news from Europe are so, that I am always astonished that people are making summer plans and so on. Our world *is* collapsed. Please realize this! In the middle of the apocalypse we have nothing to do more than to fulfil decently our duties –, everything else is over. Do you really think that there exists something as a »fleeting pleasure of Spring«? (Quotation of your letter!) I guess that also Spring has to resign for some time.

Once humanity will exist again. It exists even now. But it is quite in order, that the forms are forced to change. I can't complain [of] the collapse, so hard it will be for myself.

The Hotel in Atlantic City will be the Haddon Hall[1]. I don't think that it would be a good idea from you to come there, it would be somehow very inadaquate to the purposes of this conference, especially under the circumstances in Europe.

I shall phone you tomorrow about Thursday.

Viel Liebes
H.

[YUL]

1 Vgl. Fußnote 2 zum Brief vom 23. 4. 1940.

361. An Henry Allen Moe

420 West 121st St.
New York City June 21st, 1940

Dear Mr. Moe: I am very pleased that you have so much interest for my plan of the Emigree Loyalty League[1]. I send you herewith the English translation of the Outline I showed you last time in German.

I guess that your idea to join this activity to that of the Common Council for American Unity[2] could be fruitful and if you agree with my statement and you remain on your idea, I would suggest that you make the proposition to the Common Council, for I am not known enough to be heard at once and a step by you would have quite another importance.

I thank you for the pamphlet which I am also returning.

I remain
Very sincerely yours,
H. Broch

[GF]

1 Vgl. die dreiseitige erste Fassung mit dem Titel »Emigree Loyalty League«, uv. YUL. Vgl. ferner die zweite Fassung mit dem Titel »Immigrants Loyalty League«, die als Fußnote 1 zum Brief vom 17. 7. 1940 abgedruckt ist.

2 Der Common Council wurde 1918 in New York gegründet unter der Bezeichnung Foreign Language Information Service, und zwar als Abteilung des United States Committee on Public Information. Zunächst gefördert durch die Carnegie Corporation, wurde die Organisation 1920/21 vorübergehend Teil des Amerikanischen Roten Kreuzes. 1939 erfolgte die Namensänderung in Common Council for American Unity. 1959 vereinigte sich der Common Council mit der American Federation of International Institutes.

362. An Elisabeth Borgese-Mann

420 West 121 Street
New York, N. Y. July 3, 1940

Liebe,
ich hoffe, daß mein letzter Brief sowie die von Bunzel an Borgi[1] expedierte Sendung richtig bei Euch eingelangt sind. Inzwischen habe ich noch allerhand gearbeitet, und ich rechne damit, daß ich die Resultate in wenigen Tagen auf den Weg bringen werde[2]. Einstweilen aber noch etwas anderes, nämlich die »Selbstschutzaktion«[3], von der ich Dir neulich schon andeutungsweise gesprochen habe:

Ich habe die Sache ja eingehend mit Deinen Eltern[4] besprochen, welche nach anfänglicher Zustimmung schließlich doch zu einer negativen Einstellung gelangt sind, unterstützt von Erika[5] und Karl Löwenstein[6]. Nun ist die Sache so, daß es hier eigentlich gar nicht auf die positive oder negative Einstellung ankommt, sondern auf den Versuch als solchen. Riskiert wird nämlich bei der ganzen Angelegenheit gar nichts. Es kann der Versuch höchstens fehlschlagen, glückt er aber, so ist für sehr viele Existenzen wirklich etwas getan. Von mir selbst kann ich weder sagen, daß ich positiv noch daß ich negativ dazu eingestellt bin, ich bin auch in diese Idee gar nicht verliebt, möchte nur nichts versäumt haben, was anderen Leuten nützen könnte. Vorderhand steht die Angelegenheit so, daß sämtliche Amerikaner, denen ich das Projekt vorgelegt habe, der Ansicht sind, man möge unbedingt den Versuch unternehmen, so zum Beispiel Aydelotte[7], Canby, Dorothy Canfield-Fisher[8] usw. Diese hat auch die Sache bereits nach Washington weitergegeben, während ich hier mit dem American Committee for the Foreign Born[9] in Verbindung trete.

Sollte es nun doch zu einer Realisierung kommen, so wäre es vielleicht angezeigt, wenn unser Committee gleich als Urzelle für die Aktion fungieren würde. Ich bitte Borgi, sich dies zu überlegen. Allerdings müßten für diesen speziellen Zweck noch einige Leute sowohl aus amerikanischen wie aus Refugeekreisen herangezogen werden, wobei ich insbesondere an Beneŝ[10] denke.

Ich bleibe vorderhand jetzt hier in New York, obige Adresse, und möchte gern wieder einmal etwas von Euch hören, besonders wie es Dir babymäßig geht. Von mir ist eigentlich bloß Arbeit zu berichten, abgesehen von den allgemeinen Sorgen, die durch meinen Sohn in Frankreich, von dem ich keine Nachricht habe, noch verschärft werden. Aber bei Euch liegt ja die Sache genau so. Habt Ihr Nachricht von Golo[11]?

Bitte, grüße die Eltern, wenn sie eintreffen, sehr herzlich von mir, sage Borgi alles Schöne und Freundschaftliche und nimm viele gute Gedanken

Deines alten
H. B.
[YUL]

1 Giuseppe Antonio Borgese.
2 Broch arbeitete den volkswirtschaftlichen Beitrag zur *City of Man* aus. Vgl. KW 1, S. 81-109.
3 »Immigrants Loyalty League«. Vgl. Fußnote 1 zum Brief vom 17. 7. 1940.
4 Thomas und Katja Mann.
5 Erika Mann (1905-1969), Tochter Thomas Manns.
6 Karl Löwenstein (geb. 1891 in München), Professor für Politische Wissenschaften. Er emigrierte 1933 in die USA und lehrte seit 1936 am Amherst College in Amherst/Massachusetts, USA. Verfasser des Buches: *Hitler's Germany. The Nazi Background to War* (New York: Macmillan, 1939).
7 Vgl. Fußnote 4 zum Brief vom 18. 10. 1939.
8 Dorothy Canfield-Fisher (1879-1958), amerikanische Erzählerin. Vgl. ihren Roman *Seasoned Timber* (1939).
9 Nicht ermittelt.
10 Eduard Benesch (1884-1948), tschechoslowakischer Staatsmann, 1935-1938 Staatspräsident, anschließend Exil in den USA. War damals Gastprofessor in Chicago und ging wenige Monate danach nach London, wo er Präsident der tschechoslowakischen Exilregierung wurde. Von 1945-1948 war er erneut Staatspräsident.
11 Golo Mann (geb. 1909), Sohn Thomas Manns, Historiker.

363. An Henry Allen Moe

420 West 121 Street
New York City July 17, 1940

Dear Mr. Moe:-
When your last letter for which I thank you ever so much, came in, I just was working on improving the involved self-control statement. Just for this reason I did not answer to you immediately. From the contradictory opinions which I came to learn about the whole problem – consents on the one hand and *well-substantiated* rejections as in your case on the other hand – I got the general impression that only Washington itself could tackle such a problem. Eventually, the entire action should be not more than an auxiliary service for the investigations of the American authorities, since the loyalty of a person or, more than that, even his or her identity only could be established by most reliable witnesses.

Therefore it seems to be rather indifferent whether Washington will choose this way or another for registration and filtration of aliens. I really am not fond of my idea, I only should like that actually something would be done; for some cases came to my knowledge, up to now, that several refugees became threatened with loosing their jobs on account of Fifth Column hysteria. If the whole thing should only result in that Washington would undertake some steps in this direction, this would mean a success in itself. Anyway I enclose copy of the improved outlines[1].

As to the »Dictionaries«[2] I learnt from Mr. Canby that you had passed the whole matter to the Oberlaender Trust. I do hope that the plan will have good luck, there, because its realisation would mean real help for so and so many mental workers. All the more, since refugee writers are now, as it were, without backbone at all by the officially announced dissolution of the American Guild.

Enclosed you also will find a clipping from a New York Times Book Review dealing with Miriam Allen de Ford's »Who was when?« – A dictionary of contemporaries[3]. Fortunately Mrs. de Ford's book is not at all identical with one of the suggested volumes; but while proving, on the one hand, that ideas of this kind are really timely, this clipping also shows the danger – just by this timeliness – that somebody else could get the start.

Very truly yours,
Hermann Broch
[GF]

1 In seinem Antwortschreiben vom 27. 6. 1940 hatte sich Moe ablehnend gegenüber dem Plan einer Loyalty League geäußert (GF). Brochs Exposé (4 Schreibmaschinenseiten, GF) sei hier abgedruckt:

IMMIGRANTS LOYALTY LEAGUE
A. Preamble

Considerations which caused us to propose the foundation of the Immigrants Loyalty League.

1. The immigrants who are loyal to this country, fully recognise the necessity for the United States to safeguard itself against disloyalties on its own soil. More than that, we want to do whatever we can in order to help the government in these endeavors. We consider it the duty of the loyal immigrants a) to make it clear that the overwhelming majority of the newcomers detest fifth column activities of any and all kinds; and b) to help the United States in establishing who can reliably be believed to be loyal.

2. One of the steps of preparedness in which we can be helpful to the U. S. Gouvernment is in finding out which groups and individuals among the immigrants are reliable.

3. Due to the particular and ubiquitous techniques of infiltration, propaganda and other means of subversive preparations, a stage of »clear and present danger« is, in the present time of emergency, being reached at a very early stage, that is to say, long *before* tangible acts of destruction, etc. have actually been performed. Indeed, any uneasiness among the population concerning the reliability of certain groups (e. g. foreign born) as well as any insecurity on the part of the U. S. Government in such a respect, is in itself likely to represent a clear and present danger.

4. There is no doubt that Fascists and Fifth Column elements rather could be looked for among such circles as totally consist of American citizens (be it born as citizens, be it having acquired American citizenship recently) than among the circles of immigrants, exiled by fascistic governments – though it may be conceded that the one or the other agent provocateur might have smuggled himself into their ranks. It is just those fascistic circles,

however, which are launching now a strong propaganda against the immigrants in order to avert people's distrust from their own activity. Among other things, e. g., »wholesale« steps against the aliens are asked for. There need not be said that such »indiscriminating discriminations« are not only ineffective but help the forces they want to conquer. Measures of that kind can deprive the country of many persons able and eager to serve it; above all, they breed uneasiness, nervousness and factionalism, in utter disproportion to what they achieve. The steps which were taken against aliens up to the present had one bad consequence at least: many immigrants lost their jobs.

5. On the contrary, the Immigrants Loyalty League wants to stress that in the present emergency the dividing line lies more between the loyal and the disloyal, than between the smaller or larger amount of time a person has spent in this country. The League proposes to set up, amongst the immigrants, a suitable system of self-control and self-discipline, on a democratic and voluntary basis.

6. The League thinks its efforts all the more timely, since after the French disaster immigrants from that country will pour in in larger quantities and, certainly, Fifth Columnist will do their best to smuggle themselves into that number. The Government, of course, will examine all these newcomers with greatest accuracy, and the League offers its help also in this respect.

Purposes of the League

The League neither will be a faction nor an organization nor a society; it only will answer the following purposes:

a) Each immigrant should be allowed to prove his loyalty by his record; therein he should give evidence, from his past, from his activities and mental qualities and by giving trustworthy persons as references, that he is not suspicious of Fifth Column activity.

b) These records should be at the disposition of Federal and States Governments whenever they consider it necessary to proceed against an immigrant on account of suspicions.

c) The immigrant should get a certain feeling of safety by the deposition of his record with the League; whenever he should feel threatened himself with regard to his existence, his business and so on by people's attitude, he could point towards his declaration of loyalty and its acceptance at this or that time.

What is the meaning of an assurance of Loyalty?

In order to be effective, the League has to gain the confidence and esteem of both the national and state authorities and of the loyal immigrants it wants to embrace. This confidence should be gained quickly and with as little red-tape as possible. For this purpose, its procedure should combine the principle of selection with the principle of voluntary collaboration. If the League grants membership to an immigrant, this will mean that it considers him to be trustworthy, to be loyal and to be willing to perform whatever task he shall be called for by the authorities. The League, after individual consideration, will assume a moral responsibility to this respect.

B. Procedure

The involved declaration of Loyalty should have the form of a questionnaire with psychologically elaborated questions. There are two possibilities of asking the immigrants to get those questionnaires and fill them out:

I. General Proclamation

After having been formed the League could publish a general proclamation in the newspapers asking the immigrants to get the questionnaires at the League's office. A large number would be covered in this way, however there would not be a satisfactory opportunity of accurate examination of the questionnaires filled out. Therefore, we should think of another method which from the beginning has in itself all possibilities of rigorous examination, be it in addition to the general proclamation, *be it as sole method,* namely:

II. The Snow-ball Method
(Chain System)

1. It is proposed to form a Committee of about thirty persons whose loyalty to the Government is beyond question; about half of its members should be representative American born persons, the other half should be selected from an equally representative circle of immigrants; more particularly, they should be chosen from several nationalities.

2. The first task of this Committee will be to prepare by-laws for the League. This has to be done in close collaboration with the State Department and the Department of Justice in order to guarantee that the Committee's work will follow principles approved by the U. S. Government.

3. Some of the leading ideas of these by-laws are:

a) Each member of the original Committee can nominate ten immigrants whose trustworthiness he can guarantee. Thereupon the recommended persons are to be divided into two groups: one group to consist of those who are personally trustworthy; a second group to consist of those who are not only trustworthy but also competent to pass judgement on others for the purpose of recommending them in turn. The second group serves to broaden the whole operation; it may be called: The Trustees. Only persons who receive the recommendation from at least three of the original Committee of thirty (= 10 %) can become Trustees. The Trustees have the right to propose other immigrants both for membership and for becoming Trustees. However, in order to become a Trustee, it will be necessary that the candidate receive recommendation from at least one tenth of the total number of Trustees. (Assuming that at a certain period the League will have fifty Trustees, an immigrant will have to receive recommendation from at least five Trustees in order to become a Trustee himself.) Thus, a chain system evolves which spreads quickly over the whole country; at the same time, however, the necessary control increases with the growth of the League.

b) Nobody can be made a member or Trustee against his will.

c) Membership and trusteeship can be taken away. The procedure has to be established in the by-laws.

d) Every immigrant can be made a member or trustee. However, as a matter of principle, nobody can apply for becoming a Trustee. (In an informal way, everybody can suggest the granting of membership or trusteeship for himself or for others. But the granting depends upon the decision of the League, this being a sign of trust.)

4. The office of the League which has to be established will have the following tasks:

a) To issue the questionnaires.

b) To inform the persons who had been selected by the Trustees that they had been chosen for members, Trustees resp.; they should *not* be informed, by whom they had been chosen.

5. Such persons as are not directly selected for membership by the Trustees, but apply to the League for a moral affidavit, informed either by the General Proclamation in the newspapers or by hearsay, should fill out questionnaires. The office should submit their cases to the Trustees. For the benefit of such persons as have been unable to find guarantors for themselves, it will be necessary to establish an intern court which will decide on their desirability.

6. It can be hoped that the League will be supported in financial respect by the Committees, organizations etc. and by personal sponsors. Apart from that, a small amount (50 c) could be asked from each new member at the moment of deposition of the questionnaire, for covering the expenses of the entire action.

C. Conclusion

The League is not meant to anything of a spy organization or, for that matter, of an anti-spy-organization on immigrants. It will never be made known to anybody whether an immigrant who is not a member has either not been considered for membership, or else has been, in intern decision, been refused membership, or has himself refused to become a member. Furthermore, because of the voluntary and deliberately selective character of the League, and because of the comparatively great number of immigrants living in this country, the fact that a person is *not* a member (or Trustee) of the League must not be taken as an indication that he or she is not loyal. The selective task of the League is envisaged to be purely positive: those who are granted membership are, in the view of the League, to be considered reliable and loyal. This does not involve judgement on others. However, this does not mean that the League would not consider it its duty to lead the Government's attention to activities which after due consideration it thinks to be of a disloyal character.

If the whole plan should be carried through it could turn the negative denunciation which suspects Fifth Column activity from every quarter, into a positive annunciation and could contribute a good deal to the civic education of the immigrants.

2 Vgl. Fußnote 3 zum Brief vom 10. 5. 1940.
3 Miriam Allen de Ford, *Who was when?* (New York: H. W. Wilson Co., 1940). Die Rezension mit dem Titel »They Lived in the Same Times« erschien in der *New York Times* vom 30. 6. 1940.

364. An Hubertus Prinz zu Löwenstein

420 West 121 Str.
New York City July 30, 1940

Lieber Freund Prinz Hubertus,
Ihr Brief war eine große Freude, sowohl persönlich wie sachlich. Ihr Impuls, nach Washington zu fahren, war großartig, und wenn Sie tatsächlich auch all das erreichen, was Ihnen versprochen worden ist, ist Großes erreicht.

Von meinem Sohn habe ich keine direkte Nachricht, nur

Eva Wassermann[1] schreibt mir, daß er in ein neues Lager[2] überführt worden ist und allerdringendst Geld braucht, weil Leute, deren ständiges Domizil im unbesetzten Teil Frankreichs liegt (was bei ihm der Fall ist), schon jetzt oder bald aus dem Lager dahin zurückkehren können, wenn sie die nötigen Subsistenzmittel für ihren dortigen Aufenthalt nachweisen können. Ich schrieb demnach zuerst an die Quäker in seiner Sache und dann über deren Anraten an das Rote Kreuz in Washington laut beiliegendem Durchschlag.

Ihrer Weisung gemäß gebe ich nun seine Daten auch an das Büro der Guild – auch diesen Durchschlag lege ich hier bei.

Das Chaos in der Visenbeschaffung ist tatsächlich grauenhaft. Ich laufe von Pontius zu Pilatus, da ich täglich neue verzweifelte Anfragen aus Europa bekomme. Wollen Sie eine Gesamtliste der in Betracht kommenden Personen haben, soweit diese zu meiner Kenntnis gelangt sind? Doch fürs erste möchte ich jetzt meinen Sohn vorschieben, denn für ihn habe ich bisher, da er weder politischer Flüchtling noch Schriftsteller ist, gar nichts getan.

Wer ist im Büro der Guild, wenn Zühlsdorff bei Ihnen ist? Oder sollte letzterer inzwischen wieder in New York gewesen sein, ohne mich angerufen zu haben? Dann bin ich beleidigt. Bitte, übermitteln Sie Handküsse und herzlichste Grüße, und seien Sie innigst bedankt

Alles Gute Ihres
Hermann
Broch

[BA]

1 Eva Wassermann (1916-1979), Tochter Jakob Wassermanns, damals Verlobte H. F. Broch de Rothermanns, der sie 1941 in New York heiratete und 1949 von ihr geschieden wurde.

2 Vgl. Fußnote 2 zum Brief vom 8. 3. 1940 an Ernst Polak. Beim Einmarsch der Deutschen in Frankreich im Mai 1940 wurden die Lager von Les Milles und Lambesc auf den sogenannten »Geisterzug« verfrachtet, der die Internierten nach Bordeaux und von dort per Frachter nach Nordafrika verbringen sollte. In Bordeaux und später in Bayonne stellte sich heraus, daß keine Schiffe mehr zur Verfügung standen, so daß der Zug eine Woche lang ohne Lebensmittel in Südfrankreich herumirrte.

Viele flüchteten aus dem Zug, einige starben. Der Rest der Internierten wurde im Notlager St. Nicolas in Zelten untergebracht. Aus diesem Lager flüchtete Broch de Rothermann im Oktober 1940. Versehen mit einem Ausweis des Deutschen Roten Kreuzes hielt Broch de Rothermann sich etwa ein Jahr in Lavandou, Marseille und Paris auf. Im September 1941 erhielt Broch de Rothermann mit Hilfe seines Vaters ein Emergency Visum in die USA. In Lissabon nahm er am 29. 9. ein Schiff der American Export Line, das am 11. 10. 1941 New York erreichte. Zwei Wochen später heiratete er in New York am 26. 10. 1941 Eva Wassermann, die bereits im Juli von Frankreich via Lissabon in die USA emigriert war.

365. An Wolfgang Sauerländer

420 West 121 Street
New York City August 6, 1940

Lieber Doktor Sauerländer,
vielen Dank für Ihre beiden Briefe. Die Daten Professor Ichheisers[1] habe ich sofort an Johnson[2] weitergegeben, und ich hoffe sehr, daß man zu einem Erfolg kommen wird. Ich lege jedenfalls eine Abschrift meines Briefes an Johnson bei, damit Sie eventuell die übrigen dort genannten Personen (mit Ausnahme Schreckers, für den bereits alles gerichtet ist) in Ihre Listen aufnehmen.

Was nun die Liste für Lexikonmitarbeiter anlangt, so meine ich, daß Sie da allzuviel Prima-Namen aufgenommen haben. Für diese lexikalische Arbeit kommen Intellektuelle sozusagen zweiten Grades in Frage, nicht aber Hochschulprofessoren, welche sich außerdem, wie ich aus der Liste ersehe, zum großen Teil bereits in fixen Stellungen befinden. Das Ganze soll ja gewissermaßen einen Ersatz für die ehemaligen fellowships der Guild darstellen, und wenn da schon ein Hochschulprofessor mitarbeiten will und soll, muß er zumindest arbeitslos sein. Ich muß also mit der Frage schließen: haben Sie nichts Besseres? Und vor allem, haben Sie nicht mehr? Wäre es nicht am einfachsten, wenn

Sie mir die Liste Ihrer früheren Stipendiaten zugänglich machten?

Hoffentlich auf bald!

Mit herzlichsten Grüßen
stets Ihr Broch

Noch ein Mann für die Liste, nämlich der Bildhauer Georg Ehrlich, dzt.: London, 15 St. Peter's Square, Hammersmith, London W 6, ein bedeutender Künstler mit Ausstellungen in der Albertina, Wien, im Belvedere, Wien, Venedig und British Museum. Hiezu seine Gattin, die Malerin Bettina Ehrlich.

[DB]

1 Gustav Ichheiser, amerikanischer Sozialpsychologe deutscher Abstammung. Vgl. *Diagnosis of Antisemitism* (New York: Beacon House, 1946).

2 Alvin Johnson (1874-1971) hatte 1919 die New School for Social Research gegründet und war damals ihr Direktor in New York. 1934 wurde der New School eine Graduate Faculty angegliedert, die identisch war mit der 1933 von europäischen Emigranten begründeten University in Exile. Broch suchte emigrierte Akademiker an Alvin Johnsons New School zu vermitteln. Sein Freund Paul Schrecker z. B., der aus Frankreich emigrierte, wurde später Fakultätsmitglied der New School. Broch war mit Johnson befreundet.

366. An Benno W. Huebsch

420 West, 121st Street
New York City

August 7, 1940

Lieber Mr. Huebsch,
seien Sie für Ihre gestrigen Zeilen herzlich bedankt. Bezüglich der Komplettheit des Manuskriptes[1] liegt ein kleines Mißverständnis vor: ich sagte Ihnen, daß der Roman zwar in seiner vorletzten Fassung (– ich schreibe jedes Buch etwa vier Mal –) beendet sei, nicht aber in der letzten, die ich Ihnen übergeben habe; hier fehlt noch etwa ein Viertel.

Zur Veröffentlichungsfrage möchte ich etwas Prinzipielles sagen:

Ich glaube nicht, daß mit irgend einem Buch von mir ein großer Publikumserfolg zu erzielen sein wird; dies ist ebensowohl mein Mangel, wie mein Vorzug. Aber ich *weiß*, daß insbesondere der »Vergil« einen unverlierbaren Platz in der Literaturgeschichte einnehmen wird. Und in einem gewissen, wenn auch eingeschränkten Maße gilt dies auch für die »Verzauberung«. Genau so wie die »Schlafwandler« erst nach Jahren »ins Volk« gedrungen sind, offenbar aber, um nun recht nachhaltig zu bleiben (– sogar in Nazideutschland beschäftigt man sich noch heute damit, sei es unter Ignorierung, sei es unter Verschweigung meines Judentums –), genau so wird es diesen Büchern ergehen. Ich halte mich für legitimiert, dies zu unterstreichen; nur wer seine Arbeit überschätzt, befleißigt sich falscher Bescheidenheit, und ich bin, wie Sie wissen, weit davon entfernt, künstlerische Arbeit zu überschätzen. Der künstlerische Wert dieser Bücher ist mir nur insoferne wichtig, als sich darauf deren ethischer Wert begründet: es ist wichtig, daß ein Buch wie der »Vergil« (das nebenbei der deutschen Sprache neue Möglichkeiten abringt) in der heutigen Zeit von einem Juden geschrieben werden konnte, es ist wichtig, daß in der »Verzauberung« ein vertieftes metaphysisches Verhältnis gefunden werden konnte, an das kein »Blut-und-Boden«-Vorhaben der Nazi heranreicht, und es ist endlich aus mehr als aus einem Grunde wichtig, daß Kunstwerke, welche zur »innern Bewußtmachung« dienen sollen, herausgebracht werden; ohne mich mit Picasso an Kraft und Bedeutung vergleichen zu wollen, möchte ich Sie an seine Guernica-Bilder erinnern, und wenn die »Verzauberung« sich bemüht, Massenwahnphänomene dem Leser »innerlich« nacherleben zu lassen, so darf gehofft werden, daß die schließliche ethische, also politische Wirkung auf einer ähnlichen Linie liegen wird. [. . .]

Zur Reihenfolge der Veröffentlichungen noch ein Wort: der »Vergil« ist wesentlich eindeutiger als die »Verzauberung«; er ist schwerstverständlich, kann eigentlich nur in die Reihe jener Werke eingestellt werden, wie sie von Joyce repräsentiert sind, und er wendet sich daher wie diese vorerst einmal nur an ein sehr begrenztes Publikum, bei dem er allerdings wohl einen ziemlich sicheren Erfolg haben wird; anders verhält es sich mit der »Verzauberung«, die sozusagen auf zwei Schichten geschrieben ist und auf der einen noch die Form des herkömmlichen Romans festhält, sich also auf dieser an ein größeres Publikum wendet und daher auch weit eher Mißdeutungen ausgesetzt ist als das andere Buch. In gewissem Sinn kann als ein eventueller Mißerfolg der »Verzauberung« (– obwohl auch dieser sich später wahrscheinlich rektifizieren wird –) den sicheren Erfolg des »Vergil« blockieren, und aus diesem Grunde würde ich eigentlich diesen lieber früher als das andere Buch veröffentlichen: nur die längere Übersetzungszeit steht dagegen, und das bedeutet allerdings viel! [. . .]

[MTV, YUL]

1 Broch hatte damals die vierte Fassung des Vergil-Romans fertiggestellt.

367. An René A. Spitz

420 W 121 Street
New York 15. 8. 40

Lieber Freund R. S.,
vielen Dank für Ihre Zeilen. Auch bei mir ist die Refugee-Korrespondenz berghoch angewachsen, und nicht nur die Beantwortung, sondern viel mehr all die Wege, die sich daran knüpfen, sind einfach nicht mehr zu leisten. Immerhin scheint die Sache für einige Leute zu glücken, und das ist denn doch eine Art Befriedigung.

Was Dani[1] anlangt, so ist die *offizielle* Einreise in Mexico noch immer mit $ 9000 pro Kopf normiert, resp. das doppelte, wenn der Refugee sich in Mexico City selbst aufhalten will. Allerdings handelt es sich da um Depots, die teilweise beim Verlassen des Landes wieder zurückgezahlt werden, soferne nicht das Geld inzwischen für irgendeinen Revolutionsfond verwendet worden wäre, was man ja in Mexico niemals weiß. Dies ist der sozusagen offizielle Weg, und es ist die Frage, ob Sie resp. Dani einen so großen Betrag hiefür riskieren wollen.

Vielleicht aber ließe sich dies mit dem inoffiziellen Weg verquicken. Nach der Angabe Anjas soll die Sache durch den Lizentiaten Becerra (Calle Ayuntamiento 14, Mexico, D. F.) tatsächlich mit $ 1000 pro Kopf zu machen sein. Für den gewöhnlichen Emigranten könnte dies unter Umständen bedeuten, daß man ihn nicht landen läßt, so daß er erst recht in eine Hölle gerät. Wenn man aber das Risiko auf sich nehmen will, für diesen Fall dann eben doch eventuell die offizielle Taxe zu erlegen, so wäre das Wagnis vielleicht doch zu unternehmen. Auf alle Fälle sollten Sie sich mit Anja in Verbindung setzen, daß sie ihrerseits den genannten Becerra mobilisiere.

Übermitteln Sie Handküsse und seien Sie sehr herzlich

gegrüßt

stets Ihr H. B.

[DLA]

1 Daniel Brody.

368. An Wolfgang Sauerländer

420 West 121 Street
New York 15. 8. 40

Lieber Doktor Sauerländer,
anbei 1) eine Abschrift eines Briefes *Werner Richters*[1], *Lugano,* interessant für Schweizer überhaupt und für Werner Richters Fall, der mir sehr nahe geht und der täglich akuter wird, insbesondere.

2) eine rektifizierte Liste aller, von denen ich weiß. Hiebei lenke ich die Aufmerksamkeit namentlich auf zwei Fälle: *Stefan Pollatschek*[2], der nun tatsächlich auf der Isle of Man interniert ist und als heftiger Glossen-Schreiber der Weltbühne, Tagebuch etc. aufs höchste gefährdet ist, und *Professor Dr. Paul Amann*[3], jetzt, wie es scheint, von Mont-

pellier wieder zurück an seine Adresse: La Baule, L. I. (Bellevue Building), France. Seine Briefe klingen täglich verzweifelter und bitten flehentlichst um Hilfe für seine beiden Knaben, Gattin u. ihn. Als langjähriger Wiener Gymnasialprofessor könnte er hier erstklassig Französisch, Deutsch, Geschichte, Kulturgeschichte unterrichten u. als Sportler einen guten amerikanischen Lehrer abgeben. Autorisierter Romain Rolland-Übersetzer etc. Sie haben übrigens vom Vorjahre all seine Daten, Curriculum, Pressestimmen etc., die ich Ihnen als Konvolut in einem Kuvert übergab. Bitte, suchen Sie sie doch heraus und senden Sie sie mir nach Einsichtnahme zu. – Was kann man für den Mann tun? Eine Highschool- oder College-Lehrstelle ist sein Traum und erscheint ihm, wenn bis Herbst möglich, als einzige Rettung! Es scheint da mehr hinter den Zeilen zu stehen als er schreiben kann!

Mit besten Grüßen
Ihr Hermann Broch
[DB]

1 Vgl. Fußnote 1 zum Brief vom 15. 2. 1940.
2 Stefan Pollatschek (1890-1942), österreichischer Schriftsteller und Journalist. Er emigrierte 1938 in die Tschechoslowakei und ein Jahr später nach England.
3 Paul Amann (1894-1958), Lyriker und Übersetzer (z. B. Romain Rollands und Montherlants). Amann hatte gemeinsam mit Marcel Beaufils Brochs Novelle »Eine leichte Enttäuschung« ins Französische übersetzt: »Une Déception Passagère«, in: *Europe,* Nr. 144 (15. 12. 1934), S. 506-526. 1941 emigrierte Amann aus Frankreich in die USA, wobei Broch ihm behilflich war.

369. An Lewis Mumford[1]

[Anfang Sept. 1940]

Dear Lewis Mumford:
Since you have honored me with the task of thinking about your very splendid exhibition project[2], I have done so. I have not much to offer, but these are my suggestions:

Avenue of Fascism
It might be well to call it »Avenue of Bluff« because in order to be effective, propaganda must be aggressive.

In view of the fact that the present German success might tempt the »man of the street« to consider the negative sides of fascism as temporary war measures (in spite of all the statistical evidence of the opposite), I would suggest to enlarge your last »but« or else to add one more, in order to picture more strongly how the system necessitates further continuous spread of aggression and of destruction.

Achievements of Democracy
Enlarging your idea of presenting the achievements through democracy, I believe that propaganda becomes more effective if one goes beyond praising the existing achievements and also points out the things which still have to be done. Similar to the »Avenue of Fascism« one could add »buts« to each item of the presentation of democratic achievements, namely what has still to be done, and I would call this part of the exhibit »Avenue of the Task« as a counterpiece of the »Avenue of Bluff«, perhaps with the subtitle »Appeal to the Youth«. As I have mentioned in my conference paper, democracy can survive only if the youth realizes what tasks within democracy and for democracy are awaiting them; in what way these tasks will be solved is in the first place a matter concerning this youth.

Monument of the Unknown Victim
This is an old idea of mine, to place once, next to the many heroic monuments of the Unknown Soldiers also one of the »Unknown Victim«, a monument for those who have been innocently persecuted and destroyed throughout world history: witches, Jews, Armenians, Tibetans –, an endless row.

If it would appeal to you to present a model of such a monument at this exhibition and you would be interested to get sketches for it, I would like to call your attention to the sculptor Robert Cronbach[3], a young American artist, whom I believe well capable to work out a fitting project.

For other artistic contributions
I would suggest the Austrian Painter Rudolf v. Ripper[4] (East

Blue Mill, Maine), whose latest works indicate that he would be fit for this type of task.

Movie or Radio Propaganda
I think it would be very effective propaganda to depict either or both by film or by means of radio script the parallel activities of a typical German and a typical American family of many different stations in life, such as: plumber, teacher, doctor, day laborer etc. In this exposition I would point out the fascist destruction of all individual autonomy and the interference of the state with prospects and family unit, as contrasted with the democratic way.

If at any point I could be of some assistance, I of course would be glad to do it, so please let me know about it.

I shall be in Cleveland at the present address up to mid-September. I am looking forward with utmost interest to your comments about a suitable form regarding the publishing of my paper[5]; I could shorten it or else make it more elaborate. I am sorry to trouble you with this, but you are doing a great favor to me, for which I thank you in advance (or just on time in case you have already mailed it to Dr. Polzer).

Once more let me thank for the lovely time which I had in your home: please transmit my best regards to Mrs. Mumford and accept cordial thoughts.

Yours
Hermann Broch
[DLA]

1 Louis Mumford (geb. 1895), amerikanischer kulturphilosophischer Schriftsteller. Von 1942 bis 1944 lehrte er an der Stanford University in Stanford, California, USA. Vgl. *Technics and Civilisation* (New York: Harcourt, Brace, 1936).
2 Es ging um eine Ausstellung zur Propagierung der demokratischen Staatsform im Rahmen des *City of Man*-Projekts.
3 Robert M. Cronbach (geb. 1908), amerikanischer Bildhauer. 1940 stellte er die beiden Bronze-Statuen am Social Security Building in Washington D. C. fertig.
4 Rudolf v. Ripper, österreichischer Maler und Zeichner. Er emigrierte 1938 in die USA. Vgl. auch die Fußnote 1 zum Brief vom 23. 8. 1939.

5 Offenbar hatte Broch Mumford seinen Beitrag zur *City of Man* übergeben. Vgl. KW 11, S. 81 ff. Der Band *The City of Man* erschien im November 1940.

370. An Jean Starr Untermeyer

Sept. 14, 40

Dear,
first the Brecht[1]. I enumerate with red pencil the errors:

1) gives not the sense; the sense is:

»the conversation . . . encloses in itself the silence about so many wrong deeds.«
With other words: when two people are speaking about trees, then their words are filled with a silence, for they all (the words) don't mention all the wrong deeds, and nevertheless they are filled »silently« by all this wrong; so the conversation contains »the silence about so many wrong deeds«. And »Untat« does not mean »undone« but »wrong deed« or »terrible deed«; a murder is a »Untat«, every *big* crime is a Untat.

2) also another sense; correctly, although in my English:
»This one, who crosses the street quietly, *might* he be already beyond the reach of his friends, who are in need?«

3) Minor touch:
»I ate my food between battles – among murderers I laid down to sleep – I made love with indifference, and without patience I beheld nature.«

4) »My forces were very insufficient.«

5) Quite another sense:
»*For* we, changing the countries more often than the shoes, we went through the wars of the classes, in despair . . .«

or: »and we were in despair because . . .«

6) »We ourselves could not be friendly«

So far I remember the first part of the poem was published in the »Deutscher Freiheitskalender« (Paris) last year[2]. The whole poem was sent by Brecht, who is in Helsinki, Finland, to friends in this country and was spread by chain system. So

I got two copies from two friends; we don't know who made the first start. Perhaps you can find out who has the publishing rights by the »League«[3] or the »Schutzverband deutscher Schriftsteller«[4]. Anyway I shall ask, too. And if you will publish the translation to the benefit of refugees, quoting that there was no possibility to get the rights, I guess nobody would object, also not Brecht.

The first copy I sent you had some typing mistakes. So I send you hereby another one; also the interpunction is better. And he drinks only one time.

My own poem I shall try to make again, when I find time for it.

I have no time at all. If the conference[5] gets the financial aid wanted (– confidential –), and probably it will be found, there will be published a series of pamphlets and I have to prepare two. Then the Loyalty League must be prepared (– confidential too –) as Washington (see the enclosed letter) agrees with my plans[6]. And I have nothing prepared for Princeton, what is urgent, too. Too much for one man, who doesn't feel well. The teeth business is alright, I have only to wait that the wounds are healed, but I had to postpone the upper jaw, for I couldn't stand it, with all this work. I am already too tired and I feel old.

New School: I am interested of course in every place for making my living, but I would prefer Princeton. The New School makes a lot now, even too much, for Werfel[7] has an appointment as professor with $ 3000.– a year! So I have to ask for 6000.– at least. And today a letter from my Oeser in St. Andrews [arrived], telling me that Edwin Muir has a lecture invitation from the New School. But thank you, that you have thought of it.

I can't read any poetry, neither yours nor Yeats'; perhaps in a few years, when – perhaps – my English has improved. But I am glad that you read Kierkegaard; he was a real thinker.

So enough for today. Thank you for the flower! And keep well. Regards from J.[8]

Always H.

Yes, some grammar: »Gingen wir doch«[9] means an explanation: always when the »doch« is in a turned construction, it explains something which is said in the sentence before. And so »*For* we went . . .«

Huebsch didn't answer. I would like to write him that I am through with him, but for the moment I have no time for these things. And I would also want two weeks for some changements in Virgil, which have still to be done.

[YUL]

1 Auf die Bitte Brochs hin hatte Jean Starr Untermeyer versucht, Brechts 1938 im dänischen Exil entstandenes Gedicht »An die Nachgeborenen« (eines der »Svendborger Gedichte«) zu übersetzen. Diese Übersetzung blieb unveröffentlicht. Broch korrigierte einige Übertragungsfehler, die hier identifiziert seien: 1) »Ein Gespräch über Bäume fast ein Verbrechen ist / Weil es ein Schweigen über so viele Untaten einschließt!«; 2) »Der dort ruhig über die Straße geht / Ist wohl nicht mehr erreichbar für seine Freunde / Die in Not sind?«; 3) »Mein Essen aß ich zwischen den Schlachten/ Schlafen legte ich mich unter die Mörder / Der Liebe pflegte ich achtlos / Und die Natur sah ich ohne Geduld.«; 4) »Die Kräfte waren gering.«; 5) »Gingen wir doch, öfter als die Schuhe die Länder wechselnd / Durch die Kriege der Klassen, verzweifelt«; 6) »Konnten selber nicht freundlich sein.«

2 Brechts »Svendborger Gedichte« erschienen erstmals 1939 in Wieland Herzfeldes Malik-Verlag in London (vorher Prag). Gedruckt wurden die Gedichte in Kopenhagen. Vgl. Band 9 der Brecht-Werkausgabe des Suhrkamp Verlages, 1967, S. 722-725. Im *Deutschen Freiheits-Kalender* von 1940 (Paris: Editions Sebastian Brant, 1939) erschien Brechts Gedicht auf den Seiten 82-83.

3 League of American Writers; vgl. Fußnote 3 zum Brief vom 8. 3. 1940.

4 Gemeint ist der amerikanische Zweig des Schutzverbands deutscher Schriftsteller, die »German American Writers Association«. Im Oktober 1938 war Oskar Maria Graf als ihr Vorsitzender gewählt worden, stellvertretender Vorsitzender war Ferdinand Bruckner, als ihr Sekretär fungierte Manfred George.

5 Das *City of Man*-Projekt.

6 Earl G. Harrison, Director of Registration des Immigration and Naturalization Service im US Department of Justice, Washington D. C. hatte Broch in einem Brief vom 30. 8. 1940 geantwortet: »I am putting it most mildly when I say that I am highly enthusiastic about your proposal. It represents something that is long overdue and in my opinion would be one of the most helpful

and constructive things that could be done at the present time.« (GF)

7 Werfels Exil in den USA begann erst einen Monat später, nachdem Broch diesen Brief geschrieben hatte. Das Emigrantenschiff aus Portugal, mit dem Franz Werfel New York erreichte, legte dort am 13. 10. 1940 an. Eine Gastprofessur hatte Werfel in den USA nicht inne. Allerdings hielt er im Winter (Ende 1940) im Osten der Vereinigten Staaten eine Vortragsreise.

8 Jadwiga Judd.

9 Vgl. Fußnote 1, Nr. 5.

371. An Erich von Kahler[1]

c/o Dr. Maschke
1376 Lynn Park Drive
Cleveland Heights, Ohio 18. 9. 40

Lieber E. K.,
mein Gewissen ist nicht gar so schlecht, wie Sie glauben: ich konnte einfach nicht schreiben, erstens wegen meiner Zahnbehandlung, die etwas zuwider war und noch lange nicht abgeschlossen ist (in zwei Monaten muß ich wieder herkommen), zweitens wegen der Borgi-Konferenz[2] und drittens wegen Loyalty-League[3], welche nunmehr die offizielle Zustimmung von Washington bekommen hat und daher gestartet werden muß; den Zustimmungsbrief habe ich Ihnen durch Polzer als Lebenszeichen schicken lassen.

Zur Konferenz: Borgis »Manifesto« erscheint bei Huebsch. Ich habe darauf bestanden, daß sofort ein paar sachliche Pamphlete nachfolgen, und ich hoffe, daß er dies auch durchgesetzt hat, denn wenn das Manifest allein erschiene, so wäre sachlich überhaupt nichts getan. Immerhin hat die letzte Tagung danach ausgeschaut, als ob sich nun sachliche Arbeit anschließen könnte, und deswegen wird es Ihnen wohl nicht erspart werden, der Sache beizutreten[4]. Die Hauptsache für die Fortsetzung ist natürlich Geld, aber ich habe den Eindruck, daß dies auftreibbar sein wird. Die Arbeitsteilung wurde folgendermaßen vorgenommen:
Theologie und Gott – Niebuhr[5],

Weltdemokratie samt internationale Beziehungen – Borgi[6] und Hans Kohn[7],
Government und Legislatur – Elliott[8]
Ökonomie samt Sozialgebiete[9] – vorderhand nebbich ich allein, der ich doch ein Waisenknabe darin bin, doch soll ein gelernter Ökonomiker dazu aufgetrieben werden.

Das »Manifesto« wird über meinen Vorschlag durch einen Anhang »Plan of Work« versachlicht werden, zu dem lt. obiger Einteilung die Genannten je einen Beitrag zu liefern haben, allerdings jeder von ihnen nur 500 Worte. Ich habe mich nun daran gemacht, als erstes Pamphlet eine Skizze zur Krisentheorie zu schreiben, weil ich meine, da ein wirkliches Ei gefunden zu haben, und die Einleitung zu dieser Arbeit habe ich Borgi geschickt, damit er sich da herausschneidet, was ihm gefällt. Ich übermittle Ihnen anbei diese Einleitung, auf die ich sehr stolz bin, weil sie in meinem selbständigsten Englisch fast ohne deutsche Unterlage geschrieben worden ist. Allerdings muß ich sie mir jetzt nachherüber-zurück ins Deutsche übersetzen, denn die Fortsetzung, die eben viel gewichtiger ist, schreibe ich deutsch. Außerdem möchte ich als zweites Pamphlet sofort über die gesetzlichen Möglichkeiten einer totalitären Demokratie schreiben.

Zur Konferenz Loyalty League: ich schicke Ihnen anbei eine Abschrift, damit Sie darüber nachdenken, denn hier müssen Sie sogleich feste mitarbeiten, ob Sie wollen oder nicht. Ich habe meinerseits Elliott, welcher mir als der draufgängerischeste und für derlei fähigste der Konferenzteilnehmer erscheint, um eine Zusammenkunft in Boston oder Washington ersucht, um die Organisierungsfrage mit ihm zu besprechen. Aber inzwischen sollen auch Sie sich den Kopf zerbrechen: ich übermittle Ihnen anbei auch meine Antwort an Harrison[10] und verweise insbesondere auf den einen Satz über die Erweiterung der Aktion; denn wenn man die ganze Sache solcherart ins Positiv-Aktive drehen könnte, würde sie ihren unangenehmen Beigeschmack einer Privat-Gestapo, der ja vielen die Mitarbeit verleiden könnte, einigermaßen verlieren. Wollen Sie schon Th. Mann Mitteilung machen? bitte behandeln Sie dies nach Gutdünken.

So weit also meine activities. Daneben lese ich mit Volldampf allerhand Nationalökonomisches – Keynes[11], Strachey[12], Elliott etc. – und zur Erholung habe ich Ihre beiden Schriften gelesen[13], mit großer und aufrichtiger Freude. Und doch haben Sie recht gehabt, vom Polemischen zum Exempel hinüberzuwechseln; der »Deutsche Charakter«[14] ist etwas Bleibendes, was immer auch geschieht.

Nebenbei: aus völlig irrationalen Gründen, keineswegs wegen des englischen Widerstandes, habe ich ein besseres Weltgefühl bekommen. Wenn ich irgend etwas Rationales dazu anführen kann, so liegt es eigentlich nur in meiner bessern Einsicht in das Ökonomische; es geht ein wenig über die narzistische Entdeckerfreude hinaus, denn ich glaube tatsächlich, gewissen Gesetzlichkeiten auf der Spur zu sein, die offenbar bisher noch nicht bemerkt worden sind, und wenn man ein Gesetz hat, so kann man bekanntlich auch handeln.

Ich freue mich, diese Dinge mit Ihnen bald zu besprechen; in etwa vierzehn Tagen werde ich in Princeton sein, und hiezu habe ich eine Bitte, nämlich, daß Sie sich wegen eines Zimmers für mich erkundigten, womöglich nicht allzu weit von Ihnen und womöglich mit einer Fütterungsmöglichkeit, zumindest Frühstück, denn Sie wissen ja, daß meine Lebenstechnik im Vorjahr recht kompliziert gewesen ist. Mir hängt dieses Herumsiedeln in möblierten Zimmern ohnehin schon beim Hals heraus; aber ich will mich durch derlei Geschimpfe nicht versündigen.

Diesen Brief schicke ich bereits nach Princeton, da Sie ja am 15. übersiedeln wollten. Und ebendeshalb lege ich auch ein paar Zeilen für Fried[15] bei, da ich dessen neue Adresse nicht weiß. Im übrigen meine ich, daß Fried in irgend einer Funktion bei den Aliens[16] eingespannt werden sollte. Doch dies hat Zeit.

Übermitteln Sie Handküsse. Und lassen Sie sich die Hand drücken.

H. B.

Ich wohne hier im Hause Dr. Maschkes, eines ganz hervorragenden Internisten, zu dem ich eigentlich sehr gerne Ihren zu geringen Blutdruck bringen möchte; ich habe ganz außerordentliche Beispiele seiner diagnostischen Sicherheit gesehen. Haben Sie übrigens schon einmal Schur in N. Y. konsultiert?

Anbei schließlich noch Kopie meines letzten Briefes an Trude Schmiedl[17]: wüßten Sie irgend jemanden für Zeichnung der gleichfalls beil. Sponsorbriefe? (Die Briefe sollen auf Privatbriefpapier geschrieben und notariell legalisiert sein.) Es ist eine gewisse Schwierigkeit mit diesem moral affidavit, denn man weiß ja bei [. . .] Canetti[18] [. . .] doch nicht, als was er sich bei oder nach der Landung deklarieren wird.

Nochmals alles Herzliche!

[YUL]

1 Erich von Kahler (1885-1970), Prager Philosoph, lebte seit 1900 in Wien, später in Heidelberg und München. Nach mehrjährigem Exil in der Schweiz kam er 1939 auf Anraten Thomas Manns, zu dessen Freundeskreis er gehörte, in die USA und ließ sich in Princeton nieder. Als Gastprofessor für deutsche und vergleichende Literaturwissenschaft lehrte Kahler an der Cornell University, der Princeton University und dem Institute for Advanced Study in Princeton. Broch hatte Kahler Mitte 1939 durch den gemeinsamen Freund Richard Bermann kennengelernt. Von Juli 1942 bis Juni 1948 wohnte Broch in Logis bei Erich von Kahler in Princeton, 1 Evelyn Place.

2 Vgl. Fußnote 2 zum Brief vom 23. 4. 1940.

3 Vgl. Fußnote 1 zum Brief vom 17. 7. 1940.

4 Kahler gehörte nicht zu den Unterzeichnern der *City of Man*. Die Liste der Unterzeichner lautet: Herbert Agar, Frank Aydelotte, G. A. Borgese, Hermann Broch, Van Wyck Brooks, Ada L. Comstock, William Yandell Elliott, Dorothy Canfield Fisher, Christian Gauss, Oscar Jászi, Alvin Johnson, Hans Kohn, Thomas Mann, Lewis Mumford, William Allan Neilson, Reinhold Niebuhr, Gaetano Salvemini.

5 Reinhold Niebuhr (1892-1971), amerikanischer evangelischer Theologe. Lehrte von 1928 bis 1960 am Union Theological Seminary in New York. Vgl. *Moral Man and Immoral Society. A Study in Ethics and Politics* (1932).

6 G. A. Borgese.

7 Hans Kohn (geb. 1891), Prager Historiker, emigrierte 1931 in die USA. Er lehrte Geschichte am Smith College in Northampton/ Massachusetts (USA) zwischen 1934 und 1949. Als Lektor war er tätig von 1936 bis 1962 an der New School for Social Research in New York. Von 1949 bis zu seiner Emeritierung im Jahre 1962 war er Professor am City College in New York. Er verfaßte eine Reihe von politischen, historischen, soziologischen und philoso-

phischen Arbeiten, u. a. über das Judentum. In der Politologie hat er sich vor allem mit seinen Büchern über den Nationalismus einen Namen gemacht.

8 William Yandell Elliott (geb. 1896), amerikanischer Politologe und Ökonom. Vgl. W. Y. E., *The Pragmatic Revolt in Politics: Syndicalism, Fascism, and the Constitutional State* (New York: Macmillan, 1928); *This Economic Nationalism: Where is It Leading Us?* (Boston: Atlantic Monthly, 1933).

9 Vgl. KW 11, S. 81-109.

10 Vgl. Fußnote 6 zum Brief vom 14. 9. 1940.

11 John Maynard Keynes (1883-1946), englischer Nationalökonom. Broch las damals das Werk *The General Theory of Employment, Interest, and Money* (New York: Harcourt & Brace, 1936).

12 John Strachey (1901-1963), englischer Nationalökonom. Vgl. seine Bücher: *The Theory and Practice of Socialism* (London: V. Gollancz, 1936); *The Menace of Fascism* (London: V. Gollancz, 1938); *Hope in America* (New York: Modern Age Books, 1938); *Federalism or Socialism?* (London: V. Gollancz, 1940). Strachey war auch aktiv als Politiker der britischen Labour Party.

13 Gemeint sein könnten die beiden Aufsätze Kahlers: »Forms and Features of Anti-Judaism«, in *Social Research* 6/4 (1939), S. 455-488 und »In Reply Carl Mayer's ›Anti-Judaism Reconsidered‹«, in: *Social Research* 7/3 (1940), S. 372-377.

14 Erich von Kahler, *Der deutsche Charakter in der Geschichte Europas* (Zürich: Europa Verlag, 1937).

15 Hans Ernst (= John E.) Fried (geb. 1905 in Wien), Politologe. Er emigrierte 1938 in die USA. Bei den Kahlers waren er und seine Frau Edrita häufig Gäste. Vgl. sein Buch *The Guilt of the German Army*, New York 1943.

16 Gemeint sein dürfte eine der Hilfsorganisationen für die Flüchtlinge aus Europa.

17 Trude Schmiedl (später: Waehner), Wiener Malerin, die nach Ende des Krieges sich in Italien niederließ. Während des New Yorker Exils war sie mit Broch und den Kahlers befreundet.

18 Broch bemühte sich um ein Einreisevisum für Elias Canetti.

372. An Hubertus Prinz zu Löwenstein

c/o Dr. Maschke
1376 Lynn Park Drive
Cleveland Heights, Ohio 21. 9. 40

Lieber Freund Prinz Hubertus,
Ihr Brief ist nahezu einen vollen Monat alt, aber Polzer schrieb mir, daß er Ihnen meine Abreise gemeldet hätte. Von der Meldung ausgeschlossen war jedoch der medizinische Zweck dieser Reise, d. h. der Entschluß zu den Zahnextraktionen, mit denen mich die amerikanische Ärzteschaft nun schon seit einem Jahr plagt, um mich von niemals gehabten Krankheiten durch Entfernung völlig gesunder Zähne zu heilen. Ich habe mich eine zeitlang recht elend gefühlt, und ich glaube, daß dies der einzige Erfolg dieser Barbarei ist, aber eben deswegen konnte ich auch nicht schreiben. Ich finde, daß dieser Aberglauben der amerikanischen Dentisterie und Medizin ein Aberglauben ist, der zweifelsohne von den indianischen Medizinmännern herstammt, denn die Kraft des Bodens wirkt sich überall aus, weitaus ärger als die Alien-Gesetzgebung.

Nun, gleich zu dieser: Ihre Einwendungen gegen die Loyalty League sind natürlich richtig. Aber m. E. müßte es Aufgabe einer solchen Organisation sein, eben diesen Einwendungen von vorneherein die Spitze zu nehmen, d. h.

1) die Organisation darf unter keinen Umständen als eine Art Privat-Gestapo aufgebaut werden,

2) sondern sie hätte als Gegenaktion gegen jedwede allgemeine Alien-Diskriminierung zu wirken, hätte also zu zeigen, daß
a) die Anwürfe gegen den Alien im allgemeinen haltlos sind und daß die fifth columns ganz woanders sich befinden,
b) die Aliens alles Anrecht haben, als potentielle citizens behandelt zu werden und demnach auch berechtigt sind, ihre citizenship, so weit sie um diese eingereicht haben, dem Gesetze gemäß zu erhalten.

Gelingt es eine Organisation zu schaffen, welche einerseits sich bemüht, den Großteil der im Lande befindlichen Aliens zu erfassen, andererseits aber auch den amerikanischen Behörden eine Hilfe ist (denn diese haben kein Interesse an überfüllten kostspieligen Konzentrationslagern), so kann das so umrissene Ziel erreicht werden. Ihr Vergleich zwischen Antialienismus und Antisemitismus stimmt heute noch nicht, aber er könnte in sehr kurzer Zeit stimmen, und gerade dies müßte verhütet werden.

Ich beschäftige mich jetzt sehr eingehend mit diesem Problem und eigentlich sehr wider meinen Willen, denn ich habe eigentlich anderes und für mich wichtigeres zu tun. Doch ich habe nun ein A gesagt, bin also im eigenen Netz gefangen. Ich hoffe, die Sache sehr bald hinter mich gebracht zu haben, so daß ich Ihnen bald die konkreten Pläne werde zeigen können.

Ende der Woche werde ich wohl, nach kurzem Zwischenaufenthalt in Killingworth, nach N. Y. zurückkehren. Werde ich Sie dort sehen? oder sind Sie noch in Texas? oder anderswo? ich schicke den Brief durch die Guild, damit er Sie erreiche. Andererseits bitte ich Sie, Dr. Victor Polzers Adresse zu benützen, um mich wissen zu lassen, wo, wie und wann ich Sie werde finden können: 311 West, 97th. Str., Riverside 9-1397.

Sollten Sie noch nicht in N. Y. sein, so werde ich mich natürlich auch sofort mit Mrs. Heinemann in Verbindung setzen; ich wäre nur zu froh, wenn ich bei der Placierung des »Johannes«[1], den ich liebe, behilflich sein könnte.

Bitte übermitteln Sie inzwischen Handküsse und nehmen Sie alle guten Wünsche und Grüße.

In Herzlichkeit stets Ihr
H. B.

[BA]

1 Es handelt sich um Löwensteins ersten, bisher unveröffentlichten Roman, der 1938 abgeschlossen wurde. In ihm wird die Geschichte des katholischen Bischofs einer süddeutschen Residenzstadt berichtet, der für die Menschenrechte eintritt und von den Nationalsozialisten auf den Stufen des Doms erschlagen wird.

373. An Giuseppe Antonio Borgese

420 West, 121st Street Oct. 1, 40

Dear Borgese:
Es ist überaus schwierig. Denn jedes sachliche Programm setzt ein vollkommen ausgearbeitetes, theoretisches System voraus. Ich glaube, trotz meiner ökonomischen Ignoranz daran zu sein, einige Ecksteine eines solchen Systems auffinden zu können, aber ich *darf* mich damit noch nicht herauswagen, einfach weil es gewissenslos wäre, d. h. *unsere ganze Aktion kompromittieren würde,* zumindest eben so lange, als nicht alle notwendigen Fundierungen hiezu beigebracht worden sind.

Leider sind wir zur Theorie verpflichtet. Andererseits ist es ein Glück, hiezu verpflichtet zu sein. Die Praxis, wie sie jetzt z. B. hier geübt wird, geht von dem Grundsatz aus »Probieren geht über Studieren«, d. h. der New Deal[1] hat sich ein absolut richtiges Ziel gesetzt, *nämlich den Einbau eines gesicherten planwirtschaftlichen Kerns in die kapitalistische Wirtschaft,* u. z. derart, daß von diesem planwirtschaftlichen Kern aus zugleich eine Befruchtung der freien Wirtschaft erfolge. Dies ist die Richtung des New Deal, aber diese Richtung wird »demokratisch« verfolgt, oder eigentlich »amerikanisch«, denn man ist hier voller Angst vor jeder dogmatischen oder dogmatisierbaren Theorie und tastet sich lieber von Versuch zu Versuch vorwärts, wie es eben der New Deal tut. Nichtsdestoweniger ist dies auch – und die Angriffe auf den New Deal beweisen dies – mit einem Gefahrenmoment behaftet: hätte der New Deal eine ausgebildete Theorie hinter sich, so würde er nicht den Eindruck hervorrufen, als sei er das Herumexperimentieren eines einzelnen Mannes mit diktatorialen Gelüsten. Zum Teil steht die Furcht vor dem Marxismus dahinter, weil ja keinerlei Theorie an den ökonomischen (nicht den soziologischen) Erkenntnissen Marx' stillschweigend vorübergehen kann, und es daher für einen Politiker in diesem Lande ratsamer ist, sich nicht auf diesen gefährlichen Boden zu begeben. Das führt aber zum Eindruck der Unaufrichtigkeit, der auch tatsächlich vorhanden ist und Roosevelt viele Stimmen kosten wird. Theorie muß aufrichtig sein, sonst ist sie überhaupt keine, und sie muß daher ebensowohl auf die richtigen Punkte in der sozialistischen, wie auf die in der fascistischen Wirtschaft hinweisen. Gewiß, es sind von privater Seite her immer wieder Versuche unternommen worden, eine theoretische Zusammenfassung des New Deal vorzunehmen (– sehr gut der letzte von Strachey[2] –), doch Einzelbücher in dieser Form sind in der heutigen Zeit wirkungslos, und deswegen kann ein Forum, wie die Konferenz es ist oder werden soll, der richtige Boden für eine solche theoretische Propagierung werden, umsomehr *als sie nicht an den New Deal gebunden ist.*

Ich gebe Ihnen also anbei bloß eine etwas primitive historische Aus-Punktierung der Krisenentwicklung. Aus dieser glaube ich eine Krisentheorie aufbauen zu können, welche vermutlich einiges Neues bringen wird. Als Ergänzung zu jener historischen Aufgliederung bitte ich Sie, hiezu Nachstehendes vorzumerken:

1) die kapitalistische Wirtschaftstechnik konnte infolge starren Festhaltens an ihrem (allerdings ihr essentiellen) Profitprinzipes mit den Wirtschaftsereignissen nicht mehr Schritt halten, insbesondere konnte sie mit dem Problem der »Überinvestierung« zwecks ständiger Herabsetzung der Selbstkosten nicht fertig werden, weil ihr plötzlich die »Amortisationszeiten« wegeskamotiert worden sind;

2) für viele Teile der Wirtschaft wird daher eine »Benützungsrentabilität« (wie sie etwa bei Straßen durchaus »natürlich« ist) statt der kapitalistischen »Finanzrentabilität« notwendig werden;

3) die »öffentliche Arbeit« wird in der neuen Wirtschaft demnach einen erweiterten Wirkungsraum beanspruchen, doch wird derselben eine neue Basis, insbesondere in finanzieller Hinsicht, bereitet werden müssen, weil sie sonst auf den »freien« Wirtschaftsteil nicht befruchtend wirken kann;

4) die »Krisenbefreiung« bedeutet »Sicherungswirtschaft«, und eben dies ist ihre neue Funktion; so lange noch rein kapitalistische Wirtschaftsteile bestehen – und wir wissen nicht, wie lange dies noch notwendig sein wird, vielleicht sogar dauernd –, haben auch diese bis zu einem gewissen Grade in die Sicherung einbezogen zu werden, und gerade

das Phänomen des »Profitschwundes« liefert hier die Handhabe zum Eingreifen;

5) von finanzieller Seite her gesehen, hängt das Problem des Profitschwundes innigst mit dem der Währung und der Kapitalsverzinsung zusammen; man kann diese Verzinsung nicht völlig abstellen, aber man kann sie mit dem Gesamtertrag der Wirtschaft in einen viel engeren Konnex als bisher bringen;

6) die neue Sicherheitsfunktion der Wirtschaft wird vielfach eine versicherungstechnische Grundlegung erfordern;

7) gerade dieser Sicherungscharakter der Wirtschaft hängt aber wieder sehr stark von psychischen Faktoren ab, insbesondere von solchen massenpsychischer Natur, und jeder Ansatz zu neuer Wirtschaftstheorie wird zugleich sich an eine Erweiterung wirtschaftspsychologischer Untersuchungen wenden müssen;

8) das psychologische Moment, das selber wieder auf werttheoretischen Überlegungen beruht, ist aber auch der Ansatzpunkt, von dem aus ethische Prinzipien in die Führung ökonomischer Belange eingebracht werden können.

Dies sind die Eckpfeiler, an die ich meine neue Arbeit hänge. So weit Sie diese Andeutungen brauchen können, tun Sie es bitte, doch – wie bereits erwähnt – mit Vorsicht, nicht wegen Wahrung der Priorität, wohl aber wegen der noch nicht vollzogenen wissenschaftlichen Durcharbeitung. Manches habe ich nicht eigens berührt, weil es ohnehin in den beiden bei Ihnen befindlichen Skizzen (»Slavery«[3] und das andere[4]) enthalten ist. Aber 500 Worte? ich bin auf dieses Kunststück neugierig; dies bringt nur ein Virtuos wie Sie zustande.

Alles Herzliche Ihnen und Elisabeth. In Freundschaft

H. B.

[DLA]

1 Vgl. dazu Brochs Beitrag zur *City of Man,* KW 11, S. 86/87.
2 John Strachey, *Hope in America* (New York: Modern Age Books, 1938).
3 »Economic Slavery?«, vierseitiges Typoskript, uv. YUL.
4 »Preliminary Statement of the Sub-committee«, zweiseitiges Typoskript, uv. YUL. Vgl. KW 11, S. 501.

374. An William Yandell Elliott

[Anfang Oktober 1940]

Dear Dr. Elliott:
I am very happy to inform you, that the project for an »Immigrant Loyalty League«, of which I gave you the outlines, found full approval at Washington. I enclose the copy of Mr. Harrison's letter and also another one of my outlines. And I add also a copy of my answer.

Have you an hour's time next week? I feel the necessity talking over with you the organization of this plan and I could return from Cleveland to New York either by Boston or by Washington: if we could meet in Boston or in New York I could ask Borgese to join us, for he leaves probably just at this time York Harbor for New York and he is interested in the project; but if you prefer Washington, it would be perhaps quite practical to have an appointment with Mr. Harrison.

I am in full work with my economical statement, on the one hand trying to fill up the holes in my knowledge (– your very brilliant and interesting »Constitutional Reform«[1] was a great help for me –), on the other hand refreshing my memory about my old studies in these matters: perhaps I shall succeed in joining the two ends. I sent the introduction of this statement to Borgese, hoping that he can use it for the »Programme«, and I think that I can give you the finished work when we meet.

Please remember me to Mrs. Elliott.

Cordially yours
Hermann Broch

[DLA]

1 Vgl. W. Y. Elliott, *The Crisis of the American Constitution* (Williamsburg/Virginia, 1938).

375. An Giuseppe Antonio Borgese

c/o Dr. Maschke
1376 Lynn Park Drive
Cleveland Heights (Ohio) 10. 10. 40

Dear Antonio Borgese,
meine Karte ist hoffentlich richtig eingelangt. In meinem Glauben an den apokalyptischen Charakter dieser Zeit wundere ich mich immerzu, daß Dinge wie die Post etc. nach wie vor weiter funktionieren sollen. Wie ich mich ja auch immerzu über mich und mein eigenes Weiterfunktionieren wundere. In einem deutschen Volksgedicht aus der Zeit des dreißigjährigen Krieges heißt es: »Wir wandern und wir wissen nicht wohin, ich wundere mich, daß ich so fröhlich bin.«[1]

Wenige Dinge sind in dieser Zeit so würdig, wie Ihr Manifest[2], das ich natürlich noch einigemale durchgegangen bin. Es ist an sich ein Kunstwerk und reicht, seinem Inhalt gemäß, weit über das Kunstwerkliche hinaus: da aber im Kunstwerklichen stets etwas Mystisches steckt, ja, da das Mystische, wenn es zum Ausdruck gelangt, innergesetzlich kunstwerkliche Formen annimmt, ist gerade von hier aus eine Wirkung nach außen zu erhoffen. Ich glaube daher, daß außer den bereits besprochenen Korrekturen nichts mehr geändert werden sollte, da jede Änderung die Gefahr in sich birgt, die jetzige Einheit der Form zu stören.

Das »Programm« hat es also schwer, neben dem Manifest zu bestehen; denn schließlich dürfen die beiden Teile nicht völlig auseinanderfallen. Dabei muß das Programm, wie es sich von selbst versteht, auf einer andern Ding-Ebene liegen, d. h. eben sich an das hic et nunc von Tatsachenbeständen anschließen. Kein Wunder also, daß ich mich mit meinem Teil sehr geplagt habe.

Selbstredend bin ich dabei in den zehnfachen Umfang geraten. Dies ist aber auch sachlich (nicht nur in meinen Lastern) recht begründet: ein Programm muß realisierbar sein, und es muß daher ebensowohl theoretisch und kritisch begründet werden, wie es auf seine Verwirklichungsmöglichkeiten im Praktischen untersucht zu werden hat. Dies ist natürlich keine Angelegenheit von 500 Worten; in 500 Worten läßt sich nur die Versprechung auf ein solches Programm abgeben und seine Richtung andeuten. Dies ist aber nur dann gestattet, wenn sehr bald gezeigt wird, daß es sich da nicht nur um leere Versprechungen handelt, und so habe ich mich daran gemacht, das Gesamtprogramm aufzustellen, dies umsomehr als ich mich mit diesem ökonomischen Thema nun schon seit Monaten befasse und glaube, einiges recht Brauchbare gefunden zu haben.

Ich schicke Ihnen also anbei bloß die »Einleitung« zu diesem ökonomischen Gesamtprogramm. Auch diese Einleitung übersteigt das Quantum der 500 Worte um mehr als das Doppelte. Es wird jedoch kürzbar sein: soferne Sie es wünschen, werde ich diese Kürzungsarbeit selber vornehmen, indes, besser wäre es, wenn Sie dies täten, denn es müssen ja die vier Programm-Beiträge ohnehin auf ein einheitliches Stilniveau gebracht werden, und um diese redaktionelle Tätigkeit kommen Sie nicht herum. Außerdem habe ich hier keinen richtigen Übersetzer zur Verfügung und muß mich zum großen Teil mit meinem eigenen Englisch behelfen, das also erst recht einer redaktionellen Nachhilfe bedarf. Und so begnüge ich mich vorerst, die Passagen, welche m. E. ausgelassen werden könnten, rot einzuklammern.

Noch etwas wäre zu bedenken: diese ökonomischen Ausführungen müssen im Einklang mit Elliotts Beitrag stehen. Ich möchte ihm jedoch eigentlich erst den ganzen Aufsatz schicken, doch wenn Sie meinen, daß er auch schon in die Einleitungsseiten Einsicht nehmen soll, so sagen Sie es mir bitte sogleich, und ich werde sie ihm dann postwendend übermitteln.

Doch darüber hinaus frage ich mich im Prinzipiellen, ob man mit diesen kurzen Abriß-Programmen von 500 Worten überhaupt etwas Gutes tut! Ihr Manifest ist ein *großes* Versprechen, und fast will es mir richtiger erscheinen, sofort auch mit Erfüllungen zu kommen, also nicht mit diesen vier kurzen Programmpunkten, sondern mit richtig fundierten, substantiellen Ausführungen. Ich werde meinerseits in wenigen Tagen damit fertig sein, und meine Studie, die in einem Vorschlag zu einer »Economic Bill of Rights« gipfeln wird[3] (– sie muß allerdings von einem Fachökonomiker überprüft werden –), wird höchstens 5000 Worte umfassen. Ähnliches könnte auch auf den übrigen drei Gebieten ebenso rasch bewerkstelligt werden, und das Ganze gäbe zusammen mit Ihrer Enunziation ein recht eindrucksvolles Bild vom Willen der Konferenz. *Denn was wir erreichen müssen, ist die Formulierung des politischen Willens einer festgefügten Gruppe, die ihre Ziele auch im Konkreten durchzusetzen sucht.* Dies muß für jedermann ersichtlich gemacht werden, und deshalb ist es auch notwendig, *die konkreten Ziele so rasch als möglich zu formulieren.* Es ist der einzige Weg, um über das Stadium eines privaten Symposiums hinauszukommen, und nach der letzten Tagung habe ich auch den festen Eindruck, daß es möglich sein wird, diesen Weg zu beschreiten.

Natürlich läßt sich auf der andern Seite sagen, daß all unsere Bestrebungen – und besonders die auf ökonomischem Gebiete – in der nächsten Zeit [als] undurchführbar erachtet werden müssen, weil sie im Wirbel der Kriegsvorbereitungen übertönt sein werden, so daß man erst später wird damit herauskommen können.

Vom Standpunkt der Kriegsvorbereitungen hingegen, erscheint mir die »Loyalty League« überaus urgent. Die Stellungnahme Washingtons (lt. beil. Briefkopie) ist überaus erfreulich, und man muß nun trachten, die Sache noch vor den Wahlen in Schwung zu bringen. Ich hoffe, daß es Ihnen möglich sein wird, mitzumachen: *Sie sind notwendig.* Und vor allem muß nun das Ur-Committee gegründet werden; ich möchte die Konferenzteilnehmer dazu einladen (– einige werden absagen –), und ich bitte Sie daher um die Liste der Namen mit den Initialen, die ich nicht alle habe, ebenso die zugehörigen Adressen. Die ersten Schritte zur Finanzierung leite ich bereits von hier aus ein. Es wird eine fürchterliche Arbeit werden, aber man kann darum nicht herum kommen.

Könnten Sie sich auf der Rückreise nicht ein paar Stunden in Cleveland aufhalten?! ich bleibe wegen meiner Zähne bis Monatsende. Sehr viel Liebes Euch beiden! Stets Ihr

H. B.

[DLA]

1 In seinem Drama *Die Entsühnung* läßt Broch Sebald diese Gedichtzeilen zitieren. Vgl. KW 7, S. 122 bzw. 225.

2 Das Buch *The City of Man* ist in drei Kapitel gegliedert: »Decla-

ration«, S. 11-73, »Proposal«, S. 75-96, und »Note«, S. 97-113. Die »Declaration« war vor allem das Ergebnis der Vorarbeiten G. A. Borgeses und wurde am 31. 10. 1940 von allen Herausgebern angenommen. Sie ist gemeint, wenn Broch von Borgeses »Manifest« spricht. Bei dem von Broch genannten »Programm« handelt es sich um das »Proposal«. Dieses »Proposal« bestand aus vier Teilen, einem politologischen, einem theologischen, einem volkswirtschaftlichen und einem juristischen Teil. Den ersten Teil schrieb W. Y. Elliott, den zweiten Reinhold Niebuhr, den dritten Hermann Broch und den vierten Hans Kohn gemeinsam mit G. A. Borgese. In der »Note« schließlich wird über die Entstehung des Gesamtprojekts berichtet.

3 Vgl. KW 11, Fußnote 7, S. 88-90.

376. An H. F. Broch de Rothermann

15. October 1940

Mon cher vieux:
J'espère que tu aie reçu ma dernière lettre. Entretemps, j'ai eu ta seconde. D'après les nouvelles que nous avons il semble que certaines facilitations ont eu lieu; donc, nous espérons qu'il sera possible de te faire venir ici, bientôt. Il ne sera pas difficile d'obtenir le visa pour toi, car j'ai déjà deux excellent affidavits pour toi, l'un vient du célèbre cinemacteur Melvyn Douglas[1]; il se peut même que tu auras la chance d'aller à Hollywood.

Les moyens d'envoyer de l'argent en France[2] sont encore très incertain. J'ai essayé de remettre vingt dollars par câble. Je te prie de me faire savoir par retour du courrier, s'ils sont arrivés, afin que je puisse continuer ces remissions, pour ton billet etc.

De même, j'ai de bonnes nouvelles pour Eve; car il sera pourvu pour le premier temps après son arrivée dans les USA.

C'est très compliqué, de t'envoyer des journaux et des autres choses que tu veux avoir, mais je tâcherai de faire mon mieux. J'espère que tout ira bien et je t'embrasse.

H.

[YUL]

1 Melvyn Douglas (geb. 1901), amerikanischer Filmschauspieler; Hauptrollen in den Filmen *Ninotschka* (1939) und *Third Finger, Left Hand* (1940).
2 Broch de Rothermanns Adresse in Frankreich lautete damals: Pension Florine, Le Lavandou/Var.

377. An das Emergency Rescue Committee[1]

420 West 121 Street
New York City — Oct 28, 40

Gentlemen:
Following up the *quota visa* application of *Eva Wassermann* – she has registered with the American Consul in Zürich, Switzerland, on May 13, 1938 – I give you her record as follows:

Eva Wassermann[2], daughter of the famous novelist Jakob Wassermann, has been born on March 30, 1915 in Vienna, Austria. She studied at the Vienna »Kunstgewerbeschule« (School for Artistic Trade), was fashion designer of several artistic and industrial organizations and, finally, of a well-known »Ullstein«-magazine. – Furthermore, she studied dancing on a high artistic level, and excelled also in this field.

When Hitler invaded Austria, she fled to Switzerland and, later on, to France where she was held in a concentration camp for a longer period of this year. There is no doubt that she is really threatened now in France, as being the daughter of Jakob Wassermann who was one of the outstanding Austrian Jewish novelists and a violent adversary of the Nazi regime. There is no possibility of escape for her than of coming over to this country.

With all her talents Eva Wassermann will certainly be able to fit into the business necessities of this country, and it would be a generous help, if the United States would grant an asylum to the daughter of such a brave democrat as Jakob Wassermann was all the time of his life.

Most sincerely yours,
Hermann Broch
[ERC]

1 Das Emergency Rescue Committee (ERC) wurde im Juni 1940, wenige Tage nach Abschluß des deutsch-französischen Waffenstillstands, in New York gegründet. Ziel der Gründung war es, europäischen Schriftstellern und Politikern, die vor faschistischer Verfolgung nach Frankreich geflohen waren und sich im Verlaufe des deutschen Westfeldzugs in den Süden des Landes, das vorerst unbesetzte Gebiet, gerettet hatten, Ausreise oder Flucht nach Übersee zu ermöglichen. Die Leitung des ERC übernahm Frank Kingdon, der Präsident der University of Newark. Dem Exekutivausschuß gehörten ferner an: L. Hollingsworth Wood, David F. Seiferheld und Ingrid Warburg. Das National Committee des ERC setzte sich aus folgenden prominenten amerikanischen Persönlichkeiten zusammen: Mrs. Emmons Blaine (Witwe des Gründers der School of Education, University of Chicago), Alvin Johnson, William Allen Neilson (Präsident des Smith College) Charles Seymor (Präsident der Yale University), George Shuster (Präsident des Hunter College in New York), Raymond Gram Swing (Journalist und Rundfunkkommentator) und Dorothy Thompson (Journalistin).

2 Vgl. Fußnote 1 zum Brief vom 30. 7. 1940.

378. An Hermann Kesten[1]

29. Okt. 40

Lieber Hermann Kesten,
wie ich Ihnen gestern schon am Telephon gesagt, hat die Rockefeller Foundation sowohl Salomon[2] als auch Balduin Schwarz[3] abgelehnt, so daß also beide vom Rescue C. behandelt werden müssen. Ich übermittle Ihnen anbei die nötigen Dokumente, welche mir Frau Staudinger[4] übergeben hat, aus denen auch die neue Adresse Salomons, nämlich Poste restante, Rue Colbert, Marseille, hervorgeht. Wegen der Affidavits wende ich mich unter einem an Sauerländer und werde auch selbst privat danach Umschau halten.

Nachdem wir neulich meine Liste durchgegangen sind, hat sich diese ja beträchtlich verkleinert. Damit Sie die Sache übersichtlicher zur Hand haben können, übermittle ich Ihnen hiedurch die verkleinerte Liste und bitte Sie, mir mitzuteilen, ob ich in den verschiedenen Fällen noch etwas tun kann oder tun soll.

Ich fahre heute nach Princeton (Adresse: 36 Edwards Place bei Dr. Philipp Jacobs), bin aber in 8 Tagen wieder da und werde Sie dann jedenfalls anrufen.

Inzwischen Handküsse an die Gattin und herzliche Grüße

Ihres HB.

P. S. Den Akt meines Sohnes und den Eva Wassermanns schicke ich Ihnen nach Gegenzeichnung durch Thomas Mann von Princeton aus.

[HK]

1 Hermann Kesten (1900-1979), Schriftsteller. Er emigrierte 1933 nach Paris; war literarischer Leiter der deutschen Abteilung des Exil-Verlages Allert de Lange in Amsterdam. Von 1940 bis 1949 lebte er in New York, wo er u. a. Mitarbeiter des Emergency Rescue Committees war.

2 Nicht ermittelt.

3 Es könnte sich um Balduin V. Schwarz (geb. 1902), Verfasser philosophischer Bücher handeln. Vgl. *Der Irrtum in der Philosophie* (Münster 1934).

4 Ilse Staudinger (1889-1966), Frau von Hans Staudinger, dem Dekan an der New School for Social Research in New York. Sie gründete damals das noch heute in New York bestehende American Council for Emigrés in the Professions, Inc., dessen Committee Chairman Alvin Johnson war. Mit dem ERC arbeitete sie eng zusammen.

379. An Joseph H. Bunzel

11 Alexander Str.
Princeton 4. 11. 40

Also, Lieber, da bin ich wieder, und ich hoffe, daß Du einmal herkommst. Dieses Wochenende bin ich allerdings in N. Y., aber vielleicht das nächste.

Ich bin so grauenhaft gehetzt, daß ich mich kaum mehr schleppen kann. Also selbst auf die Gefahr Deines Bösseins hin, berichte ich bloß das Wesentliche:

Gottfried Salomon habe ich sofort bei Johnson eingegeben; Johnson hat ihn akzeptiert, aber die Foundation hat ihn aus unerfindlichen Gründen zurückgestellt. Also blieb nichts anderes übrig, als ihn beim Rescue anzumelden. Für dieses aber brauchen wir dringendst ein Affidavit; eines habe ich bereits aufgetrieben, aber es ist zu schwach und muß durch ein zweites gestützt werden. Bitte schreibe also an die Dir bekannten Ekonomisten in Washington etc.; der Fall *ist* verzweifelt, denn S. hat sogar unter falschen Namen sich in Frankreich verbergen müssen.

Für Deinen Vater[1] ist bei Johnson absolut nichts zu machen; Altersgrenze, etc. etc. Außerdem siehst Du ja bei Salomon, wie schwierig es selbst bei sozusagen normalen Fällen ist. Soll ich also Deinen Vater beim Rescue eingeben? dann bräuchten wir auch hier Affidavits.

So bald es in den verschiedenen Belangen etwas Positives zu berichten gibt (Aliens, etc. etc.), hörst Du davon. Vorderhand muß man auf eine Roosevelt-Wahl hoffen, denn bei einem Wechsel der Administration bleibt alles stecken. Dabei sind die Roosevelt-Chancen leider gesunken.

Was die Kriegsaussichten anlangt, so mußt Du als künftiger Soldat vor allem realisieren, daß die Uniform im modernen Krieg die beste Lebensversicherung ist: und wie steht es mit Deiner draft-Nummer?

Der Krieg ist also keine Entschuldigung für Dein Nicht-Schreiben! Was tust Du, wenn gottbehüt Du den H. M.-Preis[2] bekommst? Ich sagte dies heute auch G. Qu.[3], die ich für ein paar Augenblicke besucht habe.

Danke Trudl[4] bitte für ihre liebe Karte. Und seid beide umarmt

von Deinem alten
H.

[YUL]

1 Julius Bunzel, Hofrat in Wien.
2 Houghton Mifflin; Verlag in Boston.
3 Nicht eruiert.
4 Gertrude G. Bunzel, Frau Joseph H. Bunzels.

380. An Trude Geiringer

4. 11. [1940]

L.! soeben schickte ich mich an, Dir zu schreiben, als Dein Brief eintraf. Eigentlich wollte ich Dir bloß meine neue (oder richtiger alte) Adresse mitteilen, denn ich bin wiederum wie im Vorjahre 11 Alexander Street. Und außerdem wollte ich Dir sagen, daß ich furchtbar viel an Dich denke und wahrlich nicht nur wegen Deiner Pekuniärsorgen, mit denen ich mich aber auch reichlich beschäftige und für die sich schon irgend eine Lösung finden wird, hoffentlich unter meiner Beihilfe. Dies wollte ich schreiben, aber nun muß ich punktweise antworten, allerdings auch dies mit größter Beschleunigung, nämlich:

Zeiteinteilung. Meine innere und äußere Hetzjagd ist fürchterlich; Du siehst ja, wie viel ich an und in meinen Fingern habe, Konferenzarbeit (inkl. Ökonomiestudium), Alienleague, das große Lexikonprojekt (das nun doch reale Gestalt annimmt und bei dem ich Dich unterbringen möchte), mein hiesiges Hineindrängeln in die Universität etc., wozu noch überdies zu sagen wäre, daß mir das einzig wirklich Wichtige die eigene Erkenntnisarbeit ist, daß ich in all den äußeren Belangen gar nicht ehrgeizig bin, doch weiß, wie sehr ich diese Arbeit trotzdem von außen unterbauen muß, damit sie auch wirke. Das nämliche gilt ja auch für den Vergil, dessen Drucklegung mir eigentlich egal ist und für die ich mich trotzdem intensiv bemühe, was auch nicht schlecht zeitraubend ist. Kurzum, ich weiß nicht, was zuerst anfangen, und am Schluß wird alles durch die Visatätigkeit für die Refugees überschwemmt. Auf alle Fälle bin ich dieses Weekend von Freitag bis Montag in N. Y., werde Dich dann (– eventuell sogar schon Donnerstag Abend, spätestens aber Freitag –) von dort anrufen, um einen Tag auszumachen, u. z. denke ich entweder an Freitag oder Sonntag Abend.

Geburtstag. Was Du hiezu sagtest, war schon eine Geburtstagsfreude. Und ich verzichte sogar auf das Schokoladebrot, möchte es aber doch haben, wenn ich komme.

Schreibarbeit. Dies hängt mit all den obigen Plänen zusammen. Wenn ich Polzern in einem andern Belang beschäftigen kann, u. z. so, daß mir seine Spesen ersetzt werden, stoppe ich seine Abschreiberei, so daß sein Honorar frei wird. Im Augenblick kann ich ja selbst dieses kaum mehr aufbringen, denn ich habe soeben dem Sohn $ 60.- geschickt, und bei meinen vielen Nebenspesen weiß ich trotz äußerster Sparerei nicht, wie ich mein Auslangen finden soll. Aber sobald ich etwas Luft habe, bekommst Du auf alle Fälle die Injektionsspesen auch ohne schreibende Gegenleistung, denn das ist ja kein haltbarer Zustand. Nebenbei ist diese Art der Ökonomie, die da getrieben wird, trotz aller angeführten Gründe, rational nicht begründbar.

Gesundheit. Von den Injektionen abgesehen –, woher sollst Du plötzlich eine Stomatitis kriegen? ich hoffe doch nicht, denn hierzulande reißen sie Dir daraufhin mit Begeisterung alle Zähne aus. Hast Du Dich schon untersuchen lassen? oder kommst Du vielleicht nach N. Y. hiezu?

Filme. Solltest Du nach N. Y. kommen, so würde ich gerne mit Dir zum Mexicofilm[1] oder zu dem O'Neill[2] gehen; beide kann man sich zweimal anschauen. Mit dem Chaplin hast Du natürlich recht, und du dürftest Dich ja auch erinnern, daß ich ihn niemals geliebt habe: er ist nämlich ein Jud, also zerebral, und gerade diese Zerebralität macht mir Angst, weil ich sie bei mir wiederfinde. An und für sich hat er sich ja eine richtige Methode ausgeheckt, irgendwie kommt er ja auf die zweite Realitätsebene, aber es zerbricht immer wieder an der Ratio seiner sozusagen komischen Lösungen. Natürlich habe ich nicht gemeint, daß er diese Methode im Diktator[3] zum ersten Mal angewandt hat; ich war nur diesmal weniger enttäuscht, weil ich überhaupt ohne jede freundliche Erwartung da hineingegangen bin.

Der ebenso zerebrale Vergil. Es hat mich eine ungeheuere Anstrengung gekostet, um durch die zerebrale Schicht durchzustoßen, und ich meine, daß es manchmal halbwegs gelungen ist. Der Leser ist der Prof. Oskar Oeser[4] aus St. Andrews gewesen, ein Südafrikaner, der im Vorjahr auch hier zu Gastlecturen gewesen ist und mit dem ich einen Teil meiner Massenwahntheorie durchgearbeitet habe: [. . .] er hat etwa zwei Drittel des Buches – mehr war damals noch nicht vorhanden – in einer Nacht durchgelesen, u. z. mit voller Erkenntnis des symphonischen Aufbaues in allen Details. Das hat mich natürlich gefreut.

Erni[5]. Erstens habe ich Dir ebenso heimlich zu sagen, daß die Wahl Willkies[6] ein grauenhaftes Unglück wäre; Du weißt, daß ich in diesen Dingen immer recht behalte. Vor allem wäre es die Niederlage Englands. Und weil Capt. Finkelstein immer recht hat, glaube ich, mich auch im Ökonomischen auf meine Intuition verlassen zu können, denn irgendwo bin ich eben doch nicht ganz zerebral (wie eben Erni es ist); im übrigen würde ich niemals wagen, jetzt schon von einer neuen Theorie zu sprechen, denn all dies ist noch im Stadium der Vermutung, und vorderhand bin ich noch ein Lehrbub. Also dies heimlich.

Middletown[7]. Lies nur die Kapitel »What Middletown believes« und »The Spirit of Middletown« (oder wie sie halt so ähnlich heißen); dies ist lustigste Lektüre, und den Studienteil blättere nur durch.

Hart[8]. Vielen Dank.

Der Brief ist natürlich zu lang. Aber mit Flaubert kann ich sagen, daß Du daran meine Liebe erkennen mögest. Und irgendwie ist dies ja eben wahr; auch bei Flaubert war es so, obschon derselbe wirklich aus lauter seidenen Zores[9] bestanden hat. Also auf bald: ich freue mich!

[MTV, YUL]

1 Nach Mitteilung von Trude Geiringer handelte es sich vielleicht um Pancho Cabreras Film *Night of the Mayas* (1935).
2 Wahrscheinlich ist die Rede von der Aufführung eines Theaterstückes von Eugene O'Neill.
3 Charly Chaplin, *The Great Dictator*. Der Film wurde 1940 uraufgeführt.
4 Im Brief an Trude Geiringer vom 31. 10. 1940 hatte Broch geschrieben: »Den symphonischen Aufbau hat außer Dir bisher nur ein Leser, ein engl. Freund, spontan erkannt!« (zit. nach *Materialien zu Hermann Broch: ›Der Tod des Vergil‹*, hrsg. v. P. M. Lützeler [Frankfurt: Suhrkamp, 1976], S. 208).
5 Ernst Geiringer, Gatte Trude Geiringers.
6 1940 hatte die Republikanische Partei Wendell Willkie als Präsidentschaftskandidaten nominiert. Die Wahl wurde von Roosevelt, dem Kandidaten der Demokraten, gewonnen.
7 Robert S. Lynd, Helen Merrell Lynd, *Middletown in Transition. A Study in Cultural Conflicts* (New York: Harcourt, Brace, 1937), Kapitel VIII »Religion«, S. 295-318 und Kapitel XII »The

Middletown Spirit«, S. 402-486. Die beiden Autoren hatten 1929 beim gleichen Verlag das Buch *Middletown. A Study in Contemporary American Culture* veröffentlicht.
8 Nicht ermittelt.
9 Zores, Jiddisch, von Hebräisch zârâh: Bedrängnis, Betrübnis, Trübsal.

381. An Joseph H. Bunzel

Hotel St. Regis
East 82nd Str. and Euclid
Cleveland 16. 12. [1940]

Lieber, [. . .]
Was wär schon dabei, wenn ich diktierte? müßte sich ein Freund nicht freuen, wenn ich Zeit ersparen kann?

Und was ist schon dabei, wenn der Werfel[1] Roman auf Roman publiziert und der Zweig[2] das Herz des Argentiniers erfreut?

Und was ist schon dabei, daß der Vergil zuerst einmal von einem halben Dutzend Verlegern abgelehnt werden wird, wo es den Schlafwandlern, die doch gewiß ein Schmarrn dagegen sind, nicht im mindesten besser ergangen ist? [. . .]

Tachles[3]: Wallerstein[4] gebe ich bei Johnson ein. Hingegen könntest Du den Agenten auffordern, sämtliche geschäftliche Unterlagen, aus welchen hervorgeht, daß W. nach Ankunft self supporting sein wird, sofort an Polzer (Victor), 311 W., 97th., zu liefern. Ich bin ziemlich sicher, daß die Sache für W. funktionieren wird, etwas weniger jedoch in Bezug auf Deine Mutter. Leider. Man müßte zumindest eine Erklärung W.s haben, daß er für ihren Lebensunterhalt sorgen wird, abgesehen von einem Aff., das sie jedenfalls braucht. Assistenten sind bisher noch niemals mitgeführt worden, nur Gattinnen, und diese sind nicht durch Schwestern zu ersetzen. Durchschlag der Eingabe erhältst Du von Polzer. [. . .]

[YUL]

1 1939 war Werfels Roman *Der veruntreute Himmel* erschienen.

2 Stefan Zweig bereitete damals seine Emigration nach Brasilien vor. 1941 erschien sein Buch *Brasilien. Land der Zukunft.*

3 Tachles: Jiddisch für »Geschäftliches«. (Von Hebr. »fachlit« = »Ziel«, »Vorsatz«.)

4 Lothar Wallerstein, Regisseur an der Wiener Staatsoper; Bruder von Bunzels Mutter, Lotte Wallerstein-Bunzel, die in Wien als Gesangsmeisterin tätig war. Wallerstein emigrierte nach Buenos Aires, Argentinien; Bunzels Mutter in die USA.

1941

382. An Trude Geiringer

Cleveland, 6. 1. 41

L.! seit meinem letzten Brief – weil oder obwohl ein Geschäftsbrief, unbestätigt von Dir –, ist es mir rapid schlechter gegangen: ich habe Dir ja immer gesagt, daß ich das Gefühl habe, von den letzten Reserven zu zehren, und so geriet ich wieder einmal in einen der mir schon allzugut bekannten Schwächezustände, just mitten in den verschiedenen tests, die mir die amerikanische Medizin hier auferlegt: das Ergebnis dieser tests ist alles eher denn erfreulich; ich darf nicht mehr rauchen, ich darf keiner Elektrischen nachlaufen, ich darf auf keinen Berg steigen, ich darf keinen Koffer tragen, ich darf nicht die Nächte durcharbeiten, usw., usw., denn es rieselt allseits in meinem Gemäuer, ebensowohl im Blutkreislauf wie im Stoffwechsel. Ich glaube nicht, daß dies noch je in Ordnung wird kommen können, umsoweniger als die Zeit wirklich nicht nach Ruhe angetan ist: selbst auf die Gefahr einer Lebensverkürzung hin, ist es mir wichtiger als alles, die paar Bücher, die ich noch zu schreiben habe, herauszubringen; das ist nicht einmal als Narrheit zu bezeichnen.

Ich konnte mich infolge dieses Unglücksfalles – schließlich ist er einer – nur wenig bewegen, war froh, daß ich halbwegs habe an der Maschine sitzen können und konnte mich daher leider nur wenig um die Photos kümmern. Seit drei Tagen allerdings geht es nun besser, aber nun ist es die höchste Zeit, daß ich die überlang verschobene Chicago-Reise endlich erledige, und so fahre ich heute hin. Auf dem Rückweg (wahrscheinlich) Sonntag halte ich mich nochmals in Cleveland auf, um nochmals cardiogrammiert zu werden.

Adresse in Chicago: c/o Borgese, 5600 Blackstone Avenue. Ich hätte schon gern wieder ein Wort von Dir, aber ich fürchte, daß mich in Chicago kaum mehr etwas erreichen wird, denn wenn ich fertig werde, würde ich ja schon Samstag wegfahren. Für Cleveland gilt wiederum Maschke, 1376 Lynn Park Drive, Cleveland Heights. [. . .]

[YUL]

383. An Emmy Ferand

Cleveland, Jan. 7, 1941

L! habe ich Dir nicht gesagt, daß es auch mein Herz packen würde? Nun, jetzt hat es mich: schon als Ernst hier war, hatte ich eine arge Schwäche, und die Untersuchung hat arge Insuffizienzen ergeben. Aber was soll man tun? in dieser Zeit? ich möchte wenigstens noch meine Bücher fertig kriegen.

Seit zwei Tagen geht es übrigens besser; ich bin reisefähig, fahre also morgen nach Chicago, bin zum Wochenende wieder hier, wo ich nochmals ein cardiogram bekomme, und bin anfangs der nächsten Woche in N. Y.

Sehr viel Liebes inzwischen.

H.

[GW 8]

384. An Franziska von Rothermann[1]

27. 1. 41

Liebste Fanny,
Deine Zeilen v. 17. Dez. trafen soeben ein. Inzwischen dürftest Du ja noch ein oder zwei Briefe von mir erhalten haben, soferne nicht wieder etwas verloren gegangen sein sollte; alles in allem beantworte ich jeden Deiner Briefe fast immer postwendend. Und im übrigen habe ich Dir einen Weihnachtsgruß geschickt, der hoffentlich rechtzeitig eingelangt ist.

Auch die Verständigung mit Armand[2] ist schwierig; im allgemeinen muß man sich auf Telegramme beschränken. Ich trachte, ihm im Rahmen meiner Mittel zu helfen, fühle mich dazu verpflichtet, weil seine Position zweifelsohne eine furchtbar schwierige ist, aber ich bin damit glücklich wieder in jenen Zustand geraten, unter dem ich jahrzehntelang gelebt hatte: unter schwersten eigenen Entbehrungen für andere sorgen müssen. Was das heißt, war Euch allen unvorstellbar, weil Ihr ja von meiner Arbeitsanstrengung keine Ahnung habt haben können, und ich muß jetzt manchmal sehr an mich halten, um nicht alles einfach hinzuschmeißen. [. . .]

Damit habe ich Dir auch schon einen großen Teil meines eigenen Lebens erzählt: ich bemühe mich, so gut es eben geht, mich aufrecht zu halten und meine Verantwortungen, die ich anderen und mir gegenüber nun einmal habe, bestmöglich zu erfüllen. Wenn ich hiezu eine Grippe habe, wie es jetzt eben der Fall war, dann geht es schwieriger, wenn ich gesund bin, geht es leicht; von den Zahnärzten, die hier allesamt Narren sind, will ich lieber ganz schweigen, denn ihr Ideal ist das komplette falsche Gebiß. [. . .]

Und grüße alles ringsum von mir. Für Dich aber alle guten und aufrichtigen Wünsche Deines alten

H.

[YUL]

1 Franziska von Rothermann (geb. am 6. 8. 1884 in Hirm/Burgenland, gest. am 17. 12. 1974 in Graz) heiratete Hermann Broch am 11. 12. 1909 und wurde am 13. 4. 1923 von ihm geschieden. Sie lebte damals in Wien.

2 H. F. Broch de Rothermann.

385. An Henry Allen Moe

420 West 121 Street
New York City February 6, 1941.

Dear Mr. Moe:

Many thanks for your kind letter of January 31. I am just now preparing a program of my work for you which I shall send you within the next few days. Meanwhile our mutual friend Dr. Canby has forwarded to you a copy of the »City of Man«, since I had no copy available. Dr. Canby will also send you the first part of the translation of »The Death of Virgil«, which he is reading at the moment.

You were good enough to show interest in my suggestions in regard to the »City of Man« and the Conference, and I am therefore sending you, enclosed, the statement which I wrote in June.

Because of the partly polemical character of this paper I should like to say that the previous Conference – the first one – which had been in session only a few weeks before, was wholly under the impression of the French collapse, and as a result, had brought forth a number of suggestions which, in my openion, are not quite in harmony with the aims and purposes of such a Conference. They were born of the moment and did not consider the long-range aspects. By way of contrast, I saw myself obligated to show up, in my paper, the real relationship of forces in the world with which we have to reckon; secondly, the responsibility one has to take upon oneself–individual and state; and thirdly, where the actual, concrete tasks of the Conference ought to lie. The events of the last six months have justified my opinions and I stand, therefore, now as then, on the basis of my program. I believe, however, that within the framework of this program much further work could be done. [. . .]

Sincerely yours,
Hermann Broch
[GF]

386. An Helga Maria Prinzessin zu Löwenstein[1]

420 West 121 Street
New York City 27. Februar 41

Liebe und verehrte Prinzessin!
Vielen, vielen Dank für Ihre Zeilen. Ich bin darüber und über die Einladung wirklich gerührt! Allerherzlichsten Dank für alles, aber – kommt schon das Aber! – so gern ich möchte, ist's für den Augenblick leider ganz ausgeschlossen: abgesehen von der eigenen Arbeit, die, koste was es wolle, jetzt erledigt werden muß, sind jetzt die noch dringenderen Sorgen wegen der Mutter, da die um den Sohn mangels jeglicher Nachricht von ihm und ebenso mangels so ziemlich jeder Möglichkeit, in seiner Visensache etwas zu tun, da diese bereits in Washington selbst anhängig ist, für den Moment zurückgetreten sind. Allerschönsten Dank für die angebo-

tene Hilfe. Die Sache der Mutter steht aber inzwischen so, daß die eigenen Verwandten – wie die fremden Freundschaftsaffidavits da sind, die Fahrkarte versorgt werden kann, und mehr können wir ja nicht tun. Was allerdings faktisch eines Tages mit ihrem Reiseantritt werden sollte, wage ich nicht zu denken. – Übrigens geht es mir selbst trotz (oder wegen?) all dem wirklich gesundheitlich besser – es wäre auch Zeit dazu! Also nochmals alles Liebe und Dank, und viele Grüße an Volkmar[2].

In Herzlichkeit stets Ihr
H. B.

[BA]

1 Vgl. Fußnote 3 zum Brief vom 11. 4. 1940.
2 Volkmar von Zühlsdorff.

387. An Christian Gauss[1]

420 West 121 Street
New York City

March 15, 41

My dear Dean Gauss:
This is to confirm you receipt of the two letters you kindly wrote me in behalf of my mother, and to thank you sincerestly for all your help in this plight which you will understand troubles me in my deepest heart. All the necessary papers including your letters have been forwarded to Washington last week, and so the only thing which remains is for me to wait and to hope that they will arrive before it will be too late.

Again I thank you that you helped me in a double way: furthering my mother's case, and quieting my anxiety.

Most cordially yours,
Hermann Broch

[PU]

1 Christian Gauss (1878-1951), Literaturwissenschaftler. Von 1913 bis 1925 Chairman der Literaturabteilung und von 1925 bis 1943

Dean of the College an der Princeton University. Gauss, einer der Co-Autoren der *City of Man,* war mit Broch befreundet.

388. An Franz Werfel

420 West 121 Street
New York City April 11, 1941

Lieber Franz,
höre von Dr. Polzer, daß Ihr gern meine Adresse hättet – sie ist nach wie vor wie oben, solange ich in New York bin; sonst c/o Dr. Polzer, 311 West 97 Street, NYC. Hoffe sehr, daß Ihr dort recht eingelebt seid und alles soweit in Ordnung ist. Von Annie habe ich unendlich lang nichts gehört, möchte übrigens ihretwegen nicht unerwähnt lassen, daß WNYC jetzt einen Mahlerzyklus im Radio bringt; d. h. ich hielte es nicht für ausgeschlossen, daß LaGuardia[1], wenn man ihn entsprechend auf die Ehrenpflicht hinwiese, Gustav Mahlers Tochter[2] den Eintritt in dieses Land zu ermöglichen, das seinige dazu täte.

Ich selbst habe ähnliche unendliche Sorgen mit Sohn und Mutter (!), die trotz ihren 79 Jahren wohl wird herübergebracht werden müssen.

Die League ist unter dem Namen »Loyal Americans of German Descent« vor kurzem gegründet worden. Eine Sache, die wohl heute mehr Beachtung verdient denn je. Falls Du diese Ansicht teilst, frage ich mich, ob drüben im Westen etwas von Dir und den Dir Nahestehenden dafür getan werden kann. Hier, im Osten, tat ich, was ich konnte. Ich lege einiges Material zur Orientierung bei.

Alles Gute Dir und Alma, nachträglich zu Ostern und überhaupt.

Herzlichst Euer
H. B.

[UP]

1 Fiorello H. LaGuardia (1882-1947), amerikanischer Politiker, Bürgermeister von New York 1934 bis 1946.
2 Anna Justina Mahler.

389. An Werner Richter

22. August 41

Lieber Freund Richter:
Haben Sie Dank für Ihren Brief vom 16. Ich freue mich sehr, daß der Aufenthalt Ihnen beiden recht gut zu tun scheint, was ich vor allem aus Ihrer unverminderten Tatkraft und Arbeitslust sehe. Also, zur Sache Houghton Mifflin[1]. Ich würde prinzipiell vorschlagen, die Sache mit der linken Hand zu machen, d. h. zwar zu tun, aber nicht allzuviel hineinzustecken. Und zwar deshalb, weil die Chancen zwar nicht absolut null sind (denn sonst müßte man es ja überhaupt stehen lassen), aber gering. Ein Blick auf das Verzeichnis der früheren Preisträger zeigt, daß heimische Autoren mit heimischen Stoffen in der überwiegenden Mehrzahl waren. Ich verstehe sehr gut, daß ein erstes Kapitel nicht auf Bestellung heruntergeschrieben werden kann, wohl aber eine outline. Diese müßte natürlich außerordentlich »attraktiv« sein, also das Schillernde, der doppelte Boden des Themas deutlich aufgedeckt werden. Puncto Übersetzung: ich habe gerade letzthin eine recht unangenehme Erfahrung durch Empfehlung einer Übersetzerin gemacht, möchte diese also nicht weiterempfehlen. Teilung auf Risiko würde nur auf Kosten der Qualität gehen! Aber, wenn Ihre outline nicht mehr als vier (dreizeilig geschriebene) Seiten ausmacht, schicken Sie sie mir deutsch; Dr. Polzer hat sich bereit erklärt, eine erste Fassung der Übersetzung zu machen, die wir dann, gleichfalls aus Gefälligkeit, von einem Amerikaner durchsehen lassen können. Beistellung eines Kapitels ließe ich einfach fallen. – Einführungsbriefe: wenn erwünscht, könnte ich einen liefern. Thomas Mann würde gewiß einen geben, aber ich frage ernstlich, ob ein solcher für eine so geringe Chance verlangt werden soll – es erschwerte dies vielleicht ein ähnliches Ansuchen in besserer Sache bei späterem Anlaß. – Thukydides[2]: ich halte es durchaus für möglich, daß die Public Library in der 42. Straße auch einen deutschen Th. besitzt (deutsche Vergile z. B. fanden sich), aber solche Werke sind niemals im circulating department, d. h. sie können nicht außer Haus genommen werden. (Vorteil dieses Nachteils,

daß man sie jederzeit, außer wenn zufällig »in der Hand«, im Hause vorfindet.) Muß also bis zu Ihrer persönlichen Anwesenheit unterbleiben.

Ludwig[3]: Quincy Howe von Simon & Schuster schrieb mir dieser Tage spontan, er wünsche den »Ludwig« zu sehen! Jetzt sagen Sie mir aber, Sie hätten kein Exemplar. Sehen Sie nicht doch eine Möglichkeit, ein solches zu beschaffen, z. B. Dr. Loewenfelds Handexemplar? In solchem Fall könnten Sie es direkt an ihn abdisponieren lassen: Mr. Quincy Howe, Simon & Sch., 1230 Sixth Ave, NYC., unter gleichzeitiger brieflicher Verständigung an ihn oder an mich. Natürlich müßte zum Zeitpunkt dieser Anbietung der Ludwig hier »frei« sein und keiner Ihrer Agenten mit ihm arbeiten. Darauf ist die hiesige Verlagswelt wie der Teufel versessen, und Außerachtlassung des Verbotes, zwei Verlage gleichzeitig auch nur zu interessieren, führt zu völliger Rufvernichtung.

Buchreferate: recht schwer. Für alles gibt es ja ansässige Referenten. Und wenn Sie sie natürlich auch in vieler Spezialkenntnis ausstechen, so doch wohl weniger in Kenntnis der hiesigen Publikumspsychologie, und der konzise Stil eines Buchreferates ist von einem Sprachfremden zunächst kaum zu treffen bzw. durch Übersetzung nur auf komplizierten Umwegen zu erzielen (siehe oben: Übersetzerfrage). All dies geht mit der Zeit, braucht aber solche.

Magazine: gilt Ähnliches. Die Konkurrenz ist ungeheuer. Mit Zeit, Anpassung und Glück kann man sich einführen. Der Weg hiezu ist: unablässiges Studium der einschlägigen Magazine, um die eigene Produktion auf den hiesigen Bedarf einzustellen, und dann ein Agent zum Vertrieb. Wer? Einige Adressen: Harold Ober, 40 East 49; Maxwell Aley, 432 Madison Avenue; Brandt & Brandt, 101 Park Avenue. Aber, Sie haben recht, all dies ist nur mündlich zu bereden, schriftlich kommt alles viel zu abrupt heraus und klingt zu negativ.

Von Mr. Leftwich konnte ich auch weiterhin hier nichts hören, niemand kannte ihn.

Über Kleon[4] konnte ich mit Canby noch nicht sprechen, werde es natürlich tun und Ihnen berichten. Noch einmal Houghton M.[5]: wenn das Ganze auch nur den Sinn hätte, anregend oder gar zündend auf den Plan zu wirken, hat es ja auch schon sein Gutes getan.

Ich fürchte, wir werden alle die vielen Fragen doch erst wieder in NY anschneiden – ich komme und komme von hier nicht weg. Arbeit, die auch im letzten Stadium immer wieder zieht, und die viele Korrespondenz, die nur von hier aus geht, namentlich in Familienangelegenheiten. Die Sache mit meiner Mutter muß nun leider völlig ruhen. Dagegen ist die Abreise meines Sohnes aus Frankreich hoffentlich nur mehr eine Frage von Tagen – da muß ich schon hier sein, um ihn einzuholen.

Alles Liebe Ihnen beiden.

Herzlichst Ihr
H. B.

[DLA]

1 Es ging um ein Romanpreisausschreiben des Verlages Houghton Mifflin, an dem Richter sich beteiligen wollte.
2 Thukydides (460-400 v. Chr.), gilt mit seiner Geschichte des Peleponnesischen Krieges als Begründer der objektiven Geschichtsschreibung.
3 Werner Richter, *Ludwig II., König von Bayern* (Zürich: Rentsch, 1939). Die englische Übersetzung erschien erst 1955 bei Regnier in Chicago.
4 Ein nicht ausgeführter Buchplan Richters.
5 Houghton Mifflin Company, ein Verlag in Boston, Massachusetts, USA.

390. An das Emergency Rescue Committee

New York — 23. Sept. 1941

Dear Ladies:
This is to inform you that Miss Eva Wassermann has safely arrived in this country through your help. I should like to express most sincerest thanks[1] on her behalf, until she will do so personally – she is out of town, now, and I ask you kindly to give me name and address of her affidavit sponsor so that she could thank him, too.

Sincerely yours,
Hermann Broch

[ERC]

1 Im Oktober 1941 faßte Broch in einem an Hubertus Prinz zu Löwenstein gerichteten »Report on my activities in rescuing endangered European writers, June 1940-October 1941« (YUL, DB, LBI) seine Bemühungen zur Rettung von Flüchtlingen zusammen. Unter der Überschrift »Persons who through my help (affidavits, emergency visa etc.) already have come to this country« führt er an: Paul Schrecker, Gustav Ichheiser, Paul Amann, Werner Richter, Franz Blei, Hans Sahl, Eva Wassermann und H. F. Broch de Rothermann. Unter der Rubrik »Persons in whose rescue I collaborate with other people or committees« nennt er: Franz Werfel, Alfred Polgar, Leopold Schwarzschild, Paul Stefan, Gottfried Salomon, Balduin Schwarz, David Katz, Clarence Feldmann, Georg Merkel, Bernhard von Bothmer, Desiderius Papp. In einem dritten Abschnitt »Persons for whose rescue I am still working« liest man die Namen: Robert Musil, Julie Wassermann-Speyer, Victor Demant, Wilhelm A. Cerly, Jerzy Klarfeld, Tony Schrecker, Sibylla Blei-Lieben, Mrs. Jaray. Und im letzten Teil werden unter der Überschrift »Persons in England who are corresponding with me about their transportation« folgende Personen genannt: Anna Mahler, Robert Neumann, Ernst Polak, Elias Canetti, Veza Magd-Canetti, Georg Ehrlich, Stefan Pollatschek, Felix Braun, Victor Egger.

391. An Henry Allen Moe

Nov. 5, 41

Dear Mr. Moe:
Thank you for your letter. I was deeply sorry to hear of the death of Mr. Guggenheim[1], a man, to whom I owed a debt of gratitude, which I can never forget. You must feel his loss, I know. Will you give my profound sympathy to the trustees of the Foundation and especially of course to Mrs. Simon Guggenheim.

I will call you on Thursday or Friday to arrange about our appointment. If you are too busy this week, as I can well imagine, we can easily postpone it for any time next week which will suit you.

Yours sincerely,
Hermann Broch
[GF]

1 Simon G. Guggenheim (1867-1941), amerikanischer Millionär. Er starb am 2. November 1941. Zur Erinnerung an seinen früh verstorbenen Sohn John Simon gründete er 1925 mit einem Betrag von drei Millionen Dollar die John Simon Guggenheim Memorial Foundation in New York. Durch diese Stiftung erhielt Broch von Mitte 1940 bis Mitte 1941 ein Stipendium zur Fertigstellung des Vergil-Romans.

392. An Hans Sahl[1]

31. Dezember 1941

Lieber Dr. Sahl,
Vielen Dank für Ihre Zeilen. Ich habe bei Guggenheim sowohl schriftlich wie mündlich alles getan, was in meinen Kräften stand. Doch ich fürchte, daß der Ausbruch des Krieges Ihrem Projekt nicht günstig sein wird. Denn es erscheint mir sicher, daß den Amerikanern eine Betrachtung des Kampfes, in den sie da hineingeraten sind, von der komischen Seite eines Schwejk oder auch eines Candide nicht behagen wird. Ich wünschte, daß man Ihr Projekt[2] irgendwie rektifizieren könnte, weiß aber freilich nicht, wie das nachträglich noch zu machen wäre.

Auf alle Fälle würde ich Ihnen empfehlen, die besten über Sie erschienenen Kritiken – die mir eingesandten returniere ich anbei – übersetzen zu lassen und noch einzuschicken.

Ich würde mich sehr freuen, wenn wir einander einmal begegnen könnten und bin inzwischen mit allen guten Wünschen für 1942 und einem

herzlichen Gruß
Ihr
Broch
[DLA]

1 Hans Sahl (geb. 1902 in Dresden), Schriftsteller und Kritiker, emigrierte 1933 nach Prag, ging 1934 in die Schweiz und weiter nach Paris. 1939/40 war er in Frankreich interniert; seit 1941 lebt er in den USA (New York) als Übersetzer und Korrespondent deutscher Zeitungen.

2 Sahl fing damals an mit der Arbeit an seinem Roman *Die Wenigen und die Vielen*. Der Roman erschien erstmals 1959 im S. Fischer Verlag in Frankfurt am Main.

1942

393. An Werner Richter

2. 1. 42

Lieber Freund Richter,
man muß sich daran gewöhnen, daß die amerikanischen Verleger zwar ungeheuer materialhungrig sind und alles tun, um sich eine tunlichst große Anzahl von Manuskripten zu verschaffen, daß sie jedoch aus diesen heraus- und hervorgelockten Manuskripten kategorisch nur jene aussuchen, welche ihnen geschäftlichen Gewinn in irgend einer Form zu versprechen scheinen. Das ist eine nicht eben erfreuliche Haltung, aber sie ist gerade, und man weiß woran man ist; außerdem differiert sie nicht wesentlich von der nicht minder kommerziellen der europäischen Verleger. Qu. H.[1] hält Sie für eine versprechende Aquisition, und darum hat er Ihnen den Probevorschlag gemacht; aber er wird sich nicht scheuen, Sie glatt fallen zu lassen, wenn Sie seine Vorstellungen nicht erfüllen. Dies müssen Sie akzeptieren, denn Qu. H. lebt in der Idee, Ihnen eine »fair chance« geboten zu haben, und er weiß nichts von einer moralischen Verantwortung, die er durch Beanspruchung Ihrer Zeit und Arbeitskraft auf sich genommen hat. Es wäre sinnlos, in ihm ein Gefühl solcher Verantwortung erwecken zu wollen; er würde es einfach nicht begreifen. Hingegen dürfen Sie nicht vergessen, daß er ein Erfolgsbuch von Ihnen haben *will,* und daran können und müssen Sie ihn packen: d. h. Sie müssen mit ihm »cooperative« werden, u. z. derart, daß Sie ihn vom Fortgang der Arbeit unterrichten, ihm Detailpläne und Proben vorlegen und seinen »Rat« einholen. Je mehr er sich darauf einläßt – und er wird es tun –, desto mehr erhöhen Sie die Chancen seiner Mitverantwortung und damit die der Annahme des Buches, denn es wird damit »sein« Buch. Also lassen Sie es sich nicht verdrießen, und suchen Sie ihn auf.

Th. M. wird Sie in jeder Beziehung unterstützen und jeden von Ihnen gewünschten Brief schreiben, umsomehr als er vom »Ludwig«[2] besonders angetan war. Ob ich ihm noch den »Rudolf«[3] gegeben habe, weiß ich nicht mehr: es will mir scheinen, als ob er zu jener Zeit bereits in Californien gewesen war. Also senden Sie ihm jedenfalls ein Exemplar. Daß eine Inflation in Mann-Gutachten herrscht, werden Sie aber wohl wissen. Überhaupt haben nicht-amerikanische Empfehlungen wenig Anwert bei den Verlegern. Nichtsdestoweniger Manns Adresse:

740 Amalfi Drive, Pacific Palisades, Los Angeles (Cal.)

Dahingegen befindet sich ein Rudolf-Exemplar bei Prof. Frederick Lehner[4], West Virginia State College, Institute (W. Va.). Dieser hat ein Referat über die früheren Bücher in »Books Abroad«, und ich nehme an, daß in der Winternummer nun eigentlich auch schon das Rudolf-Referat erschienen sein müßte. Ich habe Lehner seit dem Sommer nicht gesehen; jedenfalls aber wäre er erfreut, wenn Sie ihm eine Zeile schrieben.

Der Jänner wird für mich noch in jeder Beziehung recht knapp sein, doch dann wird es hoffentlich ein wenig leichter werden. Hoffentlich.

Alles Gute und Schöne Ihnen beiden;

stets Ihr
H. B.
[DLA]

1 Gemeint ist der amerikanische Journalist und Radio-Berichterstatter Quincy Howe (geb. 1906), der als Berater und Vermittler für Verlage tätig war, u. a. für Barthold Fles, einem New Yorker literarischen Agenten. Seit 1938 veranstaltete Fles Informationsabende für aus Europa geflohene Schriftsteller, bei denen amerikanische Lektoren, Kritiker und Journalisten Auskunft über die Verhältnisse des US-Buchmarktes gaben. Zu diesen Informanden gehörte auch Quincy Howe.

2 Werner Richter, *Ludwig II., König von Bayern* (Zürich: Rentsch, 1939).

3 Werner Richter, *Kronprinz Rudolf von Österreich* (Zürich: Rentsch, 1941).

4 Fritz (Frederick) Lehner (geb. 1893), Kritiker und Übersetzer aus dem Französischen. Er emigrierte 1938 in die USA und arbeitete dort als Professor für Vergleichende Literaturwissenschaft (damals am West Virginia State College). Lehner hatte 1936 den Artikel »Hermann Broch« veröffentlicht in: *Life and Letters Today,* Jg. 15, Nr. 6 (Winter 1936), S. 193-203. Vgl. die Rezensionen über Werner Richters *Ludwig II* in: *Books Abroad* 14/3 (1940), S. 299 und über *Kronprinz Rudolf* in: *Books Abroad* 16/2 (1942), S. 180.

394. An Hadley Cantril[1]

420 West 121st Street
New York, N. Y. January 8, 1942

Dear Hadley Cantril,
Thank you so much for your kind letter of January the 5th. It was too bad, indeed, we couldn't get hold of each other.

Unfortunately, I didn't meet Dean Gauss either during my last stay in Princeton. I understood he was on his vacation trip.

Meanwhile, I became what is known as an »enemy alien«[2], who is not allowed to leave the borders of the municipality of his residence. Therefore I made our mutual friend Erich Kahler my Ambassador to the Court of Princeton. I already asked him to get in touch with both you and Dean Gauss.

As you certainly imagine, I am quite anxious to get a permit to travel freely and regularly from this city to Princeton and vice versa. Could you, please, write some kind of affidavit on my behalf stating (a) the common research work we are going to embark in, (b) the necessity of more or less regular trips to Princeton. Otherwise, I would have to apply, for each single trip, for a special permit eight days in advance – which, as you undoubtedly will agree, would be some bother, indeed.

I thank you in advance.

Very cordially yours
Hermann Broch
[PU]

1 Hadley Cantril (geb. 1906), amerikanischer Sozialpsychologe; damals Direktor am Office for Public Opinion Research in Princeton. Bekannt wurde Cantril vor allem durch sein Buch *The Invasion from Mars. A Study in the Psychology of Panic. With the Complete Script of the Famous Orson Welles Broadcast* (Princeton: Princeton University Press, 1940).

2 Nach der Kriegserklärung Deutschlands an die USA vom 11. 12. 1941 wurden die in den USA lebenden deutschen Staatsbürger zu ausländischen Feinden erklärt. Auf Broch traf die neue Fremdengesetzgebung jedoch nicht zu, da er als Österreicher und

nicht als Deutscher betrachtet wurde. Vgl. dazu den Brief vom 3. 2. 1942.

395. An Christian Gauss

420 West 121st Street
New York City — January, 16th 1942

My dear Dean Gauss:
I am profoundly thankful for your letter[1] and the steps you have undertaken in my favour. I need not tell you how much I hope for a favourable result, not only because my situation becomes a very critical one, but even more so because I feel that my cooperation with the Office of Public Opinion will be of the highest value for my work for which I hope that it will also contribute a little to the researches of the Institute.

I do hope to see you in Princeton as soon as I shall be able to travel again. I thank you once more, especially also for the kind interest you take in the fate of my mother; of course there are no more direct news from her and I try to get in touch with her through the Red Cross.

Very sincerely yours,
Hermann Broch

[PU]

1 Christian Gauss verwandte sich für Broch in Briefen an Hadley Cantril und an die Rockefeller Foundation.

396. An Hadley Cantril

420 West 121st Street
New York City — January, 16th 1942

Dear Hadley Cantril:
thank you so much for your letter which will certainly be of good use for my travelling-permit, so that I can see you very soon in Princeton.

In the meantime I got a letter from Dean Gauss, telling me that he wrote to the Rockefeller Foundation. I need not assure you how happy I should be with a favourable result, enabling me to work with you.

I should be very glad if you could read my manuscript about Mass Psychology[1]. Can you spare some time for this purpose?

Cordially yours,
Hermann Broch
[YUL]

1 Gemeint sein dürfte »Massenwahntheorie (1939 und 1941)« in KW 12, S. 274-456. In seinem Gutachten für die Rockefeller Foundation in New York – gerichtet an deren Associate Director John Marshall – schrieb Hadley Cantril dazu am 14. 2. 1942: »I sincerely believe that Broch has here a very profound, very penetrating theory for the social sciences which will rank in importance with the contribution of any recent philosopher in the field of the social sciences.«

397. An Christian Gauss

420 West 121 Street
New York City February 3, 1942

My dear Dean Gauss:
Thank you ever so much for your letter of February 2nd, and the encouraging news. I asked Kahler to agree with you and Dr. Cantril on a certain day, preferably this week, when I could see you as well as him in Princeton. At this occasion I shall bring all my manuscripts with me. They chased me away from the Court House when I asked for a permission to go to Princeton, since as an Austrian I was allowed to make the trip without special permission.

Thank you for your good wishes.

Very sincerely yours,
Hermann Broch
[PU]

398. An Christian Gauss

35 West 75th Street
New York City April 10, 1942

Dear Dean Gauss:
I was so sorry to hear of your illness, but I felt very relieved to hear a few days ago that you were better and ready to return to Princeton. Today I was told that your arrival has been postponed. I do hope that this delay does not mean anything serious but only a prolonged vacation.

I deeply regret that I have to trouble you with my own affairs during this period. However, since you have been informed about them directly from Princeton, my voice is just an added one and I don't need to take up your time with long explanations.

As you know the Rockefeller Foundation considered my case favorably. Hadley is writing you separately to indicate how things now stand with the Foundation.

Hadley probably informed you about the background and the aims of my work. I dare say that it furnishes certain new views concerning problems of mass impulses and of public opinion and convictions in connection with these. If I am right – my research is advanced to the point, that this may be asserted with some certainty – it is to be hoped, that the practical aim of the Office of Public Opinion Research will be furthered by precisely such basic theories. For especially in our time when the reaction of all nations and their fighting spirit depend to such a high degree on the convictions of the individual, it seems to me vitally important to discover what laws govern these events. These laws and the effect they have on world history are the chief object of my research.

Of course it is not the moment to discuss now whether this work with the Office of Public Opinion Research will result in a definite post. But it is clear to me that by my collaboration with the Office and by the financial support forthcoming, however small it might be, I shall have the opportunity of finishing my manuscript and of publishing it. For this reason I take it for granted that a very solid foundation for a future academic career will be created.

Also about this, Hadley and I have agreed, and if this meets with your approval also, which I hope it will do, I think a word from you to this effect to the Rockefeller Foundation would definitely settle the question.

In addition to this I believe that it will also be useful for my future academic career that I should give a series of lectures at the New School for Social Research during the forthcoming semester; Dr. Johnson accepted this idea favorably, and I think that this matter will be decided in a near future.

I need not say how urgent a positive settlement with the Rockefeller Foundation would be for me. It is not only a physical need on my part, but also a moral question of my life. You will understand that I have a deep desire to do whatever I can to help determine in the right way the future of a country which has offered me its hospitality. The contribution I am best prepared to make is, I feel, the work which Foundation help would enable me to complete.

I thank you for all you have done and will do in this matter and I am as always deeply obliged for the friendship you have constantly shown me.

Sincerely yours,
Hermann Broch
[PU]

399. An Christian Gauss

35 West 75th Street
New York, New York April 23, 1942

Dear Dean Gauss:
The day after I received your postal card Hadley Cantril telephoned to tell me that my appointment to Princeton has been definitely decided. You can imagine how very glad I am not only to have the opportunity to continue my work, but even more to be able to do this in Princeton. And you can imagine how very grateful I am to you.

I hope to see you very soon in Princeton in order to thank

you also personally. I am happy to know that you are back and that you enjoy good health again.

Gratefully and sincerely yours,
Hermann Broch

[YUL]

400. An Hadley Cantril

35 West 75th Street
New York, N. Y. April 23, 1942

Dear Hadley:
I did not write sooner because I was waiting for the Rockefeller grant to arrive (which did not yet happen), but now I must write you for I am sure that you will like to hear about the award of the American Academy of Arts and Letters[1] which has been granted to me yesterday.

There are dark and bright series in life and it seems that for me a bright one begins again. But I know that it would not have happened without your great help and friendship. And I am grateful to you.

Cordially yours,
H. B.

[YUL]

1 Broch erhielt diesen mit 1000 Dollar verbundenen Preis u. a. durch die Fürsprache von Henry Seidel Canby. Die American Academy of Arts and Letters war 1904 in New York gegründet worden als Sektion des National Institute of Arts and Letters. Die Akademie fördert die Literatur und die Bildenden Künste und verleiht jährlich eine Reihe von Preisen.

401. An Volkmar von Zühlsdorff

35 W., 75th. St.
New York City 6. Mai 42

Lieber Volkmar,
ich habe Ihre lieben guten Zeilen nicht früher beantwortet, weil ich von Tag zu Tag gehofft hatte, Ihnen Definitiveres über mein Sein und Schicksal mitteilen zu können. Nun, es hat ein wenig länger gedauert, als ich angenommen hatte, und es war für[wahr] ein arges Hangen und Bangen gewesen (außerdem ausgezeichnet durch völlige Geldlosigkeit), doch jetzt scheine ich wieder einmal für einige Zeit über den Berg zu sein, denn seit vorgestern habe ich die Rockefeller fellowship (wenn auch vorerst nur für ein Jahr), und ich bin in Princeton an der Universität zwecks Durchführung meiner Massenwahn-Untersuchungen angestellt[1]. Außerdem habe ich durch einen besonders unverdienten Glücksfall den award der Academy of Arts and Letters bekommen, so daß ich all die Schulden zurückzahlen kann, die sich in den letzten Monaten aufgehäuft haben. Ich habe den verschämten Stolz eines Bingo-Gewinners.

Aus diesem kurzen Bericht werden Sie die Gründe sehen, erahnen, begreifen, um derentwillen ich mich während all dieser Monate in Schweigsamkeit versteckt hatte. Es waren wirklich fürchterlich erschwerte Umstände gewesen, unter denen ich wirklich schwere Arbeit zu leisten gehabt hatte, und Fahrten über Land gehörten vollkommen ins Unerschwingliche, Unleistbare. Freilich, viel leichter wird es jetzt auch nicht gerade werden: wenn ich auf eine Fortsetzung meiner Fellowship und damit meiner akademischen Laufbahn hoffen will, so muß mein Massenwahn-Buch[2] noch im Laufe dieses Jahres erscheinen, und da mein Material in der Zwischenzeit unermeßlich angewachsen ist, ist die Fertigstellung des Buches in so kurzer Frist ein beinah verzweifeltes Beginnen.

Anfang Juni übersiedle ich nach Princeton. Vorher aber möchte ich noch nach Newfoundland kommen, es sei denn, daß die Verbindung mit Princeton leicht herstellbar wäre: denn in Princeton wird hoffentlich ein gemäßigteres Lebenstempo für mich endlich erlangbar sein.

Übermitteln Sie Handküsse und allerherzlichste Gedanken. Und lassen Sie sich die Hand drücken; stets Ihr alter

H. B.

[BA]

1 Vgl. Fußnote 1 zum Brief vom 8. 1. 1942.
2 Broch stellte das Buch zu Lebzeiten nicht fertig. Erstmals vollständig erschien es 1979 als KW 12.

402. An Hans Sahl

35 W., 75th,. N. Y. C. 10. 5. 42

Lieber H. S.,
Dank für Ihre lieben Worte. Das »Wie wir hören« im Aufbau[1] ist immer nur mit halbem Ohr gehört, also bloß halbwahr. Immerhin, die Sache war für mich ein Glücksfall und ein noch größerer für meine Gläubiger, denn Sie ahnen nicht, wie dreckig es mir bereits gegangen ist; ich habe die Gnade und die Schmach, ein poetus laureatus[2] zu sein, mit Dankbarkeit auf mich genommen.

Erfreuter jedoch bin ich – denn dies verdiene ich ehrlich kraft härtester Arbeit – über das Zustandekommen meiner Anstellung an der Princeton University. Freilich ist die Arbeit damit nicht abgeschlossen; im Gegenteil, sie fängt jetzt erst recht an, und ich leide unter der – Ihnen sicherlich auch wohlbekannten – Panik eines neuen Arbeitsbeginns, voll der Angst des Nicht-leisten-könnens.

Ich meine nach wie vor, daß für Sie die Anstrebung einer Universitätsstellung gleichfalls der gegebene Weg wäre. Darüber wollen wir Dienstag oder jeden andern Vormittag (– mit Ausnahme von Mittwoch –) reden, allerdings nicht allzulange, denn ich weiß, wie gesagt, tatsächlich nicht, wie ich mit der Arbeit zurechtkomme.

Alles Herzliche Ihres
H. B.

[DLA]

1 *Aufbau. Reconstruction,* seit 1934 in New York erscheinende Emigrantenzeitschrift, seinerzeit herausgegeben von Manfred George. Zum Advisory Board der Zeitschrift gehörten 1942 Brochs Freunde Richard Beer-Hofmann, Albert Einstein, Emil Ludwig, Thomas Mann und Franz Werfel.
2 Vgl. Fußnote 1 zum Brief vom 23. 4. 1942 an Hadley Cantril.

403. An Jean Starr Untermeyer

Monday, June 10 [1942]

Dear: thank you for your postcard which came this morning. I wrote a postcard, too, Saturday, couldn't do more, for I am working every day until 3 in the morning to get these manuscripts in order.

I guess you have page 135-159 with you. Therefore I send you herewith these pages, definitively corrected. Please send me yours in order to have them corrected, too; if you keep both copies, there could be a mixing of the pages.

If you look through these pages you will find every correction marked in *red*. But most of them are only small, belonging to grammar and interpunction and *don't* influence the translation.

Where the translation is influenced, I made *green* marks. There are only a few spots, but I repeat them:

Page 135[1], end of the paragraph; Kahler found it necessary to describe »the three«, because the reader may have already forgotten who they are. Therefore I changed this little sentence. It is so simple that you don't want a Rohübersetzung.

Page 142[2]*;* the beginning reads now as follows: ». . . never a savior for mankind –, never he will be allowed to become such one: the grace-bringing savior namely has done away the language of beauty . . .«

Page 142 C-F[3]. Two paragraphs (p. 142 C/D and 142 E/F) have been changed; the paragraph between them remained unchanged. You find enclosed *Rohübersetzung* of the two changed pragraphs.

Page 142 I[4]*;* the sentence was broken after »Heile«, and I began a new sentence, beginning with: »Yes, that was the result: . . .«

Page 144[5]*;* to avoid errors a reduplication »the veil of humanity« was inserted.

Page 156[6]*;* on the end of this page begins a sentence (after a comma with an »und«), and this sentence was in German utterly unclear because its subject »das Ich« followed only in the middle of page 157. Therefore I inserted this subject several times, but gave always an attribute, connected with the precedent relative sentence. This procedure made the whole sentence very clear. The iteration of the subject with its attributes you will find is such, beginning with 156:
das Ich . . . the ego
mitaufgehoben das Ich . . . annihilated the ego, too
mitaufgelöst das Ich . . . dissolved also the ego
das blickbedrohte Ich . . . the ego threatened by the look
das drohungsunterworfene Ich . . . the ego vanquished by the threat.
It may be that you don't want this iteration of the ego subject in English; it is up to you to use it or not.

Page 157[7] Still in the same sentence, we have to introduce the insert: »it (the ego) was humiliated to (yield to) necessity, there was no other way, humiliated to the *necessity of the Zerknirschung* (I don't know for the moment which word you have chosen for Zerknirschung).
Two lines later I break the sentence with a semicolon, and the new sentence begins with »the ego has lost itself, was stripped of its human qualities, of which nothing remained as the most naked guilt of the soul in all its nakedness, so that also the soul, although having lost its ego, yet still the indestructible human soul, was nothing more else than . . .«
The last words are already on p. 157 A.
Page 157 A[8]. On the end of the page I inserted »inescapability«.

You see it isn't much. Nevertheless work goes terribly slowly. Kahler is very touching: since ten days he works only on Virgil.

By chance I found a word for »irden« in my little pocket dictionary, instead of »earthen« namely »crock«, but I don't know whether you prefer it. »Earthen« has the relation to earth, and that, of course, is good.

I hope you feel *very very* well. Here it is terribly hot.

Love
H.
[YUL]

1 Die Rede ist in der Folge immer vom Typoskript der fünften Fassung des Vergil-Romans. Vgl. KW 4, S. 514 f. Seite 135 des Typoskripts entspricht S. 125 in KW 4 und Seite 131 der Untermeyerschen Übersetzung.
2 Vgl. KW 4, S. 130 und S. 136 der Untermeyer-Übersetzung.
3 Vgl. KW 4, S. 132-135 und S. 139-141 der Untermeyer-Übersetzung.
4 Vgl. KW 4, S. 137 und S. 144 der Untermeyer-Übersetzung.
5 Vgl. KW 4, S. 141 und S. 148 der Untermeyer-Übersetzung.
6 Vgl. KW 4, S. 153 und S. 160 der Untermeyer-Übersetzung.
7 Ibid.
8 Vgl. KW 4, S. 154 und S. 161 der Untermeyer-Übersetzung.

404. An Henry Allen Moe

35 West 75th Street
New York, N. Y. June 12, 1942

Dear Mr. Moe:
I am heading a Committee which is trying to obtain funds for the support of the well-known writer Dr. Franz Blei. We are faced with the necessity to repeat this appeal on a broader basis in order to help this distinguished man over a period of illness and distress. For your information, I enclose herewith copy of a letter[1] which our Committee sent to several of Dr. Blei's friends and followers who live in more fortunate circumstances, and as we are now repeating this appeal I would be extremely thankful to you if you and the Guggenheim Foundation would give us your moral support by joining this Committee.

Perhaps you could find some ways and means by which the Guggenheim Foundation might give us some financial aid.

All we need to take care of Dr. Blei's support and medical care is $ 100,00 a month for a period of one year. After that time Dr. Blei most probably will again be able to work.

As we intend to approach quite a number of persons who are interested in Dr. Blei, we anticipate that the share from each contributor will be within a modest limit.

The management of the funds for this Committee is being handled by the Bureau for Men and Boys of the Community Service Society of New York, 289 Fourth Avenue.

I am using this occasion to return to you the questionnaire[2] filled out with my remarks. You are at liberty of course to use it or change it as you see fit.

Sincerely yours,
Hermann Broch
[GF]

1 *For Franz Blei*
The Austrian writer Franz Blei arrived in this country several months ago. It seems superfluous to explain to any of his European friends the unique charm and significance of Franz Blei's work and personality. Undoubtedly, even most Americans, familiar with European culture, will remember the rich and colorful record of Franz Blei's literary career. He has edited many magazines, discovered innumerable young and striving talents, publishing scores of remarkable and often admirable books. He has been prominent as a lyric poet and as one of the most sensitive literary critics: In fact, he was the first to translate the work of Walt Whitman and was thus instrumental in building up the reputation of that American poet in the German speaking world.

It is tragic that this distinguished man, seventy years of age, is actually poverty-stricken, ailing, with no roots in this country yet and with no possibility of earning a living.

Several friends of Franz Blei have decided, therefore, to appeal to a somewhat larger if still very limited group, hopeful and confident that enough money will be raised to provide Franz Blei with the necessary means of life, at least for the next year to come.

Every contribution, even a very small one, will be gratefully welcomed. Letters and checks should be mailed to

Hermann Broch
35 West 75th Street
New York, N. Y.

Please indicate whether when turning your kind help over to Franz Blei your name may also be transmitted to him or whether, on the contrary, you should prefer your contribution to remain anonymous. Naturally and in any case, you will be informed of the success of this collection.

G. A. Borgese
Henry Seidel Canby
Fritz Landshoff
Klaus Mann
Thornton Wilder
Franz Werfel
Kurt Wolff

Hermann Broch

2 Es handelte sich nicht um Bewerbungsunterlagen, vielmehr hatte die Guggenheim Foundation Broch gebeten, Informationen zur Vervollständigung der bio-bibliographischen Unterlagen über ihn einzureichen.

405. An Henry Allen Moe

35 West 75 Street
New York City

June 20, 1942.

Dear Mr. Moe:
Thank you ever so much for your letter of June 13th.

I am very sorry to learn that the by-laws of the Foundation give no room for a contribution to Dr. Franz Blei. I am sorry all the more as I was informed right now by one of my friends, Dr. S. Wachtell[1] – whom I most highly admire on account of his wonderful and generous actions in innumerable cases of rescue work – that he has applied on you for the sake of Dr. Beer-Hofmann; I am afraid that the scope of your organisation will not be favorable to this case, too.

Nevertheless, I should like to draw your attention to Beer-Hofmann's significance also from my part. Of all living German writers Beer-Hofmann might be the only one whose position is to be compared to that of Thomas Mann. True, he is not so well-known outside the sphere of German language as he should; the reason is that his adorable verses are very difficult to translate, and besides it is not so easy to stage his biblical plays in verses on foreign theatres. However, Beer-Hofmann's work is highly esteemed by the German Departments of America's universities and colleges; many theses have been written, dealing with him, and an extensive biography has been published[2] which Dr. Wachtell certainly will be able to submit to you.

Considering cases like Beer-Hofmann's and Franz Blei's – the one the most outstanding »poet« of today's German literature, the other one of the most important critics and writers of the same language – I am urged to say that people of this kind should be put in a special class of refugees to be taken care of. Both of them are over seventy. All their extraordinary achievements will not protect them against the most urgent needs of life – a life which is even harder as both are suffering from illness. The amounts necessary are not too high. Should we succeed to form a committee for Franz Blei of just ten poeple who pledge an annual contribution of $ 100 each, the expenses for him will be covered. The amount for Beer-Hofmann will be somewhat higher, but it also will be within modest limits.

Consequently, if I am taking the liberty to trouble you again with both of these cases, I am doing so primarily in order to ask your advice. Maybe – at least I hope so – the Foundation, after having received the funds from the late Senator Guggenheim's estate, will have certain amounts available for such extraordinary cases as those of Beer-Hofmann and Franz Blei. However, since their want is urgent and time is of the essence, I should be ever so grateful, if you could show me one or the other way for immediate help.

To be sure, it never was my intention to burden you personally with a contribution, and I am almost ashamed that your generosity points to such a possibility.

Should you like to discuss[3] the matter with me, I certainly shall be at your disposition, all the more so, as I should appreciate to have an opportunity to take leave from you before going to Princeton. There was some delay, and I shall move only June 25th.

Gratefully and sincerely,
Hermann Broch

[GF]

1 Samuel Wachtell (1886-1943), austro-amerikanischer Rechtsanwalt aus New York. Beer-Hofmann lernte ihn 1932 durch die Vermittlung Richard Bermanns (= Arnold Höllriegel) in Wien kennen. Wachtell half Beer-Hofmann 1939 bei dessen Emigration in die USA.
2 Salomon Liptzin, *Richard Beer-Hofmann* (New York: Bloch, 1936).
3 Am 23. 6. 1942 teilte Henry Allen Moe Broch mit, daß die Guggenheim-Stiftung keine Hilfsmöglichkeit für Blei und Beer-Hofmann sehe.

406. An Jean Starr Untermeyer

June 23, 42

Dear: I wrote you a quick postcard to acknowledge your letters, I hope you got it.

I can absolutely not understand why my last letter was »stiff«, nor can I understand – or I understand it only in view of a narcism, which is constantly aware –, why you always think, that your work is not appreciated. Somehow I guess to know the Virgil, and so I know also what it means to translate this book. And I told you often enough, that I find your work simply astonishing. But that is no reason to forbid me any objection, if I find there is one to make. The objection may be wrong; alright, then I have learned something, but never an objection is a non-appreciation of what you have done.

And about the leitmotifs, that is nothing as a question of principle; of course I know, that also a leitmotif allows variations, and I used a lot of variations in German, too, but on other places I preferred to repeat (in German) the same word without alterations. My English is, as you know, much too poor for having any judgement, but I find, it was my duty to draw again your attention to this technique, especially as you have not read the whole book and therefore don't know how carefully the repetitions have been used through the whole work. That has nothing to do with a lack of confidence in your intuition, aber reden wird man ja noch dürfen.

And by the way right another objection: I used always »*der* Gott«[1] and never Gott without article (only in few exceptions like »Gott und Mensch«), and this has a good reason, namely, that »Gott« alone means our unique God, from which Greeks and Romans had no idea. But when Virgil speaks about »*der* Gott« he doest't mean one special of the collection of Gods, he speaks about something, which is bearing the typical qualities of all the Gods, he knows. It is [like] we say in German »*Der* Mensch ist gut«, meaning the typical human being. I don't know whether you can use in English the same construction with the article, or if you are compelled to say God without article, but it seems to me that in this case the mix up with the Christian God is unavoidable.

And remaining in the field of antiquity: the zykonische Weiber (zyconic, ciconic, cyconic?) are the women who have killed Orpheus. They are part of the Bacchus mysteries, but I don't know from where the word derives. I guess there was a mountain called zykos[2]. Anyway I shall try to find out either in the Britannica or elsewhere.

Besides this I find page 155 marvellous[3].

Besides this I am rushing from one end of the town to the other, partly in matters which are important for me and partly which are important to others. I am overtired, and I shall be quite glad, when at last I shall be in Princeton. But I don't see how this will ever happen. Anyway with the last of this month my room here is rented to somebody else.

Keep well, don't be ill again. And alles Liebe

H.

[YUL]

1 Vgl. *The Death of Virgil,* a.a.O., S. 138: »–, then, called both from fate and the god, [. . .]«. Dazu das Original, KW 4, S. 131: »–, also vom Gott wie vom Schicksal berufen, [. . .]«

2 Bei den Kikonen handelte es sich um einen thrakischen Volksstamm im Norden Griechenlands. Die Herkunft des Wortes »Kikonen« ist ungeklärt.
3 Vgl. KW 4, S. 151-152 und S. 158-159 der Untermeyer-Übersetzung.

407. An Joseph H. Bunzel

One Evelyn Place
Princeton, N. J. 5. 7. 42

Liebster,
ich bin erst am 2. herausgekommen, habe also Deine beiden Briefe (der erste datiert vom 22., der zweite undatiert) mit großer Verspätung vorgefunden. Und am nächsten Tag mußte ich schon wieder wegfahren, u. z. nach Long Island, weil der alte Blei dort leider – es tut mir wirklich weh – ins Sterben geraten ist; er liegt ganz allein in einem Landspital, und es war recht traurig[1]. [. . .]

Wirklich verloren aber scheint mein Haeckers »Vergil, Vater des Abendlandes«[2] zu sein. Ich glaube nicht, daß er bei Dir ist, indes ich weiß, daß ich es irgendjemandem, irgendeinem Schwein, das nichts zurückgibt, geliehen hatte. Hast Du eine Ahnung, wer dieses Schwein sein könnte? Ich komme absolut nicht darauf. [. . .]

[YUL]

1 Franz Blei starb am 10. 7. 1942 in Westbury auf Long Island/New York.
2 Theodor Haecker, *Vergil, Vater des Abendlandes* (Leipzig: Hegner, 1931).

408. An Jean Starr Untermeyer

July 17, 42

Of course, dear, you are helpless with me, as I myself am too helpless with me. But I like »helpless as a shadow«.

Don't emphasize your ectoplasm! Don't pay any attention to it! It may be that these things exist, it is even probable that they do, but that is musica proibita for the human being: only he who has really filled up the whole circle of rational knowledge (knowledge in the meaning of »Erkenntnis«), only he has the right to go into the sphere of the irrational with his own personality: this is the first rule of every mystic. On a smaller scale you see the same thing in the field of art, especially of poetry; only when you have been able to pronounce all the rational contents of a thought are you allowed to give the picture, i. e. to cross the threshold of the irrational. The bad mystic, as well as bad poetry comes always too fast with the irrational, and therefore they are both Kitsch, and as Kitsch they are immoral. The good clairvoyant is clair, the bad one is voyant. Try to think this really through, and I am pretty sure that you will sleep without drugs.

So I give you advice, and there is no reason not to take advice from you; and of course I try to be careful with myself, but you can't ask a soldier in a tank to be careful with himself. My poor mother was careful with herself, and now she is – horrible to say – possibly already on the way to deportation. No, in such apocalyptical times, there is nothing more than duty and fulfillment of duty.

Alles Liebe und Gute
H.

[GW 8]

409. An Kurt Wolff[1]

N. Y. – 11. 9. 42

Lieber Herr Wolff,
für einen Tag in N. Y., von vorneherein ein überangefüllter und überhetzter Tag, hatte ich mir vorgenommen, Sie wenigstens telephonisch zu sprechen, kam aber erst Abends zu diesem Anruf, leider ohne Sie zu erreichen.

Also noch rasch vor meiner Rückfahrt nach Princeton:

Amanns Buch[2] basiert auf einer originellen und interessanten Grundidee, und ich bin ihm ob dieses Buches ausgesprochen wohlgesinnt. Doch eben diese Wohlgesinntheit berechtigt mich m. E. auch zur Kritik: die Grundidee des Buches ist im besten Sinne dilettantisch – nur wenigen Fachwissenschaftlern wäre sie eingefallen –, während die Durchführung, in der deutschen Originalausgabe, dies in einem weitaus schlechteren Sinne war. Das soziologische und psychologische Gerüst, mit dem Amann seine These von den beiden Kulturtypen stützte oder zu stützen beabsichtigte, war zu dürftig, zu unscharf, kurzum zu unwissenschaftlich, und hiedurch geriet die Beweisführung leicht ins Redselige. Dies ist der Fehler der meisten Dilettanten; sie sind in ihre Idee verliebt, sehen allüberall Analogien, haben kein Gefühl für Wert und Gewicht der von ihnen beobachteten Fakten, arbeiten mit einem ungenügenden, unsystematisierten Material, und so gerät das Ganze aus jeglichem Gleichgewicht. Amanns Idee hat allen Anspruch, in einem umfassenden Buch dargetan und sohin begründet zu werden, doch bei seiner dilettantischen Materialbehandlung ist es bloß zu einem übermäßig ausgewalzten Essay gekommen.

Es ist möglich, daß ich mit diesem Urteil zu streng und scharf bin, oder richtiger war, denn all dies ist aus der Erinnerung produziert. Und jedenfalls kann ich es aus anderer Quelle her mildern: ich kenne Amann als außerordentlich intelligenten und lernfähigen Geist, und so bin ich überzeugt, daß er die Jahre seit dem Ersterscheinen nicht ungenützt hat verstreichen lassen; insbesondere ist er hier in Kontakt mit der doch sehr hoch ausgebildeten amerikanischen Soziologie getreten, und es ist demnach zu hoffen, ja, zu erwarten, daß er in einer Umarbeitung zu einer viel konziseren, viel haltbareren Darstellung gelangen wird. Und ich verspreche mir auch Wesentliches von einer Anwendung seiner Typenlehre auf die amerikanische Siedlerkultur. Unter dieser Voraussetzung kann man nicht nur mit einem interessanten, sondern auch mit einem erfolgreichen Werk rechnen.

So weit zu Amann. Nun zu Broch: ich führe einen aufreibend zähen Kampf gegen den eigenen Dilettantismus (– und daher fühle ich mich auch berechtigt, ihn bei anderen so intransingent zu verwerfen –), aber eben weil dies eine derart aufreibende Angelegenheit ist, eine Fron, die mich, abgesehen von der Universitätsarbeit, täglich etwa 14 Stunden an die Schreibmaschine bindet, war es mir bisher – sehr gegen meinen Wunsch und Willen – unmöglich gewesen, mich bei Ihnen zu melden. Ich hoffe bloß, daß diese Massenwahn-Sache auch wirklich die daran gesetzte Anstrengung rechtfertigen wird; sollte sie gelingen, so könnte sie gerade für die heutige Zeit recht wichtig werden, d. h. sogar zu einigen praktischen Auswirkungen gelangen. Und so erscheint mir auch meine Atemlosigkeit einigermaßen gerechtfertigt.

Natürlich muß und wird es auch eine Atempause geben. Und ich freue mich, Sie dann sehen zu können. Inzwischen freue ich mich, daß Sie den Vergil lesen und so weit bejahen.

Bitte übermitteln Sie meinen Handkuß. Und nehmen Sie herzliche Grüße Ihres

H. Broch

12. 9. 42

Lieber Herr Wolff,
der beil. Brief war noch in N. Y. geschrieben, fand sich aber dann, infolge der großen Eile, mit der ich zur Bahn mußte, nach meiner Ankunft hier in meiner Tasche vor.

Also kann ich noch ein paar Worte anfügen:

Erich[3] sagte mir vor einiger Zeit, daß Sie den Vergil für unübersetzbar hielten. Daraufhin fragte ich bei Dr. Polzer, der für mich ein wenig Sekretär- und Ordnungsarbeit macht, ob er ein englisches Ms. auf Lager hätte: dies wollte ich Ihnen nach Beendigung Ihrer deutschen Vergil-Lektüre zum Vergleich zusenden. Nach einer Nachricht Polzers, die ich hier vorgefunden habe, scheint er Ihnen aber dieses Ms. bereits geschickt zu haben. Ich habe diese Vergil-Überschwemmung Ihnen nicht zugemutet und bitte Sie daher und darob um Entschuldigung. Natürlich möchte ich nun trotzdem, daß Sie den englischen Text anschauten. Nochmals alles Herzliche Ihres

Broch

[KWB]

1 Kurt Wolff (1887-1963), gründete 1913 den Kurt-Wolff-Verlag in Leipzig, den er 1930 verkaufte, um in Florenz den Kunstverlag Pantéon zu erwerben. Nach der Internierung emigrierte er 1941 über Spanien in die USA, wo er 1942 in New York den Verlag Pantheon Books Inc. gründete. Broch nahm damals Kontakt zu Kurt Wolff auf, um im neuen Verlag seinen Roman *Der Tod des Vergil* zu plazieren, der dort 1945 auf Deutsch und Englisch erschien.

2 Vgl. Paul Amann, *Tradition und Weltkrise* (Berlin: Schocken, 1934). Kurt Wolff plante vorübergehend, das Buch auf Englisch in seinem Verlag erscheinen zu lassen.

3 Erich von Kahler. Broch war am 25. 6. 1942 in das Haus Kahlers in Princeton eingezogen.

410. An Jean Starr Untermeyer

Sept. 12, 42

Dear: I got your letter the day before yesterday, but I was too depressed to answer immediately, for with the same mail I got a message from Bunzel, telling me, that his father was killed in Vienna and that his mother and his (crippled) sister have been deported to Poland. And my mother is in the middle of the hell. But it is not only my mother and her fate, which makes me completely mad –, it is always the same despair, from which I am haunted since more than ten years (– I can say, it began even [before] I began the Sleepwalkers –) and on occasions like this I have only an outbreak again.

It goes even back much longer; it began with the first war, and I was seeing and feeling every moment, where we are going, and I was unable to make see others. I was working on myself in order to enable me to make me understandable, but there was no possibility of communication. Nothing as blindness, vanity, little ambitions, stupid professionalism around me, and failure after failure in me. That I am full of despise towards men (and women) – although not towards mankind! – and that I am full of scepsis towards myself is somehow legitimated. And it makes [me] only furious, to hear *now* something of a »common effort«.

But I must add: my attitude towards life is absolutely trifle; there doesn't exist any original attitude, because the *problem* itself is trifle, because *every* problem is trifle. A problem which is not trifle is no problem but a lie. There is only one thing which really counts: to go deeper and deeper with the foundation of the problem, with the attitude towards life. And it is absolutely the same with poems: a poem which shows a problem with some nice words *is* trifle. And there is, too, only one thing which counts: the deeper level in thoughts or feelings or in both together; and the deeper level is always new, absolutely new, has to come for the first time in the world. How many poems of this kind have you made in your life? how many poems of this kind exist in the world? I guess that *now* you *will* be able to make a few of them. And that is much. I expect it from you.

But of course as we are in real life, too, you have to be healthy for your new period of production, real production this time. I am very sorry about all these bruises you have and find it very sound, that you are coming back. And when you will return really with 300 pages, it will be quite a lot.

And as we are in real life, it seems to me, that you have to think over the financial suggestions I gave you last day. I had yesterday a long conference with Kahler's lawyer – almost four hours –, and having all the figures of this kind of business I have the *best* impression of it. Also for this reason it is sound to come.

I hope that it will be possible for me to carry Kahler through; I know it isn't my business, but now as I am in, it seems to me worthy to do it. And for the moment I have also good results with his wife[1], who took me yesterday three other hours.

And funny to say, for it doesn't look so, also my son is a success for me; I always took him as my worst failure, as a part of my bankruptcy in life, and now I see, that my method with him has its outspoken human, even very human results. Nevertheless it was and is not pleasant, for with all his good will, his lack of experience in the real struggle of life makes him slow: it was very much for him to have found by himself this job with the D. N.[2], but now as he wants a second job, it takes time, and so the setback of the last weeks brought him into debts which will cost my money.

So it wasn't a pleasant day in New York. [. . .] Every day in N. Y. is a catastrophy for the work here. And this fate of coming too late is terrible, though I find that it fits with this state of the world, that books like the Virgil and the Massenwahn *must* come too late.

I am returning the Monitor[3], which is very nice. Thank you and Pearl Strachan[4] for Goethe. And I am returning myself to work – thinking to you, and wishing a good Jewish New Year to you.

Sehr viel Liebes
H.

I don't reread this letter; the English is too ugly; I can't see it.

[YUL]

1 Fine Kahler (1889-1959), geb. Sobotka, Frau Erich von Kahlers, von der er sich 1942 scheiden ließ. Vor der Emigration war sie mit Mitgliedern des George-Kreises – etwa mit Friedrich Gundolf – befreundet gewesen.

2 Im März 1942 wurde H. F. Broch de Rothermann Monitoring Editor der »Short Wave Listening Post« bei der *Daily News* (D. N.) in New York. Er behielt diese Stelle, bis er im Februar 1943 vom Office of Strategic Services (OSS) rekrutiert wurde.

3 Gemeint sein dürfte ein Exemplar der amerikanischen Wochenzeitschrift *The Christian Science Monitor*.

4 Pearl Strachan, amerikanische Journalistin und Dichterin, Freundin Jean Starr Untermeyers. Vgl. Pearl Strachan, *All in Black Flower, and Other Poems* (Boston 1946).

411. An Frank Kingdon

c/o von Kahler
One Evelyn Place
Princeton, N. J. October, 16th, 1942

My dear President Kingdon[1]:
allow me to ask for your help and attention in the following matter:

In your capacity as chairman of the newly founded International Relief and Rescue Committee, I want to submit to you the case of Mrs. Julia Wassermann[2], who at present is in Zurich and under the threat of being deported to Germany by the Swiss federal authorities. As the widow of Jakob Wassermann, one of the most eminent european writers and an outstanding champion of freedom and democracy, I feel that the rescue of Mrs. Julia Wassermann, who's safety and life is now so gravely endangered, fully deserves the interest of your committee.

I may add that I take a deep personal interest in this case, as my son is married to a daughter of Jakob Wassermann. My son and his wife are now living here already for more than a year and it will be readily understood that both mother and daughter are anxiously hoping for the moment when they will again be united in this country.

Mrs. Julia Wassermann, now in Zurich, Schanzeneggstraße 3, was born in Vienna (Austria) on December 5th, 1877 and she registered her intention to emigrate to the U.S. already in May 1938 with the American Consulate General in Zurich. Should any additional informations regarding Mrs. Wassermann be desired, I beg your committee to contact my daughter-in-law, Mrs. A. F. Broch de Rothermann, now living at 35 West 75th Street, N. Y. C., (Tel.No. SChuyler 4-9357), who will readily provide all necessary datas.

Thanking you most sincerely for your interest in this case and your valuable support, I remain, my dear President Kingdon,

Very sincerely yours,
Hermann Broch
[ERC]

1 Kingdon war Chairman des International Rescue and Relief Committees in New York. Diese Organisation war am 23. 3. 1942 gegründet worden. In ihr hatte sich das Emergency Rescue Committee (vgl. Fußnote 1 zum Brief vom 28. 10. 1940) mit der International Relief Association zusammengeschlossen, die schon 1933 zur Unterstützung der Opfer des Faschismus gegründet worden war und sich nach dem Fall Frankreichs ebenfalls an den Rettungsaktionen beteiligt hatte.

2 Julia Wassermann (1877-1963), die erste Frau Jakob Wassermanns, lebte seit 1935 in der Schweiz. Sie emigrierte nicht in die USA.

412. An Alma Mahler-Werfel und Franz Werfel

One Evelyn Place
Princeton, N. J. 3. 11. 42

Liebste Alma, lieber Franz,
ich wollte Euch natürlich schon längst schreiben, aber Ihr wißt ja aus eigener Erfahrung, wie schwer Schreiben ist. Und unter dem Zeitdruck (und Zeitendruck), der uns auferlegt ist, lebt man ja erst recht in einer Dauerlähmung.

Vor allem also nochmals Glückwünsche zum Bernadette-Erfolg[1], über den ich mich von *ganzem Herzen* gefreut habe. Weiters habe ich Euch für den Blei-Beitrag[2] zu danken. Bleis Sterben war besonders traurig.

Ich bin seit 3 Monaten hier an der Universität[3] –, sehr zufrieden mit Arbeit und Position; unberufen pourvu que ça dure.

Wann kommt Ihr nach dem Osten?

Sehr viel Herzliches. Stets Euer
Broch

[UP]

1 Franz Werfels Roman *Das Lied der Bernadette* (1941) war ein amerikanischer Bestseller geworden.

2 Broch hatte bei seinen Bekannten Geld für einen Grabstein zum Gedenken Franz Bleis gesammelt.

3 Für die Arbeit an seinem Buch *Massenwahntheorie* (KW 12) hatte

Broch für die Zeit vom 1. 5. 1942 bis zum 31. 12. 1944 über das Office of Public Opinion Research in Princeton ein Stipendium erhalten, das aus Mitteln der Rockefeller Foundation finanziert wurde. Er hatte damit die Stelle eines unabhängigen Forschungsassistenten bei Hadley Cantril, dem Leiter dieses Instituts, inne.

413. An Hubertus Prinz zu Löwenstein

Princeton, 1 Evelyn Place 5. 12. 42

Lieber Freund Hubertus,
glauben Sie ja nicht, daß ich während all der vielen Monate nicht Ihrer gedacht hätte. Es konnte sich uns nicht konkretisieren, weil ich mit einem Übermaß von Konkretheit in einem ständigen Kampf mich befinde, seitdem ich meinen neuen Beruf[1] habe. Die Zeit läuft mir durch die Finger, und je größer sie wird, desto kürzer wird sie. Mit meinem Massenpsychologie-Buch komme ich kaum vorwärts. Und so ist es voll bewunderndem Neid, freilich auch mit bewundernder Freude, daß ich Ihnen zum »Borrowed Peace«[2] und zu seinem Erfolg gratuliere. Unendlich gerne würde ich über sein Thema mit Ihnen sprechen, wie ich ja unendlich dringlich Sie und die verehrte Prinzessin sowie Volkmar[3] endlich wieder sehen möchte. Bitte schreiben Sie mir aber, wie es Ihnen allen – nicht zuletzt den beiden erwachsenen Töchtern – geht. Und da wir ja leider schon wieder im Dezember sind, müßte ich leider bereits Weihnachtswünsche anfügen, leider, aber sehr von Herzen. Stets Ihr

HB

[BA]

1 Vgl. Fußnote 3 zum Brief vom 3. 11. 1942.
2 Löwensteins Autobiographie *On Borrowed Peace* erschien 1942 in dem New Yorker Verlag Doubleday Doran.
3 Volkmar von Zühlsdorff.

414. An Henry Allen Moe

1 Evelyn Place
Princeton, N. J. Dec. 19, -42

Dear Dr. Moe:
I was so pleased to get your cheerful greetings. Yes, we may have good reasons to hope that this strength of the Allies will increase.

From my egocentric point of view I would only wish to be able to contribute more than I do to the common effort. The way I have chosen, i. e. that of mass psychology is a very slow one, and more and more I come to worry about the length of this way. But I have no other choice [any] more, and therefore I can only hope that the results, although coming too late for the war, will come in time for the peace and will be not useless.

Anyway the whole situation looks so much more hopeful than last year[1]. Please accept all my best wishes for the new year; may it be bright for you.

Sincerely yours
Hermann Broch
[GF]

1 Ende November 1942 war die Einschließung Stalingrads durch die Rote Armee erfolgt. Auch an den übrigen Fronten machte sich die Wende des Krieges deutlich.

415. An Joseph H. Bunzel

30. 12. 42

Lieber Organisator,
[. . .] Im Augenblick gibt es bloß einen einzigen Lebenssinn, nämlich mitzuhelfen, dem Hitlerismus einen Riegel vorzuschieben. Du erinnerst Dich, daß mir dies bereits 1934 klar geworden ist, und daß ich mich von da ab immer eindeutiger auf diese Linie festgelegt habe. Es wäre mir ungleich leichter

gewesen, weiter Romane zu fabrizieren, und wahrscheinlich würde ich heute genau dort stehen, wo auf der einen Seite Dein geliebter Thomas Mann und auf der andern Dein noch mehr geliebter Werfel steht. Ich habe es nicht getan, weil mir der »Erfolg« wurscht ist, obwohl ich manchmal gerne mehr Geld haben möchte. Und ich plage mich wahnsinnig mit etwas ab, dessen Erfolg mir noch durchaus nicht klar ist. [. . .] Es geht für das Judentum

a) um ein Immediatprogramm, d. h. um die Probleme zur unmittelbaren Abwehr der unmittelbaren Gefahren, also um Fragen wie Propaganda, Wehrorganisation, non-resistance, etc. etc.

b) um ein long-range-Programm, das die prinzipiellen Fragen der Staatlichkeit und Gemeinschaft enthält, also Zionismus oder Non-Zionismus, Religiosität oder Non-Religiosität (in der Art eines atheistischen Traditionalismus) etc. etc.

Die augenblicklich wichtigsten praktischen Probleme liegen unter a), doch sind sie von den prinzipiellen Entscheidungen von b) abhängig. Und diese prinzipiellen Entscheidungen fußen wiederum auf einer ganzen Philosophie der Geschichte wie der Politik. Es ist traurig, daß dem so ist, weil ja dies auch die Krankheit der kommenden Friedensverträge oder -ordnungen sein wird. [. . .] Ich meine, daß die Juden ihre Ausnahmsstellung durch ihren Non-Nationalismus errungen haben, d. h. durch ihren religiös unterbauten Traditionalismus, und daß für sie nun die Existenzfrage im atheistischen Traditionalismus liegen wird, d. h. in einer *spezifisch ethischen Haltung,* die sich aus der jüdischen Religion bis zu einem gewissen Grade deduzieren ließe. Ohne diese gibt es bloß den blutigen oder unblutigen (assimilationshaften) Niedergang des Judentums. Und mit dieser ethischen Haltung [. . .] beschäftige ich mich, da ich eben eine Theorie der Politik schreibe.

So also sieht – um zum Anfang zurückzukehren – *mein* Beitrag zum Antihitlerismus aus. Was ich damit leiste, weiß ich nicht, aber ich glaube, daß die kleine Möglichkeit einer Chance für eine nutzbringende Verwertbarkeit darin stecken könnte. Und dies ist zugleich meine Sachbesessenheit. [. . .]

Wenn ich ein Drama über den Refugee machen müßte, so würde ich den tragischen Konflikt in der Antinomie resistance-nonresistance suchen und darob die Frage nach dem neuen Ethos aufrollen. [...] Vielleicht werde ich dieses Drama nach dem Massenwahn wirklich machen, weil es nämlich das einzige wäre, das sich dafür stünde. Und ich werde es mit aller Sachbesessenheit machen, deren ich fähig bin[1].

Wohingegen Werfeln eine Refugee-Posse[2] gemacht hat, das in vier Wochen auf dem Broadway gebracht wird. Eine wirkliche Posse. Und das ist ein Unfug. Inmitten der Apokalypse. Wo man sein erstarrtes Blut nur mit aller Mühe alltäglich auftauen kann.

Also wirf die Katz wie Du willst, es kommt immer wieder der Antihitlerismus heraus. [...] Und in diesem Sinne sei 1943 eingeleitet. In weiterer Liebe, jedoch ohne Briefe, zumindest nicht so lange ich unter solch wahnsinnigem Arbeitsdruck wie jetzt stehe. Ich bin mit allen lieben Gedanken bei Euch beiden,

stets Dein alter
H.

[YUL]

1 Der Plan blieb unausgeführt.
2 Franz Werfel, *Jakobowsky und der Oberst*.

1943

416. An Berthold Viertel

1. 1. 43

Lieber! In unserem Drachenblutbad werden wir nicht un-, sondern verwundbar. Aber manchmal weht ein Lindenblatt herab, das solch allgemeine Verwundbarkeit des Herzens für einen Augenblick und an einer Stelle aufhebt. Dann fürchtet man sich nicht[1] – für diesen Augenblick. Ein solches Lindenblatt ist Ihre Widmung. Haben Sie Dank. Und haben Sie Dank für das Buch und für Ihre Gedichte. Was ich Ihnen wünsche, wissen Sie. Es sind egoistische Wünsche, da ich an deren Erfüllung teilzunehmen gedenke. Stets Ihr

HB

[DLA]

1 Anspielung auf Viertels Gedichtband, *Fürchte dich nicht!* (New York 1941). Vgl. auch KW 9/1, S. 104-110, S. 385-391. Viertel hatte diesen Band Broch mit einer Widmung zugeschickt.

417. An Kurt Wolff

One Evelyn Place
Princeton, N. J.

10. 1. 43

Lieber Freund K. W.,
vielen Dank für Ihre Karte. Ich werde pünktlich bei Ihnen sein; vielleicht werde ich Erich[1] doch mitbringen.

Noch mehr Dank für den George[2]. Und Glückwünsche hiezu, erstens zur Fertigstellung, zweitens zur Herstellung (die wirklich nicht schöner hätte ausfallen können) und drittens zur Stellungnahme des Publikums, die so günstig wie die zum Péguy[3] [ist].

Und angesichts des Péguy und des George nun zum Thema Broch: ich glaube, daß nun der Zeitpunkt gekommen ist, um sich mit der Drucklegung des Vergil ernsthaft zu befassen. U. z. glaube ich, eben angesichts dieser beiden zweisprachigen Bücher, daß man doch an eine Doppelausgabe für den Vergil denken sollte. Die Zweisprachigkeit ist nun mit einem Schlage der Hausstempel des Pantheon geworden, und ein Buch wie der Vergil wäre m. E. durchaus danach angetan, diesen Stempel noch tiefer zu prägen. Und für mich, resp. für das Buch scheint mir die zweisprachige Ausgabe (hier also doppelbändig) in ihrer Besonderheit recht günstig. Denn es unterliegt für mich keinem Zweifel, daß der Vergil auf dem amerikanischen Literaturmarkt in erster Linie maßloses Befremden erregen wird: wenn jedoch die Leute auf den ersten Anhieb sehen werden, daß es sich um einen Sonderfall handelt, so werden sie eher zu einer vernünftigen oder vernünftigeren Einstellung gelangen, als wenn sie mit ihrem gewöhnlichen Apperzeptionsschema an die Sache herantreten. Entweder müßte ich bereits gestorben sein, oder ich brauche eine besondere Aufmachung; und da ziehe ich das letztere vor.

Bei einer Subskriptionsausgabe ist es auch egal, ob man mit einfachen oder einem Doppelband an die Leute herantritt. Gewiß, es ist der doppelte Preis, aber dafür kann man auch an viel zahlungskräftigere Kreise als an die lediglich deutschlesenden herankommen. Bitte überlegen Sie sich also die Sache in dieser Richtung.

Also, auf Wiedersehen Freitag. Und inzwischen Handküsse und einen herzlichen Gruß Ihres

HB.

Selbstverständlich müßte es den Käufern freigestellt sein, bloß einen der beiden Bände zu subskribieren.

[KWB]

1 Erich von Kahler.

2 Stefan George, *Poems*. Rendered into English by Carol North Valhope and Ernst Moritz (New York: Pantheon Books, 1943).

3 Charles Péguy, *Basic Verities* (New York: Pantheon Books, 1943). Wie das George-Buch erschien auch der Péguy-Band zweisprachig.

418. An Friedrich Torberg[1]

Princeton, 12. 1. 43

Lieber F. T.,
es ist schön, Ihre teilnehmenden Fragen zu erhalten, und es ist schwer, sie zu beantworten. Ganz einfach, weil die Große Zeit mit einem grauenhaften Zeitmangel verbunden ist, besonders für mich, der ich an organischer Langsamkeit leide.

Zur näheren Illustration im Telegrammstil: nachdem ich den unlesbaren, unveröffentlichbaren und unübersetzbaren Vergil fertiggestellt habe – Versuche zur Übersetzung und Veröffentlichung werden trotzdem gemacht, doch mit dem Lesen hat das nichts zu tun –, habe ich das Geschichtel-Erzählen aufgegeben, weil mir davor graust. Sie wissen, daß ich seit Hitler in zunehmendem Maße gegen diese Tätigkeit gewesen bin, überzeugt, daß es für unsere Generation, also die meine, die Ihre und wohl auch für die nächste keine andere Aufgabe als die der Pest-Bekämpfung gibt. Und da ich als Flieger nebbich eine schlechte Figur machen würde, habe ich nachgesonnen, ob ich etwas anderes halbwegs Nützliches zusammenbringen könnte. Und da ist mir noch drüben der Charakter der psychischen Seuchen aufgegangen. Und ich konnte mir sogar eine recht handfeste Theorie dazu konstruieren, die sogar stimmt, weil bekanntlich jede Theorie stimmen muß, denn die Historie besteht aus Umlügungen. Aber wenn es daran geht, eine Theorie an der Praxis zu erproben, also nicht an der Vergangenheit, sondern an der Zukunft, so gibt es keinen Schwindel: und hier heißt diese Praxis nichts anderes als Seuchenbekämpfung, also »Normal-Machung« des politischen Willens. Und an dieser Arbeit bin ich mit all meiner viel zu schwachen Kraft. [. . .] Und habe eine Rockefeller-Fellowship bekommen (mit verschämtem Stolz vermerkt) und bin mit selbiger an der hiesigen Universität angestellt worden. Ich laufe also als ungedeckter Scheck herum und muß trachten, ihn, d. h. mich, trotz alledem einzulösen. Nichtsdestoweniger meine ich, an der richtigen Stelle zu sein und zu stehen. Aber es ist nicht leicht. [. . .]

Ich erschrecke unausgesetzt, wie alles älter wird, um mich herum und in mir. Polgar[2], den Sie dort haben, muß schon ein alter Herr sein. Ich sollte ihm schreiben, aber ich komme dazu so wenig wie zu allem andern. Wenn Sie ihn sehen, so sagen Sie ihm dies bitte, und daß ich an ihn denke. Und ähnliches sagen Sie bitte Gina[3].

In Herzlichkeit Ihr
Broch

[FT]

1 Friedrich Torberg (1908-1979), österreichischer Schriftsteller. Torberg hatte Broch bereits in den dreißiger Jahren in Wien kennengelernt. Torberg war 1938 in die Schweiz emigriert. Von 1941-1950 lebte er in den USA.
2 Alfred Polgar (1873-1955). Mit Polgar war Broch seit der Zeit des Ersten Weltkriegs befreundet. 1938 emigrierte Polgar in die Schweiz und lebte seit 1940 in den USA.
3 Gina Kaus (geb. 1894). Auch mit Gina Kaus war Broch seit der Zeit des Ersten Weltkriegs befreundet. Die österreichische Schriftstellerin emigrierte 1938 nach Frankreich, 1940 in die USA. Wie Torberg und Polgar lebte sie in Kalifornien.

419. An Hans Sahl

10. 2. 43

Lieber H. S.,
[. . .] Warum hadern Sie mit dem Radio? so weit es geistige Werte gibt, was freilich prinzipiell ein anderes Problem ist, so können und dürfen sie auch durch das Radio nicht zerstört werden: werden sie aber zerstört, so zeigt dies, daß sie nicht oder zumindest nicht mehr (oder doppeltzumindest nicht mehr in ihrer alten Form) vorhanden sind; das Radio ist in diesem Fall nicht das Zerstörende, sondern bloß das Zerstörungssymptom. Natürlich ist der »Betrieb« grauslich, und nichts ist verständlicher, als daß Sie davon angeekelt sind, aber darin ist das Radio bloß der legitime und überdies hypertrophierte [Nachfolger] der Zeitung und des Zeitungsbetriebes. Warum versuchen Sie nicht doch, Ihre kunsthistorische Vergangenheit zu verwerten? ich habe nach wie vor die Vorstellung von Möglichkeiten in dieser Richtung. Und

ganz so arg geht es in der Kunstwissenschaft doch nicht zu: es ist doch etwas weniger Betrieb. Und man kann in Ruhe daneben sein Radio hören.

Daß Sie dem Radio übelwollen, verstehe ich also immerhin noch irgendwie. Doch daß Sie dies in betreff auf mich in Erwägung ziehen, ist mir höchstens in Ansehung der von mir veranlaßten Untermeyer-Übersetzungen Ihrer Gedichte erklärlich: über den Ausfall dieser Übersetzungen habe ich allerdings kein Urteil; für Lyrik reicht mein Englisch nicht aus, und etwas Besseres hatte ich Ihnen nicht zu bieten. Und ansonsten wissen Sie ja, wie entsetzlich ich überarbeitet bin; es geht ja auch bei mir unausgesetzt ums nackte Dasein, keineswegs darum, wo ich die Blumen hernehmen, sondern woher das Brot in der nächsten Saison kommen soll. Was nicht hindert, daß die »Hälfte des Lebens«[1] das Wunder bleibt, das es unsäglich ist.

In Herzlichkeit Ihr
H. B.

[DLA]

1 Vgl. Hölderlins Gedicht »Hälfte des Lebens«.

420. An Thornton Wilder[1]

Princeton, N. J. March 6th, 1943

Dear Thornton Wilder:

I didn't answer your cordial letter immediately, for, first of all, the whole matter has time, and secondly, I thought that I should have to come to Washington anyway for a hearing and so would have the chance of a few words with you in that case. But as things go slowly and I don't know when I shall be called to Washington, I write to you.

Of course it is about the publication of the Virgil. Pantheon Books would like to bring out a limited edition in two volumes (one German and one English) and I like this idea. Mrs. Untermeyer's translation should be finished in the summer and then Kurt Wolff will send out subscription blanks.

All in all, I don't think the publishing will occur until the Spring of 1944.

So, first of all, I must tell you that I am awfully sorry that I was too shy to ask you to read the German manuscript when you had time to do it. Of course I don't ask this of you now, for I see how overburdened you are. However, this does not mean that if you *wish* to have this manuscript, you could not always have it and keep it for months. The question in all this is the problem of the translation. The German text is an attempt to broaden the German expression by a rather individual use of the German language, and though I don't dare compare myself with Joyce, in a somewhat limited way this work has the same goal in respect to language. Of course with other method and means. Even though I did not dare go into a method which is full of riddles. [. . .]

Concerning the English: In my judgement (and Kurt Wolff and others concur in it), Mrs. Untermeyer has performed a real miracle. For what she has done is an absolutely faithful and poetic reproduction of the German text, taking over the form and rhythm of the original. Of course as the German is a new German, what she has produced is a new English, neither contemporary nor archaic, and having some relation, I am told, to the English of Sir Thomas Browne[2] and De Quincy[3] (because she maintains that these scholars built their prose on a strong classical education, and she feels that I have also somewhat been influenced by the rhythms of Latin) and yet contriving to be original. But as the thing is so new and as Kurt Wolff and I are both German (though Henry Seidel Canby agrees with us), Kurt Wolff feels that such a novel experiment needs an advocate. As a foreigner Kurt Wolff has neither the assurance nor the authority to write his own advance notices à la Knopf, and persons who have no idea of the German text are unable to be just to the English. It comes to them as something strange. They approach everything with the preconception of the industrial novel. They are therefore bewildered. Our problem is what shall we do about this. To whom shall we go for such advance help?

You can see that the whole thing is quite important for me, even though I am still convinced that the question of art in our time is not the most important one. But as far as art has its right of existence, I know that the Virgil is a forward step in the realm of German poetry and I wouldn't like to have it wasted by the ignorance or inability of the public, or the critics, to understand it. You yourself are the best example of the difficulties which a real artist has to overcome. With all the authority you have in this country, I see how your work is disturbing to the public. Although people don't dare raise their voice against you. But with me they would dare, and somehow it would be a pity.

By the way, I still haven't seen »The Skin of our Teeth«[4], for I am so overworked by my Mass Psychology that it is quite impossible to get a free evening and I want so much to see it, aside from all the discussions about you and Joyce, which make me doubly curious. All the more as I think I can guess your intentions. All that I got from you lately was an excellent article about the Art of the Drama[5] (I also read with great pleasure the article by Sessions[6]), but this was all done in stolen time. I must bring this Mass Psychology to a certain end in order to get a second year of the Rockefeller Fellowship[7]. I hope in the end to establish an academic career. For all of this it would be so helpful to have the Virgil published and to achieve the right place in public esteem.

Excuse this long letter. I knew it would be so long and that is why I [should have] preferred to do this conversationally. With all best thoughts and greetings,

Yours most cordially,
Hermann Broch

[GW8]

1 Thornton Wilder (1897-1975), amerikanischer Schriftsteller. Wilder hatte Brochs *Schlafwandler* bereits in den dreißiger Jahren gelesen und schätzte sie sehr. Persönlich lernte Broch Wilder durch die Vermittlung Henry Seidel Canbys kennen. Der hier geäußerten Bitte Brochs entsprach Wilder nicht.

2 Thomas Browne (1605-1682), englischer Dichter. Vgl. *Garden of Cyrus* (1658).

3 Thomas de Quincy (1785-1859), englischer Dichter. Vgl. seine für die englische Romantik typische Autobiographie *Confessions of an English Opium Eater* (1822).

4 Ein Drama Thornton Wilders von 1942.

5 Thornton Wilder, »Some Thoughts on Playwrighting«, in: Augus-

to Centeno (Hrsg.), *The Intent of the Artist* (Princeton: Princeton University Press, 1941), S. 83-98.

6 Roger Sessions, »The Composer and His Message«, in: Augusto Centeno (Hrsg.), a.a.O. (wie Fußnote 5), S. 101-134. Mit dem Komponisten und Musikwissenschaftler Roger Sessions (geb. 1896) war Broch befreundet. Wie Broch wohnte Sessions in Princeton.

7 Broch erhielt das Stipendium bis Ende 1944 verlängert.

421. An Hermann Kesten

One Evelyn Place
Princeton, N. J. 18. März 1943

Lieber Hermann Kesten,
seien Sie herzlichst bedankt. Natürlich steuere ich gerne etwas zu der Anthologie bei. Ob der Vergil hiezu geeignet ist, kann ich Ihnen erst nächste Woche sagen; es läßt sich so schwer etwas herausschneiden; er ist nämlich kein Buch, sondern ein Teppich. Aber ich habe noch einen andern (unvollendeten) Roman, der wahrscheinlich besser für Parzellierungen geeignet ist[1].

Inzwischen das gewünschte Curriculum. Sie wissen doch, wie man derartige Fragebögen ausfüllt?
Born: yes
Parents: two
Sex: yes . . .

Sobald ich in New York bin, rufe ich an. Inzwischen grüßen Sie bitte Klaus Mann (wenn Sie ihm schreiben) und danken Sie ihm bitte für sein Vorhaben. Ebenso lasse ich Auernheimer schönstens grüßen. Ihrer verehrten Gattin übermitteln Sie bitte Handkuß, und nehmen Sie selber alle guten Gedanken, in Herzlichkeit Ihr

H. B.
[HK]

1 Hermann Broch, »Introduction to a Peasant Novel«, translated by Jean Starr Untermeyer, in: *The Heart of Europe. An Anthology*

of Creative Writings in Europe, hrsg. v. Klaus Mann und Hermann Kesten (New York: L. B. Fischer, 1943), S. 588-592. Es handelt sich um das Vorwort des Erzählers aus der zweiten Fassung von Brochs Roman *Die Verzauberung,* Vgl. KW 3, S. 402.

422. An Hans Sahl

One Evelyn Place
Princeton, N. J. 30. 3. 43

Lieber Hans Sahl,
Ihr Aufsatz[1] ist ganz ausgezeichnet, und dies ist auch der Grund meiner verspäteten Antwort. Denn ich wollte, daß auch Kahler Ihre Ausführungen lese, und der ist – infolge der Urgenz, mit der er sein Buch fertigstellen muß – bis heute nicht zum Lesen gekommen. Also muß ich mich doch entschließen, Ihnen ohne Rücksendung des Artikels zu schreiben und diese Kahlern zu überlassen; ich hoffe Sie damit einverstanden.

Da der Mensch egozentrisch ist, muß ich zuallererst sagen, daß mir Ihre Feststellungen besonders wertvoll sind, weil sie sich vielfach mit den Deduktionen meiner Massenwahntheorie decken; andererseits freilich bin [ich] nicht gar so arg egozentrisch, um solche Übereinstimmung als die wesentliche Qualität Ihrer Arbeit anzusehen; es ist bloß ein erfreulicher Punkt für mich, ein umso erfreulicherer, als da eben zwei verschiedene Gedankengänge zu den nämlichen Resultaten gelangen. Ich glaube, daß das Deutschen-Buch[2], wie Sie es planen, ungeheuer viel Klärendes und Aufklärendes bringen könnte. Nur in der Judenbeurteilung sind Sie zu optimistisch: ja, wenn es Hitler gelingen sollte, die gesamte Judenheit auszurotten, dann könnte diese Aufopferung eine Art religionsstiftender Kraft erlangen; vor zweitausend Jahren war es [ein] einzelner Jud, der gekreuzigt wurde, heute im Massen-Zeitalter muß das gesamte Judenvolk dafür herhalten, auf daß das mythische Gewicht und Gesicht erfüllt werde, und so weit ist es, glücklicherweise, noch nicht, vielmehr sind wir erst auf der ersten Etappe, indes wenn es einmal gelingen sollte – und von rechtswegen müßte es angestrebt werden –, die Judenheit mit einem wahrhaft ethischen Willen auszustatten, dann wäre die Gesamtausrottung nicht unwahrscheinlich. Das sind freilich mystische, wenn nicht gar mystizistische Gedankengänge, aber mit Ihrem jüdischen Zukunftsbild sind Sie gleichfalls nicht gar so weit davon entfernt.

Wenn es mit Ihren beruflichen Plänen, Bemühungen, Zeiteinteilungen etc. nicht allzusehr in Widerspruch stünde, ein paar Wochen für die Grundlegung des Buches freizumachen, so könnte man sich jetzt um einen Sommeraufenthalt in »Yaddo« (jener Künstlerkolonie, in der ich meinen ersten amerikanischen Sommer verbracht habe) bewerben. Was halten Sie davon?

Aber nicht nur ein Deutschen-Buch steckt in dem Aufsatz, sondern auch eines über den europäischen Menschen schlechthin und über seine Beeinflussung durch den deutschen Charakter; gewiß, die Hunnen haben den europäischen Typus nicht verändert, aber die Deutschen sind selber Europäer, und ihr Einfluß ist – dies wird einer der Erfolge des vernichteten Hitlers sein – kaum mehr wegzudenken. Kahlers »Deutscher Charakter«[3] weist bereits in diese Richtung, und auch er sollte in dem ohnehin noch ausständigen Band II. dieses Thema nun mit aller Energie aufnehmen.

Daß Sie ob alldem keine Gedichte mehr schreiben, ist ein Jammer, ist mir aber verständlich. Es ergeht mir ja ebenso mit allem Literarischen, und ich wußte, daß auch in Ihnen ein ähnlicher Streik ausbrechen werde. Damit hat man sich abzufinden. Wenn es notwendig sein wird, gleichgültig ob früher oder später, wird man schon wieder dichten.

Für heute also nur Dank und Glückwunsch. In Herzlichkeit Ihr

H. B.

[DLA]

1 Es handelte sich um ein unveröffentlichtes Manuskript.
2 Dieser Plan blieb unausgeführt.
3 Erich von Kahler, *Der deutsche Charakter in der Geschichte Europas* (Zürich 1937).

423. An Hans Sahl

3. 4. 43

Liebster H. S.,
mit dem »unerreicht« haben Sie eine alte Sprachwunde von mir berührt, die mich schon viel Zeit gekostet hat, nämlich die des Unterschiedes von »lich« und »bar«, also »unerreichlich« und »unerreichbar«, wovon das erste wohl als konkret und sohin auch bloß hic und nunc geltend aufzufassen ist, das zweite hingegen als attributiv dauernd, eine sicher*lich* richtige Unterscheidung, die aber im Sprachgebrauch alles andere denn sicher*bar* ist, weil da das Adjektivische und das Adverbiale unausgesetzt durcheinander laufen. Kurzum, die Misere des Schreibens!

Was aber Ihre Spezial-Misere anlangt, so kennen Sie ja meine Einwände gegen die Legitimität der Romanform: Sie haben Ihre Gegeneinwendungen gehabt, aber in der Praxis geben Sie mir nun offenbar doch recht; denn ein Mensch mit so viel Realitätsgefühl in den Fingerspitzen – und das haben Sie – kann der Realität nicht Gewalt antun, und unbeschadet Ihrer (sicherlich vorhandenen) privat-neurotischen Arbeitshemmungen, spüren Sie während der Roman-Arbeit deren objektiv prinzipielle Unstimmigkeit, d. h. deren Verhaftung an etwas Überlebtes, das Sie nun Naturalismus oder sonstwie nennen können, sich immer aber als Störungsfaktor anmelden wird.

Natürlich werden Sie das Dilemma irgendwie lösen; Sie sind ja hiezu geradezu verpflichtet, schon aus rein äußerlichen Gründen, außerdem aber wohl aus Gründen Ihrer inneren Entwicklung, denn von hier aus stammt ja der Entschluß zum Roman-Schreiben. Also wird Ihnen der notwendige Kompromiß auch gelingen und ich hoffe sehr, daß er erfolgreich sein wird, u. zw. auch dies aus äußerlichen wie aus innerlichen Gründen, ersteres wegen Ihrer Position, letzteres aber, weil Ihr Narzißmus nach wie vor ungebrochen besteht und daher (wenn auch mit schlechtem Gewissen) erfolgshungrig ist, um am Erfolg das notwendige Ich-Gefühl zu gewinnen.

Aber ich will Ihnen nicht wieder psychologische Grobheiten sagen, obzwar ich nicht weiß, ob Sie sie nicht eigentlich hören wollen. [. . .]

[GW 8]

424. An Hermann Kesten

Princeton, N. J., 9. April 43

Lieber verehrter H. K.
Sie irren: meine kommerziellen Fähigkeiten und Interessen sind keineswegs bewunderungswürdig; sie sind rudimentär und sind rudimentär geblieben, trotz zwanzigjähriger geschäftlicher Tätigkeit; allerdings, wer so lange in der Kommerz-Galerie eingeschlossen gewesen ist und darin so wenig wahrhaft achtenswerte, wahrhaft korrekte Menschenexemplare angetroffen hat, dem ist eine geradezu schmerzlich hellhörige Empfindlichkeit gegenüber dem Gehaben des Kommerz-Menschen zugewachsen, gegenüber jenem Gehaben, das mit Recht »Usance« heißt und zu Unrecht Nutzung ist.

Also glauben Sie ja nicht, daß mir an den paar Dollars, die ich da für meine vier Seiten bekommen kann, im geringsten etwas liegt. Ich bin auch ohne weiteres bereit, darauf zu verzichten, wenn es für einen vernünftigen Grund geschehen soll, z. B. für eine Verbilligung des Buches[1] oder für einen wohltätigen Zweck (etwa für Refugee-Fürsorge, die mir, wie Sie wohl noch wissen dürften, besonders am Herzen liegt), oder auch nur, um Klaus Manns Verlagsverhandlungen zu erleichtern. Es geht mir also wahrlich nicht um die »Höhe« des Honorars. Wenn jedoch, wie eigentlich anzunehmen ist, in den Herstellungs- und Verkaufspreis des Buches das übliche Seitenhonorar eingerechnet ist, dann haben die Mitarbeiter darauf Anspruch, gleichgültig ob als Vorschuß oder als spätere Beteiligung. Und selbst wenn man sich auf den Standpunkt stellte, daß mit einer solchen Anthologie den Mitarbeitern eine gewisse »publicity« gegeben wird (die im allgemeinen freilich m. E. bloß mißverstandener Amerikanismus ist), es müßte geldlich doch jedenfalls zumindest so viel herausschauen, daß den Übersetzern ein Anerkennungshonorar gezahlt werden kann, denn die Übersetzer haben sicherlich überhaupt kein publicity-Interesse.

Dies sage ich Ihnen *privat,* weil Sie sich offenbar gewundert haben, daß ich die Honorarfrage angeschnitten habe; denn daß Sie aus dem Wundern ein Bewundern gemacht haben, war eine nette Freundlichkeit von Ihnen; *offiziell* hingegen bitte ich Sie zur Kenntnis zu nehmen, daß ich zwar ein Anerkennungshonorar für Mrs. Untermeyer haben möchte, daß dies aber Ihre Zusammenstellung des Buches nicht aufhalten soll, und daß Sie daher meinen Beitrag ohne weiteres verwerten mögen. Am allerwenigsten jedoch lohnt es mir der Mühe, mich in eine Korrespondenz mit dem Verlag über das Thema einzulassen.

Und ich kann dies umsoweniger tun, als ich mich in einem konstanten Kampf mit dem Zeitmangel befinde. Wahrhaftig bewunderungswürdig (um nochmals dieses Wort aufzugreifen), ist es, daß Sie neben dem Schreiben auch noch die Zeit zu all den übrigen Tätigkeiten, wie eben etwa diese Redaktionstätigkeit, finden können. Ich brächte dies nicht zustande; ich kann mich gerade zur Not um die (ungeheuer schwierige) Übersetzung des Vergil und um die Vorbereitung seiner Publikation kümmern, aber darüber hinaus bin ich völlig von meiner hiesigen Universitätsarbeit, d. h. von meinen Massenwahn-Untersuchungen aufgefressen. Ich hoffe allerdings, daß sich diese zu etwas recht Brauchbarem entwickeln werden, indes, eben darum ist angestrengteste Vorwärtsarbeit vonnöten, umsomehr, als es gilt, über all die quälenden Unsicherheiten und Verzweiflungen hinweg zu kommen. Daß ich dazu diesen Universitätsposten habe, ist – auch aus Existenzgründen – natürlich ein Glück, und so versteht es sich, daß ich gerne in Princeton bin; pourvu que cela dure.

Also nochmals: verwerten Sie den Beitrag ohne Rücksicht auf die Honorarfrage. Und hoffentlich können wir einander nun doch wieder einmal sehen; ich würde mich herzlich freuen. Mit guten Wünschen und Grüßen

Ihr Broch

[HK]

1 Vgl. Fußnote 1 zum Brief vom 18. 3. 1943.

425. An Friedrich Torberg

Princeton, 10. April 1943

Lieber F. T.,
Volle zwei Monate habe ich schon [...] die Pflicht, auf Ihre Polemik einzugehen. Ihnen ist etwas wertvoll, nämlich die geistige Haltung der Dichtung, Sie sind daran, selber einen Roman zu schreiben, und vom Standpunkt des »Geschichtel-Erzählens« aus bin ich beauftragt, Ihnen dies alles zu vermiesen. Auch wenn mir das nicht gelingt – und es wird mir nicht gelingen, denn man überzeugt immer nur den Überzeugten –, ist Vermiesen stets ein mieses Geschäft. Also habe ich wenigstens vorauszuschicken, daß das, was in Ihnen vorgeht, mir nicht ganz unbekannt ist: unablässig spüre ich in mir die Verführung zum Geschichtel-Erzählen; ein jeder Windhauch, ein jeder Ton auf der Straße oder im Haus kann sie intensivst aufleben lassen, und vor allem die Mannigfaltigkeit des Menschlichen ringsum drängt immer wieder und wieder zur Festhaltung, auf daß es nicht ins Vergessen falle. Nichts ist mir also verständlicher, als daß Sie solcher Verführung erliegen. Es ist mir im Innersten bejahbar, und ich brauche kaum hinzuzufügen, daß ich in dieser Seelenschichte mich auf Ihren Roman freue.

Warum also das Schimpfwort »Verführung«? Warum das Schimpfwort »Geschichtel-Erzählen«?

Einen Teil der Antwort kann ich mir ersparen, weil Sie ja selber meinen Joyce-Aufsatz anführen: ich habe darin klarzulegen versucht, wie der Künstler, gebunden an die Logik seiner Darstellungsmittel (in der auch das Prinzip aller »Kunstentwicklung« liegt), weiter und weiter ins Esoterische getrieben wird und schließlich, aus lauterster künstlerischer Ehrlichkeit, eine nur ihm allein noch verständliche, subjektivistische Sprache spricht. »Finnegans Wake», fünf Jahre nach meiner These erschienen, gibt den Beweis für sie. Ich möchte jetzt noch hinzufügen, daß jede »reife« Kunst abstrakt wird, daß sie sich bemüht, nicht mehr das Lächeln des Herrn Schulze, nicht mehr das Sonnenlicht über Pötzleinsdorf, sondern »das« Lächeln schlechthin, »das« Sonnenlicht schlechthin zu zeigen – betrachten Sie hiezu Joycens Geistesbruder Picasso, aber auch sogar Strawinsky –, daß in diesem Abstraktismus die Größe und die Unverständlichkeit eines jeden Altersstiles liegt (das große Glück eines jeden Künstlertums), und daß in diesem Sinne das Werk Joyces, aber auch das Picassos und Strawinskys alle Merkmale des Altersstiles trägt. Nur ist es nicht mehr der persönliche Altersstil des Künstlers selber, sondern der des Zeitalters schlechthin – es ist der größte und schärfste Einschnitt in der Kunstgeschichte seit der Antike.

Und es kann ja auch gar nicht anders sein. Auf der einen Seite erfährt die Wissenschaft, auf der andern, der praktischen Seite, erfährt das soziale und politische Leben eine völlige Umstülpung. Kann man da von der Kunst etwas anderes erwarten? Idiotisch und kindisch ist es aber zu meinen, daß sich jene theoretischen und praktischen Umstülpungen in der Kunst zu »spiegeln« hätten. Nein, die Kunst vollzieht ihre – allerdings parallele – Revolution nach ihren eigenen Gesetzen, und diese sind lediglich an der Kunstentwicklung und an der Entwicklung ihrer Technik, respektive an deren Trägern (Joyce, Strawinsky, Picasso) abzulesen. »Stofflich« gibt die Revolution der Epoche nichts her.

Oder richtiger: auch das Stoffliche ergibt sich aus der Eigenentwicklung der Kunst, soweit sie eben, trotz ihrer Autonomie, eine Funktion der Epoche ist. Das heißt, daß wir in unserer Zeit eine der unbedingtesten Radikalisierung aller Werte zu sehen haben (Prinzip der Wertzersplitterung), daß jedwede Halbheit zu fallen hat, [. . .] daß jeder Wert bis zur letzten und eben abstraktesten Nacktheit ausgezogen wird. Gerade dies gilt auch für die Kunst. Das Geschwafel von der Darstellung des »Lebens« durch die Kunst ist auf einmal in der Kunst selber seines Sinns entkleidet worden (sic Picasso), denn zur Darstellung des »Lebens« braucht man keine Kunst mehr, weil diese Aufgabe viel eindringlicher, korrekter und sauberer von der Wissenschaft übernommen worden ist; die Kunst ist dorthin verwiesen worden, wo ihr eigentlichster Stoff ruht, auf jenen Stoff, um den sich *alle* Kunst seit jeher bemüht hat, nämlich auf den *Tod an sich,* den großen pacemaker aller metaphysischen Erkenntnis.

Auch dies läßt sich beweisen. Denn Zeiten des Kulturbruches sind mythenträchtig. Und von hier aus ist das unbewußte Tasten nach dem Mythenstoff zu verstehen, Joyces »Ulysses«, Manns »Joseph«-Mythos. Denn der Mythos ist immer noch die engste Annäherung des Menschen an die Todeserkenntnis gewesen. Nur daß noch kein Mythos unmittelbar aus der Revolutionsepoche selber entsprungen ist; der Mythos folgt ihr nach – er ist eine Funktion des Gedächtnisses, ja sogar des Generationengedächtnisses.

Drei unabweisliche, dennoch unerfüllbare Forderungen haben sich also ergeben: erstens die völlige Radikalität der Mittel und ihrer Abstraktheit, respektive Abstrahierungskraft, zweitens die radikale Annäherung an die Todeserkenntnis, drittens die Radikalität des Mythos. Und diese drei Forderungen zusammenfassend, darf ich [. . .] sie durch eine vierte ergänzen, nämlich der nach dem »Totalitätsgewicht« des Kunstwerkes: bloß wenn das Kunstwerk in sich die Welttotalität produziert (nicht als naturalistischer Weltabklatsch, sondern kraft seiner eigenen Welt-Autonomie), nur dann verdient es den Namen eines Kunstwerkes. Und wie soll die Totaliät aussehen, welche das Kunstwerk heute dem des Weltengrauens entgegensetzen will, wie soll diese Gewichtsgleichheit hergestellt werden?! Das Kunstwerk, das hiezu einstens imstande sein wird, das erste, das wieder seinen Namen verdient, wird ein Mythos sein, der es wieder mit dem Gilgamesch wird aufnehmen können.

Dies sind keine ausgeklügelten, sondern in harter und oftmals tief quälender Arbeit – das brauche ich Ihnen nicht eigens zu beschreiben – *erlebte* Erkenntnisse. Als ich meinen Bergroman schrieb, bemerkte ich den Hang zum Mythos, entdeckte ihn sozusagen sukzessive und entdeckte damit auch die Unzulänglichkeit meines Beginnens, so daß ich das Buch einfach stehen ließ, um so mehr, als mir die Bemäntelung der Unzulänglichkeit durch die Romanform schlechterdings unerträglich geworden war. Statt dessen ging ich an den Vergil, und zwar mit der Absicht absolutester Ehrlichkeit und der Vermeidung eines jeglichen »Faltenwurfes«, – ich sprach Ihnen einmal davon auf dem Schwarzenbergplatz[1]. Und ich glaube auch, daß ich diese Ehrlichkeit durchgehalten habe; zumindest führte sie zu einer neuen Entdeckung, nämlich zu der meines unbewußten Bemühens um die größtmögliche Annäherung an die Todeserkenntnis. Daß mir dies, trotz aller Radikalität, nicht geglückt ist, versteht sich von selbst, weil eben niemand hinter den Tod schauen kann. Aber es sind mir dennoch einige Erkenntnisse aufgegangen, zum Beispiel über die Gültigkeit der alten und offenbar ewigen Todessymbole, denn die haben sich kraft bloßer Konzentration auf das Sterbensphänomen allesamt von selber eingestellt. Aber niemand kann seine Generation überspringen, und so bleibt der Vergil – den deshalb zu verkleinern eine blöde und unehrliche Bescheidenheit wäre – eine Ausklangs- und Enderscheinung der alten Epoche, vielleicht (gleich Joyce, neben den ich mich in gebührenden Abstand und dies mit ehrlicher Bescheidenheit stelle) in die Zukunft weisend, das gelobte Land schauend, aber über die bloße Ahnung nicht hinauskommend. Im übrigen war auch Vergil bloß ein Vorausahner, kaum ein Prophet.

Verstehen Sie also, warum ich diese heutige Literatur als bloßes Geschichtel-Erzählen bezeichne, und daß ich mich hiezu sogar legitimiert fühle? Und wenn ich auch als Produzent unweigerlich meiner Generation verhaftet bin, ich habe kraft der Intensität und Radikalität, mit der ich mich in diese Arbeit geworfen habe, doch ein Zeitgefühl gewonnen, welches mir erlaubt, mich als Konsumenten einigermaßen der neuen Generation zuzurechnen: ich kann das, was da so produziert wird, sozusagen mit einem etwa zwanzigjährigen Rückblick, vielleicht sogar mit einem fünfzigjährigen Rückblick betrachten (Rückblick aus dem Jahre 2000), und ich sehe lauter Spielhagens und Heyses[2]. Es ist gräßlich langweilig, und fast möchte ich da nicht einmal Balzac ausnehmen. Und es kann ja auch gar nicht anders sein. Denn ein Literaturbetrieb, der ohne Rücksicht auf das Weltgrauen einfach in seinen alten Bahnen weiterwurschtelt, weil der Mensch schreiben und nebenbei Bücher verkaufen will, resp. hiezu das Weltgrauen, wenn selbst mit noch so guter demokratischer Gesinnung, lediglich als »Stoff« benützt, – *der* Betrieb *muß* zum Kitsch führen. [. . .]

Auch hiefür habe ich einen Beweis, nämlich das Publikum, das heißt die soziale Stellung der Kunst und im besonderen der Literatur. Ich bin weit davon entfernt, das Publikum zu verachten; als Publikum ist die Menschheit immer noch am wenigsten verächtlich, da sie in dieser Funktion von ihren sonstigen Schweinereien abgelenkt und wahrhaft objektbezogen ist. Aber das Publikum hängt im Vakuum, weil die Produktion ihrer eigenen Aufgabe wesensgemäß nicht genügen kann, – weil, radikal gesprochen, der Mythos noch nicht geboren ist. Also verlangt das Publikum von der Kunst die Befriedigung der außerkünstlerischen Triebe, verlangt optimistische Hinwegtäuschung über das Weltgrauen, sei es mit Heroismus, sei es mit Mystizismus, oder eben bloße Unterhaltung, um in Gleichgültigkeit, Hartherzigkeit und im leeren Phrasentum bleiben zu können. Kurzum, es ergibt sich das Bestsellertum des Kitsches. Und wenn es um die politische »Erweckung« des Publikums durch die Kunst gehen soll – eine Erweckung, an die ich übrigens nicht glaube, da sie von Faktoren *neben* der Kunst ausgeübt wird –, so sind diese Erweckungsprodukte erst recht Kitsch; bloß Bücher in der Qualität von »Onkel Toms Hütte« haben politischen Einfluß gehabt.

Was also soll geschehen? Nun, »nichts war noch nie«, sagt ein ungarisches Sprichwort, und die nächste Generation (zu der Sie doch bereits einigermaßen gehören) oder die übernächste wird es schon schaffen, und auf einmal wird der große Mythos dieser Zeitenwende geboren sein. Ich glaube allerdings, daß es kein geschriebener, sondern ein gefilmter Mythos sein wird: die Zeit ist einerseits visuell, andererseits kollektiv geworden, [. . .] und beiden Bedingungen genügt der Film vollständig; er ist ein Produkt einer industrialisierten Kollektivität, und er ist visuell. Und ebenso meine ich, daß der Film die einzige Kunstform ist, aus der sich einstens politische Willensbildung wird ergeben können. [. . .]

Die Konsequenzen, die ich für mich aus diesem Sachverhalt gezogen habe, sind einfach. Auf dem Weg des Vergil kann ich nicht weitergehen, weil ich einerseits nur noch weiter ins Subjektive und Unverständliche geraten würde, auch wenn es mir gelänge, damit noch weitere Realitätsebenen aufzudecken, und weil ich [. . .] trotzdem kaum ins gelobte Land der neuen Kunstform, der neuen Kunstrealität dringen würde. Außerdem halte ich es für das Wichtigste, jetzt an der Pestbekämpfung mitzuwirken. Denn Hitler ist zwar ein Instrument der neuen Zeit, aber er ist sie nicht, und damit die Zeit wieder menschlich werde – [denn] ohne menschliche Qualität gibt es auch keine Kunst, das heißt es gibt sie nur im Zuge des Humanisierungs-, nicht des Vertierungsprozesses –, muß erst einmal die Pest ausgetrieben sein. Daß ich hiezu das Mittel [in] meiner Arbeit an der politischen Psychologie und der Massenwahnuntersuchung gefunden habe, betrachte ich als ein großes Glück, verdoppelt durch die Universitätsstellung, die mir – pourvu que cela dure – diese Arbeit ermöglicht. Und ansonsten warte ich zu. Hie und da mache ich ein Gedicht, das ich verstecke, und irgendwo denke ich daran, einmal wieder ein Stück zu schreiben, gewissermaßen als eine Zwischenform zwischen Roman und Film, da ich ja zu diesem, auch innerlich, keinen Zugang habe.

Sobald ich einmal ein Vergil-Exemplar frei habe (augenblicklich wird das Unübersetzbare übersetzt, weil es ja doch zur Publikation kommen soll, und zwar womöglich zweisprachig), schicke ich es Ihnen; ich würde mich freuen, wenn Sie es läsen. Und ebenso bekommen Sie bald etwas über den Massenwahn. Vorderhand genüge diese langatmige confessio, die Sie freilich selber heraufbeschworen haben. Lassen Sie sich trotzdem Ihren Roman nicht von ihr vermiesen.

In Herzlichkeit Ihr
Hermann Broch

[. . .] 19. IV.

Nachdem ich den Brief durchgelesen hatte, habe ich ihn nochmals acht Tage liegen lassen. Er ist nämlich kein Brief mehr: er ist mir im Schreiben durchgegangen wie ein Pferd, das in den Stall will, und der Stall wäre ein ausgewachsener Aufsatz. Aber da er nun weder ein Pferd noch ein Aufsatz ist, sondern bloß ein im Galopp geschriebener Brief, über Stock und Stein dahin, ist er voller Gedankensprünge. Ich kann mich aber nicht entschließen, ihn darob nochmals zu schreiben. Nehmen Sie ihn also, wie er ist, unbeschadet seiner Flüchtigkeiten: ich gleiche sie mit einem »eh schon wissen« aus. [. . .]

[FTo, GW 8, MTV]

1 Platz in Wien.
2 Friedrich Spielhagen (1829–1911); Paul Heyse (1830–1914).

426. An Hans Sahl

One Evelyn Place
Princeton, N. J. 16. 4. 43

Lieber H. S.,
in aller Eile große begeisterte Freude über die Dugganfellowship! Daß ich hiebei habe mithelfen dürfen, verdoppelt – der Mensch ist egozentrisch – meine Freude, verdient aber in seiner Unwesentlichkeit wahrlich keinen Dank; da war Tillich[1] viel wesentlicher und ausschlaggebender.

Ich würde Tillich natürlich sehr gerne einmal begegnen, doch Sie wissen ja, wie vertrackt und zeitraubend meine Arbeitsbedingungen sind, und (nebenbei) ebendeswegen habe ich stets eine Scheu, dem andern gleichfalls Zeit wegzunehmen, besonders wenn ich eine so große Arbeitsleistung wie die Tillichs sehe. Hingegen würde ich Ihnen sehr gerne die Schlafwandler für ihn geben, wenn ich noch Exemplare hätte; leider ist mein (unersetzlicher) Vorrat zu Ende, und von rechtswegen müßte ich Fisher[2] auskaufen, bin aber hiezu noch immer nicht reich genug.

P. I. C. K. (privat information center key). Ich wäre weniger enigmatisch gewesen, wenn ich nicht geglaubt hätte, daß Sie den Mann Pick[3] kennen. Nun, er ist während eines Jahres oder länger der Sekretär eines Pastors gewesen, der mit den verschiedenen deutschen Wiederaufbauprojekten in ständiger Verbindung war, u. a. auch mit denen zur Schaffung einer neuen Lehrbücherei. Also hoffte ich, die nötigen Informationen von Pick erhalten zu können, doch da er seinen Posten vor einigen Monaten verlassen hat, ist er orientierungsverlustig geworden. Aber Tillich dürfte doch sicherlich um jene Lehrbücherbemühungen wissen; eine bessere Verbindung hiezu als ihn gibt es eigentlich nicht.

Yaddo! Daß Sie das nicht erfaßt haben, ist einfach eine Schande: Yaddo ist der Name der gesamten Installation, kurzum des estate. Und sohin wäre Ihre application zu adressieren:

Mrs. Elizabeth Ames
»Yaddo«
Saratoga Springs, N. Y.

Selbstverständlich hat dies mit Ihrer fellowship nicht das geringste zu tun; im Gegenteil, die Zuteilung der fellowship wird als Empfehlung gelten, weil das Einladungskuratorium daraus sehen wird, daß Sie eine wichtige Arbeit auszuführen haben und hiezu einen ruhigen Arbeitsplatz im Sommer brauchen.

Nochmals Glückwunsch und alles Herzliche Ihres

HB

[DLA]

1 Paul Tillich (1886-1965), deutscher Theologe und Philosoph. Tillich emigrierte 1933 in die USA und lehrte damals am Union Theological Seminary in New York.

2 Peter Thomas Fisher war der Sohn des Wiener Buchhändlers Oskar Fischer. Fisher gründete 1939 eine Verlagsbuchhandlung in New York.

3 Robert Pick (1898-1978), österreichischer Schriftsteller. Er emigrierte 1938 nach England, 1940 in die USA. Er war als Lektor beim Alfred A. Knopf Verlag in New York tätig. Mit Broch war er eng befreundet. Er vermittelte Brochs Vertrag zur Publikation der *Verzauberung* beim Knopf-Verlag.

427. An Werner Richter

One Evelyn Place
Princeton, N. J. 26. 4. 43

Lieber,

Bermann[1]? – auf Ihre Frage kann ich Ihnen nur antworten, daß Kurt Wolff ein netter Mensch ist. Doch dies soll nichts gegen den Verkauf eines Buches an Bermann besagen.

Sie scheinen ja überhaupt noch an der Vorstellung eines persönlichen Kontaktes zwischen Autor und Verleger in einer Art Arbeitsgemeinschaft, wie wir es drüben gewohnt waren, zu haften, anstatt gelernt zu haben, daß das Manuskript hier nichts als eine Ware ist, die durch einen Agenten verkauft wird. Bloß Wolff macht da eine Ausnahme; er trachtet seine europäische Haltung hierher zu übertragen, und es mag ja sein, daß er sich damit wirklich eine Ausnahmsstellung im amerikanischen Verlagswesen schafft: es hängt durchaus von seinem geschäftlichen Erfolg ab; erringt er einen solchen, so wird er mit seiner Haltung bald Nachahmer finden.

Es ist also auch ziemlich gleichgültig, ob man hier mit einem Verleger gute oder schlechte Erfahrungen gemacht hat. Wenn es ihm aussichtsreich dünkt, so wird er das advertisement forcieren, und wenn ihm die Publikumsstimmung nicht günstig erscheint, so wird er an den advertisements sparen: weder der persönliche Kontakt, noch die Qualität des Buches können an diesem Prinzip etwas ändern; ein ›Einsetzen‹ für ein Buch gibt es nicht, vielmehr wird die gesamte Propaganda auf den jeweiligen Berichten der Salesmen aufgebaut, und für den salesman ist das Buch erst recht nichts anderes als eine anonyme Ware.

Und so verstehe ich eigentlich Ihre schwere Entschlußfähigkeit in der Agentenfrage durchaus nicht. Der Agent – ob nun Horch[2] oder ein anderer – hat ein Interesse an verkäuflichen Manuskripten, weil er davon lebt, und er hat ein Interesse an der Placierung beim richtigen Verlag, weil der getätigte Verkauf ihm den Scheck bringt. Das Frankreich-Buch ist aktuell, und wie es für jede Frau irgendwo einen Mann und umgekehrt gibt, so muß es für dieses Manuskript irgendwo einen Verleger geben. Vom Agenten ist bloß zu verlangen, daß er weiß, mit was er zu wem zu gehen hat. Ob Horch dieses Fingerspitzengefühl sich schon erworben hat, weiß ich nicht, doch da er ein Mann von gutem Einkommen ist – der einzige hier gültige Barometer –, so scheint es so zu sein.

Ich könnte mir übrigens auch vorstellen, daß die Agenten Ihnen von einem General Grant[3] abredeten, weil die Amerikaner einen Refugee nicht für berechtigt halten, über bodenständige Themen zu reden; man hat hier allenthalben ein ›expert‹ zu sein, und ein solcher ist der Refugee nur in europäischen Belangen.

Ob nicht derartige Überlegungen auch bei Duggan[4] mitspielen, läßt sich schwer sagen. Aber durch eine Differentialdiagnose könnten Sie es feststellen. Fragen Sie doch Miß Drury[5], ob Sie für das Frankreichbuch nicht mehr Aussichten hätten. Und insistieren Sie doch ein bißchen nachdrücklich auf Ihren Anspruch auf Finanzierung: wenn Sie nicht nachdrücklich auf die Wichtigkeit Ihrer Arbeit für die gegenwärtige politische Lage hinweisen und auf die Wichtigkeit Ihrer Person, die für diese Arbeit unersetzbar ist, kommen Sie ins Hintertreffen, weil es lauter wichtigste Arbeiten sind – und es sind ihrer jetzt wieder eine ganze Reihe –, welche die fellowships erhalten. Warum also nicht auch Sie?

Fast will es mir scheinen, daß Sie eher hierher kommen, als ich nach N. Y. Jetzt wird es hier wunderschön werden. Wie wäre es also mit einem Sonntag? Auch Kahler würde sich herzlich freuen.

Alles Herzliche Ihnen beiden Ihres

H. B.

[WR]

1 Gottfried Bermann Fischer. Richter suchte einen Verleger für sein Buch *Frankreich. Von Gambetta zu Clemenceau,* das 1946 im Rentsch-Verlag, Erlenbach-Zürich erschien. Vgl. Brochs Rezension dazu in KW 10/1, S. 292-297.

2 Franz Horch war ehemals Lektor im Paul Zsolnay-Verlag in Wien und von daher mit Broch bekannt. Seit seiner Emigration in die USA leitete er mit großem Erfolg in New York eine literarische Agentur. Horch bemühte sich aber vergeblich darum, Richters Buch an einen Verleger zu vermitteln.

3 Bei *General Grant* handelte es sich um einen Buchplan Richters. Gliederung und Exposé dieser unveröffentlichten Arbeit finden sich im Werner-Richter-Nachlaß im DLA.

4 Stephen P. Duggan war Vorsitzender des »Emergency Committee in Aid of Displaced Scholars, Sub-Committee for Writers«. Richter hatte dort 1942 einen Antrag auf finanzielle Unterstützung gestellt, der aber dann nach monatelangen Verhandlungen zwar nicht vom »Emergency Committee«, sondern – nach einer Intervention von Thomas Mann – vom »American Committee for Christian Refugees« bewilligt wurde.

5 Miß Drury war Duggans Sekretärin.

428. An Henry Allen Moe

One Evelyn Place
Princeton, New Jersey May 8, 1943

Dear Mr. Moe:
You have shown again and again so much kind interest for my person and my work, that I take it as a pleasure and a duty to present you herewith – in the form of an elaborate outline[1] – a report on my study on mass-psychology.

About a third of the book is completed, and if the work will not produce too many difficulties out of itself during its progress – but, of course, every work has this disagreeable quality – it may be finished in 1944. I hope the results will be of some importance, and I am certain that the collaboration with Cantril, which is a real pleasure for me (– you find his remarks in the Appendix to the outline –) will prove very fruitful for these results. Needless to say that I am very anxious and impatient to reach that goal. But it was a great encouragement for me to hear from Dean Gauss about the favorable reaction my report found with the Rockefeller Foundation.

I am very glad to be able to tell you also that the translation of my »Virgil« will be finished during the summer, so that the publication of the work in both languages (by the Pantheon Books) can be expected next winter.

With my best greetings

sincerely and gratefully as ever
Hermann Broch

[GF]

1 Vgl. KW 12, S. 67-98.

429. An Hans Sahl

One Evelyn Place
Princeton, N. J. 3. 6. 43

Lieber H. S.,
nein, ich habe keine Yaddoeser Absichten; ich muß Mrs. Ames nur Ihrethalben nochmals schreiben, von wegen der Hausetikette, die solches erfordert. Was mich anlangt, so kann ich bloß hoffen, daß ich in Princeton bleiben muß, d. h., daß meine neuerliche Anstellung an der Universität endlich bestätigt werde, denn die Sache ist nun schon seit Monaten pendent, und wenn es auch angeblich – und unberufen – nur noch eine Formalität sein soll, so wäre ich doch recht froh, wenn es unter Dach und Fach gebracht wäre.

Wünschen Sie also in meinem Interesse nicht, daß ich mich um Yaddo bewerben müßte. Wünschen Sie es sich aber auch nicht in Ihrem Interesse. Denn ich bin zwar ein ganz brauchbarer Arbeiter, aber ein miserabler Gesellschafter, vor allem ein elender Diskutant. Dies rührt einesteils von einer tiefverwurzelten Schüchternheit her, die auf einer ersten Ebene dem Diskutierungspartner immer recht gibt, zweitens aber von einer fürchterlichen Arbeitspanik, die es nicht erlaubt, irgend eine andere geistige Energie als die auf die Arbeit gerichtete zu produzieren. Und in diesem Zusammenhang: wenn Sie sich über einen Mangel an methodischen Fähigkeiten beklagen, so rührt dies m. E. teilweise von Ihrer Diskussionslust her; aus Freude am augenblicklichen Sieg verausgaben Sie sehr viel Energie, wahrscheinlich konstitutionell begründet, indes, wenn es auch eine spezifische Arbeitshemmung ist (– der eine hat sie in dieser, der andere in anderer Form –), so ist es doch keine ganz unfruchtbare.

Doch nicht nur auf einer ersten Ebene, sondern vollinhaltlich gebe ich Ihnen hinsichtlich der Skepsis des Heilsbringers recht; über die psychologischen Kenntnisse des Heilsbringers und Propheten werden Sie sogar ähnliche Bemerkungen in den Massenwahn-Untersuchungen lesen, denn dies alles gehört zum Thema. Auf die einfachste Formel gebracht: der Pessimist hat das schönste Leben, weil er um die Vergeblichkeit jeglicher Bemühung weiß und daher guten Gewissens mit Mädchen in der Sonne liegen kann, während der Optimist mit ständig schlechtem Gewissen sich für die Menschheit abrackern muß, u. z. eben jener Menschheit, deren Fortbestand durch die physiologischen Betätigungen des Pessimisten gewährleistet ist.

Wie also werden Sie sich in Yaddo betätigen? Ich bin nicht indiskret, aber ich müßte der Mrs. Ames etwas über die Vortrefflichkeit Ihrer Arbeitspläne sagen; dies ist ja der Inhalt des notwendigen Briefes.

In Herzlichkeit
Ihr H. B.
[DLA]

430. An eine unbekannte Adressatin

c/o Kahler
1 Evelyn Place
Princeton, N. J. June 7th, 1943

Dear: I was very happy with your letter, for after your last postcard I thought we were cross forever. But I am not happy at all with what you are writing about your mother, all of which is rather mysterious, and I would like to know more about her and how she is feeling now. That is much more interesting than my literary problems, but it is you who posed the problem and therefore I feel I owe you some explanation.

I wrote this letter to Torberg[1] because – and there you are right – I wanted a »Bilanz« for myself, to see how my accounts stand and whether I am solvent or insolvent. Well I think I am still solvent.

Also Tolstoy made such a Bilanz when he decided to stop his creative writing. You find it in his »Confession« and »What Shall We Do Then?«. The difference between Tolstoy and us, therefore with me, is not merely one of talent and greatness but also a difference in age. He was confronted with this problem when a very old man, one who had already attained the great style of his age, and we are confronted by it at a much earlier age, not yet having attained ourselves.

Tolstoy had to make his way quite alone, to see things as naked as they are; we are faced with a world in which things are naked by themselves. That makes us prematurely old but not senile.

On the contrary, this very state of affairs in the world offers us the tremendous advantage, for now we have the possibility of finding our own way. Tolstoy could not find a way. He had to go back to primitive Christianity and all in all he was not too happy in this. But the point of departure was the same for Tolstoy as for us, only that now we have an open road, though not a pleasant one.

I am not so arrogant as to think that I shall be able to find this road, but I know that my duty lies in searching for it. But I am sure and more than sure that with story-telling you can't attain anything but the gratification of one's own vanity. Our vocabulary and especially the vocabulary of our feelings and emotions is much too poor for the overwhelming change to which it is exposed. I know perfectly well that we are clinging to our old patterns of life, to old patterns of thinking and that our heart does not like to change. Even more I know that the human heart remains in its deepest roots unchangeable forever, but it is no longer of interest to give little samples of this human heart and its reactions; the part no longer stands for the whole, for all symbols (and likewise this of the part for the whole) have lost their power of conviction. One has to give the whole itself and I don't see anyone who is able to do this, for just this would be and will be the new mythos.

I see nothing neurotic in all these deliberations, although people (and especially psycho-analysts) would maintain that there is.

For they are saying the same thing about the old Tolstoy. Of course, I never deny my neurosis, nor even Tolstoy's, for there is a part of the creative mind which is always abnormal, and all the asceticism which derives from these deliberations, not only the asceticism in behalf of art but also that in behalf of life and sex, is not a product of Tolstoy's beginning impotence but the compulsion to deal again and again with an insoluble problem: we know that our old morals are suffering a deep breakdown and we know that the next ones will be subject to the same thing, but nevertheless we have to try to build up the next ones, for the main thing is not to solve the problem, but only to come a little nearer to solving it.

I confess that for myself and my earthly living I am further away from finding my private solution than ever before. The chaos of the world – and this also is not neurotic – is also in me, all the more as all the conflicts of the world with their small derivities (the little private conflicts and sorrows of people) afflict me every day.

All that I can do is to try to stick to my fundamental decision as well as I can; that is the only decency that an earthly human being can afford, for nobody is superhuman. But just at this time this fundamental decency seems most important.

Don't call this a compromise or call it a compromise only in the sense that every life is a compromise and even if I should return to creative writing it would not be a weakness or compromise for it would follow the line of decency trying to offer something educational which is probably the main task for the next fifty years, (and be sure that this writing will not deal with ›love problems‹ in the old sense).

What I am doing now you may see in the enclosed outlines[2]. It is only a first draft for practical purposes and the book that will come now will be much more elaborated and probably a good deal deeper, but still this will show the direction in which I am working.

I hope that I shall be enabled to continue for until now my situation is not definitely settled.

Please write again how mother is and give her my love and take your part of it.

H.

[DLA]

1 Brief vom 10. 4. 1943.
2 Vgl. KW 12, S. 67-98.

431. An Daniel Brody

Princeton, N. J., 19. 6. 43

Liebster,
[. . .] Natürlich ist es übertrieben, zu sagen, daß ich in Ruhe arbeiten kann; im Gegenteil, es heißt richtig »in höchster Unruhe«. Denn je tiefer ich in diese Massenpsychologie (soweit man das überhaupt Psychologie nennen kann) hineinsteige, desto ausgedehnter und tückischer wird das Thema, und die Überwältigung dieser Tücke wird umso schwieriger, als sich dabei mehr und mehr ergibt, was für ein Amhorez[1] ich bin. Was man da alles an Soziologie, Geschichte, Psychologie, aber auch noch überdies an Methodologie und Logik wissen müßte, geht in einen einzelnen Kopf überhaupt nicht hinein, und da ich hiezu zwecks Verschärfung auch noch die ganze, mir völlig unbekannt gewesene amerikanische Literatur[2] verwenden muß, ist schon das Studium allein eine schier unbewältigbare Aufgabe, die etwa zwei Drittel meiner Zeit erfordert. Doch ich hoffe, daß die Sache sich schließlich lohnen wird, trotz all dieser Fronarbeit oder eben deswegen. [. . .]

[GW 8, BBr, BB]

1 Amhorez, Jiddisch: Unwissender, Dummkopf. Von Hebräisch 'am hâ-ârez: Landvolk.
2 Zu Brochs Lektüre massenpsychologischer Studien vgl. KW 12, S. 579-582.

432. An Henry Allen Moe

One Evelyn Place
Princeton, New Jersey June 21, -43

Dear Mr. Moe:
I didn't tell you yet what a pleasure your very kind letter of May 13th was to me. The delay of my answer is due to my waiting for a decision of the Rockefeller Foundation. I ex-

pected this decision every day in the last weeks, but because of a postal error in the University I received it only the day before yesterday. Well, it is a favorable decision, extending my fellowship until December 1944. You may imagine how happy I am, but I am happy too to be allowed to thank you, knowing how helpful your lasting interest for me and my work has been again.

In your letter you told me that you read the outline and that you have certain objections as to its clearness, and not only I appreciate very much that you have spent your time for this paper, I must also admit that your objections are right. For, of course, you are right in saying that the book has to be written to clarify its initial ideas: all true books are discussions of the author with himself for the sake of the truth he is seeking. I hope to reach this goal, and I hope to finish the book in these 18 months, which are now at my disposal. At least I hope, that the progress of work will not engender too many hidden dangers, as they are always to be feared with a theme of such dimensions, namely the danger of new problems, not conceived in the initial schedule.

However, the outline[1] itself should show clearly the aims of the work, and I am sorry that it doesn't fulfill this purpose sufficiently. The reason for this shortcoming lies in the condensed telegram style I have adopted in order to shorten the paper as far as possible. I would be only too glad to give you some explanations to these questions, if you would be interested in them; needless to say how glad I would be to see you again.

Gratefully as ever, yours
Hermann Broch

[GF]

1 Vgl. KW 12, S. 67-98.

433. An Jean Starr Untermeyer

June 22, '43

Dear, in my letter of yesterday I made a big Gejammer about correspondance, and now your Monday letter came in. How can I take care of any »tone« when I am already loosing my head.

Kahler has the same Muret-Sanders as I have (perhaps another edition), and there I find again on page 910 for »sprunghaft« the word »desultory« (– did I write soltury? that's a mistake by rushing –), and then we looked to the Thesaurus, where we found »whimsical«, but going to the German, perhaps »wayward« would be the best (»launenhaft«). »Whimsical« seams to be nearer to our »launig«, which is not the same as »launenhaft«.

»Unperceivable«: o. k. The other errors are only quotation marks, columns, etc., and it was only heartbreaking because I saw how tired you have been.

Georgica[1]: the German text says *»Monde«,* and here it means *»moons«* not »months«. The »dienende Himmel« is taken from the Voss-translation, and he must have it from somewhere –, I find it rather beautiful.

407: In German: »Ich habe das Augurium und die Collegien der Sodales Titii wiederhergestellt«[2]. It was one of the aims of Augustus to reconstitute the old forms of the Roman creed, which in his times didn't mean anything more to the people. Therefore he began again with the prophecies of the Augurs (prophecy of intestines and the birds), while the Collegiae Sodales Titii was a kind of religious brotherhood with processions etc. If you have there a Britannica you can find certainly more about these institutions.

I don't find that you want another Thesaurus for these last hundred pages. Very happy with 418[3]. I am curious how it will go on.

Yes, the Goethe-vision[4] is strange and great. »Er lerne spät, er lerne früh«; it is the weakest line in the poem, only a filling, only a climax to the very strong »Es sei ein dauernd Recht!« But the real meaning of this früh und spät is simply »constantly«, i. e. the whole day and the whole life.

About the financial questions I wrote you yesterday. But I must repeat that it was very very sweet of you. For the moment I am financially furious, for I bought a pair of pants in a sale here ($ 8,–) and it was a bad buy, so that I want another pair. It is my fault: cheap is cheap.

Everything good to you and viel Liebes

H.

[YUL]

1 Vgl. *Georgica* des Vergil, I, 32-35, KW 4, S. 358: »Dir, dem neuen Gestirn, von langsamen Monden umfüget, dort, wo Erigones Bahn den Skorpionen heranlockt, dir weichet selbst dieser, der feurig Entbrannte, vor dir zieht die Klauen er ein und räumt dir den dienenden Himmel.« Siehe auch Untermeyer-Übersetzung, a.a.O., S. 380.
2 Vgl. KW 4, 351 und Untermeyer-Übersetzung, a.a.O., S. 373.
3 Vgl. KW 4, S. 361-362, Untermeyer-Übersetzung, a.a.O., S. 384.
4 J. W. v. Goethe, »Epimenides Erwachen, letzte Strophe« (1814). Vgl. auch KW 11, S. 241.

434. An Hans Sahl

Princeton, 2. 7. [43]

Lieber,
daß die Yaddo-Sache geklappt hat, und daß Sie sich dort wohlfühlen, ist natürlich eine ausgesprochene Freude. Hoffentlich wird es sich auch arbeitsmäßig auswirken.

Was die dichterische Arbeit anlangt, so weiß ich einfach nicht, ob wir es erzwingen können. Mit dem Vergil hatte ich ja einen solchen Versuch unternommen, aber seitdem will es mir mehr und mehr scheinen, als ob dies das Geschäft der nächsten oder übernächsten Generation, keinesfalls jedoch der meinen wäre. Mit ziemlicher Deutlichkeit sehe ich nämlich, daß Bestrebungen wie die Joyces oder – im gebührenden Abstand – meine eigenen, etwas sind, was ich »vorzeitigen Altersstil« nennen möchte: wir können an diese Welt bloß mit jener Abstraktheit heran, die sonst bloß im höchsten

Alter als letztes und bestes Resultat eines langen Reifens zu erreichen ist und selten genug erreicht wird. (Und deshalb bin ich – im Gegensatz zu Ihrer Wohlmeinung – äußerst skeptisch hinsichtlich der Gelungenheit des Vergils.)

Vor einem Jahr etwa beklagte sich der sehr nette [. . .] Torberg in Hollywood über mein Schweigen, und ich schrieb ihm, daß ich das »Geschichtel-Erzählen« aufgegeben hätte, worauf eine äußerst gekränkte Antwort einlangte. Ich konnte mich lange nicht entschließen, darauf einzugehen, tat es aber endlich doch und schicke Ihnen anbei die Kopie dieses Briefes, da er die verschiedenen Punkte des Problems zwar nicht behandelt, wohl aber aufzeigt. Freilich soll dies nicht der Anlaß zu einer großen Polemik werden, denn auf eine solche darf ich einfach wegen Zeitmangel nicht eingehen, indes, ich möchte trotzdem wissen, was Sie dazu denken. Und es ist auch eine gewisse Rechtfertigung für mich und für das, was ich Ihnen zur Frage der dichterischen Produktion schon gesagt habe.

Was aber den Zeitmangel anlangt, so hat er sich nun noch mehr verschärft: meine Rockefellerei ist gottlob verlängert worden, aber ich muß nun wirklich den Massenwahn fertigstellen.

Ich hatte Mrs. Ames, wie ich Ihnen sagte, geschrieben, aber keine Antwort erhalten: bitte erkundigen Sie sich doch bei ihr für mich, wie es ihrer Schwester geht, und übermitteln Sie allerherzlichste Grüße. Und wenn Sie das Ehepaar Slade treffen, das öfters nach Yaddo kommt und das ich sehr gerne habe, grüßen Sie bitte gleichfalls.

Die *Briefkopie aber erbitte ich zurück*. Und inzwischen Ihnen alles Gute und Herzliche Ihres

H. B.

Die Neufassung des Verlorenen Sohnes[1] bekomme ich hoffentlich!

Grüße von Kahler!

Noch ein PS.: Soeben schreibt mir Fritz Lehner, der Ihnen vielleicht bekannte Übersetzer, der jetzt am West Virginia State College, einem Neger-College, unterrichtet, daß eine seiner Schülerinnen, die Neger-Dichterin Margaret Walker[2] wahrscheinlich nach Yaddo gehen wird. Er will sie dann nachher zu mir hersenden. Trifft sie also ein, so sagen Sie ihr alles Schöne von mir und daß ich mich auf ein Zusammentreffen freue. Und die hingegen weiße Dichterin Karin Michaelis[3] bitte grüßen Sie gleichfalls von mir.

[DLA]

1 Vgl. Fußnote 1 zum Brief vom 18. 12. 1943 an Hans Sahl.
2 Margret Walker (geb. 1915), amerikanische Schriftstellerin. Vgl. den Lyrikband *For my people* (New Haven: Yale University Press, 1942).
3 Karin Michaelis (1872-1950), dänische Schriftstellerin, die während des Zweiten Weltkriegs in den USA in der Emigration lebte. Broch hatte 1920 eine Rezension über eines ihrer Bücher veröffentlicht. Vgl. KW 9/1, S. 369.

435. An Daniel Brody

Princeton, 17. 7. 43

Liebster,
Dank für Eure Glückwünsche und Dank für die Sorge, die Du um mich gehabt hast. Es ist immer schön, ein Sorgenkind zu sein, nicht nur wegen des jugendlichen Gefühls, sondern noch mehr infolge des Freundschaftsbewußtseins: also sei bitte weiter besorgt. Außerdem ist dazu aller Anlaß vorhanden, denn im Grunde hat sich ja nicht viel verändert; ich lebe nun seit vier Jahren von fellowships, erst Oberländer (erster Massenwahnversuch), dann Guggenheim (Vergil), hierauf Rockefeller (Massenwahn), und ich war ziemlich sicher, daß mir dies, angesichts der ständigen Ausweitung der Arbeit, verlängert werden würde: arg ist nur, daß diese ohnehin recht schmalen grants nicht mit den Lebenskosten Schritt halten und daher immer mehr und mehr zum Kowet werden; kurzum es ähnelt dem Mann, der merkt, daß er aus Liebe geheiratet hat, nachdem der Schwiegervater das Geld verloren hat. Nichtsdestoweniger, Du kannst Dir vorstellen, daß ich ob meiner Liebesheirat mit der Rockefellerei überaus froh bin. Ganz abgesehen von der Freude, die mir die Arbeit selber macht.

Zur Massenwahnliteratur aber hast Du recht; außer Freud[1] und Le Bon[2] gibt es kaum etwas Theoretisches. Von psychoanalytischer Seite ist ein Buch von Reich[3] und eines von Alexander[4] erschienen; ich kenne sie beide noch nicht, und ich gehe ja die Dinge auch nicht (oder zumindest keineswegs ausschließlich) psychoanalytisch, sondern von einer viel breiteren Ausgangsstellung her an. Und da gibt es wohl kein Wissensgebiet, das nicht auf die eine oder andere Weise in das Untersuchungsgebiet hereinreichte. Kurzum, es ist eine unbewältigbare Sache. Ich plage mich demnach auch ganz entsetzlich, und mir wird jeder Tag zu kurz, von den Monaten und Jahren ganz zu schweigen. [. . .]

[GW 8, BB]

1 Sigmund Freud, »Massenpsychologie und Ich-Analyse«, in: Bd. 13 der *Gesammelten Werke,* London 1940.
2 Gustave LeBon, *La psychologie des foules,* Paris 1895.
3 Wilhelm Reich, *Massenpsychologie des Faschismus,* Kopenhagen 1933.
4 Franz Gabriel Alexander, *Our Age of Unreason. A Study of the Irrational Forces in Social Life* (Philadelphia, New York City: J. B. Lippincott, 1942).

436. An Hans Sahl

24. 7. 43

Lieber!
Das schöne, von Ihnen gelobte Briefpapier (ein Geschenk) ist zu klein, kann also bloß für kurze Mitteilungen verwendet werden. Also entschuldigen Sie den schäbigen, dafür größeren Zettel. Dahingegen war das vorhergegangene Gedicht bloß eine Ansichtskarte und wollte und will nur als solche genommen werden. Oder es war eines der vielen Experimente, mit denen ich mich bemühe, die komplizierten Vergilinhalte zu separieren und in möglichst einfacher, »unmittelbarer und direkter« Form (– wie es eben richtig Ihre Stärke ist –) auszusprechen. Das ist, wie Sie am besten wissen,

sauschwer. Denn ein Gedicht muß folgenden Bedingungen genügen: (1) es muß ein Stück neuer Realität aufdecken, (2) es muß Realitätspartien verarbeiten, die prosamäßig nicht zu erfassen sind, (3) es muß, tunlichst eindeutig, seine Form von dieser Realität her bedingt erhalten, (4) es ist demnach – fast eine Tautologie – die von dieser Realität getragene »Welttotalität«, kurzum ist als Situation stets ein Differential des Totalen. M. a. W.: vier unerfüllbare Bedingungen, die man nur mit einem »Geh dir hin und dicht!« beantworten kann; auf hundert Übungsgedichte fällt höchstens, allerhöchstens ein gelungenes. Und so ist auch meine Ansichtskarte bloß eines dieser Übungsgedichte[1] und dazu ein äußerst ungelungenes, weil es voller Sentimentalität steckt. Aber nichts sollte mir lieber sein, als wenn diese Übungen zu Gedichten hinführten, die wieder Prosa werden. Denn im Unendlichen schließt sich der Kreis.

Nichtsdestotrotz bleibe ich bei meiner Grundeinstellung der Gesamtablehnung solcher Betätigung. Mit einer einzigen Ausnahme, nämlich die der Vorbereitung einer neuen Religiosität, die aber unmöglich die Eliotsche[2] sein kann (ungeachtet des sehr schönen Gedichtes), sondern ins bisher Ungeahnte und heute wohl noch Unerahnte führt. Womit wir wieder beim Mythischen wären, denn in ihm liegt allein die Vorbereitung neuer Religiosität. Doch für diese Erörterung ist auch dieser Zettel zu klein. [. . .]

[GW 8]

1 »Vom Worte aus«, KW 8, S. 56.
2 Anspielung auf T. S. Eliots Katholizismus.

437. An Hans Sahl

Princeton, 6. 8. 43

Liebster H. S.,
Ihre Definition des Gedicht-Phänomens ist eine dynamische, d. h. Sie definieren den Akt der Gedichterzeugung als solcher und schließen – folgerichtigerweise – darin auch die Defini-

tion des Produktes ein; daß unsere Definitionen, Ihre dynamische und meine mehr statische, trotzdem so gut zueinander passen, mag für uns beide als Bestätigung dienen. Und außerdem ist an der Fasson dieser beiden Definitionen zu sehen, daß Sie ein natürlicher, ich aber nur ein künstlicher Dichter bin.

Weiter aber: Sie beobachten den Schaffensprozeß in sich (durchaus legitim, allerdings bloß legitim, so weit es sich um eine objektiv-wissenschaftliche Feststellung handelt), während ich das Geschaffene zu beobachten mich bemühe. Mit nicht ganz legitimem Kurzschluß läßt sich das als Unterschied zwischen narzistischer und un-, ja, antinarzistischer Denkweise auslegen.

Warum wehren Sie sich gar so sehr gegen die Konstatierung Ihres doch sicherlich vorhandenen Narzißmus? Natürlich sind Sie narzißtisch. Ohne Narzißmus gibt es kein Künstlertum. Oder richtiger, ohne überwundenen Narzißmus gibt es keines. Soweit Sie Künstler sind, haben Sie den initialen Narzißmus überwunden, aber jede Schlacke in Ihrer Arbeit weist auf die Wirksamkeit von Narzißmus-Resten. Die Überwindung geschieht nämlich in der Zerschneidung der Nabelschnur zwischen der eigenen Person und dem von ihr hervorgebrachten Werk. Und diese Zerschneidung muß sogar schon im Gebärprozeß selber vor sich gehen, weil sonst eben die ungelösten, unsublimierten, undurchschauten Persönlichkeitsschlacken in das Werk eindringen: die eigene Person hat vollkommen gleichgültig zu werden, das Werk jedoch so vollkommen fremd, daß es ausschließlich zum Gegenstand der Kritik wird, vielleicht sogar einer haßerfüllten Kritik, denn die Umstülpung des Narzißmus nimmt an der Umstülpung von Liebe zu Haß unweigerlich teil. Je größer die künstlerische Persönlichkeit und ihre Produktionsleidenschaft ist, desto schärfer wird dieser Schnitt: und sonderbar, erst hiedurch wird die Übertragung der Persönlichkeit in das Werk wirklich erst zur Gänze möglich und statthaft. Nur mit völlig überwundenem Narzißmus wird Selbstbiographie zum Kunstwerk, wird zur Welt und zu ihrer Totalität. [. . .]

[GW 8]

438. An einen nicht festzustellenden Adressaten

Princeton, N. J., 16. 8. 43

[. . .] Es ist mir also um die nackte Todeserkenntnis gegangen, und weil es sich um Dichtung handelte, habe ich mir hiezu einen sterbenden Dichter gewählt, u. zw. einen, der unter ähnlichen Lebensumständen wie wir gelebt hat. Dabei galt es, das gesamte dem Tode zugekehrte Sein zu erfassen, also ebensowohl das körperliche, wie das emotionale, wie das erkenntnismäßige. Dieselbe Aufgabe glaubte ich lösen zu können, indem ich mich in einer Art Selbsthypnose mit äußerster Konzentration auf das Todeserlebnis zu fixieren trachtete. Dies ist bis zu einem gewissen Grad gelungen, u. zw. hat sich mir dies in den Bildern bewiesen, welche traumhaft-automatisch aufgestiegen sind und sich hinterher als die bekannten uralten Todessymbole entpuppt haben. Ich weiß heute ganz genau, wo das Buch echte Todeserkenntnisse vermittelt, wo es tatsächlich »nackt« ist, aber ich weiß auch, wo die hypnotische Konzentration abgerissen ist, um wieder dem Literarisch-Pathetischen Platz zu machen. Wäre sie nicht abgerissen, so wäre ich wahrscheinlich ganz konkret gestorben, zwar im Besitz einer echten Todeserkenntnis (ungleich dem Selbstmord), doch ohne die Möglichkeit, sie niederzuschreiben. Und dagegen hat sich eben offenbar doch noch zu viel in mir gesträubt; außerdem bin ich ja punkto Todeserkenntnis bloß ein Dilettant: vermutlich gehört zu solcher Selbsthypnose der ganze Apparat einer ausgebildeten Yogatechnik, die es freilich ihrerseits verbietet, ihre Ergebnisse literarisch auszuschlachten. Unter diesem Gesichtswinkel ist das Buch ein Zwitter, und ich weiß daher nicht, ob es Ihnen das, was Sie von ihm erwarten, wird bringen können. [. . .]

[GW 8, MTV]

439. An Friedrich Torberg

21. 8. 43

Lieber Fritz Torberg,
es fällt einem natürlich recht schwer, gegen das unerlaubte Geschichtel-Erzählen weiter zu polemisieren, wenn der Gegner mit unlauteren Mitteln arbeitet; da kann man bloß sagen: »Ja, mit Gewalt«.

Denn Ihr Geschichtel[1] ist ganz ausgezeichnet. Indes, so außerordentlich die künstlerische Leistung ist, zu der Sie da vorgedrungen sind, und so sehr man auch die psychologische Intuition bewundern muß, mit der Sie das sadistisch-homosexuelle Moment der Folterungen (wahrscheinlich erstmalig) erfaßt haben, ich brauche doch nicht ohneweiters nachzugeben und darf dieser Qualitäten ungeachtet ihre Stärke beiseite schieben, weil mir eine andere, nämlich die ethische, wesentlich wichtiger ist: daß Sie die stillschweigende Übereinkunft der Juden zur non-resistance hervorgehoben haben, diese unheimlichste ihrer ungeschriebenen Gesetzestradition, der sich alle Juden, von wo immer sie herstammen, gleichgültig ob mutig oder feig, zu fügen haben und fügen, das kann Ihnen gar nicht hoch genug angerechnet werden; hier liegt das spezifisch Unheidnische des jüdischen Schicksals, und von hier aus weist es in die Zukunft. Mir geht es besonders nahe, da ich ja jetzt konstant mit diesen Problemen mich zu befassen habe. [. . .]

[GW 8]

1 Friedrich Torberg, *Mein ist die Rache. Novelle,* Los Angeles 1943.

440. An Werner Richter

One Evelyn Place
Princeton, N. J. 2. 9. 43.

Lieber Freund W. R.,
verzeihen Sie die Verspätung: sie ist aus einer Bauchgrippe (oder, nach Wahl, aus einer Darmvergiftung) geboren, die mir mit hohem Fieber zehn gute Arbeitstage gestohlen hat.

Während dieser miesen Tage waren Ihre beiden outlines eine besondere Freude; im Bett zu liegen, krank zu sein, nicht in die Schule zu gehen und Karl May lesen zu dürfen, hat ja stets seine trostreichen Reize in diesem Leben gehabt. Und wenn ich Ihnen sage, daß ich selten seit Winnetous und Old Shatterhands und Old Surehands Tagen so gefesselt und beglückt von Geschriebenem und Gedrucktem gewesen bin, wie eben von Old Werner Richter, so werden Sie zwar vielleicht beleidigt sein, weil Sie vielleicht von Karl May nichts halten, aber wenn Sie dies täten, so mögen Sie versichert sein, daß Sie von wahrer Dichtung nichts verstehen, sondern rein snobistische Ansichten darüber haben.

Nein, Erzberger wie Ludendorff[1] sind wiederum Meisterstücke einer Darstellungskunst, die Sie sich selber geschaffen haben und Sie ebenso außer- wie oberhalb alles dessen stellt, was sich sonst so Biographie nennt. Ihre Technik – nämlich eine bestimmte Atmosphäre von der Person her zu erzeugen und sodann diese, sehr transparent, aus dieser ihrer Atmosphäre herauswachsen zu lassen –, ist geradezu bewunderungswürdig und so voller reizvoller Spannungsmomente, daß der Vergleich mit Karl May wirklich nicht zu hoch gegriffen ist.

Um nun aber auch den Vergleich zu Tode zu hetzen: auch Karl May wurde niemals ins Amerikanische übersetzt. Und das dürfte bei Ihnen von rechtswegen nicht geschehen. Ich kann nun wirklich nicht beurteilen, wie sich der amerikanische Markt zu Ihren Themen verhält oder verhalten wird: ich kann mir vorstellen, wenn ich auch nicht unbedingt sicher bin, daß Ludendorff allgemeines Interesse erregen könnte, während ich mir dies bei einer full length story über Erzberger nicht recht vorstellen kann. (Für mich persönlich können diese Bücher gar nicht lang genug sein.) Ich meine nun, daß Sie dieses sehr wichtige Problem eben doch mit einem Fachmann, also in erster Linie mit einem wirklich interessierten Agenten besprechen müßten. Ich habe z. B. den Eindruck, daß sich mit Gestalten wie Erzberger hier sogar ziemlich viel machen ließe, doch bloß in einem allgemeinen Rahmen, der als solcher die Leute hier anspricht, z. B. in einem Sammelband: ›The men before Hitler –, the unguilty guilt‹, oder so ähnlich; es wäre die ganze Galerie der Köpfe zwischen 1914 und 1930 darin unterbringbar, also Ludendorff ebenso wie Rathenau, Liebknecht ebenso wie Bebel, Erzberger ebenso wie Brüning, aber schließlich, um beim Zentrum zu bleiben, auch Papen. Leider gehörte dann auch Hindenburg hinein. Es wären isolierte Skizzen, aber Sie haben den unnachahmlichen Trick der atmosphärischen Verbindung, und gerade dies würde einem solchen Buch seine Eigentümlichkeit und seine Bedeutung verleihen.

Wichtig aber ist, daß Sie nicht ins Blaue hinein, sondern auf einen Verlagsauftrag hin arbeiten. Kurzum, daß das geschieht, was ich bei Quincy Howe[2] habe erreichen wollen. Nun habe ich ja den Verkehr mit ihm, auf sein damaliges Benehmen hin, einfach abgebrochen, und ich nehme an, daß er dies bemerkt hat und kein sehr gutes Gewissen haben dürfte. Aber ich kann – Geschäft ist Geschäft, und wir sind in Amerika – die Verbindung jederzeit wieder aufnehmen; ich würde dies im Wege gemeinsamer Freunde arrangieren. Auf diese Weise könnte man es mit dem Ludendorff oder mit dem Sammelbuch, soferne Ihnen die Idee gefällt, nochmals versuchen. Andere Verleger kenne ich leider nicht, oder wenigstens keinen, der für so etwas in Betracht käme.

Darüber hinaus gäbe es, wie gesagt, bloß verlegertüchtige Agenten, und da sollten Sie sich doch zuerst einmal den Horch anschauen: soferne Sie dies wollten, würde ich ihm zuerst einmal einen entsprechenden Brief schreiben. Er ist ein grundanständiger Mensch, und es erscheint mir ausgeschlossen, daß er eine Idee stiehlt und an jemanden andern weitergibt (– natürlich kann man sich irren –), und ich glaube dies umsomehr, als er ja wenig Interesse an einer solchen Transaktion hätte. [. . .]

Inzwischen aber eine Bitte: nämlich Anne Stewarts

Adresse; von Zeit zu Zeit verliere ich mein Adreß- und Telephonbuch, offenbar aus Selbstschutz.

Nehmen Sie beide die herzlichsten Gedanken Ihres

HB.

[WR]

1 Die hier genannten Arbeiten Werner Richters über Politiker der Weimarer Republik kamen nicht zur Ausführung, da zu wenig verlegerisches Interesse vorhanden war. Fragmente dazu finden sich im Nachlaß Werner Richters (Deutsches Literaturarchiv, Marbach).

2 Quincy Howe – damals Lektor bei Simon & Schuster in New York – hatte 1941 Richters Pläne zu einer Geschichte Frankreichs (siehe Fußnote 1 zum Brief vom 26. 4. 1943) gefördert und in Aussicht gestellt, das Buch zur Publikation bei Simon & Schuster zu erwerben. Die Probekapitel, die Richter vorlegte, erschienen Howe nicht erfolgversprechend genug, und die Verhandlungen wurden abgebrochen.

441. An Kurt Wolff

One Evelyn Place
Princeton, N. J. 8. 9. 43

Lieber Kurt Wolff,
in Verfolgung unserer beidseitigen Korrespondenz mit Dr. Daniel Brody, Mexico D. F., bin ich von diesem als dem Repräsentanten des Rhein-Verlages, Zürich, bevollmächtigt und beauftragt worden, mit Ihnen folgendes Abkommen über die Verlagsrechte meines Manuskriptes »Der Tod des Vergil« abzuschließen:

1.) der Rhein-Verlag ermächtigt Sie, die englische Übersetzung meines Buches in den englisch-sprechenden Ländern zu veröffentlichen,

2.) er ermächtigt Sie ferner zu einer deutschen Ausgabe in den U. S. A., gestattet jedoch einen Export von Exemplaren dieser Ausgabe nach Europa nur insolange, als er nicht mit seiner eigenen deutschen Ausgabe des Buches herauskommt;

3.) für die sub (1) und (2) stipulierte Verlagsrecht-Übertragung haben Sie bis zu meinem Widerruf 25 % der jeweiligen Autorenhonorare an den Rhein-Verlag abzuführen.

Ich bitte Sie, in diesem Sinne einen Vertragsentwurf zu skizzieren, an dessen Hand wir sodann über die verschiedenen Details schlüssig werden können.

Mit den besten Grüßen Ihr

Hermann Broch

Abschrift dieses offiziellen Textes ist an D. B. gegangen, dem ich lt. beiliegender Kopie schreibe.

Ich bin Dienstag-Mittwoch nächster Woche in N. Y. und rufe an.

Einige Fix-Aufträge auf Vergil sind bereits eingelaufen.

Alles Herzliche Ihres

HB.

[KWB]

442. An Trude Geiringer

Princeton, 9. 9. 43

Liebes, Deine Briefe machen mich unglücklich, weil Sie mir zeigen, was für ein gescheiter, lieber und menschlicher Mensch Du bist, und das gibt eben das Gefühl eines »Verlustes«, auch wenn Du mir nicht verloren bist. Aber wenn ich mein jetziges Leben anschaue und sehe, wie es sich während der nächsten Monate entwickeln wird, so ist es eben ein Verlust: ich kann die Arbeit überhaupt nur vorwärtsbringen, wenn ich jede, aber auch schon jede Unterbrechung ausschalte. Ich werde mich also von hier so gut wie gar nicht wegrühren dürfen.

Im Augenblick ist die Sache noch durch die Vorbereitung der Vergil-Ausgabe verschärft. Ich muß den deutschen wie den englischen Text nochmals revidieren – eine unbeschreibliche Arbeit! [. . .] Daneben läuft eine unendliche Korrespondenz, da ich ja möglichst viel Leute zur Subskription mobilisieren muß.

Und um gleich von diesem Geschäftlichen zu sprechen: Dank für die genannten Abnehmer, aber wir brauchen *400* für jede der beiden Ausgaben! Für die englische wird es sich wohl zusammenläppern, aber 400 deutsche Käufer sind *sehr* schwer aufzutreiben. Wir brauchen also die Adressen von mindestens 3000 eventuellen Käufern, denn erfahrungsgemäß kann man mit etwa 15 % Bestellungen rechnen. Es geht sohin um richtige Adressen-*Listen,* und ich hoffe, daß mir Torberg u. a. auch die Abnehmer-Liste seines Buches geben wird.

Außerdem aber ist es unbedingt erwünscht, daß Leute von Geld (etwa die Gina[1]) gleich mehrere Exemplare für Geschenkzwecke bestellten; Dedikationsexemplare kann es bei einer Subskriptionsausgabe nicht geben, aber die Armen sollen sie sich von den Reichen schenken lassen, und die Reichen müssen daraufhin bearbeitet werden. [. . .]

Und es *ist* der Mühe wert! Jetzt, bei der Revision des Textes, sehe ich erst wieder, was das für ein Buch ist: so wenig ich von Büchern halte, es geht hier das Gesagte eben weit über das Literarische, ja, Dichterische hinaus, und hiedurch wird es so anständig, wie es eben ist. Wie anständig aber würde es erst werden, wenn ich weitere drei Jahre daran verwenden könnte! Es könnte sogar den Meggendorfer[2] übertreffen! [. . .]

[YUL]

1 Gina Kaus.

2 Lothar Meggendorfer (1847-1925), deutscher Kinderbuchautor. In einem Brief an Broch hatte Trude Geiringer Brochs *Tod des Vergil* mit Meggendorfers Kinderbuch *Nimm mich mit! Ein lehrreiches Bilderbuch* (München: Braun & Schneider, 1885) verglichen. Nach Mitteilung von Trude Geiringer enthielt dieses Kinderbuch so ziemlich alles aus dem Erfahrungsbereich eines Kindes, und Brochs Roman erinnerte sie deswegen an das Buch Meggendorfers, weil sie in ihm alle nur denkbaren Probleme menschlicher Beziehungen angesprochen sah. Mit diesem scherzhaften Vergleich warb sie damals während eines Hollywood-Aufenthaltes Subskribenten für den *Tod des Vergil.* Erfolgreich war sie damit u. a. bei Alfred Polgar, Alfred Neumann, Franz Werfel und Theodore Dreiser.

443. An Werner Richter

Princeton, 14. 9. 43

Lieber Freund W. R.,
gerade für Europa wird es einstens wichtig sein, eine wirklich gediegene Darstellung der vorhitlerschen Epoche in Deutschland zu bekommen. Zu dieser Historie sind Sie geradezu berufen. Natürlich wird es eine andere Darstellung sein müssen als für den amerikanischen Leser. Wenn Sie jetzt das Buch für Amerika schrieben, so wäre es eine Vorarbeit für eine dreibändige europäische Ausgabe.

Von einer Verschwörung gegen europäische Autoren kann keine Rede sein. Die amerikanische Verlags-Industrie – und sie ist nichts anderes als eine Industrie – wird vom salesman her bestimmt: es werden reports über die eingegangenen Bücher verfertigt, selbstverständlich schon verfälschte reports, und diese werden den salesmen vorgelegt; wenn der salesman ein Buch für verkäuflich hält, so wird es erworben, gleichgültig ob es von einem Europäer oder Amerikaner stammt. Aber da der salesman gleich dem Publikum immer die nämlichen Bücher haben will, wird automatisch der amerikanische Autor gewählt, der ja innerlich bereits auf den Markt dressiert ist.

Bei einem Buch wie der Menagerie ist eine Chance vorhanden, daß es vom salesman als verkäufliche Ware angesehen wird. Der Agent, welcher zwischen Autor und Verlag steht, muß natürlich salesman-Intuition haben, d. h. er muß in sales terms zu denken gelernt haben, und in diesem, nur in diesem Sinn muß er das Buch zu verkaufen trachten. Ich glaube, daß Horch sich in diesem Sinn mit der Menagerie bewähren könnte. Demzufolge meine ich, daß Sie mit ihm reden sollten.

Ich treffe morgen, Mittwoch, in N. Y. ein und werde zuerst bei der Drury anrufen. Wann ich das appointment mit ihr haben werde, weiß ich noch nicht. Weiters werde ich jedenfalls Horch anrufen, möchte aber vorher wissen, ob ich Sie bei ihm anmelden soll. Aus diesem Grund würde ich Sie bitten, zwischen 10^h und 10.30 bei Mrs. Meier-Graefe RE 4-3611 anzurufen: im Laufe des Vormittags werde ich jedenfalls dort vorbeikommen, so daß Sie mir also eine message hinterlassen können; wenn es mit den übrigen appointments ausgeht, werde ich trachten nach 10^{h} selber eigenhändig dort zu sein, damit ich mit Ihnen sprechen kann.

Quincy Howe würde erst zu einem späteren Zeitpunkt eingesetzt werden. Der Agent scheint mir nicht zu umgehen zu sein. Das habe ich hier schon gelernt.

Sachlich erscheint mir Ihre outline ganz ausgezeichnet. Auch Kahler, dem ich sie gezeigt habe und der herzlich grüßen läßt, ist der gleichen Meinung. (Bei Stechert[1] war er noch nicht.)

Schließlich Knopf: ohne Agenten wird es auch dort nicht gehen; Ihre Idee vom europäischen Verleger müssen Sie fallen lassen.

Alles Herzliche Ihnen beiden,
stets Ihr
H. B.

[DLA]

1 G. E. Stechert, deutsche Buchhandelsfirma in New York.

444. An Aldous Huxley

Princeton, Sept. 28, 1943

[. . .] Your statement[1] about me is an over-statement, and, as always when I find that somebody (whose personality is important to me) thinks too well of me and the things I am doing, I am ashamed. You take my goals for achievements – that's your overstatement –, but I am astonished and deeply pleased that you have found out so correctly from my former books what I now tried to achieve with the Death of Virgil. But that you are paving the way for this book in the same generous manner, as you did it for the Sleepwalkers, is a good omen.

Of course, the Virgil would need – I don't know if I told you this in my former letters – at least three to five years additional work, and I would use it for a big house cleaning, eliminating most of the »common« novelistic elements which I feel as a concession to the reader's (and my own) laziness. But in our times this kind of overcleanliness has for me a touch of amorality, the amorality of time wasting, and I hope, therefore, that my mass psychology will bring, instead of this, the necessary cleanliness of thought.

I am such a slow worker, that my margin for life is small and more than small. Therefore I didn't see many people in Princeton and also not Mr. Lindley[2]. But it will be a very great pleasure to make his acquaintance, and I shall phone him one of the next days.

I have plenty of reasons to be deeply obliged to you, my dear Aldous Huxley, and I want you to be assured of my profound gratitude. Please accept also Kurt Wolff's thanks, who – needless to say – is delighted with your statement. [. . .]

[MTV, YUL]

1 Huxleys Zeilen über den *Tod des Vergil,* den er im Manuskript gelesen hatte, wurden vollständig abgedruckt im Verlagsprospekt, mit dem Pantheon Books 1945 das Erscheinen von Brochs Vergil-Roman ankündigte. Es heißt dort: »The peculiar quality of Hermann Brochs's work can best be expressed, I think, in a phrase used by one of the mediaeval masters of Zen Buddhism. He is a writer who ›takes hold of the not-thought which lies in thoughts‹.

The two books by which Broch is known to English and American readers – his *Unknown Quantity* and that memorable trilogy *The Sleepwalkers* – bear witness to his possession of something more than acute psychological insight, something other and much rarer than a gift for story-telling. Reading them, we are haunted all the time by the strange and disquieting feeling that we are out at the very limits of the expressible – out on the last dangerous fringes, where the ice of what we conventionally call reality is so thin that we can see through into the depths beneath, into the mysterious thing-in-itself from which we abstract this all too human universe of anecdote and personality.

But meanwhile the narrative flows on, the characters are solid and substantial. In spite of all that Broch, the knower of the not-thought, may have to hint to us about the fearful and adorable mystery beneath the ice, Broch, the novelist, is perfectly at home upon the glassy surface, and continues to perform there with an impeccable virtuosity. It is because of its author's double competence, his ability to live simultaneously in two incommensurable worlds, that I look forward so eagerly to the publication of *Virgil*. Aldous Huxley«.

2 Gemeint sein dürfte Denver Lindley (geb. 1904), ein Übersetzer deutscher und französischer Literatur ins Englische.

445. An Ruth Norden

4. 10. 43

Liebes, da Du Donnerstag – ich hoffe, daß ich mich nicht wieder irre – ab 4^h Büro hast, habe ich für Abend eine Einladung bei Prof. Gaede[1] vom Brooklyn College angenommen, wohin ich um etwa 6^h zu fahren habe. Das Rendezvous mit Tillich, sofern es zustande gekommen ist, wird ja ohnehin irgendwie im Laufe des Tages stattfinden, und ich hoffe, daß ich vorher oder im Anschluß doch etwas mehr von Dir als das letzte Mal (wo es mir allerdings miserabel ging) haben werde.

Ansonsten muß ich in den Tag die Untermeyerin sowie meinen Sohn (auch diesen wegen des Vergil) an irgend einer Stelle unterbringen. Diese Hetzerei ist fürchterlich.

Sehr viel Gedanken, viel Liebes

H.

[DLA]

1 William Richard Gaede (geb. 1891), bis 1933 Ministerialrat im Preußischen Ministerium für Wissenschaft, Kunst und Volksbildung. 1933 emigrierte er in die USA und wurde 1937 Professor für deutsche Sprache und Literatur am Brooklyn College in New York.

446. An Kurt Wolff

Princeton, 12. 10. 43

Lieber!
In erster Linie lassen Sie sich für Ihre Beihilfe zu meinen verzweifelten Erich-Geburtstags-Bemühungen[1] sehr herzlich danken. Es wollte trotz dreitägiger Arbeit nichts glücken, und ob es mit dem Jefferson klappen wird, ist gleichfalls fraglich; nun wird das Geburtstagskind, das morgen in die Stadt kommt, selber zu Stechert[2] gehen.

Anbei die Massenwahn-Synopsis[3]. Ich brauche Ihnen wohl nicht zu sagen, wie sehr ich es begrüßen würde, wenn Ihnen schon jetzt eine Unterbringung des Buches gelänge. Hiezu ein paar erklärende Worte:

1.) *Theoretisches*
Das Buch ist in drei Hauptteilen organisiert, von denen ein jeder auf einer neuen Idee – bescheiden würde ich es sogar eine Entdeckung nennen – aufgebaut ist. U. z.
a.) der erste (methodologische) Teil weist nach, daß ein neues psychologisches Moment, nämlich der »Dämmerzustand« eingeführt werden muß, wenn man sich an die Erforschung psychischer Massenphänomene heranmachen will, und zeigt ferner, daß dieser Dämmerzustand ein durchaus konkretes, empirisch erfaßbares Gebilde ist; die methodologischen Konsequenzen sind einigermaßen überraschend; –
b.) der zweite (werttheoretisch unterbaute) Teil zeigt das Vorhandensein der – ebenfalls neuentdeckten – »psychischen Zyklen« in allem menschlichen Geschehen, nicht zuletzt auf dem Gebiete der »Überzeugungen«, auf denen ebensowohl das »normale« wie das »abnormale» (wahrhafte) Verhalten der geschichts- und politiktragenden Massen beruht;
c.) der dritte (polito-psychologische) Teil bringt einen neuen »Totalitäts-Begriff« auf, nachweisend, daß »Überzeugung«, ohne die es eben keine Politik gibt, stets »totale« Geltung verlangt – auch wenn sie noch so »tolerant« ist –, und daß daher der Aufbau der »guten« Überzeugung nicht nur unter ständiger Berücksichtigung des menschlichen Dämmerzustandes, sondern auch unter der der »Totalität« (eben als psychisches Phänomen) vor sich zu gehen hat; es dreht sich

also um eine Theorie der politischen Willensbildung – in pointiertem Gegensatz zur »schlechten« Überzeugung der Fascismen –, und letztlich führt dies zu einer neuen staatsrechtlichen Unterbauung des Totalitätsbegriffes; ich meine, daß die dabei gewonnenen Erkenntnisse für die Nachkriegsprobleme (z. B. für die eines wiedererrichteten Völkerbundes etc. etc.) durchaus fruchtbar zu machen sind.

Angesichts der sehr ausgedehnten Materie wird es wohl notwendig werden, das Buch in zwei gesonderten Bänden, d. h. den dritten Teil separat erscheinen zu lassen, obwohl gerade dieser der wichtigste ist und in Anbetracht der Weltlage zuerst auf dem Markt sein sollte.

2.) *Praktisches*

Ich bin mir meiner Sache ziemlich sicher, umsomehr als nun doch schon eine ganze Reihe höchst seriöser Leute (vielleicht sogar bereits zu viele) die Grund-Ideen kennen und deren Neuheit und wahrscheinliche Fruchtbarkeit anerkannt haben. Was den praktischen Vorgang hiebei anlangt, so wurde dieser (u. a. mit Rockefeller[4]) wie folgt besprochen:

a.) zumindest die beiden ersten Teile sollen im kommenden Jahr fertiggestellt sein und womöglich erscheinen, weil ja eben Ende 1944 die Rockefellerei, welche die Arbeit finanziert, kaum mehr erneuert werden kann;

b.) als Erscheinungsform wurde an eine University Press gedacht, denn die beiden ersten Teile sind ja – trotz mancher sensationeller Anreize – für einen Kommerzverlag vermutlich zu theoretisch;

c.) es besteht die Hoffnung, daß auf Grund des erschienenen Buches meine akademische Position, die jetzt von Rockefeller gehalten wird, definitiv oder halbwegs definitiv stabilisiert werden wird.

Dieses Programm ist so weit ganz schön, enthält aber doch einige Unsicherheitsmomente, so die der zeitgerechten Publikation usw., und es wäre daher eine rechte Beruhigung für mich, wenn Sie das Buch tatsächlich jetzt schon unter Dach und Fach bringen könnten[5].

Ich überlasse Ihnen also gerne alles weitere. Daß Sie dabei Stanley Young[6] an [der] Hand haben, ist ein erfreulicher Glücksfall, auch wenn man hinsichtlich des amerikanischen

»keep enthusiastic« und seiner Haltbarkeit stets skeptisch bleiben muß.

Im übrigen habe ich das Gefühl, mag es selbst paradox sein, daß das Erscheinen des Vergil dem Massenwahn recht zuträglich sein könnte; da wird Guggenheim und Akademiepreis gute Dienste tun. Das ist so in diesem Land. Eine Bernadette[7] wäre freilich noch zuträglicher.

Speaking von Guggenheim und Academy: ich glaube, daß man beide Institutionen zur Abnahme einer größeren Anzahl von Vergil-Exemplaren wird haben können.

Haben Sie sich die Fragen meines letzten Briefes (Probeseiten etc.) bereits überlegt? Wir müssen nun doch bald uns darüber einig werden. Dahingegen bin ich mit Dani B.[8] einig geworden: heute traf sein Bestätigungsbrief ein, und alles ist in Ordnung.

Also auf bald. Und alles Herzliche. Ihr

H. B.

Kapitel IV. des ersten Teils ist nun völlig umgestellt worden, so daß es – im Gegensatz zu manchen Unklarheiten in der outline – nun durchaus präzis ist.

[KWB]

1 Erich von Kahler feierte am 14. 10. 1943 seinen 58. Geburtstag.
2 G. E. Stechert, New Yorker Buchhändler.
3 »Eine Studie über Massenhysterie. Beiträge zu einer Psychologie der Politik. Vorläufiges Inhaltsverzeichnis«, KW 12, S. 67-98.
4 Gemeint ist die Rockefeller Foundation in New York, die – über Hadley Cantril – Brochs massenpsychologische Forschungen zwischen 1942 und 1944 finanzierte. Mit dem Associate Director dieser Stiftung, John Marshall, stand Broch in direktem Kontakt.
5 Brochs *Massenwahntheorie* wurde zu seinen Lebzeiten nicht veröffentlicht.
6 Stanley Young war der Herausgeber der von der Bollingen Foundation in New York finanzierten »Bollingen Series«, die im Pantheon Verlag Kurt Wolffs erschien.
7 Anspielung auf Franz Werfels Roman-Bestseller *Das Lied von Bernadette* (1941).
8 Daniel Brody.

447. An Hans Sahl

Princeton, 14. 10. 43

Liebster H. S.,
mit Tillich wurde ich durch die Sorge um einen gemeinsamen Freund zusammengeführt, und ähnliches werden auch wir beide uns einrichten müssen, wenn wir einander treffen wollen, denn jegliches pleasure driving ist mir verboten; es muß schon business sein.

M. a. W., ich trachte, mich zu der »organisierten Person« zu disziplinieren, über die wir im Vormonat korrespondiert haben. Das ist keine Leistung von mir, sondern ein fürchterliches Muß. Der Termin, der mir für den Massenwahn gesteckt ist, wird jeden Tag um zwei Tage kürzer, und dieser Vorgang akzeleriert mit fortschreitender Zeit. Außerdem drängt die Vergil-Arbeit: die gesamte Untermeyer-Übersetzung ist nochmals durchzugehen, und auch der deutsche Text bedarf noch der Revision; dies soll in drei Monaten erledigt und druckfertig gemacht sein!

Zu alldem war ich jetzt 6 Wochen lang krank, u. z. mit einer verschlampten Grippe. Und auf Vitamine reagiere ich nicht eindeutig positiv. Ich bin sehr froh, daß es Ihnen nützt und daß es sogar günstige psychische Wirkungen hat.

Tillich sagte mir, daß Sie ihm ein sehr schönes Gedicht geschickt hätten. Warum bloß Tillich, muß man da fragen. Und wie steht es mit dem Roman?

Wenn ich schon nicht hineinkomme, hoffe ich, daß der Indian Summer vielleicht doch Sie – mit Roths[1] Hilfe? – herausführen könnte. Der alten Frau [von Kahler] scheint es, überraschenderweise, nun allen Befürchtungen zutrotz doch besser zu gehen, so daß das Haus bald wieder besuchsfähig sein dürfte. Kahler, der herzlich grüßt, würde sich natürlich auch so freuen, wie ich es täte: inzwischen in

Herzlichkeit Ihr
H. B.

Wissen Sie potentielle *Vergil*-Subskribenten? Bitte um Adressenliste!!

[DLA]

1 Wolfgang Roth, ein Freund von Hans Sahl; vor der Emigration als Bühnenbildner an der Piscator-Bühne in Berlin tätig.

448. An Robert Neumann

One Evelyn Place
Princeton, N. J. Oct. 14, -43

Dear R. N.:
Your July letter took quite a while to reach me; that was not only the fault of the mail but also mine, for I made a university tour through the country.

Of course, it is not only this scientific work in itself or the passion I have for it which prevents me from writing novels. It is much more a feeling of insufficiency, and it is probably the same you felt in rereading Tibbs[1]. And – in a certain contrast to you – I found out, that it is not the »professional« feeling of insufficiency, which every honest artist is supposed to have, but a metaphysical one, for (consciously or unconsciously) we all are constantly aware of the fact that the ground on which we used to stand is fading away: we know only too well, that in the depth of our soul we want a new form of expression, a form adequate to our times, and we can't find it, because it will be only found by the next generation. The Virgil was an attempt, but realizing that there is no possibility to surpass such state of attempt, I stopped the whole business and prefer to wait.

This doesn't mean, that I do not intend to finish the peasant novel[2] when circumstances should allow it, especially when the Virgil (which will come out in June) would have some success.

Mr. Ullstein asked me about the peasant novel[2]. I wrote him about it, telling him my relation to my old publishing house and that I can free the book if, after having read the MS, he would be interested. But, strangely enough, he never answered, and so I didn't send him the MS. Anyway, thanks and again thanks for your thoughtfulness!

Needless to say that I find Ullstein's project rather overoptimistic, i. e. the phantasy of a man who thinks that he will return rightaway to his old desk after the duration. It is somehow incomprehensible; how can one imagine that after all these horrors the continent will just resume the old way of life!!

My mother is in the midst of this terror. She has been deported by the Nazis, in spite of her age; she is or was 82. My son escaped in the last minute. His wife (Eve) is the only one of the Wassermann family who is here. Julia and Judith are in Switzerland; her other sister and her brother are in England. None of my English friends writes: you are the only one. Will you be so kind to forward the enclosed two post cards? One to Polak (whose new address I don't know), the other to the Muirs who seem to be cross with me also, although I never had any quarrel with them about 84 circumcised children. And please write again.

All cordial thoughts to both of you.

Faithfully yours
H. B.

[DÖW]

1 *Tibbs*, ein Roman Robert Neumanns von 1948, der zuerst 1942 auf Englisch unter dem Titel *The Scene is Passing* erschienen war.
2 *Die Verzauberung*.

449. An Hans Sahl

Princeton, 11. 11. 43

Liebster H. S.,
Ihr Brief war eine wirkliche Freude für mich, obwohl er mich zu einer Antwort zwingt, dennoch Freude, weil das, was da zwischen uns hin und her geht und trotz aller Kontroversität eine Gemeinsamkeit ist, eine tiefere und vor allem daher lebendigere Fundierung erfahren hat. Revolutionismus – auch wenn Sie es bloß spaßhaft so nennen – ist immer Aufrichtigkeit.

Ich beginne mit meiner kurzen Antwort bei Ihrem letzten

Punkt, nämlich beim Vergil, weil er in diesem Zusammenhang (nicht aus falscher Bescheidenheit) eigentlich das Nebensächliche ist, aber vielleicht als Beispiel dienen kann.

Der Vergil ist nämlich sicherlich kein »psychoanalytischer Pointillismus«; er hat weder mit Analyse noch mit Pointillismus etwas zu tun (oder höchstens nur nebenbei). Sonderbarerweise habe ich nämlich den genau gleichen Ausdruck auf Joyce[1] angewandt (bei dem er auch nur teilweise zutrifft), und der Vergil wurde in einem geradezu bewußten Gegensatz zu dieser Methode geschrieben. Joyce hat – wenigstens im Ulysses – die Seelenwirklichkeit tatsächlich aus lauter unzusammenhängenden Einzelpunkten aufgebaut, allerdings umrahmt und gehalten von einer strengen Stil-Systematik, und hat es nicht für notwendig erachtet, die unzusammenhängenden Punkte, welche also, wie in jeder Seele, alles Kontradiktorische darstellen, Gut sowohl wie Böse, Schwarz wie Weiß, Orgie wie Askese etc. etc. miteinander zu verbinden, sondern hat die Einheit einfach der Gesamtarchitektonik überlassen. Ich sehe darin einen logischen Fehler: wenn schon innerer Monolog, so darf niemals vergessen werden, daß es ein Ich gibt, daß der innere Monolog eben von diesem Ich herrührt (nicht von einem behavioristisch beobachtenden Betrachter), und daß das Ich sich stets als eine logische Entität empfindet, d. h. als eine, in der auch das Kontradiktorischeste sich logisch auseinander entwickelt; bloß in klinischen Fällen des Persönlichkeitszerfalls ist diese Einheitlinie zerrissen, doch beim normalen Menschen – und ich bleibe dabei, daß dieser und nur dieser der Vorwurf des Kunstwerkes sein kann – gibt es, wie wir, die wir uns für normal halten, jederzeit erfahren, keinerlei Unterbrechung. Wie aber kann das Kontradiktorische logisch aneinander gebunden sein? bestimmt nicht in der normalen Logik, zumindest nicht in der aristotelischen, wohl aber in einer höherdimensionalen, und von dieser Logik hat im dreidimensionalen Raum der Mensch bloß als Träumer eine Ahnung: hier ist der psychologische Zusammenhang zwischen Traum und Kunst, vor allem zwischen Traum und Lyrik, und diese »lyrische Logik« habe ich im Vergil aufzuspüren getrachtet. Wenn ich immer sage, daß das Buch nicht fertiggestellt sei, so meine ich eben diese lyrisch-logische Aufdeckungsarbeit, und wenn Sie jetzt von Pointillismus sprechen, so ist es mir ein Beweis für diesen Mangel: nur meine ich, daß trotz dieses Mangels der Unterschied zwischen echtem Pointillismus und meiner Methode doch schon ziemlich sichtbar ist. Völlig verkehrt ist es jedoch, von »analytischer Vokabulatur« zu sprechen; davon ist darin wahrlich nichts enthalten, es sei denn, daß man allerhand analytisch auslegen könnte, was man aber bei jeder Seele und jeder richtigen Seelendarstellung tun kann.

Ich stimme Ihnen vollauf bei, daß Analyse nicht das Um und Auf der Psychologie ist (– darüber werden Sie hoffentlich in meiner Massenpsychologie manches finden, was Ihnen sympathisch sein wird –), so wenig, wie Soziologie lediglich aus Marxismus aufgebaut werden darf. Weder das eine noch das andere hat den Anspruch auf »Weltanschauung«; wenn schon dieses ominöse Wort verwendet werden soll, so doch nur im Hinblick auf seine ethische und metaphysische Meinung. Zu dieser aber ist der Dichter verpflichtet, wenn er in dieser Welt irgend eine Lebensberechtigung haben will. Es macht mich glücklich, daß Sie, wie Sie diesmal schreiben, gerade dieses Bemühen aus dem Vergil herausgelesen haben.

Sie sehen also, daß auch ich narzißtisch genug bin, um über Zustimmung glücklich sein zu können, u. zw. über die Zustimmung von Menschen, die mir hiefür wichtig sind. Und hiezu gleich, weil ich am Ende angefangen habe, der Grund, um dessentwillen ich mich »in Dinge einmische, die mich nichts angehen«. Sie gehen mich ziemlich viel an, weil ich aus den paar Gedichten, die ich von Ihnen kenne, herausgelesen habe, daß es Ihnen gleichfalls um jene Dinge geht, um die ich mich abquäle, daß Sie sich nicht minder quälen, und daß Sie mir daher wichtig zu sein haben. Und daraus ergibt sich zweierlei:

1.) Sie wissen, daß Neurosen manchmal ein sehr guter Kitt sind, wenn Sie sich zufällig ergänzen; manche Liebe ist schon so entstanden und ist haltbar geworden. Parallele Neurosen funktionieren aber selten. Nun scheint es mir, daß wir nicht nur in unseren Zielen, sondern auch in der seelischen Anlage ziemlich gleich konstruiert sind, nur daß ich kraft unendlicher Bemühungen meine Neurose halbwegs – keineswegs vollständig – unter Kontrolle gebracht habe, während Sie die

Ihre, inklusive Narzißmus, völlig naiv ausleben. Man sieht nicht gerne das Spiegelbild seiner selbst just in jenen Zügen, die man in sich zu überwinden trachtet. Doch nicht nur auf dieses Spiegelbild kommt es dabei an; es geht um mehr: wenn man nicht eine völlig robuste seelische Gesundheit hat – und ich bin weit davon entfernt –, fühlt man sich von der Neurose des andern, besonders bei einer so parallelen, unmittelbar »geschädigt«; es geht unmittelbar ans Nervenzentrum und wird zur Ich-Schädigung. Das habe ich bei jedem Zusammensein mit Ihnen gespürt, eben mit der Wachheit dessen, der die Dinge selber leidvoll erlebt und überdies gelernt hat, daß er sich keinerlei Schädigung mehr erlauben darf. Es gab also für mich bloß die Wahl, entweder Ihnen aus dem Weg zu gehen, oder aber einzugreifen. Ich habe das letztere gewählt und die erste passende Gelegenheit hiezu wahrgenommen, weil ich einem mir wichtigen Menschen nicht gerne aus dem Wege gehe, kurzum, weil ich nicht gern auf Sie verzichte, nicht etwa als auf einen Vergil-Bewunderer, sondern als einen aus dem gleichen Clan.

2.) Zu diesem Eingreifen durfte und mußte ich mich entschließen, weil ich wußte, daß ich Sie damit nicht schädigen, sondern Ihnen höchstens nützen kann. Sie haben sich in Ihrem Leben sehr viel abgequält, u. zw. mit Ihrem Ich, obwohl dieses in Gestalt von Arbeit sich Ihnen präsentiert hat, und ich wußte, daß diese Qual zu einem großen Teil aus Ich-Blindheit herstammt. Die Identifikation von Ich und Arbeit ist beim lyrischen Dichter natürlich größer als bei irgendjemandem anders, ja, er wird weitgehend von dieser Identifikation geschaffen, aber es kann auf Kosten der Gesamtpersönlichkeit gehen. Und gerade bei einem Menschen, der seiner Anlage nach über den lyrischen Bereich als solchen hinausstrebt – da er eben genau fühlt, daß unsere Zeit nach einem Einsatz verlangt, der größer als der lyrische ist – muß sich solch (eben narzißtische!) Identifikation endlich lösen. Natürlich bin ich nicht imstande, Ihre Neurose zu heilen; hingegen weiß ich, daß man seinen Narzißmus unter Kontrolle nehmen kann, gewissermaßen mit Exertion, »Exerzizien«, die streng darauf achten, daß die Bewußtseinsbesetzung ausschließlich objektiv gerichtet werde, so daß also niemals das Ich selber in die Objektivsphäre eingeht. Was wir

Persönlichkeitsreichtum nennen (oder die Goetheische »Bildung«), ist ja nichts anderes als die Aufnahme des Objektiven in die Ich-Sphäre, während beim narzißtisch verengten Menschen diese Sphäre gänzlich vom Ich ausgefüllt ist. Dieses Regime habe ich mir Jahre, eigentlich Dezennien hindurch auferlegt, und ich glaube, daß es seine Früchte getragen hat. Solche Konstatierung läßt sich zwar noch immer als Eitelkeit auslegen, aber Paradoxien lassen sich an Grenzfällen immer aufstellen, und in Wahrheit steckt eine konstante und konsequente Eitelkeitsbekämpfung darin, ja, eine, die Zustimmung zur Arbeit eher verhütet als erregt. Und auch dies trägt seine Früchte, denn dadurch wird selbst das unbewußte Schielen zum Publikum schon während der Arbeit verhütet, und man bringt den Mut zur Unverständlichkeit auf. Anders wäre der Vergil nicht zustande gekommen. Andererseits wird eben hiedurch – auch dies war für die Arbeit am Vergil notwendig – jede falsche »Demut«, zu der Sie ja gleichfalls (auch diesmal wieder) neigen, ein für allemal aufgehoben. Sowohl Eitelkeit wie Demut (und gar sie beide in ihrer narzißtischen Paarung) hindern den Menschen, zum Zentrum seiner humanen und arbeitsmäßigen Probleme vorzustoßen, hindern ihn zu erkennen, daß er im Problemzentrum auch sein eigenes wiederfindet, daß erst hier – das große Entdeckerglück jeder echten Arbeit! – Objekt- und Subjektzentrum nun wirklich zusammenfallen. Und da ich Sie als Objekt betrachtet habe, bin ich nach allen Symptomen beinahe unwiderleglich sicher geworden, daß das Zentrum des Problems Hans Sahl im Narzißmus liegt und daß der Versuch unternommen werden muß, die schädliche Identifikation von Ich und Arbeit zu lösen. Wären Sie bloß ein Privatmann, so würde ich mich damit in Dinge einmischen, »die mich nichts angehen«, aber wenn man von einem Menschen etwas erwartet, was allgemeingültig sein soll, mehr noch, wenn dieser Mensch sich selber in dieser Richtung entschieden hat, so verwischt sich die Grenze des Privaten beträchtlich; man muß nicht immer erst warten, bis ein Buch erscheint: man kann es auch als ungeschriebenes kritisieren, und dies dünkt mich gerade in diesem Fall der produktivere Weg.

Spricht wie ein Rebbe! Ich spreche aber nicht wie ein Rebbe, denn ein solcher müßte »Komplett-Normalisierung«

verlangen. Um was es mir – bei Ihnen wie bei mir – geht, ist Normalisierung *innerhalb jener Abnormalität*, die künstlerische oder sonstwie produktive Arbeit heißt. Es bleibt also immer noch genug Neurose, genug Narzißmus, genug Abwegigkeit für persönliches und privates Unglück übrig. Bürgerliche Normalität und bürgerliches Glück werden wir, weder Sie noch ich, kaum je erlangen; es hat es noch keiner erlangt, obwohl sich wahrscheinlich ein jeder danach gesehnt hat, und bloß der Un-Künstler, nämlich der Bohemien sich seiner Abnormalität freut. Und ich kann Ihnen sagen, daß dieser Verzicht auf Normalität mit je höherem Alter immer schwerer wird. Das peinlichste daran ist wohl, daß der Eigen-Unglückliche zugleich auch immer ein Unglücksbringer für den Nebenmenschen ist, ein umso ärgerer, je näher ihm dieser steht; dazu braucht man freilich nicht eigens ein Künstler zu sein, denn das bringt jeder Neurotiker zustande, doch während es für diesen unentschuldbar ist, hat der produktive Mensch immerhin noch den moralischen Ausweg seiner Arbeit, vorausgesetzt, daß diese in ihrem Rahmen als »normal« und daher moralisch vollwertig gelten kann.

Daß solche Normalität innerhalb der Abnormalität den Künstler zum Einsamen und Vereinsamten macht, scheint notwendig zu sein. Das ist wahrhaft seine Privatangelegenheit. Es mag ja sein, daß sich dies wieder einmal ändern wird. In der Renaissance war kein Maler »vereinsamt«, im Barock kein Musiker; der Dichter war es wohl allzeit. (Alles cum grano salis.) Das hängt teilweise vom Kognitivgehalt der verschiedenen Künste, teilweise von ihrer jeweiligen sozialen Einreihung ab. Doch in unserer sozialen Struktur scheint eben solche Vereinsamung notwendig zu sein. Daß der vereinsamtheit-betroffene Mensch, also eben der Künstler, immer wieder verleitet ist, solchen Zustand zu durchbrechen, ist nur selbstverständlich. Je narzißtischer er ist, desto mehr wird er hiezu gedrängt sein und desto mehr wird es ihm, freilich zu seinem und anderer Unglück, gelingen; denn je selbstverliebter einer ist, desto leichter verliebt sich ein anderer – das menschliche Wesen ist ja arm und armselig – in ihn; zwischen Narzißmus und Vereinsamung hin- und hergeworfen, wird er zum »Werbenden«: so ein konstant Werbender sind Sie; das war eigentlich mein erster Eindruck von Ihnen, und da jeder Werbende ein guter Einfühler ist und die Menschen an ihrem schwächsten Punkt zu packen versteht, waren Sie wahrscheinlich von vornherein geneigt, den Vergil zu bewundern, weil das eben zum narzißtischen Geschäft gehört. Meine »Denunzierung« Ihres Zustimmens, das mir deshalb nicht minder wichtig ist, war also nicht konkret sachlich gemeint, sondern sozusagen »haltungs-deskriptiv«, m. a. W. als eine Aufforderung an Ihre Selbstkontrolle.

All das würde eine richtige Phänomenologie der Künstlerpersönlichkeit und des künstlerischen Erfolges erfordern. Aber da dies ein Rechtfertigungsbrief ist, darf ich mich auf ein Exempel, nämlich auf das meiner selbst beschränken, umsomehr, als Sie eben danach fragen: natürlich wünsche ich, daß der Vergil Erfolg habe, ich bin sogar sehr anxious mit dem vollen Unterton der anxiété nach solchem Erfolg, aber nicht minder werde ich mich solch erhofften Erfolges, stellt er sich ein, beinahe schämen und mich über jeden, der mir dazu gratuliert, äußerst ärgern. Oder korrekter, ich werde mich, wo immer ich kann, äußerst bemühen, den Erfolg möglich zu machen und fürchte, daß meine feindselige Gleichgültigkeit gegen ihn mich dabei irreleiten könnte, so daß ich mein eigenes Erfolgsgrab grabe. Dazu ließe sich natürlich unendlich viel Analytisches sagen, wie Selbstzerstörungstrieb, invertierter Narzißmus (der ja sogar Selbstmord werden kann) etc. etc., und etwas wie invertierter Narzißmus wird ja auch von Ihnen mit etwas anderen Worten vermutet. Irgendwo stimmt natürlich alles, weil jeder Mensch alles in sich trägt; es kommt auf die Graduierungen und Prävalenzen an. Kurzum, wenn ich mich noch heute so neurotisch erweisen sollte, daß ich meinen eigenen Erfolg vereitelte, so haben Sie mit Ihrer Vermutung recht. Praktisch sieht es so aus, daß ich mir von meiner Massenpsychologie ziemlich viel erhoffe, d. h. einen wirklichen Einfluß auf das politische Geschehen der nächsten Jahre (selbstverständlich nicht direkt), und daß ich hiefür mir ruhige Arbeitsbedingungen schaffen muß; diese aber werde ich haben, wenn der Vergil, der zuerst herauskommen soll, Erfolg hat. Es geht also eigentlich um Leben und Sterben. Und ich will lieber leben. Doch davon abgesehen, glaube ich mit Bestimmtheit sagen zu können, daß mir Erfolg und Nichterfolg ziemlich gleich sind, und daß dabei die feige Furcht vor Enttäuschung so gut wie keine Rolle spielt. Daß es einen froh macht, wenn ein paar Leute Ihres Schlages einem beistimmen, ist nur natürlich: schließlich sind es gute gediegene Lebensjahre, die an ein solches Buch verwandt worden sind, und bei allem Erkenntnisgewinn, den man selber daraus gezogen hat und um dessentwillen die ganze Sache unternommen worden ist, das Ich bleibt in seine Autonomie eingeschlossen, und so sehr es hiedurch absolut ist, es weiß um die Möglichkeiten des Relativismus, kurzum, es fürchtet, einen absoluten Blödsinn begangen zu haben. Die Angst vor dem Blödsinn, vor der an Blödsinn verschwendeten Zeit hängt über jedem Künstler, aber so sehr er daher nach Bestätigung sucht und suchen muß, keinerlei Zustimmung kann ihm diese Bestätigung liefern; das gilt auch für den »normalen« Künstler, und ich sehe darin die eigentliche Künstlertragik, die eigenste und tiefste Gefahr für den Künstler, denn Zweifelsqual wie Zustimmungsberuhigung greifen sein innerstes Wesen und das seiner Arbeit verderblich an. In dieser Beziehung ist er viel ärger dran als der Wissenschaftler. [. . .]

[GW 8, MTV]

1 »James Joyce und die Gegenwart«, KW 9/1, S. 63-94. Den Begriff »Pointillismus« verwendet Broch dort nicht.

450. An Franz Werfel

One Evelyn Place
Princeton, N. J. 18. 12. 43

Liebster Franz,
es tut mir weh zu hören, daß es Dir noch immer nicht gut geht. Alter jüdischer Tradition folgend, die auf die Beschämung des Gesunden und Hilfsunfähigen am Krankenbett Rücksicht nimmt, müßte ich Dir sagen, daß ich gleichfalls vor einem Arbeitsüberlastungs-Zusammenbruch stehe, doch das nützt Dir nichts, denn dieser jüdische Trost der Bekla-

gung, d. h. der Selbst-Beklagung ist eben nur ein Selbst-Trost. Hingegen wollte ich, daß die Wünsche, die ich für Dich habe, Dir nützen könnten: Beten hätte man eben lernen sollen (nach dem Muster: »Entlach hätt' man kaufen sollen.«) Immerhin, Du wirst auch ohne mein Beten Dich aus diesem Zustand herausbringen: Du hast ja mehr Vitalität in Dir stecken als wir alle zusammen, und damit wirst Du es schaffen. Es möge nur rasch sein. In diesem Sinn laßt Euch beide ein glückseliges Neues Jahr wünschen; ich umarme Euch beide in Herzlichkeit als Euer

alter Hermann

[UP]

451. An Hans Sahl

Princeton, 18. 12. 43

Liebster H. S.,
ich habe sofort nach Erhalt des »V. S.«[1] Ihnen eine (allerdings nichtssagende) Karte geschrieben, sie aber Kahler zur Weiterleitung gegeben, weil er noch ein paar Worte hatte anfügen wollen, und so ist sie verspätet abgegangen, doch wohl inzwischen auch eingetroffen.

Die lyrische Aufgabe, die Sie sich mit Gedichten wie dem V. S. gestellt haben, ist absolut richtig, schön und wahrscheinlich auch objektiv notwendig. Sie liegt in der Linie, die mit dem »'st leider Krieg« vielleicht erstmalig in die Welt gekommen und inzwischen leider vergessen worden ist, denn die marxistische Dichtung (und sogar die Brechts) ist eine Abbiegung. (Gerade fällt mir ein, daß manches von Gryphius in diese Linie gehört, und sogar mit ein paar sehr herrlichen Sachen.) Es ist aber eine fürchterlich schwere Aufgabe, doppelt schwer, weil uns das politische Geschehen in ganz anderer und viel tieferer Weise rationalisiert ist, als dies vor 200 Jahren der Fall gewesen ist. Die »Nachgeborenen«[2] haben das Problem (trotz Marxismus) sehr weit gelöst; dem V. S. scheint es nicht völlig gelungen zu sein, u. z. glaube ich, daß der Grundfehler in der metaphorischen Anlage liegt: nichts verträgt mehr eine metaphorische Einkleidung; die Nacktheit unserer Zeit widersetzt sich m. E. allem, was nicht aus der unmittelbar-unmittelbarsten Konstatierung herauswächst.

Daß trotzdem die neue Fassung wesentlich befriedigender als die erste ist, versteht sich von selbst, und das habe ich Ihnen ja auch geschrieben. Und ebenso versteht es sich, daß jedermann, der Sie bejaht, also auch ich, sehr froh über die Wirkung sein muß und ist, die das Gedicht erzielt hat. Und wenn diese Wirkung beweisen würde, daß ich mit meinen Einwänden unrecht habe, nun, umso besser!

Außerdem ist Kritisieren immer leichter als Selber-machen. Ich plage mich jetzt entsetzlich mit ein paar Gedichten[3], die noch in den Vergil hineinzukommen haben; einige Prosastellen sind derart langweilig-unverständlich, daß ihre Umarbeitung zu Gedichtform absolut notwendig war: es gibt eben Dinge, deren Langweile nur im Gedicht erträglich wird – eine der Grundlegitimationen dieser Kunstgattung –, aber die Ausführung ist voller Tücken, und da daneben der Massenwahn wartet (genau so wie es Ihr Roman tut), so versetzt mich diese Unterbrechung (genau so wie Sie die Ihre) in schuldbewußte Panik.

Wie wir angesichts dieser beidseitigen Paniken den Abend mit Tillich zustandebringen sollen, ist mir vorderhand unerfindlich. Aber irgendwie wird es schon einmal gehen.

Inzwischen die gebotenen seasonal greetings. Ich brauche Ihnen nicht zu sagen, daß diese Wünsche für Sie samt Roman[4] (– wann kommt das erste Stück? –) sehr aufrichtig sind. In Herzlichkeit Ihr

H. B.

[DLA]

1 Hans Sahl, »Der verlorene Sohn«, in: H. S., *Wir sind die Letzten. Gedichte* (Heidelberg: Lambert Schneider, 1976), S. 52-55. Eine frühe Fassung des Gedichts erschien erstmals 1943 in *Deutsche Blätter*, einer in Santiago/Chile veröffentlichten Emigranten-Zeitschrift.

2 Gemeint ist Bertolt Brechts Gedicht »An die Nachgeborenen«. Vgl. Fußnote 1 zum Brief vom 14. 9. 1940.

3 Vgl. »Schicksalselegien«, KW4, S. 513.

4 Vgl. Fußnote 2 zum Brief vom 31. 12. 1941.

452. An Trude Geiringer

18. 12. 43

Liebes, sei für die Liste bedankt. Natürlich brauchen wir die Adressen eines jeden potentiellen Abnehmers für den Vergil.

Ich bin fieberfrei; mag sein, daß die unerfreuliche Zahnreißerei doch von Wichtigkeit gewesen ist. Die Müdigkeit oder richtiger Erschöpfung ist freilich geblieben, aber dies hat in der Überarbeitung seinen natürlichen Grund. Das Vergil-MS soll im Jänner fertig sein, und nicht nur daß die Korrektur mitsamt ihren vielen Abänderungen ungeheuer mühevoll und zeitraubend ist, ich darf darob den Massenwahn, der nicht minder wichtig ist, nicht unterbrechen, umsoweniger, als ich sonst den Faden verliere. Zu alldem ist auch noch überraschend Weihnachten hereingebrochen.

Lange werde ich es in dieser Weise nicht mitmachen. Etwas wird geschehen müssen, sonst geschieht mir etwas. Aber was ist mit Dir jetzt? warum bist Du so müde? nur Weihnachten?

Ich kränke mich, nichts für Dich zu Weihnachten zu haben. Daran ist nicht nur der Geldmangel schuld, sondern noch viel mehr die Unfähigkeit, irgend etwas zu tun, was über die dringlichsten Momentanerfordernisse hinausgeht. Von den Wünschen für Dich brauche ich nicht zu reden, aber dem ganzen Haus gib meine Weihnachtsgrüße.

Viel und innig!

[YUL]

453. An Berthold Viertel

One Evelyn Place
Princeton, N. J. 19. 12. 43

Liebster B. V.,
ja, ich habe Polgar gesehen, und er hat mir von Ihnen erzählt, und es war bereits sehr notwendig, denn ich hatte bereits danach gebangt: mir ist nämlich das nämliche wie Ihnen

passiert; ich habe mein gesamtes Adressenmaterial, kurzum mein Adreßbuch in einer Telephonzelle liegen lassen und bin noch immer daran, es zu rekonstruieren. Dabei war es bei mir eine ausgesprochen klare Kundgebung meines Unbewußten, denn von all den Adressen sind mir kaum 3 % (zu denen Sie gehören) irgendwie wichtig, während ich von den anderen nichts wissen will; Zwangsadressen.

Schon aus diesem Adressenhaß könnten Sie mein Leben indizieren: es besteht aus unbefriedigtem Einsamkeitsbedürfnis, und dieses wiederum ist auf innere und äußere Arbeitspanik zurückzuführen, innere, weil ich meine Massenpsychologie überschätze und sie daher – wer weiß, wie lang es noch dauert – für mein Seelenheil herausgebracht haben möchte, ehe es mit dem Seelenheil ernst wird, äußere hingegen, weil die Letalität eben vielleicht doch auf sich warten läßt und ich bloß mithilfe einer wirklichen wissenschaftlichen Leistung mich am Alltagsleben zu erhalten vermag. Für das Jahr 44 ist ja durch Rockefeller anständigerweise ärmlich aber reinlich vorgesorgt, doch dann ziagt sich der Weg, und es muß etwas geschehen. Und das kann bloß geschehen, wenn ich mich bis zum Letzten ausschrote und auspumpe. Ob es dann damit auch schon gelungen sein wird, ist natürlich die Frage; was ich treibe, ist nämlich allzu jontewig[1] und läßt sich daher schwer in den wissenschaftlichen Wochentag einreihen.

Den Vorwurf der Jontewigkeit habe ich natürlich auch gegen den Vergil zu erheben. Die Übersetzung ist fertig, und Kurt Wolff will das Buch sowohl in deutscher wie in englischer Fassung (also in zwei Bänden) im Frühjahr herausbringen. Doch da die deutsche Version bloß als Subskription zu machen ist, muß leider auch die englische daran glauben, d. h. sie soll gleichfalls subskribiert werden, damit ihr Überschuß die deutsche Ausgabe mittrage. All dies soll im Jänner geschehen. Und all dies erfordert zusätzliche Arbeitsleistung, da es nun natürlich unvermutete Manuskriptabänderungen gibt, also auch entsprechende Übersetzungsabänderungen. Was dies bedeutet, können Sie sich vorstellen.

Es ist rührend von Ihnen, daß Sie nach diesen Werken verlangen. Ich wollte, ich könnte Ihnen schon was schicken; könnte ich es nämlich, so hieße dies, daß einige Aussicht auf

Fertigstellung bestünde. Doch es ist eben meine Panik, noch lange nicht so weit zu sein. Aber wenn Sie zurückkommen, so erzähle ich Ihnen gerne etwas darauf; ich glaube sogar, daß es ganz spannend ist.

Ich sehe Sie ja leider noch nicht zurückkommen. Wissen Sie, daß Sie nur für ein paar Wochen weggefahren sind? und nun gar, da Sie ein Stück in Arbeit haben, ist nicht darauf zu rechnen, daß Sie es so rasch aus den Händen geben, wenn es Ihnen niemand wegnimmt. Ich als spezifischer Nicht-fertig-Werder habe da natürlich nichts zu reden, aber ich red halt doch.

Leider schreiben Sie nichts über das Stück selber. Von rechtswegen wäre Ihr Faust fällig. Und ich habe so lange nichts von Ihren Gedichten gesehen. Sehr viel wird nachzuholen sein.

Ich nehme an, daß es nicht die österreichische Zeitschrift[2] ist, die Sie nach dem Osten ruft. Ich bin da nicht allzu optimistisch. Der Bedarf an deutscher Zeitung ist durch die nicht-deutschen des Aufbaues, der Volks- und der Staatszeitung überreichlich gedeckt, und wenn sich eine österreichische dazugesellen soll, so hätte dies bloß auf Basis eines festen politischen Programms einen Sinn. Welches politische Programm aber? das einer neuen Arbeiterzeitung? das einer jüdischen Reichspost? es würde also – wie es sich gehört – auf ein Fremdenblatt hinauslaufen, das – wiederum wie es sich gehört – die einzig mögliche österreichische Politik, also die des Fortwurstelns zu vertreten hätte. Solches aber ist leichter getan als gesagt; man müßte erst eine Theorie des Fortwurstelns konstruieren, sicherlich eine reizvolle, aber angesichts der Weltlage weder eine adäquate, noch eine moralische Aufgabe. Mir ist – verzeihen Sie meine Skepsis – das Positive an dem Projekt durchaus unsichtbar.

Aber wie immer dem sei, es wird schön sein, Sie wieder hier zu haben. Für heute also nur die seasonal greetings, konkretisiert in erster Linie in Genesungswünschen für Ihre Gattin, dann aber in allem, was Fortunas Glückshorn im Jahr 44 für Sie bergen und selbstverständlich nicht nur bergen, sondern auch über Sie ausgießen möge.

Und inzwischen getreulich und von Herzen stets Ihr

H. B.

Universität? in welcher Eigenschaft? wollen Sie unterrichten – außer Army (in Deutsch etc.) gibt es ja im Augenblick nichts zu unterrichten, da es in den humanistischen Fächern kaum mehr Studenten gibt. Also müßten Sie mit einem research project kommen; aber auch dieses müßte – dies war ja der ungeheuere Glücksfall meines Massenwahnes – eine sichtbare Konnexion mit den Kriegs- und Nachkriegsverhältnissen haben. Können Sie irgendetwas in dieser Richtung aufzäumen? dann und nur dann hätte m. E. so etwas eine Erfolgsaussicht.

Nochmals alle guten Wünsche, herzlichst!

[DLA]

1 Von »jontev«, Jiddisch für Feiertag (Hebräisch: jom-tov); Jiddisch »jontevdik« heißt entsprechend »festlich« oder »feierlich«. Da Broch »jontewig« bzw. »Jontewigkeit« schreibt, ist wahrscheinlich eine Anspielung auf »ewig« bzw. »Ewigkeit« mit im Spiel.

2 Gemeint sein dürfte die 1942 gegründete Zeitschrift *Austro-American Tribune,* an der Viertel mitarbeitete.

1944

454. An Hans Sahl

10. 1. 44

Liebster H. S., Sie haben recht: der von Ihnen erwähnte Brief ist niemals eingetroffen, und so habe ich erst gestern den obigen an H. M.[1] schreiben können. Selbstverständlich kommt aber auch noch dieser lange zurecht. Und daß ich ihm, also Ihnen Erfolg wünsche, brauche ich Ihnen nicht zu sagen.

Allerdings kann ich mir nicht vorstellen, daß ein deutschgeschriebenes Roman-Bruchstück[2] bei dieser competition irgendwelche realen Chancen haben könnte. Ich meine, daß Sie sich hierüber ebenfalls keine Illusionen machen, außer denen des schießenden Besens. Ich kenne nun doch diese Preisausschreiben seit mehreren Jahren, weiß was da prämiert wird, und das ist von Ihrem Projekt so meilenweit entfernt, daß andere Entscheidungen in diesem Jahr nicht zu erwarten sind.

Dies sind rein praktische Fragen, die mit Ihrer Arbeit selber nichts zu tun haben und nichts zu tun haben dürfen. Ich hoffe also, daß Sie meinen praktischen Pessimismus nicht als die von Ihnen im voraus schon abgelehnte »Entmutigung« auffassen. Im Gegenteil, ich halte es für wichtig, daß Sie mit dieser Arbeit nun vorwärtskommen und daß sie auf praktischem Gebiet haltbar unterbaut werde, damit Sie nicht durch Lebenssorgen gestört und beunruhigt werden. Und hiefür halte ich das Preisausschreiben für ungeeignet; man kann sich nicht ein Klassenlos kaufen, um die nächstmonatliche Miete zu decken. In ein paar Wochen läuft Ihr grant ab, und das macht mir Sorgen. Es muß also etwas geschehen. Haben Sie schon einmal mit der Anna Selig (International Study Center, 1010 Park Ave.) gesprochen? Dort dürfte vielleicht die Möglichkeit für eine weitere scholarship liegen. Außerdem sollten Sie einmal wieder mit Mrs. Staudinger sprechen, nämlich über die Möglichkeiten im Army Study Program. Wenn Sie 18 Stunden in der Woche unterrichten, bleibt genügend Zeit für eigene Arbeit.

Der Roman ist menschlich, ist schön angelegt und methodisch interessant. Daß es eine Joycesche Methode ist, wissen

Sie auch ohne mich und legt Ihnen Verpflichtungen auf: wenn es Ihnen nicht gelingt, an irgend einem Punkt entscheidend über Joyce hinauszugelangen, so laufen Sie Gefahr, eine Joyce-Verdünnung zu schreiben. Gewiß, Joyce läßt sich nicht in toto »überflügeln«, aber das ist auch nicht notwendig; es genügt, daß in irgendeiner Richtung eine wirkliche Fortentwicklung und Vertiefung der methodischen Anlage stattfände. Es ist selbstverständlich, daß die beiden kurzen Kapitel hierüber noch kein zureichendes Bild liefern können; nichtsdestoweniger kann ich mir vorstellen, daß diese notwendige Bereicherung bereits in Ihrem Stoff liegt, d. h., daß die Verquickung des Menschlichen mit dem Politischen, daß in diesem Überwältigtsein des Menschen ein Realitätszuschuß steckt, von dem der durchaus unpolitische, im Grunde noch sehr ästhetisierende Joyce nichts gewußt hat.

Kahler hat noch nichts gelesen. Dies ist also unabhängige, unbeeinflußte, unbestochene Eigenmeinung.

Wünsche und Herzlichkeit
Ihres H. B.

Anmerkungen:
a.) ein Klassenlos heißt auf preußisch Lotterielos
b.) das methodische Hauptproblem Joyces war das der Simultaneität.

[DLA]

1 Broch richtete folgendes Empfehlungsschreiben an die Verlagsgesellschaft Houghton Mifflin Co. in Boston: »With reference to the application of Mr. Hans Sahl for your novel contest I beg to state that, judging from my knowledge of Mr. Sahl's previous works – poems, stories, critical essays, film scenarios – I consider him as a highly gifted author, endowed with exceptional literary skill and imagination and a forceful spontaneity of expression. I believe, therefore, that his projected novel may be expected to be a very interesting piece of work. Let me add that I know Mr. Sahl as a personality of utmost integrity which did not falter under the many hardships he had to endure.« Der Brief trägt das Datum des 10. 1. 1944.

2 Vgl. Fußnote 3 zum Brief vom 18. 12. 1943 an Hans Sahl.

455. An Stanley Young[1]

1 Evelyn Place
Princeton, N. J. February 4, 1944

My dear Stanley Young,
Following up our conversation, I send you herewith another copy of the Outlines of my Mass Psychology[2] and I append a few words of explanation.

Whenever one looks in a newspaper, encountering this perpetual column »What Is to Be done About Germany«, one sees that the formation of a future world is not, as has been lately thought, dependent on economic considerations alone, but that in spite of the importance of economic considerations, such as the distribution of raw materials etc., the psychological issues come more and more to the foreground, and that without adequate psychological preparation we shall probably not be able to reach even the economic solution.

Of course, one can always maintain that the necessary in history will happen in any case, for example, that the process of the concentration of capital would have occurred also, even without the accompaniment of Marx's explanation; in short that all problems of humanity find their automatic solution. But these automatic solutions, emerging from the implacable logic of events, are the result of painful experiences; they occur in a »clouded condition«, i. e. in the shape of crisis, of revolution, of war, that is to say in the shape of human stupidity and lazy thinking which prefers an irrational physical victory to rational insight and preparation. Of course such a state of affairs will never be completely corrected but it may be improved, and explicitly by a greater knowledge of human consciousness, and, to attain to this greater knowledge, it seems to me urgently necessary to disclose the structure of human mass-phenomena from this very intrinsic center of human consciousness: the more deeply and rationally such a research is made, the more valid will be the rationality with which it can claim to interfere in the events of history.

With these considerations in view I have built up my work

in three parts, each of which – as I feel justified in saying – discloses a newly-discovered segment of reality, using these discoveries in turn as main themes:

Part I. deals with the psychological postulates of all mass-phenomena in their perceptible aspects as well as in their essences, and with the knowledge of *human twilight-consciousness,* which is an animal heritage of the human psyche and one with which we have always to reckon, especially when the education and self-education of man toward a higher humanity is at stake, the more so as this education has to do with the overcoming of ›magical thinking‹ – one of the main elements of mass phenomena.

Part II. deals with the scheme of values in conformity to which man aspires, and is bound to aspire, by the specific structure of his psyche, and it leads on to the discovery of *psychological cycles* consisting of ›normal‹ and ›abnormal‹ (psycho-pathological) segments through which the masses have reacted successively throughout recorded time.

Part III. deals with the possibility of regulating these cycles in order to avoid the psycho-pathological segments, particulary in respect to magical thinking, and this leads on to a *new psychological theory of politics and its legislative basis:* however, these rather ample findings are not quite utopian for they show how a practical application could be worked out in the field of democracy, as well as in the reorganization of the world.

I repeat that this project does not claim to have the key to all problems which grip the world today, but it is certainly able to open the way toward the solution of many of them, so that it may rightly be considered as a necessary contribution to our current task.

It may be assumed that the whole work will be finished in the year 1945. My Fellowship from the Rockefeller Foundation, under which I began this research and which was granted for a period of two and a half years, expires December 31st, 1944. As I have been given the privilege of a longer Fellowship than is usually granted I can scarcely ask to have it extended.

Therefore it is a pleasure and an honor for me that the Bollingen Series has considered the publication of my work, so that I can reckon not only on its being printed but also on the financial security that will enable me to finish it without interruption. As beforementioned, the year 1945 has to be financially covered, and therefore I suggest the monthly stipend of $ 200 as the minimum on which I, or anyone else doing such work, can live under present conditions[3].

Another financial question arises in regard to the translation of the book. This translation should be begun before the work is completely finished in order that publication need not be delayed, especially should it be deemed advisable to bring out the parts separately and in succession. This latter plan may seem the more feasible as some chapters of Part I have already been sketched in English[4].

Regarding the time of publication and the difficulties attendant on an early printing because of the paper shortage you mentioned, I would like to repeat that the work is regarded by individual experts as well as by Princeton University as a direct contribution to the psychological war-effort. Of course I could procure you testimonials to this effect and also to the value of the work in general.

Needless to say, dear Stanley Young, I would be very happy if the matter could be settled on this basis, for I am concerned not only with my own livelihood but even more with the opportunity of doing this work for which there is an undeniable need: I am not so arrogant as to pretend that no one else could fulfill this task as well or even better than I can, but I do maintain that I was the first to recognize the task and to take steps toward its solution.

Cordially yours,
Hermann Broch
[BF]

1 Vgl. Fußnote 6 zum Brief vom 12. 10. 1943.
2 Vgl. KW 12, S. 67-98.
3 Broch erhielt dieses Stipendium in Höhe von 200 $ pro Monat für die Zeit vom 1. 1. 1945 bis zum 30. 6. 1947 durch die Bollingen Foundation.
4 Eine englische Übersetzung von Brochs *Massenwahntheorie* liegt bis heute nicht vor.

456. An Hans Sahl

5. 2. 44

[. . .] Vierte Dimension: ich habe mich sehr eingehend und, wie ich meine, sogar fruchtbar mit n-dimensionaler Logik befaßt (zur Zeit, als ich damit begann, dürfte ich der erste damit gewesen sein, leider sind die MSS verloren gegangen), und ich kann alle Erwägungen über dieses Thema, also auch in der Anwendung auf den Traummechanismus nur unter diesem Gesichtswinkel ansehen; wer die Dinge nicht von hier aus betrachtet, gerät in leeres Gewäsch; auch die Kugelgestalt der Erde wurde erst fruchtbar, als sie zur mathematischen Tatsache wurde. All dies sind Gründe, die mich mehr und mehr die Befassung mit Mathematik und math. Logik als Grundlage jedes ersprießlichen Denkens, ja sogar des Dichtens ansehen ließen.

Mythos ist immer die Gewinnung einer neuen Einsicht in das Todesphänomen: der Sinn des Lebens wird vom Tod her bestimmt, also auch der Sinn der Geschichte. (Hätte der christliche Mythos nicht einen neuen Zugang zum Tod gefunden, es wäre Augustinus, d. h. seine Geschichtsphilosophie, die der Ausdruck hiefür ist, nicht möglich gewesen.) [. . .]

[GW 8]

457. An Hans Sahl

4. 3. 44

[. . .] Auf die Steinaxt-Maschinengewehr-Debatte lasse ich mich aus ebendenselben Gründen nicht ein (umsoweniger als nicht nur Sie, sondern auch mein Schicksal auf Buchfertigstellung gerichtet ist), aber ich glaube, daß Sie Museal-Kultur mit Humanität verwechseln: Humanität hat bloß ein Zentrum, nämlich die unbedingte Hochschätzung des menschlichen Lebens, ja, wenn Sie wollen, der menschlichen Seele (von der dem Steinzeitmenschen überhaupt nichts bekannt war), und hieraus ergibt sich alles andere automatisch. Barbarei ist nichts anderes als der immer wiederkehrende Durchbruch der Steinzeitseele, es sei denn, daß Sie das Steinzeitliche und Vorsteinzeitliche mit einem Rousseauischen Paradiese gleichsetzen; dann freilich gibt es nur ein konstantes weiteres Absinken.

Zu alldem: es kommt doch wirklich nicht aufs Prophezeien an. Ich kann mir die fürchterlichsten Konsequenzen aus der technischen Entwicklung vorstellen, aber mit dem Augenblick, in dem man sie akzeptiert, wird man ein Ernst Jünger, der notwendigerweise den Hitler hat akzeptieren müssen. Und gerade Hitler zeigt, daß sich die Sache nicht »rentiert«; Humanität rentiert sich besser. Damit sind wir auf der nüchternsten Ebene des Problems. [. . .]

[GW 8]

458. An Stanley Young

One Evelyn Place
Princeton, N. J. March 8, -44

Dear Stanley Young,
Thank you for your letter of Feb. 29th. Enclosed herewith please find the biographical sketch you asked for; I am always prepared to give you any additional data you may want.

I cannot but pray fervently that you may be graciously admitted to the company of paper consuming publishers (but I would like to remind you that you could use my book and its importance for the war-and-peace-effort as a bait for the paper distributing government).

I take the opportunity to congratulate you on your new appointment as American editor of »Free World«[1]; I greatly appreciated your first editorial.

Cordially yours
Hermann Broch
[BF]

1 Diese in New York erscheinende politische Monatsschrift mit internationaler Orientierung wurde Anfang 1938 in New York gegründet. Ihr Untertitel lautete »A Monthly Magazine Devoted to Democracy and World Affairs«. Seit Anfang 1944 arbeitete Stanley Young als »American Editor« der Zeitschrift. Gemeint ist Youngs Editorial »Anti-Semitism in Our Time«, in: *Free World*, Jg. 7, Nr. 3 (März 1944), S. 198-199.

459. An Hans Sahl

12. 3. 44

Die Entwicklung der Menschheit steht unter einem Trotzdem. Der Steinzeitmensch hätte es verhältnismäßig sehr leicht gehabt, »human« sein zu können und Rousseau zu spielen, aber er hat es wahrscheinlich nicht getan. Jede technische Entwicklung seitdem hat ihm die Humanität erschwert, aber mit jeder Erschwerung wird sie ihm aus innern wie äußern Gründen notwendiger. Jede Humanitätserschwerung äußert sich in zunehmend grauslicheren Rückfällen, jeder Rückfall wird mit zunehmender Humanität beantwortet. Daß diese Beantwortung erfolgen kann, ist dem Wunder der Bewußtseinsentwicklung zu verdanken, die den einzig wirklichen »Fortschritt« darstellt (mit dem Nebenerfolg der technischen Neugefährdung). Das ist keine »Prophezeiung«, sondern eine Funktionalgleichung. (Näheres hierüber in der Brochschen Massenpsychologie). Dieses Wechselspiel wird wahrscheinlich so lange währen, so lange die Menschheit besteht, doch es ist natürlich möglich, daß während eines Barbareirückfalles die Sache definitiv schief geht. Mit dieser Möglichkeit haben wir uns jedoch nicht zu befassen; am verbotensten aber ist es, sie als Notwendigkeit zu betrachten: das Resultat ist Spenglerei, zynische Literaten-Jüngerei (Ernst Jünger – jüngelhaftes Geernstel) und schließlich Hitlerismus. Für die Antinomie des fatalistisch »Notwendigen« (diktiert von der Logik der Dinge) in der indeterministischen »Lenkbarkeit« der Abläufe ist die Lösung nicht in der Entscheidung für diese oder jene »Notwendigkeit«, z. B. für die sozialistische gegeben: das hat übrigens sogar Marx selber gewußt, obwohl er es nicht hat wahrhaben wollen. Es geht nämlich in alldem auf die erkenntnistheoretische (nicht einmal mehr psychologische) Frage: wo und wann ist das Bewußtsein des Menschen indeterminiert und entscheidungsreif? Und da muß ein Russell genau so wie ein Spengler versagen, weil man die Dinge eben anders anpacken muß. Und die »Demaskierung der Epoche«[1] wünsche ich zu lesen, da ich sie nicht kenne. [. . .]

[GW 8]

1 Ein unveröffentlichter Aufsatz Hans Sahls.

460. An Henry Allen Moe

One Evelyn Place
Princeton, N. J. April 18, -44

Dear Mr. Moe:
I am very touched by your being concerned so kindly about the destiny of my »Virgil«. But if the book would have come out, there would be a copy in your hands already, for it is only natural that you will be one of the first to whom I shall have the great pleasure to present the result of a work to which you contributed so much.

Meanwhile I can only present you the enclosed pamphlet of my publishers[1]. And I do it with the secret hope that you may, perhaps, know some persons who would like to subscribe to the book: we had to decide to make this subscription especially in view of the German edition which, needless to say, is very difficult to sell, and so every subscriber counts. I would be only too glad to send you more of these invitations if you could use them.

With my warmest thanks

very sincerely yours
Hermann Broch

[GF]]]

1 Vgl. Fußnote 1 zum Brief vom 28. 9. 1943. Außer der Huxleyschen Stellungnahme waren Stimmen von Henry Seidel Canby und Thomas Mann abgedruckt. Henry Seidel Canby schrieb: »I

have read with interest and excitement the admirable translation of Hermann Broch's *The Death of Virgil*. This prose poem, with its concentrated narrative philosophy and its intensely vivid background, seems to me one of the really important books in recent times. I believe it to be something new in literature in German; I am sure it will take an immediate and important place in literature in English.« Thomas Manns Kommentar lautet: »It was an extraordinary pleasure for me to hear that Hermann Broch's prose poem, *The Death of Virgil* is to appear simultaneously in its original form and in the English translation which I know to have been made with such scrupulous devotion. For me, who has been allowed to read the work in manuscript, there exists no doubt that it belongs with the highest achievements of German literature in exile, but before all that it is one of the most representative and advanced works of our time and destined to endure – a boldly conceived, original and astonishing performance, the magic of which must grip everyone who comes in contact with it. German Letters in exile can be proud that they have a poetic work of such stature to offer to the world.« Ein Exemplar des Verlagsprospekts findet sich in YUL.

461. An Hans Sahl

Princeton, 7. 5. 44

Ja, Lieber, es wäre die höchste Zeit, daß man einander endlich wieder sähe, aber ich weiß nicht, wie ich es bewerkstelligen soll! Jetzt habe ich vier Monate in 17stündiger täglicher Arbeit an den Vergil verloren, und nicht nur daß es nun noch technische Nacharbeit und Übersetzungsgleichstellung gibt (zwar weniger anstrengend als jene »produktive« Korrektur, doch nicht minder zeitraubend), es verlangt der Massenwahn (sowie der persönliche), daß die verlorenen Monate nun raschestens aufgeholt werden mögen, und dies bedeutet eine Aufrechthaltung des 17-Stunden-Pensums, womöglich seine Übersteigerung. Ich bin nachgerade am Ende aller Kräfte.

Dabei möchte ich gerne etwas über den Fortgang des Romans wissen (– kann man nicht bald wieder etwas lesen? oder würden Sie, was ich sehr gut verstünde, durch Kritik gestört werden? –), und schließlich welch geheimnisvolle Lebensveränderungen deuten Sie da an? Welche vita activa ist in Ihr Leben getreten? Wie heißt sie, welche Telephonnummer hat sie?

Sehr herzlich und getreulich Ihr

H. B.

[DLA]

462. An Else und Fritz Spitzer

One Evelyn Place
Princeton, N. J. 14. 5. 44

Liebste Else, liebster Fritz,
ich bin sehr glücklich mit Eurem Brief und sehr beeindruckt von Euerer Biographie. Und angesichts des Mutes, den Ihr während dieser Jahre aufgebracht und durchgehalten habt, fühle ich mich in meiner Gemächlichkeit und relativen Sicherheit äußerst beschämt. Ganz abgesehen davon, daß ich unter diesem Fern-vom-Schuß-sein (– manchmal bekommen die abgebrauchten Worte plötzlich wieder einen voll lebendigen Sinn –) ausgesprochen leide; und wahrlich, man ist fern vom Schuß, denn man merkt hier kaum etwas vom Krieg, weder physisch, noch psychisch.

Nun könnte ich mich natürlich bei einem der verschiedenen war offices, welche Zivilisten hinüber schicken, zum Dienst melden, speziell seitdem ich amerikanischer Bürger[1] bin, wäre dies möglich, aber ich habe mir inzwischen meine eigene Kanone gekauft, an der ich zwar noch immer lade, aber die doch früher oder später gegen die Nazi nun abgeschossen werden muß: ich glaube ein paar recht brauchbare massenpsychische Fakta gefunden zu haben, und wenn es mir gelingt, hieraus die nötigen praktischen Konsequenzen zu ziehen, so wäre ein kleiner Beitrag zur künftigen Pestverhütung geliefert.

Ich habe das ungeheuere Glück gehabt, Leute zu treffen, welche zu meinen Bemühungen Vertrauen haben, und so arbeite ich mit einer Rockefeller fellowship – an und für sich schon eine Auszeichnung – gemächlich an der Universität drauf los. Natürlich viel zu langsam, denn die Sache sollte sowohl aus äußern wie aus innern Gründen schon längst fertig sein. Indes, mein Arbeitstempo war immer viel zu langsam gewesen, und so kann ich es bloß durch Ausdehnung meiner Arbeitszeit paralysieren; ich übertreibe nicht (oder richtiger untertreibe nicht), wenn ich sage, daß ich während dieser letzten zwei Jahre niemals länger als 5 Stunden täglich geschlafen habe. Wie lange ich dieses Regime noch aushalten werde, weiß ich nicht.

Hiezu kommt noch der Vergil. Dieses Buch mußte jetzt druckfertig gemacht werden, und die letzte Nacharbeitung hat mich nun mehrere Monate gekostet, die eingebracht werden müssen, freilich ohne daß ich wüßte, wie dies anstellen. Da das Manuskript erst vorige Woche fertig geworden ist und alle Korrekturen nun auch noch außerdem im englischen Text gleichzustellen sind, ist das Buch natürlich noch nicht erschienen, und ich werde froh sein, wenn es im Herbst draußen sein wird. Wir mußten die Form der Subskription wählen, weil ich den größten Wert auf die Originalausgabe lege und diese natürlich wesentlich schwieriger verkäuflich ist als die Übersetzung. Ich lege den Prospekt als Ansichtskarte bei.

Damit habt Ihr eigentlich meine ganze Biographie. Ich habe bloß noch hinzuzufügen, daß meine arme Mutter in der Deportation – ich hoffe in Theresienstadt[2] und nicht in Polen – gestorben ist, und daß mein Sohn nach mancherlei Fährlichkeiten herüber gerettet werden konnte; er hat hier die jüngste Wassermann-Tochter, Eva, geheiratet und hat sich überraschend gut entwickelt, augenblicklich in Washington[3] arbeitend, um früher oder später hinübergeschickt zu werden. Und – wie gesagt – darum beneide ich ihn.

Grüßt alle Freunde, vor allem Ingrid[4], von der ich zuletzt vor dem Krieg durch Loewenstein (Prinz) gehört hatte, und seid für heute umarmt. Ich schreibe bald wieder. Inzwischen sehr innig Euer alter

H.

[WSB]

1 Broch hatte die US-Staatsbürgerschaft am 27. 1. 1944 erlangt. Als Zeuge hatte Albert Einstein fungiert. Vgl. dazu Brochs Gedicht in

KW 8, S. 126-127 (»Wird sie am Schalenrand geklopft . . .«).
2 Brochs Mutter kam am 28. 12. 1942 im Konzentrationslager Theresienstadt ums Leben.
3 Mit Washington ist die US Army gemeint. Im Februar 1943 wurde H. F. Broch de Rothermann vom Office of Strategic Services rekrutiert. In und bei Washington wurde er ausgebildet und im August 1943 nach Algier sowie im September 1943 nach Italien – Neapel (Caserta) und Rom – geschickt, wo er bis März 1945 diente. Im April kam Broch de Rothermann als Angehöriger der US Army nach Österreich, wo er zwischen Februar und Mai 1946 die Funktion eines Records Officer des Military Governments in Salzburg innehatte.
4 Nicht ermittelt.

463. An Daniel Brody

Princeton, 19. 5. 44

Liebster,

[. . .] Du weißt, daß ich meine Erzeugnisse nicht überschätze; ich kann es nicht tun, weil ich – zum Unterschied von der Mehrzahl meiner Kollegen – mich keiner narzißtischen Überwertung der dichterischen und künstlerischen Tätigkeit hingebe und insbesondere ihre Limitationen in der heutigen Zeit ziemlich deutlich zu erkennen glaube. Andererseits verpflichtet mich diese Einsicht – wiederum zum Unterschied von den meisten anderen –, die Sache so ernst als nur irgendwie möglich zu nehmen: nur wer im Dichterischen bis zum äußersten geht, darf sich heute diese Tätigkeit noch mit gutem Gewissen erlauben, denn nur unter dieser Voraussetzung kann das Kunstwerk in einer Zeit des Grauens irgendetwas wie eine ethische Mission erfüllen; daß dies mit »Erfolg« im landläufigen Sinn wenig zu tun hat, versteht sich von selbst, vielmehr liegt der Erfolg – der einzige, den ich anstrebe – da in einer langsam infiltrierenden moralischen Wirkung. Dieses Vorwärtstreiben zum Äußersten im schriftstellerischen Ausdruck ist m. E. in den letzten Dezennien bloß von Joyce versucht worden, und wenn ich auch weiß, daß ich im Artistischen nicht an ihn heranreiche (es auch gar nicht will, weil eben inzwischen der ivory tower immer mehr von der Gefahr der Amoralität bedroht wird), so weiß ich trotzdem, daß der Vergil wahrscheinlich eine tiefere Erkenntniskapazität als das Joycesche Werk besitzt, zumindest diesem nicht nachsteht.

Ich habe dies vorausgeschickt, um den Geltungsbereich abzustecken, in welchem ich den Vergil mit einer gewissen Objektivität als wichtig und vielleicht sogar als das wichtigste literarische Erzeugnis dieser Jahre betrachten darf. Und nur weil dem so ist, darf er mitsamt seiner Publikation mir selber wichtig sein. Daß meine äußere Existenz sowohl in physischer wie in psychischer Beziehung weitgehend an das Erscheinen dieses Buches gebunden ist, darf für mich nicht ausschlaggebend sein und ist mir nicht ausschlaggebend. Daß ich trotz allem Erfolgs-Unhunger dem Buch jeden Erfolg wünsche und, darüber hinaus, eines solchen Erfolges recht sicher bin, braucht nicht weiter betont zu werden, aber diese »äußeren« Moventien besagen an sich nichts, sondern sind ausschließlich vom innern Wert der Arbeit gestützt; äußerlich scheint mir bloß wichtig zu sein, daß das Exil etwas derartiges hervorgebracht hat und der Nazi-Öde entgegengesetzt werden kann. [. . .]

[GW 8, BB]

464. An Ernst Polak

One Evelyn Place
Princeton, N. J. 30. 5. 44

Sehr Lieber,
ich habe kein schlechtes Gewissen, Dir 6 Wochen zu spät zu antworten; ich hätte Dir höchstens eine Karte schreiben können: im Jänner begann ich mit der letzten Vergil-Revision, gewärtig, daß sich hiebei einige Mängel zeigen würden, aber sehr bald zeigte sich, daß es keine isolierten Mängel gibt, sondern daß – bei der Dichte des Gesamtgewebes – jeder Mangel zugleich einer des Gesamtbuches war, m. a. W., daß jede Interpolation und jede Elimination eine »weiterlaufende Masche« war, so daß es mehr oder weniger zu einer Gesamt-Durcharbeitung wurde; fünf Monate lang saß ich täglich 17

Stunden daran, dreifach gejagt, erstens von Kurt Wolff, der das MS haben wollte, zweitens von der Untermeyerin, die ihre Übersetzung nicht fertigstellen konnte, und drittens von der Universitätsarbeit, die ich aus den beiden andern Gründen einfach unterbrechen mußte und zu einer Katastrophe zu werden droht. Du verstehst also, daß ich jedwede Korrespondenz zu verschieben hatte.

Also laß Dir verspätet sagen, wie aufrichtig glücklich ich über Deine Heirat bin. Du weißt, daß dies keine formelle »Gratulation« bedeutet, sondern etwas anderes und sicherlich mehr: ich weiß, unter welch entsetzlichen Schwierigkeiten Du Dein Innenleben hast führen müssen, kurzum, ich habe Deinen Kampf zur Neurosen-Zügelung mitangesehen, und ich habe das Gefühl, daß Du nun, nach vielerlei Krisen, doch siegreich daraus hervorgegangen bist. Gewiß ist Dir noch außerdem das mystische Glück der »richtigen Frau« widerfahren, aber hinter solch mystischem Geschehen steht das noch mystischere des »Herbeizwingens«, und das ist schon ein Stück eigener Leistung. Die Glückwünsche, die ich für Dich und Deine Frau habe, kann ich also am besten unterstreichen, indem ich Dir sage, daß ich Dich beneide.

Womit auch das, was Du über das »mich beneiden« sagst, widerlegt ist. Da Du aber eben dies mit meiner Stellungnahme zum Dichten koppelst, kann ich Dir diese in Schlagworten umreißen:

a) Gerade jetzt, als ich den Vergil »fertig« machte, wurde mir der Joycesche Arbeitsvorgang, seine Verlockung und sein Zwang so überaus deutlich. Würde ich an dieses Buch 17 Jahre gleich Joycen wenden, es würde sicherlich ein innerer Beziehungsreichtum zu gewinnen sein, der es mit dem Joyceschen aufnehmen könnte; und als »Künstler« wäre ich verpflichtet, dies zu tun, habe es aber aus folgenden Spezialgründen nicht getan,

erstens, weil hiedurch ein Esoterismus entsteht, der – letztlich – nur noch dem Autor selber zugänglich ist,
zweitens, weil – bei aller Hochschätzung der subjektiven Ehrlichkeit und Notwendigkeit – ein solch hermetischer ivory tower (hermetisch im wahrsten Wortsinn) in der heutigen Zeit einfach unmoralisch ist und zu verwerflichem Ästhetizismus herabsinkt, auch wenn er nicht ästhetisierend intendiert ist;

b) m. a. W., wir sind am Ende einer Kunstepoche, und gerade ehrliche Kunstwerke (ein Pleonasmus, weil die anderen eben keine sind) zeigen dieses Ende vermittels »Unverständlichkeit« an –, nicht nur Joyce ist hiefür ein Beispiel, auch Picasso etc. ist es;

c) die soziale Funktion der Kunst oder richtiger Unkunst bestätigt diesen Sachverhalt, denn während früher – wenn auch mehr und mehr abnehmend – die Kunst noch eine Funktion, kurzum einen »Markt« gehabt hat, ist dieser heute ausschließlich der Unkunst vorbehalten, d. h. einem – und gerade das amerikanische Literatur- und Verlagswesen beweist dies – völlig durch-industrialisiertem Kunstgewerbe, das nach bestimmten »Marken« und »Brands« verlangt, ein an sich durchaus ehrliches Geschäft, in dem nur [die] Herren Produzenten unehrlich sind, indem sie nämlich meinen, Erzeuger von Ewigkeitswerten zu sein;

d) ich klage keineswegs ob dieser Verhältnisse, vielmehr gehören sie zur Weltsituation und müssen daher hingenommen werden, nur kann ich meinerseits da nicht mittun, einfach weil es mich langweilt;

e) selbstverständlich wird es wieder Kunst geben, denn »nix war noch nie«, aber sie wird ganz anders ausschauen, d. h. sie wird aus der Literatur-Industrie selber hervorgehen, wahrscheinlich sogar aus der Film-Industrie und wird ganz bestimmt mit dem alten Roman nichts mehr zu tun haben;

f) nichts aber läßt sich bewußt erzeugen, schon gar nicht von einer Generation, die jetzt an der Schwelle des Greisenalters steht, vielmehr wird dies mit aller Natürlichkeit in der nächsten oder übernächsten Generation zur Gestalt werden, u. z. – dies wage ich zu prophezeien – als mythisierender Ausdruck, vermutlich also als kollektiver Film-Mythus.

Sohin glaube ich schwanengesungen zu haben, bin aber sehr glücklich, in der Massenpsychologie einen Ersatz gefunden zu haben, der – dies kann ich nur wiederholen – einen Beitrag zur Pestbekämpfung liefern will und vielleicht es tun wird. Es ist für mich die moralischeste Haltung, die ich da einnehmen kann.

Daß ich den Vergil trotzdem nun publiziert haben will, ändert nichts an dieser Einstellung. Gewiß, in seiner jetzigen Form ist das Buch ein Kompromiß, dem ich eben zur Endfertigstellung nicht 17 Jahre, sondern bloß 17 Wochen zu geben mir erlaubt habe, aber auf der Ebene, auf der es dabei gehalten wurde, ist es ziemlich perfekt und ist eine Leistung, mit der sich sehr wenig anderes vergleichen läßt. Also ist seine Publizierung gestattet, und ich bin froh, daß Kurt Wolff sich dafür einsetzt. Wir mußten die Subskriptionsform wählen, weil der Verkauf der deutschen Ausgabe jedenfalls unzureichend bleiben wird und aus der englischen finanziert werden soll; leider geht es mit der Subskription nur langsam vonstatten. Wie beurteilst Du die Aussichten für eine Ausgabe in England?

Ich lege zwei der Prospekte bei. Den zweiten bitte ich Dich an Muir weiterzuleiten, ebenso den beil. Brief, der an mich zurückgelangt ist: durch seinen Verleger, den ich ja nicht kenne, könntest Du es ihm zustellen lassen. Thank you.

Weiters möchte ich Dich bitten, Spitzers anzurufen und sie zu fragen, ob sie meinen Brief bekommen haben: falls nicht, so schicke ihnen bitte die beil. Abschrift.

Hätte ich nicht die Massenpsychologie – die ich, ob berechtigt oder unberechtigt – als Pflicht auffasse, ich würde mich von irgend einer Agency nach England schicken lassen; da ich bereits Amerikaner bin, könnte ich wohl solch einen governmental job bekommen, aber ich hoffe, hier mehr leisten zu können (und zu dürfen). Auszüge aus der Massenpsychologie hoffe ich Dir bald senden zu können, und den Vergil erhältst Du in Korrekturbögen. Wir beide aber werden einander natürlich wiedersehen: es besteht für mich kein Zweifel, daß ich nach Abschluß der Massenpsychologie, sei es für Vorträge oder sonstwie, hinüberkomme.

Nur durchhalten muß man es; ich bin entsetzlich erschöpft. Daß es Werfel wesentlich besser geht, weißt Du. Und daß Du physisch – unberufen – aufs gleich kommst, ist (s. o.) auch eine psychische Leistung. Nochmals alles Gute Euch beiden, von Herzen

H.

[DLA]

465. An Kurt Wolff

Princeton, 12. 6. 44

Liebster K. W.,
ich betrachte die Situation ohne Nervosität: wenn keine weltgeschichtlichen Katastrophen eintreten, werden wir – ohne Übereilung – unzweifelhaft zu unserer Publikation gelangen, zumindest zur englischen, mag auch die deutsche (so sehr es uns beiden wider den Strich ginge) aufgeschoben werden müssen, und wenn die Weltgeschichte in Frankreich – was wir nicht hoffen wollen – gegen uns entscheidet, so ist ohnehin alles wurscht.

Eine andere Haltung läßt sich m. E. hiezu nicht einnehmen, und ich glaube, daß das nämliche auch für Sie gilt. Ich weiß meinerseits, warum ich mich bedenkenlos zu Pantheon entschlossen habe, und Sie wissen, wofür Sie sich einsetzen. Indem ich Ihnen den Vergil übergeben habe, habe ich praktisch für mich und Mrs. Untermeyer weitgehend auf Honorare verzichtet, habe mir aber dafür das Herumhausieren bei der amerikanischen Verlagsindustrie erspart und habe das Buch bei einem Freund statt bei einem Kommerzialen placiert, und indem Sie das Buch übernommen haben, waren Sie sich – zum Unterschied von den Kommerzialen – bewußt, sich damit einem außer-gewöhnlichen Erzeugnis zu widmen, das zwar wenig bestseller-Qualitäten besitzt, dafür aber durchaus geeignet ist, für Ihren Verlagstypus repräsentativ zu werden. Hieraus ergibt sich für uns beide eine ziemlich identische Stellungnahme dem Buch gegenüber: ohne kommerziell etwas zu unterlassen – und ich gleichfalls unterlasse da nichts –, ist es doch ein unkommerzieller Standpunkt, und er kann bloß mit Geduld und Zähigkeit, vor allem aber ohne Nervosität und ohne Druckhunger durchgesetzt werden.

Am allerwenigsten sehe ich im bisherigen Resultat der Subskription einen Nervositäts-Anlaß: an und für sich ist die Form einer Subskription für ein derartiges Werk in Amerika ungewöhnlich und ist nach außen hin lediglich hinsichtlich der deutschen Ausgabe vertretbar; das Beispiel Okos[1], dem ich noch andere anfügen kann, zeigt Ihnen, daß der Prospekt vielfach überhaupt nicht als Subskriptionseinladung aufgefaßt wird.

Ferner haben wir das doppelte handicap, das bei Autor und Verlag liegt, zu berücksichtigen, denn einerseits habe ich hier seit 10 Jahren nichts publiziert und gelte für diejenigen, die sich erinnern, als »schwieriger« Autor, und andererseits hat Pantheon nicht die Verkaufs-Brisanz eines amerikanischen Industrie-Verlages, weder was Bekanntheit, noch die Methoden anlangt, sondern ist erst daran, sich mit seinen eigenen Methoden Geltung zu verschaffen. Zieht man weiters in Betracht, daß die Buchhändler-Propaganda weitaus weniger wirksam als Verlags-Propaganda ist (schon weil der Buchhändler nicht inseriert), so braucht man sich nicht zu wundern, daß die 12 000 Buchhändler-Prospekte ein so mageres Ergebnis gebracht haben; wirkungsvoll waren eigentlich bloß die 3000, die wir persönlich ausgesandt haben, und für diese ist perzentuell ein – trotz der widrigen Umstände – nicht ungünstiges Resultat gefördert worden. Es bleibt also wohl nichts anderes übrig, als eben diesen Weg fortzusetzen.

Wohin aber führt dieser Weg? Ich hatte – Sie werden sich erinnern – von vorneherein angenommen, daß wir etwa 450 englische und 200 deutsche Exemplare erzielen würden, und bei dieser Prophezeiung glaube ich bleiben zu dürfen; in diese Ziffer habe ich den Oberlaender Trust (den ich nicht urgieren kann) sowie Brody (den ich neuerdings urgiert habe) nicht eingeschlossen. Stimmt diese Prophezeiung nur halbwegs, so scheint mir das Kommerz-Risiko der englischen Ausgabe auf Null reduziert zu sein, ja, sie scheint mir sogar einen – allerdings erträglichen – sichern Gewinn zu versprechen, denn es kann kein Zweifel sein, daß die zur Deckung der Eigenkosten notwendige Ziffer von weiteren 200 Exemplaren nach Erscheinen des Buches nicht nur erreicht, sondern beträchtlich überschritten werden wird; die englische Ausgabe – auch dies wage ich zu prophezeien – wird etwa 1000 Exemplare als Minimum einbringen. So weit ich es beurteilen kann, liegt daher hier keinerlei Problem vor, und ich kann mir kaum vorstellen, daß Sie dies anders beurteilen. Problematisch bleibt die deutsche Edition: wenn man die 1000 englischen Exemplare voreskomptieren will, d. h. wenn man hievon 300 zur Finanzierung der deutschen Ausgabe verwenden würde, so ließe sich diese gleichfalls sofort drucken, doch ich habe das Gefühl, daß sich dies mit der pantheonischen Finanzkonstruktion schlecht verträgt, und so wird man sich wohl entschließen müssen, den englischen Verkaufs-Einlauf abzuwarten, ehe man die deutsche Ausgabe nachfolgen läßt. Von mir aus gesehen ist dagegen nichts einzuwenden, umsoweniger als ich überzeugt bin, daß das Erscheinen des englischen Textes – soferne entsprechend aufgezäumt – noch einen weiteren Schub deutscher Bestellungen nach sich ziehen wird. Nur gegenüber den Bestellern der Doppelausgabe ist es ein nicht ganz angenehmer Ausweg, denn diese muß man auf die zweite Hälfte vertrösten. Nichtsdestoweniger dürfte es die praktikabelste Lösung werden.

Damit sind wir auch bei der Frage der MS-Ablieferung: das deutsche Druck-MS ist, wie Sie wissen, seit drei Wochen fertig, doch mußte ein paralleles für Mrs. Untermeyer und eines für meinen eigenen Gebrauch angefertigt werden. Da mein Geldmangel den Ihren sicherlich noch übersteigt, hatte ich die Hauptarbeit selber zu leisten; bloß für rein mechanische Arbeiten habe ich die ungeübte Mrs. Schiffer, die ich mit Müh und Not bezahlen kann, herangezogen. Diese hat nun das Untermeyer-MS auch schon abgeliefert, und wäre sie nicht erkrankt, so wäre auch das zweite schon bei mir, resp. bei Ihnen. Nun ist sie wieder gesundet, und in zwei Tagen wird alles fertig sein.

Nach allem, was ich oben über die Subskription gesagt habe, scheint mir aber die Druck-Kalkulation des deutschen Textes leider gar nicht so dringlich [zu] sein, und ich würde es daher für unpraktisch halten, wegen zweier Tage die Fertigstellungs-Arbeit hier zu unterbrechen. Wenn Sie trotzdem dieses MS noch vor Ihrer Abreise haben wollen, so *telephonieren Sie bitte sofort bei Erhalt dieses Briefes,* und ich oder Erich [Kahler] werden den Band zu Busch[2] mitbringen.

Dahingegen sehe ich – im Sinne des Gesagten – vollkommen ein, daß es dringlich wäre, den englischen Text endlich zu haben, und hier haben wir eine echte Schwierigkeit vor uns. Denn Mrs. Untermeyer wird ihren Text bestenfalls erst zum Monatsende fertig haben. Daran ist weniger meine nachträgliche Korrekturarbeit schuld als ihre jetzige Revision des Gesamttextes: sie hat im Laufe der dreijährigen Arbeit eine Übersetzungsperfektion gewonnen, die sie jetzt zwingt, bei der endgültigen Revision sehr viel auf eine höhere

Ausdrucksebene zu bringen, und obwohl dies ein sehr zeitraubendes Beginnen ist, glaube ich nicht, daß man sie daran hindern darf, vielmehr soll man darob ruhig eine kleine Verschiebung des Erscheinungstermins in Kauf nehmen. Erinnern Sie sich nur der Angriffe auf die George-Übersetzung[3]! Gerade bei Büchern, die auf Dauerwirkung und Dauerverkauf abgestellt sind, soll man da nichts überhetzen.

Fasse ich die ganze Situation zusammen, so muß dies unter dreifacher Beleuchtung geschehen, nämlich unter der des Autors (– ich stelle mich zuerst –), des Publikums und des Verlags. U. z.

der Autor: ich habe jetzt für den Vergil nicht weniger als 6 Monate verwandt, folgend einer Notwendigkeit, die nicht zuletzt von der neuen Absatz-Einrichtung etc. bedingt war, einer für mich sehr bittern Notwendigkeit, da sie eine Unterbrechung meiner massenpsychologischen Arbeit bedeutet hat; Sie wissen, daß mir diese Arbeit – die ja einen unmittelbaren, wenn auch noch so kleinen Beitrag zur künftigen Weltgestaltung bringen will – innerlich höchst wichtig ist, daß äußerlich auf ihr meine ganze Zukunft, d. h. meine akademische Stellung (– wie steht es übrigens mit Mellon? –) aufgebaut werden soll, daß also die 6-monatliche Unterbrechung u. U. katastrophale Konsequenzen ergeben könnte, und diese sind nur durch das Erscheinen des Vergil, um dessentwillen ich dieses Risiko auf mich genommen habe, halbwegs zu paralysieren; würde nicht wenigstens der englische Vergil erscheinen, so wäre es für mich eine wirkliche Katastrophe;

das Publikum: wir haben heute insgesamt 450 Subskriptionen, die sich wahrscheinlich noch, wie gesagt, auf 650 erhöhen werden, und wenn diese nicht jetzt wenigstens durch die englische Ausgabe befriedigt werden, so werden sie wahrscheinlich nicht nochmals zu erfassen sein;

der Verlag: Sie haben ein außerordentliches Ausmaß an Arbeit, Energie, Zeit und Geld in das Buch bereits hineingesteckt, haben Ihre Reputation engagiert, und es heißt daher – nachdem immerhin schon eine beach head gewonnen ist – auch für Sie never beat retreat.

All dies spricht dafür, daß wir, wenn auch ohne Übereilung, dennoch mit Zielgerichtetheit unsere beach head zu erweitern haben, d. h. auf die oben angegebene Lösung, nämlich die der englischen Ausgabe, unter eventueller Verschiebung der deutschen, zuzusteuern hätten. Und ich glaube, daß wir da eines Sinnes sind.

Vorderhand zur realen Fortsetzung der Kampfhandlungen: anbei ein Brief Jimmy Whytes (gelegentlich retour erbeten), dessen Order-Erhöhung Sie wahrscheinlich schon in Händen haben dürften. Habe ich übrigens Ihnen schon gesagt, daß Tillich mir schon vor Monaten gesagt hat, daß er ein Exemplar haben will? Oder hat er es inzwischen schon schriftlich bestellt? Jedenfalls könnte er gebucht werden, soferne er nicht etwa die Bestellung durch einen Buchhändler aufgegeben hat, wie es z. B. leider Voegelin (via Krause) getan hat, so daß er nun wieder als direkter Besteller zu streichen ist.

Also auf morgen. Und alles Herzliche Ihres

H. B.

[KWB]

1 Adolph S. Oko (1883-1944), amerikanischer Bibliograph und Spinozaforscher. 1944 war er Herausgeber der in New York erscheinenden Zweimonatsschrift *Contemporary Jewish Record.*

2 AnneMarie Meier-Graefe Broch.

3 Vgl. Fußnote 2 zum Brief vom 10. 1. 1943.

466. An H. F. Broch de Rothermann

19. 6. 44

Liebster Alter,

soeben erhalte ich Deine lieben Zeilen: ich sehe die Situation nicht so trüb an; die Dinge entwickeln sich schlampert, aber doch einigermaßen sicher einem guten Ende zu, und es besteht unzweifelhaft eine große Wahrscheinlichkeit für Deinen Abtransport[1]. Ich kann Dir gar nicht sagen, wie sehr ich Dich darum beneide. Und inzwischen ist Deine derzeitige Stellung doch immerhin erträglich; der neue Kurs könnte sogar wohl ganz interessant werden, und je mehr Du davon lernst, desto mehr kann es Dir vielleicht nützen, wenn Du drüben bist.

Ich nehme an, daß Du dort nicht allzu viel Geld brauchst; Du hast nämlich Anrecht auf die $ 10,-, welche Whyte[2] jetzt doch geschickt hat. Aber da Du meine Verhältnisse kennst, überweise ich sie Dir – in Ansehung unserer Verrechnung – erst, wenn Du sie wirklich brauchst; inzwischen benütze ich sie als Ratenzahlung für meine eigenen Schulden.

Whyte hat außerdem seine Order auf 20 Exemplare erhöht. Insgesamt sind wir jetzt auf etwa 500 Subskriptionen, also noch weit von den 1000 entfernt, die Kurt Wolff haben will. Aber langsam wird es sich schon zusammenläppern. Ich lege ein paar Prospekte für dortigen Gebrauch bei; gib hievon auch welche an Onativia und Aldis[3] oder schicke sie ihnen: aber am besten ist es stets von Hand zu Hand; da reagieren die Leute am raschesten.

Bei mir nach wie vor das nämliche: die Werbe-Korrespondenz macht mich – abgesehen von aller Erschöpftheit – schon wahnsinnig, umsomehr als dahinter die Nervosität und Ungeduld Kurt Wolffs steht. Dazu kommt die Untermeyersche Umständlichkeit, mit der jedes Wort kontrolliert sein will.

Ich bin Mittwoch und Donnerstag in Killingworth (Conn.) bei Canby, u. a. auch wegen des Absatzes an der Yale University. Freitag in N. Y., Samstag hier zurück.

Das Völkerbund-Elaborat habe ich noch nicht einmal hervorsuchen können. Ich bete zu Gott endlich einmal 4 bis 6 Wochen ruhig hier sitzen und arbeiten zu können; das wird auch meine beste Erholung sein. Bei meinem jetzigen Leben I go to pieces. [. . .]

[YUL]

1 Im Mai 1944 war H. F. Broch de Rothermann vorübergehend in Bari stationiert, von wo aus er in die Slovakei infiltriert werden sollte. Er nahm aber dann doch nicht an diesem Unternehmen teil.

2 Jimmy Whyte, Freund H. F. Broch de Rothermanns.

3 Victor Onativia und John Aldis waren Kollegen H. F. Broch de Rothermanns im Office of Strategic Services.

467. An Hans Sahl

Princeton, 25. 6. 44

Liebster,
lächerlich!! meine (aber auch Kahlers) Gedanken sind bei Ihnen, aber wir sind jener berühmten Benediktschen Schlagzeile in der Neuen Freien Presse eingedenk, welche »Störung ernster Männer in Ausübung schwerer Berufspflicht« gelautet hat und sohin auch die Aufforderung an die ernsten Männer enthält, sich gegenseitig keinerlei Störung anzutun. Aber Spaß beiseite: der Vergil erfordert noch immer technischer Nach-und Kleinarbeit, ich schreibe *hunderte* von salesman-Briefen für die Subskription, und der Massenwahn, der sieben volle Monate in den Abgrund versunken war, beginnt sich herauszukrabbeln. Ich bin [in] hellster Panik und daher tiefdunkel. Und daß es bei Ihnen nicht anders sich verhält, kann ich mir an drei Fingern ausrechnen. So steht es. Doch ich rufe Sie an, sobald ich in der Stadt bin. Doch welch schlechtes Gewissen müssen Sie haben, daß Sie Ihren Postdistrikt nun allen Widerständen zutrotz ausfindig gemacht haben. Ich bin sehr gerührt. Nehmen Sie von uns beiden alle herzlichen Gedanken und Wünsche: vor allem aber möge die Arbeit gedeihen.

Stets Ihr
H. B.
[DLA]

468. An Robert Neumann

One Evelyn Place
Princeton, N. J. 21. 8. 44

Liebster Robert Neumann,
soeben trafen Ihre Zeilen v. 17. Juli ein. Ich brauche Ihnen nicht zu sagen, wie sehr mich Ihr Verlust erschüttert; ich kann mir umsomehr vorstellen, wie Ihnen zumute ist, als mein Sohn irgendwo in Italien oder Südfrankreich ist. Dop-

pelt traurig ist, daß da eine sicherlich schöne Begabung sich nicht hat entwickeln dürfen. Ich erinnere mich, daß er in Aussee gesagt hat, er könne niemals Schriftsteller werden, weil es bloß einen gäbe, welcher wirklich Stil habe, und das sei sein Vater. Das war, von allem Wahrheitsgehalt des Ausspruches abgesehen, überaus rührend, weil sich ja darin eine sehr offenherzige und doch sehr keusche Vaterbeziehung dokumentierte – nämlich Bewunderung und Eifersucht –, und seitdem habe ich den Buben gern gehabt; außerdem war er ja ein so besonders schönes Menschenkind. Ich drücke Ihnen die Hand, lieber Freund, und bitte Sie die beiliegenden Worte weiterzuleiten.

Daß Sie trotz Ihrer Kümmernis an mich gedacht haben, ist rührend. Natürlich wäre es reizvoll für mich, mit meinen Büchern bei Ihrem neuen Haus herauszukommen. Die Sache liegt folgendermaßen:

1.) Juristisch:

a.) Secker hat bloß die Sleepwalker herausgebracht. Ob er out of print ist, oder etwa noch Exemplare hat, resp. berechtigt ist, eine Neuauflage zu veranstalten, kann ich Ihnen nicht sagen.

Keinesfalls hat er irgend eine Option auf ein neues Buch. Denn schon das zweite – Unknown Quantity – ist bei Collins herausgekommen.

b.) Ich weiß nicht ob Collins sich beim Kauf der Unknown Quantity irgend eine Option ausbedungen hat, resp. ob eine solche heute noch gültig wäre. Ich frage hier bei Bermann-Fischer an; vielleicht erinnert er sich des Sachverhaltes.

Jedenfalls ermächtige ich Sie, sowohl bei Secker wie bei Collins Ihrerseits anzufragen, womit die Frage am raschesten geklärt wäre.

2.) Sachlich:

a.) Pantheon Books hat bereits verschiedene Anfragen aus England wegen des Vergil erhalten; eine Ausbietung ist jedoch m. W. noch nicht erfolgt, weil Kurt Wolff damit bis zur Fertigstellung der Druckfahnen warten will, und ich werde ihn daher bei meiner nächsten New Yorker Fahrt auf die »International Authors« aufmerksam machen.

b.) Ich würde eine Neuauflage der Sleepwalker ungemein begrüßen, weil die darin enthaltene Geschichtsphilosophie

sich jetzt so schmerzlich bewahrheitet hat. Das Problem Secker ist sicherlich so oder so leicht lösbar, und da der Vergil wahrscheinlich einen nicht unbedeutenden literarischen Lärm verursachen wird, so könnte die Neuauflage der Sleepwalker davon profitieren. Außerdem ließe sich die Sache durch eine amerikanische Parallelausgabe verbilligen; ich glaube, daß hiefür Aussicht vorhanden wäre.
c.) Der Bergroman (Country Doctor) ist bloß zu Dreiviertel fertiggestellt, ich würde ihn aber fertigstellen, wenn ich hiefür einen fixen Auftrag erhielte, denn erstens hasse ich Unfertiges, und zweitens muß ich für meinen Lebensunterhalt besorgt bleiben, umsomehr als die Universitätsposten hier immer nur sehr kurz befristet sind, ich also nicht weiß, wie es im Akademischen mit mir im nächsten Jahr aussehen wird. Natürlich muß ich meine politischen und psychologischen Untersuchungen fortsetzen, doch die Romanfertigstellung ließe sich einschieben, wenn mir hiezu einige Zeit gegeben wird.

Das sind immerhin drei items, und für das eine oder andere wäre – oder gar für die gesamte Kombination – ein positives Resultat immerhin im Bereich der Möglichkeit. So weit ich dazu etwas beitragen kann, werde ich es tun. Vor allem warte ich also auf eine Nachricht der I.A.L.[1]

Im übrigen habe ich für die I.A.L. noch einen andern Autor: Sie kennen ja Robert Pick (Freund von Polak), der szt. einen Roman unter dem Namen Valentin Richter[2] bei Bermann veröffentlicht hat; von ihm kommt nun ein wirklich ausgezeichneter Roman bei Lippincott heraus »The Terhoven File«[3], und ich meine, daß der sehr gut in Ihre Reihe passen würde. Pick schreibt bereits Englisch.

Daß jemand, wie Sie oder Pick, es zustande bringt, einen Roman bereits Englisch zu schreiben, erfüllt mich mit neidvoller Bewunderung. Ich bin noch weit davon entfernt; und sogar in meiner wissenschaftlichen Schreiberei: es kostet mich eine ungeheuere Anstrengung. Und trotzdem ist es der Weg, den man gehen muß, denn man muß die Sprache seiner Umgebung schreiben; alles andere wird tot, und da ich nicht die Absicht habe, ins Naziland zurückzukehren – Sie wahrscheinlich ja auch nicht – so muß man eben auch zum englischen Schriftsteller werden. Ich bin froh, daß Sie es schon sind, freue mich der reichen Arbeit, die Sie unter den Händen haben und freue mich ganz besonders auf den »Inquest«[4]. Wie sieht es mit den amerikanischen Ausgaben Ihrer Bücher aus? Sind Sie mit Simon-Schuster[5] noch in Verbindung? Wenn Sie oder Ihr Verlag einen Agenten hier brauchen, so vergessen Sie nicht Horch: er hat sich ausgezeichnet eingearbeitet und hat schon eine wirkliche Erfolgsliste aufzuweisen.

Horch ist auch einer der vielen Agenten, die von Werfel beschäftigt werden. Fuchs in London dürfte der Mann seiner älteren Schwester sein, der große »Papier-Fuchs« aus Prag, dem auch die Mercy-Druckerei gehört hat.

Werfel selber war sehr schwer krank; eine Herzmuskel-Entzündung, kompliziert durch Angina-Erscheinungen. Nach vielen Monaten wirklicher Gefahr geht es ihm jetzt besser. Ich habe Polak darüber geschrieben; außerdem müßte ja Anna[6] orientiert sein.

Von Polak keine Antwort, auch nicht von Anna (der ich nächstens wieder schreibe), und am allerwenigsten ist von den Muirs ein Wort zu hören. Ich kann es übrigens begreifen, daß man unter der Londoner Spannung nicht zum Briefschreiben kommt. Jedenfalls Dank für die Weiterleitung, und wen immer Sie sehen, grüßen Sie bitte von mir.

Hier ist natürlich von der Spannung, unter der Sie drüben leben, nur wenig, ja allzuwenig zu spüren. Manchmal ist es mir unerträglich, so fern vom Schuß zu sein (hie und da bekommen abgebrauchte Phrasen wieder ihren Voll-Sinn), und oft denke ich daran, mich von irgend einem government office hinüber schicken zu lassen. Allerdings dann meine ich wieder, daß ich mit meiner Massenpsychologie mehr für den war and peace effort leisten kann als mit irgend einer Büro-Arbeit.

Nehmen Sie beide die herzlichsten Gedanken. Stets Ihr

H. B.

[DÖW]

1 Robert Neumann war damals Direktor der International Authors Limited, die zum Verlag Hutchinson in London gehörte.

2 Valentin Richter (d. i. Robert Pick), *Ein Leben und ein Augenblick. Roman.* (Wien: Bermann Fischer, 1937).

3 Robert Pick, *The Terhoven File* (Philadelphia, New York: J. B.

Lippincott, 1944). Vgl. dazu Brochs Besprechung in KW 9/1, S. 391-393.
4 Robert Neumann, *The Inquest* (London: Hutchinson, 1944).
5 New Yorker Verleger.
6 Anna Justina Mahler, Tochter Alma Mahler-Werfels und Stieftochter Franz Werfels.

469. An Ernst Polak

One Evelyn Place
Princeton, N. J. [Ende Aug. 1944]

Sehr Lieber,
es scheint, daß wir unsere Briefe genau am gleichen Tage geschrieben haben. Natürlich gibt es Telepathie. Der Deine hat bloß 10 Tage zur Herreise gebraucht; also ist es möglich, daß Du auch schon den meinen hast. Die Abkürzung der Postzeiten darf wohl als Friedensvorbote gewertet werden.

Ich bin über Deine schwere Erkrankung entsetzt; wie froh ich bin, daß Du es gut überstanden hast, brauche ich Dir nicht eigens zu sagen. Krankheit und flying bombs zugleich ist wirklich zu viel.

Unsere hiesigen Sorgen und Unbequemlichkeiten usw. verschwinden natürlich vor Euerer Leistung, und immer wieder schäme ich mich, daß man trotzdem gezwungen ist, sich damit zu befassen. Das alles ist im Vergleich bloß eine Angelegenheit von Mückenstichen. Ich war jetzt auch ein paar Wochen krank; die letzte Fertigstellung des Vergil war entsetzlich anstrengend, und so war ich, wahrscheinlich auch durch eine mörderische Hitze, wie sie Amerika seit 40 Jahren nicht gekannt hat, hiezu präpariert, an meiner schwächsten Stelle von einer Darminfektion, wahrscheinlich auch tropischen Ursprunges, gepackt und hingeschmissen zu werden. Doch auch dies scheint nun vorbei zu sein; nur ist es mir unmöglich, eine Atem- und Erholungspause einzuschalten. [. . .]

Am liebsten möchte ich natürlich selber gleich mit dem Buch kommen. Doch vorderhand habe ich noch mit der Gefahr völliger Mittellosigkeit zu rechnen, und an Fahrten kann ich erst denken, wenn sich meine Stellung in irgend einer Form wieder konsolidiert haben wird. Mit Literaturerzeugung möchte ich nicht mein Brot verdienen; wahrscheinlich bringe ich es auch gar nicht zustande.

Nichtsdestoweniger muß ich jetzt eine Broschüre schreiben: Herzfelde[1] hat hier einen Verlag aufgetan, und ich konnte nicht abschlagen, etwas zu versprechen; leider muß ich das Versprechen auch halten. Als Thema habe ich mir das der zu Ende laufenden Kunst gewählt. Joyce wird darin eine große Rolle spielen. (Leider werde ich hiezu eine Menge lesen müssen. Und dabei lese ich Englisch noch immer viel zu langsam. Über »Finnegans Wake« ist jetzt hier ein großer Kommentar von Campbell und Robinson[2] erschienen; den Ogden[3] habe ich noch nirgends angekündigt gesehen.) Natürlich wäre diese Broschüre ein Thema für Dich; Du könntest es viel besser als ich machen, aber an Deiner Haltung gegenüber dem schriftlichen Ausdruck hat sich eben doch nichts geändert.

Nehmt beide alle guten und herzlichen Gedanken von mir. Und ansonsten erinnere Dich jenes alten Prager Juden, welcher sagte: »Leben, nicht leben – nor gesünd.« Und in diesem Sinne nimm meine Wünsche. Stets Dein alter

Hermann

Viele Grüße von Kahler!

[DLA]

1 Der Aurora Verlag wurde 1944 von Wieland Herzfelde in New York gegründet. Zu den Mitgründern gehörten Ernst Bloch, Bertolt Brecht, Ferdinand Bruckner, Alfred Döblin, Lion Feuchtwanger, Oskar Maria Graf, Heinrich Mann, Berthold Viertel, Ernst Waldinger und F. C. Weiskopf. Finanziell unterstützt wurde der Verlag durch die Buchhandlung Mary S. Rosenberg. Broch hatte vor, eine Studie mit dem Titel »Die Bücherverbrennung« zu schreiben, die er Herzfelde zur Publikation übergeben wollte. Der Plan blieb unausgeführt.

2 Joseph Campbell, Henry Morton Robinson, *A Skeleton to Finnegans Wake* (New York: Harcourt, Brace, 1944).

3 Ein offenbar geplanter Kommentar zu Joyce von Charles Kay Ogden ist nicht erschienen. Ogden publizierte die Joyce-Edition: *Tales Told of Shem and Shaun. Three Fragments from Work in*

Progress (Paris: The Black Sun Press, 1929). Diese bibliophile Ausgabe enthielt ein 15seitiges Vorwort von Ogden.

470. An Else und Fritz Spitzer

One Evelyn Place
Princeton, N. J. 3. 9. 44

Meine Lieben,
während ich noch eine Antwort von Euch auf meinen Frühjahrbrief erwartete, kamen die Robotbomben[1], und ich konnte verstehen, daß es Euch jede Lust zum Schreiben genommen hat. Doch mit wie viel Sorge ich an Euch dachte, könnt Ihr Euch vorstellen. Freilich nicht nur in Sorge, auch in Bewunderung und daneben sogar mit Neid. Denn Ihr habt wirklich etwas zur Nazi-Bekämpfung beigetragen, genau so wie jeder Feldsoldat, und Ihr habt jetzt das Recht mitzureden, während wir hier fern vom Schuß (– jedes Clichée bekommt auf einmal wieder einen Sinn –) und mit unserem wohlgesicherten Leben uns am toten Gleis befinden. Aber Neid oder Nicht-Neid: vor allem möchte ich wissen, wie Ihr die schlimme Zeit überstanden habt.

Von mir ist bloß zu berichten, daß die Vergil-Revision tückisch gewesen ist. Trotz 17-stündiger täglicher Arbeitszeit bin ich erst diese Woche definitiv fertig geworden, d. h. ich habe volle 8 Monate (statt Wochen) damit verbracht. Meine psychologische Arbeit habe ich darüber völlig vernachlässigen müssen, und das kann jetzt für mein äußeres Leben – ganz abgesehen davon, daß mir diese Arbeit auch innerlich ungleich wichtiger als der Vergil ist – die unangenehmsten Konsequenzen haben. All dies zusammen hat meine Gesundheit auf einen bisher noch nicht erlebten Tiefstand gebracht; an das so notwendige Ausspannen ist dzt. nicht zu denken, aber ich hoffe trotzdem mit dem Leben davonzukommen. Es gilt nur diese sehr unangenehme Voll-Erschöpfung zu überwinden.

Bitte schreibt also ein Wort, und nehmt inzwischen alle guten Gedanken. Stets Euer alter

Hermann

Grüße an *Ingrid*[2], ebenso an Schütz[3]!

Mein Sohn ist mit der army in Italien oder Frankreich.

[WSB]

1 London, wo die Spitzers im Exil lebten, wurde damals durch die Deutschen mit V2-Bomben angegriffen.
2 Nicht ermittelt.
3 Nicht ermittelt.

471. An Hans Sahl

Princeton, 3. 9. 44

Liebster H. S.,
der deutsche Vergil ist vor drei Tagen abgeliefert worden, und jetzt steht mir nur noch die letzte Revision des englischen Textes bevor. Damit nehme ich Abschied von diesem Buch, um es nie mehr anzuschauen. Die letzten Monate waren eine einzige Korrektur-Qual, der ich mich jedoch, weil eben die Dinge und ihre Logik stärker als der Mensch sind, zu fügen hatte, und ich bin wirklich krank aus der Sache herausgekommen, ebensowohl infolge Überanstrengung wie infolge Panik, denn die Vernachlässigung des Massenwahnes kann die übelsten Konsequenzen für mich haben. Von rechtswegen müßte ich jetzt einen Urlaub nehmen, aber eben der Massenwahn erlaubt es nicht; ich muß trachten, das Irrsinnstempo der 17-stündigen Arbeitszeit aufrecht zu halten. Ich kann bloß hoffen, daß ich es ohne Zusammenbruch durchhalten werde.

Es ist ein Jammer, daß das MS nur im atomisierten Zustand besteht, also vorderhand unsichtbar bleiben muß, aber ich könnte mir vorstellen, daß sich daraus eine ganz fruchtbare Arbeitstechnik ergeben könnte: wenn Sie Ihre Assoziationsschritte auf lauter einzelnen Zetteln notierten, einfach unendlich weiter und ohne Rücksicht auf das Buch-Ganze, bis Sie das Gesamtmaterial beisammen haben, so wäre es durchaus denkbar, daß sich dann mithilfe eines Zusammensetzpuzzles das Buch beinahe automatisch ergibt; denn auch hier wirkt die automatische Logik der Dinge, u. z. hier vorgebaut im Assoziationszwang, und wo Logik ist, da ist auch schon die Struktur des Kunstwerkes vorhanden. Im Zuge des Puzzles wird sich dann auch ergeben, welche Teile in der ersten, und welche in der dritten Person dargestellt werden; u. U. wird sich sogar die zweite Person in Gestalt eines Adressaten einfügen lassen, ohne daß dieser irgendwie konkret zu sein braucht.

Wenn Sie irgend ein zusammenhängendes oder halbzusammenhängendes Stück getippt haben, so lassen Sie es mich doch anschauen; ich bin ungeheuer gespannt, es zu sehen.

Über meinen Sohn habe ich Ihnen bereits telephonisch berichtet. Haben Sie etwas in dieser Richtung unternommen?

Es ist ein Jammer, auf Briefe und unzureichendes Telephon beschränkt zu sein. Hoffentlich wird es doch einmal noch anders werden. Inzwischen in Herzlichkeit und Freundschaft

Ihr
H. B.

Alles Schöne von Kahler!

[DLA]

472. An Kurt Wolff

Princeton, 7. 9. 44

Lieber Kurt Wolff,
[. . .] Was aber meine eigene Person und Situation in diesem Zusammenhang anlangt, so muß ich – von Angst und Not getrieben – wiederum die Massenwahn-Angelegenheit als nunmehr brennend aufs Tapet bringen, denn sonst ergibt sich die groteske Situation, daß ich als Autor eines der bedeutendsten zeitgenössischen Bücher gerade zum Zeitpunkt seines Erscheinens verhungere oder zu verhungern beginne. Ich konnte mit dem Vergil bloß so verfahren wie ich es tat, weil ich meinen Lebensunterhalt im Akademischen gesichert glaubte, doch durch den Verlust der wertvollsten 8 Monate

an die (leider unvorhergesehene) Vergil-Korrektur ist die Aufrechterhaltung meiner Universitätsstellung völlig ausgeschlossen geworden; ich würde nicht wagen, jetzt – da ich nichts herzeigen kann – mit einem solchen Ansuchen zu kommen. Was ich unbedingt jetzt brauche, ist ein Überbrückungsjahr, und hiefür ist Bollingen eigentlich meine einzige Hoffnung.

Ich bitte Sie also, lieber Kurt Wolff, diesen allerwichtigsten Punkt im Auge zu behalten. Inzwischen mit allen guten Wünschen und Grüßen

HB.

Anbei wieder eine Liste ausgesendeter Prospekte.

Kann es im Augenblick nicht finden; folgt morgen.

[KWB]

473. An Christian Gauss

One Evelyn Place
Princeton, N. J. Sept. 9, 1944

Dear Dean Gauss:
Having received your very kind letter of July, I tried to get you on the telephone to thank you for your interest regarding my friend Professor Amann. But I could never reach you and then you left for your vacation.

Since then I was always about to write you, but the last revise of Virgil became so overwhelming that working seventeen hours a day kept me from finding a minute beside. Now, at last, the manuscript is delivered to the publisher, and I hope that it is good work. Unfortunately I had to push aside my work on mass psychology and this depresses me, because for subjective as well as objective reasons, the mass psychology is much more important to me than the Virgil.

I hope, dear Dean Gauss, that you had a good vacation and I would be only too glad to see you soon. Will you kindly remember me to Mrs. Gauss and accept my best greetings.

Very sincerely yours,
Hermann Broch
[PU]

474. An Hans Sahl

Princeton, 8. 10. 44

Liebster H. S.,
pour fixer les idées erlauben Sie eine Rekapitulation:

Die Schule der liberalen Ökonomen, zu der u. a. Mises[1], Hayek[2] etc. gehören, behauptet, daß die Vereinigung aller Betriebsmittel in der Hand eines einzigen Arbeitgebers, wie es der kommunistische Staat ist, unbedingt die Massen der Arbeitnehmer zu Sklaven machen müßte, weil sie ja an diesen einzigen Brotgeber gebunden sind. Es wird ferner behauptet, daß die kapitalistische Wirtschaft noch genügend Entwicklungsfähigkeit vor sich habe und zu einem Punkt gelangen könnte, an dem sie den Massen so viel ökonomische Sicherheit geben wird, daß der Einzelne sich in ihr »frei« wird bewegen dürfen.

Die Schule der sozialistischen Ökonomen verneint dies. Sie verweist auf die bereits bestehende Versklavung der Massen im kapitalistischen System; sie verweist auf die Kapitalskonzentration, die die Zahl der Arbeitgeber immer weiter verringert; sie behauptet, daß die »Gesellschaft«, die am Ende der sozialistische Arbeitgeber sein wird, sich nicht selber versklaven kann, und sie behauptet schließlich, daß die allgemeine ökonomische Sicherheit, die zur Voraussetzung allgemeiner Freiheit gehört, bloß sozialistisch zu erreichen ist, freilich erst nach einer vorhergehenden Periode der Diktatur, also der Versklavung.

Der Kapitalismus ist ein »natürlich« gewachsenes Gebilde. Man könnte sich also vorstellen, daß es als Naturprodukt ruhig weiter wachsen dürfte, ja sollte. Seltsamerweise aber hat sich diese Pflanze selber derart eingezwängt und verkrümmt, daß sie sich offenbar nicht mehr selber befreien kann. Denn die »Idiotie der Menschennatur« (worüber in der Massenpsychologie einiges zu lesen sein wird) verstrickt sich immer wieder in ihre eigenen Setzungen. Die Erde produziert genug, ja zu viel Güter für alle, aber die Technik der Geldwirtschaft mit ihren Handelsbilanzen, etc. hat sich als unfähig erwiesen, eine gedeihliche Verteilung zu regulieren; innen wie außen wird der Produzent zum Feind des Konsumenten, und die großen Wirtschaftskörper, also die Staaten, werden automatisch zu Kriegsgegnern. Und weil Krieg erst recht Versklavung bedeutet, schaut die Sache recht hoffnungslos aus.

Sozialismus ist ein rationales und nicht natürliches Gebilde. Er verhält sich zum Kapitalismus wie die rationale amerikanische Konstitution zur natürlich gewachsenen englischen Tradition, gegen die sie aufgerichtet worden ist. Aber eben daran sieht man, daß rationale Institutionen sich recht gut durchsetzen und selber traditionsbildend zu werden vermögen. Ob aber deshalb der Sozialismus tatsächlich imstande sein wird, die vom Kapitalismus versaute Güterverteilung in Ordnung zu bringen, steht noch dahin. Vorderhand gibt es bloß Sozialismus innerhalb von »Rumpfwirtschaften«, also sogenannten Kriegssozialismus, welcher die knapp gewordenen Verbrauchsgüter so gerecht als eben möglich aufzuteilen trachtet. Eine »Planung« für »Vollwirtschaften« hat noch niemand gesehen: es besteht bloß die undeutliche Hoffnung, daß eine solche Planung einstens sich »natürlich« entwickeln werde. Und es besteht die Gefahr, daß die Idiotie der Menschennatur sich sozialistisch ebenso bewähren wird, wie sie es kapitalistisch getan hat. Was an die Stelle der kapitalistischen Handelsbilanzen etc. treten wird, wissen wir nicht, wohl aber, daß die Menschen sich ebenso rettungslos in ihre Ideologien verwickeln werden, wie sie es im Kapitalistischen getan haben. Man braucht und soll sich aber nicht in solch pessimistischen Zukunftsbildern ergehen, denn die klassenlose Gesellschaft der kommunistischen Gesamtwelt ist fern, und sie wird derzeit auch von niemandem angestrebt, am allerwenigsten von Rußland, das einesteils an der Verwirklichung seiner jahrhundertealten außenpolitischen Tradition arbeitet, seinen Wiederaufbau besorgen muß und zu alldem Zwangsarbeit innen wie außen benötigt.

Sohin, Sklaverei sowohl auf der kapitalistischen, wie auf der kommunistischen Weltseite. Weiters, vermöge dieser Konstellation, sowie infolge Entwicklung der unkontrollierbaren Maschinentechnik, eine verhältnismäßige baldige kriegerische Auseinandersetzung zwischen diesen beiden Welthälften samt zugehöriger Kriegssklaverei. Muß dies so sein?

Ich glaube, daß es nicht so sein muß. Betrachtet man die antike Welt, so zeigt sich, daß sie ihre Sklaverei verloren hat, ohne ihre Wirtschaftsform grundsätzlich zu ändern. Gewiß, die Sklaven waren rarer geworden, und die Preise waren gestiegen, doch wenn die Sklaven eine unbedingte Notwendigkeit gewesen wären, so wären sie zu finden gewesen. Der Osten hat die seinen gefunden und behalten. Das christliche Abendland hat sie auf einmal nicht mehr gebraucht. *Denn Versklavung wie Freiheit ist letztlich nicht Funktion der Wirtschaft, sondern der Erkenntnis.* Würde man die Wirtschaft als alleinige Verursachung zulassen, so kommt man notgedrungen zum materialistischen Schluß der Abhängigkeit des Ethischen und Ästhetischen von der ökonomischen Kategorie. Wenn wir diesen Schluß ablehnen – und wir müssen ihn ablehnen –, so findet das Umgekehrte statt: der außerökonomische Geist bestimmt die Wirtschaft, und insbesondere ist Freiheit und Sklaverei von der jeweiligen »Form« der Wirtschaft unabhängig; m. a. W. *sowohl Kapitalismus wie Sozialismus sind je nach Wahl mit der Freiheit oder mit der Versklavung des Menschen zu betreiben.* Im Augenblick sind beide auf Sklaverei eingestellt.

Das hindert freilich nicht, daß wir uns jetzt dem Sozialismus zuneigen; erstens befinden wir uns im Zeitalter der Rumpfwirtschaft, und diese ist ungeplant überhaupt nicht aufrecht zu erhalten, und zweitens hat man immer den Weg größerer Gerechtigkeit zu gehen, und diese liegt in der sozialistischen Güterverteilung. Und drittens muß zugunsten der Freiheit neben der Gerechtigkeit eben auch Lebenssicherheit gesucht werden. Womit sich der Kreis schließt, denn wir sind eben in der Zeit der Rumpfwirtschaft und ihrer Lebensunsicherheit.

Was aber nachher? Nun, ich glaube an den Hegelschen Dreischritt, und so wird sich die »Synthese« ergeben müssen. Und die ist nicht die klassenlose Gesellschaft, sondern eine Mischform, und sie wird auch politisch eine Mischform sein, nämlich »konstitutionelle Diktatur«. Man vergißt immer wieder, daß auch die »konstitutionelle Monarchie« vor ihrer Schaffung ein undenkbares Unding gewesen ist, um dann doch zu einem Ding zu werden. Das alte Österreich war ganz schön.

Über all dies mehr in der Massenpsychologie. Doch wie wollen Sie dies alles in Ihrem Roman unterbringen! Da *müssen* Sie sich zügeln, sonst wird es wirklich ein unbewältigbares Ungeheuer, oder es wird an allen Ecken und Enden dilettantisch. Ich bin ja stets dafür, Unmögliches zu verlangen, aber nur im Rahmen des Möglichen. Und halten Sie sich an den Rahmen. Das Kapitel, das ich anbei retourniere, bleibt in ihm, und es ist gut und brauchbar.

Genug geschrieben. Verleiten Sie mich nicht immer wieder!! Es sprengt den Rahmen meiner Möglichkeiten, denn ich muß mit meinen schwachen Kräften haushalten. Genau so wie Sie es tun sollten.

In Herzlichkeit Ihr
H. B.

Von Selbstverkleinerung kann bei mir keine Rede sein! Ich weiß genau, was der Vergil wert und nicht wert ist. Er liegt in der richtigen ethischen Richtung (s. o.), und das muß [man] vom Roman, also auch dem Ihren verlangen. Daß er dabei vieles schuldig bleibt, ist fast selbstverständlich.

[DLA]

1 Ludwig Edler von Mises (1881-1973), österreichisch-amerikanischer Volkswirtschaftler, der 1938 in die Schweiz und 1940 in die USA emigrierte. Wie Hayek war Mises Vertreter der Wiener Schule. Vgl. *Omnipotent Government. The Rise of the Total State and Total War* (1944).

2 Friedrich August von Hayek (geb. 1899), österreichischer Volkswirtschaftler, 1931-1950 Professor an der London School of Economics. Vgl. *The Road to Serfdom* (1944).

475. An Wolfgang Sauerländer

Princeton, 3. 11. 44

Liebster Wolfgang,
wie könnte ich mich kränken, wenn eine Kritik[1] so ehrlich und geradezu liebend auf mich gerichtet wird: und gar wenn sie von Ihnen kommt!

Nein, Kritik als solche ist für mich niemals kränkend. Doch da ich ein trainierter Kränker bin, nämlich überall dort, wo ich mir Selbstvorwürfe machen kann, so neige ich auch hier hiezu: ich muß mir eigentlich sagen, daß ich mich – ärgster Selbstvorwurf eines Schriftstellers – offenbar unklar ausgedrückt habe, wenn meine Absichten von einem Leser Ihres Ranges mißverstanden werden können. Andererseits freilich will es mir scheinen, daß das Mißverständnis nicht völlig auf mein Schuldkonto geschrieben werden darf, denn der Vorwurf des Freudianismus oder Jungianismus kann mich (– bei aller Verehrung für Freud und einer sehr eingeschränkten Zustimmung zu Jung –) keinesfalls treffen; hier liegt eine ausgesprochene Mißinterpretierung vor. Das Hitlerproblem, psychologisch betrachtet, *ist Angelegenheit der Psychiatrie, nicht der Neurosenlehre,* zumindest der Hauptsache nach.

Aber hinter jedem Irrsinn stehen die eigentlichen seelischen Grundhaltungen, von denen alles Menschliche bestimmt wird. Das Prinzip der Ich-Erweiterung als metapsychologisches Phänomen – eine Entdeckung, auf die ich mir nicht wenig zugute halte, nicht zuletzt weil hiedurch gewisse analytische Antinomien etc. bereinigt werden können (– s. die künftige Massen-Psychologie –), dirigiert jeden Menschen, den großen sowohl wie den kleinen, das Genie sowohl wie das Durchschnittsindividuum, und es tritt daher auch beim Irrsinnigen voll in Erscheinung; von hier aus und nur von hier aus ist die »Logik« des irrsinnigen Verhaltens zu verstehen, also auch Hitler.

Daß ich den objektiven Irrsinnsbefund zu einer subjektiven Äußerung Hitlers gemacht habe – der von mir gewählte und leider nicht verwendete Titel hat »Selbstentlarvung eines Irrsinnigen« gelautet –, haben Sie als Reverenz vor einer Hitlerschen »Größe« angeschaut. Ich glaube zwar selbst nicht, daß Hitler je – und auch nicht unter dem Schatten des Todes – faktisch zu solcher Selbsterkenntnis gelangen könnte, aber ich halte dies auch für völlig gleichgültig: mag auch seine letzte Rede von der gleichen Schäbigkeit wie all seine vorhergegangenen ausfallen, es galt mir, die Irrsinnsphantasie zu zeigen, die ebensowohl hinter seinen Lügen (– in der Einleitung sprach ich ausdrücklich von der Lüge Überzeugungskraft –) wie hinter seiner Logik steckt. Und seien Sie versichert, daß derartige Phantasien in einem jeden von uns ihr Unwesen treiben, nur daß sie beim Irrsinnigen außer Balance geraten, sozusagen nach außen hin aktiv werden.

Gerade darauf aber kommt es an: ob der Tapezierer Hitler oder der Gerber Kleon, es war und ist diesen Leuten möglich, das Irrsinnige im Nebenmenschen zu mobilisieren; hier ist das eigentlich Unheimliche des ganzen Vorganges, und nur dadurch, daß ich eine Darstellungsform gewählt habe, in der das Subjektive und Objektive unbemerkt ineinanderfließen, schien es mir möglich zu sein, die Menschen vor ihrer eigenen Beeinflußbarkeit erschrecken zu machen. Mit einer Abhandlung über den Hitlerschen Irrsinn oder über die metapsychologischen Grundlagen eines jeden Wahnsinns (wie ich es ja in der Massenpsychologie versuche) erschüttere ich keinen Menschen, weil keiner glaubt, daß es auch ihn angeht, wenn ich es aber dem Hitler in den Mund lege, so merkt gar mancher, daß auch er gemeint ist und mit zur Verantwortlichkeit gezogen wird. Und tatsächlich, soweit ich Reaktionen auf das Stück bisher bekommen habe, es überwiegt der Eindruck der Unheimlichkeit. Wenn Sie die christlichen Bekehrungen – die durchaus Bekehrungen zur Humanität waren – betrachten, so werden Sie immer wieder finden, daß die »Erweckung der Angst vor Besessenheit« eine bedeutende und legitime Rolle darin gespielt hat. Die Hitler-Rede war für mich ein erster Versuch in dieser Richtung, und wenn es mir gegönnt ist, noch weitere folgen zu lassen, so werden sie wohl besser ausfallen; denn schließlich lernt man zu.

Und darum nochmals: nicht auf den Tapezierer Hitler kommt es an, sondern auf die Dämonie, die er repräsentiert – und kein Geschimpfe auf seine Kleinheit kann ihn dieser Repräsentation entkleiden, da sie eben nur in Kleinheit sich vollziehen kann –, eine Dämonie, der die Menschheit, ehe sie ihrer nicht vollbewußt ist, immer wieder verfallen muß, weil sie eben mit zur menschlichen Konstitution gehört. Größe? ja, es ist das Pathos alles Menschlichen, das immer wieder aufscheint, wenn man das Menschliche in seiner letzten Realität aufreißt –, aber man soll Pathos nicht mit Größe verwechseln; die wahre, die humane Größe ist weit eher unpathetisch. Hier habe ich aber das verzweifelte Pathos der Lüge gezeigt.

Ich weiß nicht, ob Ihnen all dies überzeugend klingt. Ich glaube eher nicht. Denn unsere Überzeugungen sind gefühlsbetont – das ist ihr ärgster Fehler –, und mit Worten läßt sich nichts beweisen. Dazu braucht man entweder Taten oder Mathematik (für die man wieder keine Überzeugungen braucht). Aber ich wäre froh, wenn Sie die Sache auch einmal von dieser Seite her betrachten würden, sozusagen bloß versuchsweise. Und auf jeden Fall danke ich Ihnen sehr herzlich, daß Sie sich ihrer so sehr angenommen haben.

Und nicht minder lassen Sie sich für die lieben Geburtstagswünsche danken. Es ist so schön, daß Sie daran gedacht haben.

Von Herzen Ihr
H. B.

[DLA]

1 Die Kritik bezieht sich auf Brochs Artikel »Adolf Hitler's Farewell Address«, in: *The Saturday Review of Literature*, Jg. 27, Nr. 43 (21. 10. 1944), S. 5-8. Vgl. die deutsche Fassung in KW 6.

476. An Hans Sahl

4. 11. 44

Liebster H. S.,
ich weiß nicht mehr genau, was ich Ihnen geschrieben habe (– ich könnte Ihnen erst präziser antworten, wenn ich nochmals meinen Brief sähe –), aber sicherlich habe ich nicht in Bausch und Bogen den Sozialismus vertreten und verteidigt, wie es vermutlich Kahler getan hat (– dessen Brief an Sie ich nicht gesehen habe –); ich glaube aber, daß es auf das ethische Moment und nur auf dieses ankommt, daß dieses *nicht* materialistisch oder nicht ausschließlich materialistisch bedingt ist, und daß man mit einem solchen ebensowohl sozialistisch wie kapitalistisch wirtschaften kann, daß man aber Freiheit wie Gerechtigkeit ebensowohl kapitalistisch wie sozialistisch zu schänden bemüßigt ist, wenn ein leitendes ethisches Prinzip fehlt.

Natürlich ist der Ruf nach »Ethik« nichts als wishful thinking, und ich bin der letzte, der sich auf solch leere Worte beschränken möchte. Wenn es einen Weg zu solch moralischer Erkenntnis gibt (– und es wird ihn geben, weil es ihn geben muß –), so wird er wissenschaftlich gefunden und geebnet werden müssen. Der »Massenwahn« wird hoffentlich ein Versuch hiezu sein. Im Augenblick kann ich meine Entwürfe noch nicht herzeigen, weil ich mich erst selber wieder einarbeiten muß; die 9 Monate zusätzlicher Vergil waren eben katastrophal. Eines aber weiß ich: aus kapitalistisch-sozialistischen Gegenüberstellungen ist nichts zu gewinnen; wer die Dinge unter diesem Gesichtswinkel betrachtet, ob Silone[1], ob Hayek oder sonstwer, kann bloß zu negativen Feststellungen gelangen, denn aus einer ökonomischen Betrachtungsweise lassen sich – naturgemäß – immer nur wieder ökonomische Resultate ziehen, während alles andere, vor allem also das »Humane«, von da aus unerlangbar wird. Es liegt hier eine »Kategorienverwechslung« vor, und es ist kein Wunder, daß Ökonomen und gar ehemalige Sozialisten sich in einer solchen verirren. Kategorienverwechslung ist aber eines der menschlichen *Grundübel*.

An diesem Übel hat die Menschheit seit jeher gelitten, und wahrscheinlich wird sie es für ewig tun müssen. Der »Fortschritt« besteht wohl aus nichts anderem als aus einer zunehmenden Verfeinerung und Differenzierung im Gebiet der Kategorienverwechslungen. Das »Grobschlächtige« (u. a. das des Krieges und der Revolution) kann unter dieser Differenzierung sich langsam auflösen. Ob dies eine Zunahme des »Glücks« bedeutet, muß unentscheidbar bleiben. Man kann diesen Zustand kassandrisch betrauern oder wurzelseppisch bejahen (– ich weiß nicht, ob Sie die Anzengruber-Figur[2] des Wurzelsepp »Es kann mir nix geschehn« kennen –), und die »Weisheit« besteht wohl in der Mischung beider.

Ob Ihr Entschluß, das Schreiben aufzugeben in diesem Sinne »weise« ist, möchte ich weder bejahen noch verneinen. Sie wissen ja, wie ich über die Romanschreiberei denke, wohl aber auch, wie sehr ich auf die neue Ausdrucksmöglichkeit warte, die Sie ja eben auch in Ihrem Buch suchen. Und so glaube ich, daß sie dieses auch nicht so ohneweiters fallen lassen werden.

Mir ist es elendig gegangen, und so habe ich – erstaunlicherweise – einen zehntägigen Urlaub genommen, den ich in Killingworth verbracht habe. Daher auch die Verspätung dieser Antwort. Jetzt beginnt die unendlich qualvolle Neu-Einarbeitung in den Massenwahn, tunlichst ohne Unterbrechung durch New-York-Fahrten. Der Vergil ist endlich ebensowohl arbeitsmäßig wie kommerziell gesettled und geht in Druck.

Sehr herzlich, stets Ihr HB.

[DLA]

1 Ignazio Silone (eigentl. Secondino Tranquili), ital. Schriftsteller (geb. 1900). 1921 nahm er als Vertreter der sozialistischen Jugend an der Gründung der KPI teil. 1930 Abkehr vom Kommunismus.
2 Vgl. Ludwig Anzengrubers ländliches Schauspiel *Der Pfarrer von Kirchfeld* (1871). Der Wurzelsepp sagt allerdings »Fürcht dich net – 's gschieht dir nix« bzw. »(. . .) ich laß dir nix geschehn«.

477. An Wieland Herzfelde

One Evelyn Place
Princeton, N. J. 9. 11. 44

Lieber W. H.,
in Fortsetzung meiner Postkarte anbei die deutsche Hitler-Rede[1], allerdings in keinem erstklassigen MS, doch ein solches werden Sie im Fall der Drucklegung sofort erhalten.

Ich möchte aber eben zur Drucklegung des »Lesebuches« etwas Prinzipielles sagen: wenn Sie es tatsächlich, wie Sie mir szt. schrieben, in die hiesigen Gefangenenlager bringen wollen, so darf das Buch keinerlei politische Propaganda enthalten; eine solche ist von der Genfer Konvention verboten, und die amerikanische Regierung hält sich, wie bekannt, minutiös an diese Rote-Kreuz-Vereinbarungen. Sie dürften also – soferne Sie an dem Vorhaben festhalten – weder die Hitler-Rede noch andere politische Artikel in das Buch aufnehmen, kurzum Sie müßten ein durchaus unpolitisches, belletristisches oder historisches Werk zusammenstellen, das sich dann von einem Schullesebuch wirklich nicht viel unterscheiden würde. Außerdem habe ich das Gefühl, daß die Rede auf die nazistisch verkrüppelten Gehirne in den Gefangenenlagern sicherlich den übelsten Eindruck machen würde; sie würden sie als blasphemischen Witz eines jüdischen Asphalt-Skribenten auffassen, denn daß damit der metaphysische Hintergrund des Hitlerschen Irrsinns aufgedeckt werden soll, würden sie nie und nimmer erfassen. Ich würde also unbedingt abraten, die Rede einem jungen Nazi in die Hand zu geben; es würde gerade das Gegenteil eines erzieherischen Effektes erzeugen, und seien Sie versichert, daß dies wahrscheinlich auch mit vielen andern politischen Beiträgen so geschehen würde. Die psychologisch-propagandistische Behandlung der Nazi ist eine überaus heikle Angelegenheit und kann nur sehr systematisch vorgenommen werden –, gerade darum arbeite ich ja an meiner Massen-Psychologie.

Etwas anderes ist es natürlich, wenn Sie sich entschlössen, von dem praktischen Spezialzweck abzusehen und das Lesebuch einfach als literarisch-politische Publikation erscheinen lassen wollten. Dann ist auch diese Hitler-Rede durchaus an ihrem Platz.

Was die Kahlerschen Beiträge anlangt, von denen ich Ihnen gesprochen habe (Judentum-Problem einerseits, Deutschland in der Nachkriegswelt andererseits), so sind sie beide für das Lesebuch nicht nur inhaltlich ungeeignet, sondern auch viel zu umfangreich; sie kommen beide bloß für die von Ihnen in Aussicht genommene Schriftenreihe als eigene Broschüren in Frage. In diese Schriftenreihe gehören sie allerdings, da ein so erstrangiger Autor nicht darin fehlen darf. Sie können die beiden Manuskripte jederzeit zur Einsicht haben, doch ich würde es für am praktischesten halten, wenn Sie gelegentlich mit Kahler darüber sprächen, sobald er nach N. Y. kommt.

Für das Lesebuch (gleichgültig ob Sie es für den Gebrauch der Gefangenen bestimmen oder nicht) würde ich Ihnen vorschlagen, einen Absatz aus Kahler's »Deutschen Charakter«[2] abzudrucken, denn dieser ist m. E. das klassische Werk schlechthin über Deutschland und seine seelische Struktur.

Mit einem herzlichen Gruß,
stets Ihr
Hermann Broch

[YUL]

1 Vgl. Fußnote 1 zum Brief vom 3. 11. 1944. Statt der fingierten Hitler-Rede ließ Broch das »Vorwort« zur zweiten Fassung seines Romans *Die Verzauberung* aufnehmen. Vgl. Hermann Broch, »Selbstgespräch eines Landarztes«, in: *Morgenröte. Ein Lesebuch,* Einführung von Heinrich Mann, hrsg. v. den Gründern des Aurora Verlages (New York: Aurora, 1947), S. 258-264.

2 Erich von Kahler, *Der deutsche Charakter in der Geschichte Europas* (Zürich: Europa-Verlag, 1937).

478. An Trude Geiringer

5. 12. 44

Liebes, wenn ich 14 Tage nicht antworte, so ist etwas los; diesmal war es eine Grippe, und Du weißt, was das immer für mich bedeutet. Einmal wird [sie] mich ja doch mitnehmen; ich kann nur hoffen, daß es nicht allzubald sein wird.

Es ist mir fast peinlich, daß ich Dir den Hitler »erklären« soll; ich bekomme nämlich Dutzende von Briefen, aus denen hervorgeht, daß die Leute es kapiert haben, und schließlich hoffe ich doch, daß Du den Vergil, der ziemlich bedeutend schwieriger ist, »erfaßt« hast. Also warum jetzt der Versager? (Natürlich bist Du damit nicht allein; ich bekomme auch, wenngleich weniger, Beschimpfungsbriefe, die mich einen Hitler-Anbeter nennen.)

Also: sicherlich wird dieser Mann niemals eine solche Rede halten. Aber denkbar ist es, daß ein Irrsinn sich unter höchst gesteigertem seelischem Druck selbst zu enthüllen beginnt; gerade bei Paranoien kann solches passieren. Die Rede beginnt also im richtigen Hitler-Stil, hat aber einige Stellen, an denen die Weiche umgestellt werden konnte. Das habe ich getan, und so gerät sie immer weiter in die Selbstenthüllung, u. z. in eine, welche immer mehr die psychologischen und schließlich die metaphysischen Hintergründe des »Reinheits-Wahnsinns« aufdeckt. Denn im Begriff der »Reinheit« ist dieses ganze Gehaben zu fassen: es ist das Gehaben – freudisch gesehen – eines homosexuellen Onanisten mit nekrophilen Perversionen (homosexuelle Leichenschändung), doch über die neurotischen Züge sind die psychotischen gestülpt. Verfolgungs- und Größenwahn übereinandergelagert, daneben die genialischen Einsichten eines Wahnsinnigen, und dies alles muß notwendig zum Nichts-Willen, also zum echten Ver-Nichtungswillen werden, weil es eben psychotisch entfesselt ist.

Im Vergil habe ich gezeigt, wie ähnliche Züge unausgesetzt in der Seele des »normalen« Menschen zu finden sind. In der Hitler-Rede habe ich sie aus »politischen« Gründen herausgestellt: man muß den Menschen zeigen, wo das »Dämonische« liegt, dem sie immer wieder folgen, weil es in ihnen allen steckt. So und nicht anders ist jede Bekehrung vor sich gegangen: die Menschen müssen immer wieder lernen, daß der Teufel in ihnen selber sein Unwesen treibt, und das können sie nur durch Schreck lernen. Und so sind auch die meisten der Reaktionen ausgefallen: ein junger Bursch aus einem Training-Camp schreibt mir, daß er jetzt erst fühlt, wogegen er zu kämpfen hat, daß ihn aber ein kalter Schauer packt, wenn er sich das Teuflische überlegt, das ihm da klar geworden ist. Hingegen sind die Einwände, die ich – wie die Deinen – erhalte, einfach rationalistisch; d. h. der rationalistisch erstarrte Mensch *will* von alldem nichts wissen, da es ihn zu sehr stört.

So weit dies. Ansonsten stets das nämliche: ich stehe innerlich wie äußerlich vor dem Unbewältigbaren. Äußerlich sieht es so aus: ein Artikel für die Mann-Festschrift[1], eine Studie über den Völkerbund[2] für Carnegie (Erweiterung jener 1936 mit Erni begonnenen Arbeit[3]), eine Arbeit über Grundlagen des Judentums[4] (aus Geldrücksichten akzeptiert), daneben ein Übermaß an Fach-Lektüre, Gutachten über Bücher und Manuskripte, überdies ein Haufen von Mizzwe[5]-Angelegenheiten, denen sich ein – vorderhand – Geretteter m. E. nicht entziehen darf, schließlich noch immer Nacharbeiten für die Vergil-Drucklegung, und hinter allem steht als konstante Drohung der Massenwahn selber, dessen Ablieferungstermin nun fixiert ist.

Ich schleppe mich also in 18-stündiger Arbeit weiter, und es wird zunehmend brüchiger in mir. Von rechtswegen gehörte ich verheiratet, freilich nur um eine billige Sekretärin, Haushälterin und vor allem Krankenpflegerin zu haben: ich würde nicht wagen, so etwas irgend jemand aufzulasten, und so wurstel ich gequält weiter, gehetzt und gräßlich müde, und dabei ständig wissend, wie schad es um mich ist, denn es würde sich verlohnen, noch ganz andere Leistungen herauszubringen.

Jeder Brief ist eine maßlose Anstrengung. Und deswegen sage ich Dir schon heute alles Gute für Weihnachten; vielleicht glückt es noch, Dich vorher zu sehen, aber ich weiß es nicht.

Doch glaub mir, daß ich mit weit mehr Gedanken bei Dir bin, als Du annimmst. Stets

H.

Grüße Erni und alles!

[YUL]

1 »Die mythische Erbschaft der Dichtung«, in: *Neue Rundschau*, Sonderausgabe zu Thomas Manns 70. Geburtstag (6. 6. 1945), S. 68-75. Siehe KW 9/2, S. 202-211.
2 Dieser Plan blieb unausgeführt.
3 »Völkerbund-Resolution«, KW 11, S. 195-232.
4 Auch dieser Plan blieb unausgeführt.
5 Mizzwe: Jiddisch für »Mitleid«, »Erbarmen«. (Von Hebr.: »Mitzvah« = »Gebot«.)

479. An Ivan Goll

One Evelyn Place
Princeton, N. J. 7. 12. 44

Liebster Ivan Goll,
natürlich ist es eine Schande, daß die paar Leute, die wirkliche Beziehungen miteinander haben könnten und sollten, nicht zueinander gelangen. Aber bei mir sieht es halt so aus, daß ich 17 bis 18 Stunden täglich an der Arbeit bin (– teilweise recht unfruchtbare Arbeit –) und doch mit nichts fertig werde. Es ist eben nicht leicht, ein neues Leben zu beginnen, wenn man an die sechzig ist.

Und doch: ich halte es für eine ungeheuere Gnade, zu diesem zweiten Leben verdammt zu sein (ganz abgesehen von der Gnade der Rettung vor Hitler); ich bin für jeden Tag dankbar, den ich auf dieser Erde noch verbringen darf, bin umso dankbarer, als unsere Rettung ja noch keineswegs eine definitive ist, und wenn es uns und unserer Arbeit außerdem noch vergönnt ist, irgend einen Beitrag zur Verhütung einer Wiederkehr dieser steinzeitlichen Verhältnisse, wie Sie sie nennen, beizutragen, so hat es sich immerhin verlohnt. Im Grunde werden Sie wahrscheinlich auch nicht viel anders fühlen.

Daß Sie Ihre eigene Zeitschrift[1] gegründet haben, ist schön und erfreulich; ich wußte nichts von ihrer Existenz. Bitte schicken Sie sie mir doch; ich lege einen Scheck für ein Jahresabonnement bei.

Und ich freue mich sehr, daß Sie etwas aus dem »Vergil« bringen wollen. Nur müssen Sie mir sagen, welchen Umfang das Stück haben soll; es ist nicht ganz leicht, in dem komplizierten Buch eine halbwegs selbständige Passage zu finden, aber es wird trotzdem gelingen.

Ich überlasse es dann Ihnen, ob Sie die englische oder eine französische Übersetzung vorziehen; es wäre natürlich bequemer für Sie, gleich den englischen Text zu benützen, da er bereits vorliegt. (Daß Mrs. Untermeyer über all die Übersetzungshürden tatsächlich hinweggekommen ist, dünkt mich ein wirkliches Wunder.)

Ihnen und der lieben Gattin alle guten Grüße

Ihres
H. B.
[YUL]

1 Goll, der 1939 in die USA emigriert war, leitete von 1943 bis 1949 die in New York erscheinende amerikanisch-französische Literaturzeitschrift *Hemisphères*. Teile aus Brochs Vergil-Roman wurden dort nicht abgedruckt.

480. An Thomas Mann

One Evelyn Place
Princeton, New Jersey 18. 12. 44

Lieber verehrter Dr. Mann,
daß dieser Brief ein Weihnachtsgruß geworden ist, ist ein Verhängnis –, er ist stufenweise geschrieben worden, zuerst nach der Lektüre des herrlichen vierten Joseph[1], dann anläßlich der unqualifizierbaren Angriffe auf Sie, die Sie jetzt allerdings in einer Weise erledigt haben, wie man es sich nicht besser und schöner hätte wünschen mögen.

Der vierte Band hat mich – wie hätte es wohl anders sein können – aufs intensivste beschäftigt: soferne ich mich an das große Thema heranwage, möchte ich meinen Austritt aus der Literatur wie einstens meinen Eintritt mit einem Aufsatz über Thomas Mann besiegeln, zeigend, daß die Entwicklung, die zwischen dem »Tod in Venedig« und dem »Joseph« liegt, nichts anderes als die des Zeitgeistes und seiner künstlerischen Ausdrucksmöglichkeiten selber ist. So weit ich mich erinnere, habe ich 1912 schon die Abkehr von der bürgerlichen Expression und also auch vom Roman ganz richtig im »Tod in Venedig« erraten[2], und wenn Sie auch die Romanform beibehalten haben, es ist mir doch klar, daß Sie ihr ein großartiges und unnachahmliches Schlußfeuerwerk bereitet haben, u. z. eines, das bereits in Neuland abgebrannt wird. Mit welcher Spannung ich da dem »Faust« entgegensehe, brauche ich nicht eigens zu sagen; Sie nennen das Buch ein »gefährliches Unternehmen«, also eines, das noch weiter ins Neuland vordringt, um hier wiederum einen Geistes- und Geisterspiegel seiner Entstehungszeit zu errichten.

Mein Entschluß, das dichterische Schreiben aufzugeben, oder richtiger die Festhaltung an diesem Entschluß wird mir durch Sie leicht und schwer zugleich gemacht, leicht, weil ich genügend distanzbewußt bin und weiß, daß die geistigen Wagnisse, die für Sie das natürliche Wachstum eines einheitlich großen Lebenswerkes sind, von niemandem parallelisiert werden können, schwer hingegen, weil das Neuland, das Sie zeigen, doch ein konstanter Anreiz für eigene Penetrationsversuche ist. Aber gerade am »Vergil« habe ich die Grenzen meiner Möglichkeiten erkannt und gelernt: die Revision für den Druck hat statt der dafür vorgesehenen acht Wochen volle acht Monate in Anspruch genommen, und wenn auch alles, was da geschehen ist, als richtig oder objektbedingt gewertet werden darf, dahinter stand doch das Gefühl einer Verirrtheit ins Unabsehbare, also in ein Gebiet, in dem das Gleichgewicht zwischen Ausdruck und Welt aufgehoben ist und das Getane sich an nichts mehr zu legitimieren vermag. Da die Welt für den Menschen übermächtig geworden ist, hat ihr auch seine dichterische Ausdrucksmöglichkeit erliegen müssen: dies ist der Entwicklungsbruch; der Weg von Cervantes bis Tolstoi ist kürzer als der von Tolstoi zu Ihnen (oder aber – nach einer Weggabelung – zu Joyce), denn die Ausdrucksgrenze ist erst jetzt überschritten.

Hinter jeder Grenze beginnt jedoch, wie eben erwähnt, wieder Neuland, und auch die Welt ist heute in einer Grenzsituation. Es sieht im Augenblick nicht schön aus, weder politisch noch militärisch: es läßt sich nicht absehen, wie lange das Grauen andauern wird, und je länger es andauert, desto verheerender (– auch dieses Wort hat plötzlich wieder seinen Originalsinn –), werden die psychologischen und damit die politischen Folgen sein, desto mehr wird das Zivile und Zivilisatorische von der Weltgestaltung ausgeschaltet werden. Vorderhand sind die jungen Leute, die von draußen kommen (so weit ich sie kennen gelernt habe) noch erstaunlich gesund, vor allem voll Verachtung für den Unernst, den sie hier vorfinden (– auch die Briefe meines Sohnes, der jetzt wahrscheinlich am Balkan ist, sind von erstaunlicher Einsicht –), doch dies ist nur ein kleiner Ausschnitt und nur für den Augenblick gültig. Ich erhoffe mir von meiner massenpsychologischen Arbeit, zu der ich endlich zurückkehren konnte, einige und halbwegs korrekte Einsichten in die Verhältnisse, und darüber hinaus hoffe ich, daß manche der Resultate praktisch verwertbar werden könnten. Denn ungeachtet der gegenwärtigen Düsternis, gerade von den psychologischen Fakten her, darf man – soferne sie korrekt sind – mit dem Wiederanbruch einer humanen Periode für die Menschheit rechnen. Ich möchte sie nur noch erleben, und ich hadere ob der Kürze des Menschenlebens.

Weihnachten und Neujahr aber erlauben wishful thinking.

Und so lassen Sie mich Ihnen wie der verehrten gnädigen Frau, und damit uns allen, ein freundliches 1945 wünschen; durch Ihren Besuch im Osten wird es für uns jedenfalls freundlich eingeleitet. Übermitteln Sie meine Handküsse, und nehmen Sie die herzlichsten Grüße

Ihres ergebenen
Hermann Broch
[TM]

1 Thomas Mann, *Joseph, der Ernährer* (1942).
2 »Philistrosität, Realismus, Idealismus der Kunst«, in: *Brenner*, III/9 (1. 2. 1913), S. 399-415. Siehe KW 9/1, S. 13-29.

481. An Ruth Norden

28. 12. 44

Daß da heute ein Brief von Dir kam, war eine gute Überraschung, Liebes.

Natürlich habe ich Kahler gesagt, von wem der Ordner stammt: ich werde mich ja nicht mit Deinen Federn schmücken. Aber wenn ich Dir vorher gesagt hätte, daß Du es ihm schenkst, wäre es Dir zu wenig gewesen, und Du hättest noch dazu gekauft. Das mußte ich vermeiden.

Die »New Republic« ist eingelangt. Hab Dank. Ich möchte Dich gern auf den New Yorker[1] abonnieren, weil Du ihn magst, aber Du hast mir das mit der »Republic« erschwert: Abonnement und Gegen-Abonnement. Trotzdem werde ich es tun.

Daß ich mit meinem – eben über-optischen – Hitler-Artikel[2] an dem ganzen gegenwärtigen Schlamassel schuld bin, bedrückt mich natürlich. Ich versuche zu retten, was zu retten ist, indem ich mich in den gewohnten Pessimismus zurückziehe. Es mag vielleicht noch nützen.

Ansonsten, nach wie vor vom Arbeitsübermaß einfach erstickt. Du hast das schon allzuoft gehört, und ich will es daher nicht wiederholen; aber es ist ärger als je. Der Mann-Artikel[3] ist nicht fertig, dagegen beginne ich das unterbrochene Massenwahn-Kapitel[4] zu vergessen. Der Aufsatz über das Judentum ist kaum begonnen, und die Völkerbund-Studie, die im Augenblick wohl das dringendste ist, hat noch nicht einmal Umrisse. Kurzum zwischen den Mühlsteinen des Innen und Außen zermahlen, und ich bin einigermaßen bedrückt, besonders wenn ich an Dich denke.

Gesundheitlich geht es langsam aufwärts. Der Krebs zieht seine Scheren ein. Aber ich bin, wie immer, gräßlich müde. Doch ich bin Dienstag in der Stadt und rufe sofort nach Eintreffen an.

Hat Bloch[5] sich bei Dir gemeldet? Bei mir nicht, aber seine Ankunft wurde mir sowohl von Staudingers wie von Herzfelde gemeldet. Wenn er lange genug bleibt, könnte man einmal einen Abend bei Dir zusammen sein (wenn es Dir recht ist) (wogegen es mir keinesfalls recht ist, da ich nicht weiß, wie ich es einschieben soll), oder Du könntest ihn herausbringen.

Sag der Mutter viele gute Neujahrswünsche. Und Dir noch mehr

H.

[DLA]

1 *The New Yorker,* seit 1925 in New York erscheinende illustrierte Wochenschrift.
2 Vgl. Fußnote 1 zum Brief vom 3. 11. 1944.
3 Vgl. Fußnote 1 zum Brief vom 5. 12. 1944.
4 Wahrscheinlich KW 12, S. 101 ff. (»Historische Gesetze und Willensfreiheit«).
5 Ernst Bloch (1885-1977).

482. An Jean Starr Untermeyer

[Ende 1944]

Dear, a translater's note[1] is, as I told you, not a review and not an appraisal: a translator's note is a *technical instrument.*

How can I give my imprint to a note in which somebody speaks about »Broch's power«. What tastelessness would it be!!!

I give you my blueprint for the note[2]. It is so excellent that nothing needs to be changed. Only the remarks about the synonyma on page V are perhaps a little too short and could be widened to be more understandable. Of course you may add whatever you like, but, please, don't change anything in the logical structure of the whole, and remain so absolutely sober as I am.

In the form as it is now, it may decide the whole fate of the book, for the critic is told in a sober and logical way everything what is necessary for his judgement, but this one is left to him. If you are coming to the critic with appraisals he takes it as a blurb, and the only effect you produce is to raise his opposition.

Kahler too thinks that this form of preface is absolutely what the promotion of the book needs. And I can assure you that with this kind of note you will have your special success.

I hope that, in spite of all narcism, you will see the difference and will do what seems to me utterly necessary. I would like to give you a Rohübersetzung but there is not time enough. If you would have come tomorrow it would have been the most practical solution. But, anyway, I shall be with you on Wednesday: I would like to come already in the *early* afternoon, so that we may finish the whole job.

Alles Liebe
H.

As I told you, your notes may very well fit in »Chimera«[3].

[YUL]

1 Vgl. Jean Starr Untermeyers »Translator's Note« in: *The Death of Virgil,* a.a.O., S. 483-488.

2 Vgl. Hermann Broch, »Technische Bemerkungen zur Übersetzung«, in: KW 4, S. 490-495. Jean Starr Untermeyer übernahm dieses Manuskript nicht, sondern verfaßte ihre eigene »Translator's Note« (vgl. Fußnote 1). Allerdings ist ihre »Translator's Note« durch Brochs »Technische Bemerkungen zur Übersetzung« und dessen Selbstkommentar »Bemerkungen zum *Tod des Vergil*« (KW 4, S. 473-477) beeinflußt.

3 Ximena de Angulo, Barbara Howes und Frederick Morgan edierten die literarische Vierteljahrsschrift *Chimera,* die als Bd. 1-5 vom Frühjahr 1942 bis Sommer 1947 erschien. Sie kam in Princeton,

N. J. heraus und wurde in Metuchen, N. J. von der Van Vechten Press gedruckt. Jean Starr Untermeyer's »Translator's Note« erschien dort nicht.

1945
(Januar-August)

483. An Helene Wolff[1]

Princeton, 6. 2. 45

Liebste Frau Helene,
ich nehme das pathetische Wort »Kunstwerk« nicht gerne in den Mund, aber – wenn Sie den schönen jüdischen Witz kennen – as er is geworden ä Ferd müß er lafen (laufen): das Kunstwerk hat seine innern Gesetze, und denen hat man sich coûte que coûte zu beugen.

Im vorliegenden Fall heißt es, daß man nichts ohne Konkretisierung lassen darf. Im Buch wird unausgesetzt von dem Ring der Plotia gesprochen; er muß also nicht nur konkret vorhanden sein, sondern auch – eben aus dieser Konkretheit heraus – seinen Zusammenhang mit der Gesamtstruktur erweisen. Er tut dies durch eine geflügelte Geniengestalt, die ihm eingraviert ist. Die Verwandlung des Knaben in einen Genius und damit in die Plotia wird durch dieses Motiv festgelegt.

Ich hatte diese Verdeutlichung längst mit mir herumgetragen, doch ich habe die Ausführung einfach *vergessen.* Es war eine Fehlhandlung, die aber nun noch *unbedingt* korrigiert werden muß. Wenn es Geld kostet, so muß ich es tragen, aber es wird kein Vermögen kosten. Dahingegen hat es wahrlich nichts mit einer »Lust am Korrigieren« zu tun. Ich habe so viel wichtige Arbeiten vor mir, daß mir jede Befassung mit dem Vergil bereits eine Qual ist.

Die Sache ist leicht zu machen: ich schicke Ihnen anbei Seite 80[2], also die Endseite des ersten Teils; Sie sehen, daß bloß der letzte Satz abgeschnitten und statt dessen ein kurzer Absatz angefügt worden ist. Ich bitte Sie, unbedingt *diese neue Seite 80 zu verwenden* und die alte zu vernichten.

Wenn möglich bitte ich Sie, auch die anderen kleinen Korrekturen auf dieser Seite zu berücksichtigen: im alten Text schlägt sich das »Bedürfnis« mit dem »dürfen«, und ebenso kann das »eindämmernd« zu Mißverständnissen Anlaß geben; weiters gab es noch kleine Interpunktionsabänderungen, wie z. B. die Weglassung des Apostrophs bei den verschiedenen »Geh« (Duden). Solche Dinge entdeckt man kaum beim Lesen, immer erst beim Abschreiben. Natürlich haben diese kleinen Korrekturen nichts mit dem englischen Text zu tun: für diesen gilt bloß der letzte Absatz; doch dieser ist wichtig und muß *unbedingt* gemacht werden. Ich schicke Mrs. Untermeyer gleichzeitig die Abschrift, damit sie die Korrektur sofort vornimmt.

Weiters wäre es gut – wenn auch nicht so unbedingt wichtig –, wenn die Einschübe, welche ich auf S. 459[3] (deutsch) für diese Ring-Angelegenheit vorgenommen habe, noch in den englischen Text aufgenommen werden könnten, nämlich:
Zeile 13 von oben: *»... mein Siegelring ...«*
Letzte Zeile unten (als eigener Absatz)
»Wird Plotia nun nicht ihren Ring zurückfordern?«
Seite 448 bis 481 des Manuskriptes anbei[4]. Der Gesamtrest folgt übermorgen. In tollster Hetzjagd und sehr herzlich Ihr

HB.

[KWB]

1 Gattin von Kurt Wolff.
2 Vgl. KW 4, S. 70.
3 Vgl. KW 4, S. 394.
4 Vgl. KW 4, S. 385-414.

484. An Helene Wolff

Princeton, 14. 2. 45

Liebste Frau Helene,
anbei der Anhang, und damit ist meine Vergil-Arbeit definitiv und hoffentlich glücklich zu Ende.

Zum Anhang einige Bemerkungen:

S. 529/31: Der zitierte Text[1] soll in irgend einer andern Type gesetzt werden.

S. 532, Klammersatz: In diesem Klammersatz erzähle ich, warum die Zitierung nicht identifiziert[2] ist. Ich habe bei der Yale-Bibliothek wegen der in Frage stehenden Ausgabe anfragen lassen, bisher jedoch keine Antwort erhalten. Vielleicht könnten Sie Ihrerseits in N. Y. gleichfalls Recherchen anstellen lassen (Walter Grossmann?). Für diesen Fall als Recherchenhilfe ein paar Referenzwerke:

K. H. Jördens, Sammlung der besten zerstreuten Übersetzungen aus Griechen und Römern, I. 1783[3];
Bibliothek älterer deutscher Übersetzungen, hrsg. v. A. Sauer, Bd. I/VI. 1894-99[4];
J. F. Degen, Versuch einer vollständigen Literatur der deutschen Übersetzungen der Römer, 1794-97, Nachtrag 1799[5].
Ferner lege ich für den Rechercheur eine eigene Abschrift der zitierten Stelle bei. –
Sollten Sie mit dem Druck des Anhangs bis zum Abschluß dieser Recherchen warten wollen, und fallen sie positiv aus, so wäre der Klammersatz zu streichen und durch die Angaben über die Ausgabe zu ersetzen.

S. 532/34: Die Zitierungen[6] gleichfalls in anderer Type. [. . .].

Abschrift des Anhangs geht zugleich an Mrs. Untermeyer, damit sie ihn parallel für die englische Ausgabe einrichte.

Nach dem gestrigen Anruf Kurts[7] habe ich mir die Frage der Einleitung nochmals überlegt, und gerade bei der Arbeit am »Anhang« und seinen Erläuterungen ist es mir klar geworden, daß ich Ihren Argumenten nicht zustimmen kann und nach wie vor die Ansicht zu vertreten habe (eine Ansicht, die übrigens auch Erich[8] teilt), daß das Werk einer kurzen, erläuternden Einleitung bedarf, deren Abfassung die Sache Mrs. Untermeyers und niemanden anders wäre:

Diese Einleitung hat eine erläuternde Lese-Anleitung für den Leser und vor allem für den Kritiker zu sein. Nach den Bemerkungen von Miss Julie Brousseau[9] ist mir deutlich geworden, welch stupiden Mißverständnissen der »Vergil« selbst beim intelligenten Leser ausgesetzt ist; denn jeder steckt in seinem gewohnten Apperzeptionsschema, und gerade das des Literaten ist durch die übliche Roman-Erzeugung festgelegt. Es muß also dem Kritiker gesagt werden

1.) es handelt sich nicht um einen naturalistischen Roman, sondern um ein Gedicht;

2.) der Gedichtcharakter ist aus der musikalisierenden Komposition des Ganzen zu entnehmen;

3.) aus dieser Art der Komposition ergeben sich auch die Tempoverschiebungen und deren Syntaktik, u. a. also auch die Eigentümlichkeit der langen Sätze, die also nicht mit lediglich stilbedingten eines Th. Mann oder Proust verwechselt werden dürfen;

4.) dies entspricht andererseits wieder dem Gedichtcharakter, dessen lyrisches Element hier vom innern Monolog getragen wird;

5.) jeder innere Monolog ist selektiv und abstraktiv, und infolgedessen sind die – im landläufigen Romansinn langweiligen – Konversationen als Abstraktionen aufzufassen, ja darüber hinaus geradezu als platonische Dialoge (und nebenbei gesagt, es wäre lächerlich gewesen, zwischen den gewichtigen zweiten und vierten Teil einen naturalistischen dritten einzuschalten!).

Daß man dies dem Kritiker im vorhinein sagt, kann m. E. *von ausschlaggebender Bedeutung für Erfolg und Nicht-Erfolg* des Buches sein, und eben deshalb muß es *richtig* gesagt sein. Lobpreisungen wären unrichtig, ja schädlich, weil sie bloß Opposition hervorrufen, vielmehr müssen diese Dinge geradezu dürr wissenschaftlich gesagt werden, denn nur hiedurch können sie überzeugen. Und da dies *nur* in einer translator's note[10] geschehen kann, muß alles aus dem technischen Übersetzungsproblem heraus entwickelt werden. Dies war die Aufgabe der Mrs. Untermeyer und ist sie m. E. noch immer.

Wird diese Einleitung weggelassen, so begeben wir uns all dieser Vorteile; daß ein Buch »für sich selber wirken müsse«, ist ein platte Selbstverständlichkeit, aber genau so wie man es anständig drucken muß, um die Wirkung auf den Leser zu erleichtern, genau so muß man auch sonst alles hiefür tun, wenn man an einem Erfolg interessiert ist. Wir alle, sowohl der Verlag, wie die Übersetzerin, wie ich (ich vielleicht am wenigsten) sind an dem Erfolg interessiert, und was wir hiefür tun, hat team work zu sein. [. . .]

Inzwischen in Herzlichkeit stets Ihr

HB.

[KWB]

1 Vgl. die Vergil-Vita KW 4, S. 496-499.
2 Es handelt sich um eine Kontamination von Ausschnitten aus der »Vita Suetonii« und dem »Donatus auctus«. Vgl. KW 4, S. 501-502.
3 Karl Heinrich Jördens (etc.).
4 Hrsg. v. August Sauer (etc.), erschien bei E. Felber in Berlin.
5 Johann Friedrich Degen (etc.), erschien bei Richter in Altenburg.

6 Vgl. die Vergil-Zitate KW 4, S. 499-500.
7 Kurt Wolff.
8 Erich von Kahler.
9 eine Freundin Jean Starr Untermeyers.
10 Vgl. Fußnoten 1 und 2 zum Brief vom Ende 1944 an Jean Starr Untermeyer.

485. An Else Spitzer

One Evelyn Place
Princeton, N. J. 24. 2. 45

Sehr Liebe,
Deine beiden Briefe vom 19. XI. und 23. XII. trafen in kurzem Abstand im Jänner hier ein. Ich wollte Dir schon die ganze Zeit vorher schreiben, insbesondere natürlich zu Neujahr, war aber wieder einmal in einem Zustand völliger Erschöpfung, der sich seitdem womöglich noch verschärft hat. Denn ich habe das Vergil-MS vom Drucker wegen Tippfehler, Unleserlichkeiten zurückbekommen, und so habe ich acht Wochen lang zumindest die Hälfte des Buches selber abgeschrieben. Und da man beim Abschreiben natürlich immer wieder neue textliche und stilistische Schweinereien entdeckt, so war es schon eine Viechsarbeit, umsomehr als [es] bei der Dichtigkeit meines Gewebes keine isolierten Korrekturen gibt, sondern jede strumpfmaschengleich sich durch das ganze Buch fortsetzt. Dies alles unter der Peitsche des Verlags und des Setzers, der auf jede Seite gewartet hat. Und da ich darob wieder alle anderen, mir unendlich wichtigeren Arbeiten, wie die am Massenwahn und sonst allerlei Theoretischem, zurückstellen mußte, ist auch die innere Gehetztheit, die bekanntlich alles andere denn gesund ist, gleichfalls ins Maßlose gewachsen.

Natürlich beneide ich Dich und jeden, der näher zur Kriegsrealität ist als wir es hier sind. Das ist alles andere denn Romantizismus. Ich will gar nicht von meinem Nazi-Haß reden, der nach Triebbefriedigung verlangt und sich mit der bloßen Zuschauerrolle nicht begnügen will: das sind bei aller Legitimität irrationale Wünsche, denen man nicht blind nachgeben darf; hingegen ist dieses Ausgeschaltetsein für jeden, der die Fähigkeit und Kraft in sich spürt, bei der künftigen Weltgestaltung mitzuwirken, völlig objektiv desaströs. Wer heute ausgeschaltet ist, wird es auch in der Zukunft sein. Mit Geschichtelschreiben ist es nämlich nicht getan. Ich habe ein ganz gutes Realitätsgefühl und weiß daher, daß diese Art Kunst und damit auch der Vergil bloß als Vergangenheits-Ausläufer zu werten ist.

Ich beklage mich darob nicht. Im Gegenteil, ich bin dankbar, daß mir der Blick ins ungelobte Land der Zukunft noch gestattet ist. Allzulang ist mir vor dem nun vierzigjährigen Marsch der alten Geistigkeit schon mies, als daß ich die Wandlung nicht begrüßen würde. Daß man all das Grauen hatte überleben dürfen, ist eine so unsägliche Gnade, daß jedes Beweinen der Vergangenheit einfach Verbrechen wäre. Das Tempo der Wandlung ist größer als jemals in der Geschichte vorher, und es ist für jeden von uns eine Lebensbereicherung, wie wir sie uns niemals haben träumen lassen. Das sehe ich auch aus Deinen Briefen. Alles was Du über Deine Arbeit erzählst, zeugt von einem Realitätszuwachs Deines und Eueres Lebens, der auch ein Glückszuwachs sein muß, weil er ein Wahrheitszuwachs ist. Und ich bin überzeugt, daß dies in England viel intensiver zu empfinden ist als in einem Land, dessen Vergangenheitsdecke noch nicht zerrissen ist. Viele brauchen nämlich einen blackout um sehend zu werden.

Ich habe also durchaus das Gefühl eines »neuen Lebens«, das einem da auf ziemlich gräßliche Weise – das Kind hat die Geburtswehen – geschenkt worden ist, ein neues Leben, obwohl es nicht, wie bei Polak, auch durch eine neue Ehe gekrönt ist. Ich freue mich sehr für ihn, beneide ihn vielleicht auch, denn ich fürchte mich natürlich vor der wachsenden Vereinsamung dieses Lebens, weiß aber andererseits, daß eine Ehe ohne zwanzigjährigen Hintergrund ein Risiko ist, vor dem ich mich nicht weniger als vor der Vereinsamung fürchte. Außerdem kenne ich das Glück der Einsamkeit zu gut: nicht umsonst steckt Lust im Ver-lust. Also werde ich wohl so weiterwursteln wie bisher, immer sparsamer mit mir und meinen äußeren Kontakten werdend, da ich es sonst eben überhaupt nicht mehr zu leisten vermag. Ich habe sogar die Absicht, Princeton zu verlassen, um allen sozialen Verpflichtungen zu entgehen: von der Universität bin ich beurlaubt, könnte also hingehen wohin ich wollte; nur bräuchte ich hiezu ein amerikanisches Mösern[1], und dies läßt sich schwer finden. Vorderhand schließe ich mich hier so viel wie möglich ab; selbst Einstein, mit dem ich jetzt recht gut bin, sehe ich nur selten, leider, denn er ist ja doch das großartigste menschliche Wesen, dem ich je begegnet bin. Das zweitgrößte Glück der Erdenkinder ist – wie Polgar es formuliert hat – die Persönlichkeit des andern.

Wenn ich nach N. Y. komme, sehe ich natürlich meine Schwiegertochter[2], von der ich nur sagen kann, daß sie nett und eine syrische Schönheit ist, glutäugig und ebenso unintellektuell wie ihr Vater J. W.[3]; sie arbeitet als supervisor in einer großen Tanzschule, und bei alldem steht sie sehr tüchtig in der Welt. Der Sohn ist in Italien, und daß ich ihn so weit durchgebracht habe – denn unberufen hat er sich jetzt wirklich ausgezeichnet entwickelt –, ist natürlich eine große Befriedigung für mich; pourvu que cela dure. [. . .]

Dir alle guten Gedanken – von Herzen Dein alter

Hermann

[WSB]

1 Mösern/Tirol, wo Broch zwischen September 1935 und Juni 1936 lebte und seinen Roman *Die Verzauberung* schrieb.
2 Eva Wassermann.
3 Jakob Wassermann (1873-1934).

486. An Hans Sahl

Princeton, 28. 2. 45

Liebster,

Diesmal geht es mich an, denn obwohl Sie mich einen »großartigen Geist« nennen (wobei hier die Anführungsstriche ironisch gefärbt sind, während sie in meinem Brief bloß als Heraushebungen, gewissermaßen als Titelzusammenfassungen galten), geht es um *meine* Irrtümer. Was ich dazu zu sagen habe, ist ein Credo; keine Kritik an Ihnen und keine Belehrung.

1.) Der Mensch ist ein erbarmungsloses Viech und handelt notgedrungen seinem Vorteil gemäß. Das nämliche gilt für Kollektiva, ja, für diese noch mehr, weil sie keine Scham kennen. Wer von einem Kollektiv beamtet ist, handelt kraft seiner Verantwortung für dieses Kollektivs Vorteile, und dies gilt für jeden Staatsmaschinisten, heiße er nun Stalin oder Churchill.

1. A.) Staaten haben in ihrer Dynamik (selbstverständlich) ihre innere Logik. Ob man das strategische Movens dem ökonomischen unter- oder überordnen will, ist Angelegenheit fruchtloser Diskussion. Das Reich Karls des Großen, das weströmische Reich, das römische Reich deutscher Nation sind strategisch verständlich: sie haben die europäische Geschichte für Jahrtausende festgelegt. Rußland sucht heute noch die Grenzen des weströmischen Reiches und wird sie wohl jetzt bekommen. Stalin ist Instrument dieser Logik, und wenn er hiezu auch den Sozialismus benützt, so benützt er auch nicht minder den Dostojewskischen Panslavismus.

1. B.) Hitler war auf seiner Seite genau so ein Diener solchen Staats-Machiavellismus. Aber er war noch etwas anderes, und das hat ihm (hoffentlich) das Genick gebrochen.

2.) Es gibt eine Logik der Dinge, und durch sie wird die »Realitätsrichtung« alles Geschehens festgelegt. Im Materialen ist sie eine technische Angelegenheit. Ob man Elektromotoren mit Wechselstrom oder Drehstrom betreiben soll, wird ausschließlich von Ingenieur-Erwägungen und nicht von »Überzeugungen« oder »Gesinnungen« entschieden. Zu diesen technischen Problemen gehören zum großen Teil auch die ökonomischen.

2. A.) Der Mensch ist nicht nur ein Viech in seiner Selbstsucht, sondern auch in seiner Dummheit. Wenn eine Gemeinde ein Elektrizitätswerk errichtet, so sollte man meinen, daß sie sich nicht von »Gesinnungen« leiten läßt, sondern den Ingenieur fragt. Ich habe aber selbst erlebt, daß Demagogie selbst solche rein sachlichen Entschlüsse beeinflußt und verdreht, so daß das Sachliche erst nach erfolgtem Schaden zu Wort gekommen ist. Ich bin überzeugt, daß das

Privatwirtschaftliche noch für lange Zeit hinaus den Bedürfnissen der Menschheit gerecht werden könnte, wenn es von der Ratio statt von der Viecherei betrieben werden würde, und ich bin überzeugt, daß der Sozialismus, der die solcherart verursachten Schäden heilen soll, genau so unsachgemäß wie die Privatwirtschaft betrieben würde, trotzdem sich aber automatisch einstellen wird, weil er ein unausweichliches Verelendungsprodukt ist – und die bereits eingetretene Verelendung kann nicht mehr weggeleugnet werden.

2. B.) Die industrialisierte Welt scheint *unter allen Umständen eine Versklavungswelt* zu sein. Der Bergarbeiter führt ein Sklavenleben, sogar der Eisengießer tut es. Die heutige Demokratie gibt ihm einen Freiheitsschein; und nachdem er sich durch einige Generationen dieses Scheins erfreut hat, ist er heute doch darauf gekommen, daß dahinter nicht viel steckt. Er will also etwas *anderes*. Der Sozialismusschein, den er statt dessen erhalten wird, dürfte wiederum einige Generationen vorhalten. Hier setzte ich »Freiheit« unter ironische Anführungszeichen.

2. C.) Hitler mit der Folgerichtigkeit des Narren hat auch dies richtig erkannt. Er hat Freiheit mit Beherrschung identifiziert, und er hat seinem versklavten Volk die Beherrschungsfreiheit über andere Völker verschaffen wollen, also eine materielle Ausbeutungsfreiheit (im Rahmen eines vergrößerten heiligen römischen Reiches). Daß er sich trotzdem das Genick hat brechen müssen, hat andere Gründe.

Zusammenfassung von (1) *und* (2): Wir stehen in einer Welt automatischer Geschehnisse. Die Imperialismen sub (1) sind ebenso automatisch wie die ökonomischen Kräfte sub (2). Die imperialistischen Traditionen werden erst an der Entwicklung der Waffentechnik zerbrechen, welche – z. B. flugzeugmäßig – neue strategische Bedingungen schafft, genau so wie sie die Bedingungen des englischen See-Imperiums geschaffen hat, das ja gegenüber den kontinentalen ein Novum gewesen ist. Die ökonomischen Kräfte werden noch für lange Zeit hinaus unkontrollierbar bleiben, da sie immer nur Reaktionen auf bereits angerichtete Schäden sind.

Das alles geht im Dumpfen vor sich. Hiefür glaube ich in meiner Massenpsychologie einige Regeln gefunden zu haben. Aber auch diese Dumpfheit (an der auch die »Führer«

kraft ihrer Verantwortungen teilhaben) ist ebenso groß dimensioniert wie die Kräfte, in denen sie eingebettet ist, und deshalb muß man diese Tatsachen hinnehmen, nicht aus »Vernunft«, sondern aus »Wahrheitspflicht«.

Bücher wie die von Hayek oder Mises[1] decken sehr scharfsichtig reale Symptome auf, sind also unter diesem Gesichtswinkel begrüßenswert. Aber sie vermögen nichts am Lauf der Geschehnisse zu ändern. Debatten, ob sie »stimmen« oder »nicht stimmen« (– ich persönlich glaube ja, daß sie stimmen –), bemühen sich um Gleichgültiges, sind also fast überflüssig.

Und trotzdem geht es um die Freiheit und Gerechtigkeit innerhalb der Gesellschaft, um die Hochachtung vor dem Wunder, das die Menschengestalt ist.

3.) Es gibt einen Fortschritt. Wer nicht an Fortschritt glaubt, kann nicht um Freiheit und Gerechtigkeit bemüht sein. Der Fortschritt liegt, wie ich neulich ausführte, in der sukzessiven Befreiung aus der Dumpfheit, in der zunehmenden Bewußtwerdung des Menschen als Menschen. Freiheit und Gerechtigkeit sind Funktionen dieser Bewußtwerdung. (Konform Kahler)

3. A.) Alle Bewußtwerdung geschieht letztlich als Aussage über die Struktur unseres Bewußtseins. Ich vertrete die Ansicht, daß alles Religiöse, alles Mythische und somit schließlich das »Wahre an sich« stets Aussage über die Struktur des Bewußtseins ist, daß also, will man wahre Aussagen über die Welt gewinnen, man zuerst die erkenntniskritische Arbeit der Bewußtseinserforschung zu leisten hat, tunlichst feststellend, was an Bewußtseinswerkzeugen von der Außenwelt entlehnt ist (Physikalismus) und was vom Ich dazugeliefert wird (Funktionalismus): nur von der Natur unserer Erkenntnis her können wir uns in die Welt »eindeuten« – alles andere ist ja bloße »Welt-Ausdeutung«, also bloße »Meinung«. (Anti-Kahler) Auf Details kann ich hier nicht eingehen, beschränke mich also auf die Feststellung, daß noch jede echte wissenschaftliche Neuentdeckung mit den Wurzeln ins Erkenntniskritische reicht. Auch Marx hat seine Gültigkeit aus Hegel gewonnen.

3. B.) Die Idee des Menschen, die der Freiheit und Gerechtigkeit, kurzum, die ethische Idee ist Funktion der Bewußt-

seinsstruktur. Wo immer Wahrheiten im Geisteswissenschaftlichen gewonnen werden, da werden sie zu ethischen Aussagen, zu moralischen Forderungen, werden sie letztlich politisch. Daß eine technisch-ökonomische Realitätsfeststellung, wie die Marxsche, zu politischer Wirkung gelangen sollte, verdankt sie ihrer ethischen Tragkraft; sie hat einen neuen Zugang zum ethischen Problem des Menschen eröffnet.

3. C.) Jede Wahrheit innerhalb der empirischen Welt hat die Tendenz, sich zu »absolutieren«; sie vergißt, daß sie bloß Teilwahrheit und Annäherung ist und wird zum Dogma. Die materialistische Geschichtsauffassung ist bereits ein Akt absolutierender Dogmatisierung, ist nicht mehr erkenntnistheoretische Geschichtsphilosophie, sondern Geschichtsausdeutung und muß daher einen absoluten Endzustand phantasieren.

3. D.) Das menschliche Viech verlangt nach Dogmen, weil es daran seine »Gesinnungen« heften kann. Ethik ist in sich selbst Gesinnung, kennt aber keine Gesinnungen, weil sie keine Bequemlichkeit duldet. Wo der Mensch seine Aggressionen austobt, steckt zumeist eine Gesinnung dahinter, eine »Überzeugung«.

3. E.) Die Anwendung dieser Feststellungen auf (1) und (2) brauche ich nicht weiter auszuführen.

4.) M. a. W., die Realitätsrichtung wird von den »Erkenntnisvorstößen« festgelegt, welche aus dem »Bewußtsein der Bewußtseinsstruktur« herstammen; Christentum, Liberalismus, Sozialismus – all dies liegt, nachweisbar, in solcher Realitätsrichtung. Und wenn auch immer wieder zur »Gesinnung« degradiert, wenn auch immer wieder absolutiert und dogmatisiert, es bleibt ein Stück der moralischen Erbschaft, es bleibt etwas, an dem sich zumindest Verantwortungsethik anknüpfen läßt, es bleibt ein Stück echter Erkenntnis und ethischer Realität. Der Verbrecher und der Narr haben an dieser Realität keinen Teil. Mögen sie technisch noch so richtig handeln, sie sind im Letzten realitätsfremd. Sie absolutieren die Leerheit. Und darum kann Stalins Warschau und Churchills Athen (beides sicherlich Schweinereien) nicht mit Maidanek[2] über einen Leisten geschlagen werden. An seiner Realitätsfremdheit hat Hitler sich das Genick brechen müssen. Der Narr, der Verbrecher, besonders jener, ist nicht einmal zur Verantwortungsethik fähig.

5.) Im Gegensatz zur Verantwortungsethik des beamteten Menschen, der an Traditionsvorschriften, Dogmen, etc. gebunden ist, gibt es eine Menschenkategorie, die unnachsichtig der Gesinnungsethik[3] oder richtiger dem ethischen Verhalten an sich verpflichtet ist: die Kategorie des Wahrheitssuchers, also in einem höchsten Sinn die des Intellektuellen. Verantwortung für Gesinnung heißt für ihn Verantwortung für die Wahrheit (und damit für Freiheit und Gerechtigkeit).

5. A.) Ist also der Intellektuelle, welcher die Wahrheit innerhalb eines dogmatischen Rahmens akzeptiert, seiner Berufung untreu geworden? gibt es nicht den katholischen, den Marxschen Intellektuellen etc.? natürlich gibt es ihn: nur wird er zum katholischen oder marxistischen Theologen; er bleibt intellektuell, er bleibt »wahrheitsverantwortlich«, doch in einem eingeschränkten Wahrheitskreis. Der reine Intellektuelle ist hingegen innerhalb eines jeden Wahrheitskreises skeptisch; er ist sozusagen der »Ketzer an sich«, der »Revolutionär an sich« also selbst innerhalb der Revolution. Er bezieht stets die geistig gefährlichste Position.

5. B.) Von seiner revolutionären Position aus wird der Intellektuelle zum Kritiker. Die soziale Kritik wird ihm überall zur Pflicht, wo er Freiheit und Gerechtigkeit angegriffen sieht. Andererseits ist es mit bloßer Kritik allein nicht getan – sie genügt lediglich für journalistische Zwecke. Clemenceau war einer der schärfsten sozialen Kritiker, einer der wirkungsvollsten, wie im Fall Dreyfus, aber als er den Journalismus verließ und die Verantwortungsethik eines Amtes auf sich nehmen mußte, da wurde er traditionsgebunden. Das war kein Charakterfehler, zeigte aber, daß seine frühere kritische Haltung lediglich negativ gewesen war. Positive Kritik muß wissen, wie es besser gemacht werden soll; die Marxsche Gesellschaftskritik war positiv.

5. C.) Wer Warschau kritisiert – an sich eine Pflicht –, sollte daher auch angeben können, wie die Besiegung Deutschlands ohne diese Grauensmaßnahme mit weniger Opfern hätte vor sich gehen können; wer Athen kritisiert, müßte angeben, mit welch andern Mitteln die Sicherung des englischen Empires (die Welt würde die Auflösung des Em-

pires mit einer ihrer gewaltigsten, jetzt nahezu tödlichen Wirtschaftskrise bezahlen müssen) vorzunehmen wäre, und so furchtbar es ist, daß die Zukunft der Welt in Jalta als Machtkompromiß zwischen drei (sicherlich begabten) Berufspolitikern abgehandelt worden ist, es hat kaum einen anderen möglichen Weg gegeben; die Logik der Tatsachen hat kaum ein anderes Vorgehen gestattet, und davor wird die Kritik, mag sie mit dem Vorwurf der leeren Utopie noch so berechtigt sein, einfach wirkungslos. Eher noch ließe sich Kritik von einem bestimmten Dogma aus fundieren, also als streng marxistische oder streng katholische Kritik, denn mit solcher wird etwas Bestimmtes gefordert, mag auch dieses bei der unendlichen Kompliziertheit der heutigen Welt undurchführbar sein. Aber schließlich beginnt alles mit Übersimplifikation; so ist es in der Bewußtseinsstruktur vorgeschrieben.

6.) Und damit sind wir nochmals bei der Kritik des Marxismus angelangt, insbesondere in seiner Eigenschaft als Diener imperialistischer Politik. Und vor allem kann da gesagt werden, daß die Durchführung der Weltrevolution als Funktion einer erobernden Macht, die selber nicht viel von Freiheit und Gerechtigkeit hält, den Marxschen Vorstellungen sicherlich nicht entspricht. Man muß sich noch einmal auf Trotzki berufen, um einzusehen, daß das, was da geschieht, mit der Marxschen Theorie und ihrer Revolutionsidee kaum mehr etwas zu tun hat. Unter diesem Aspekt war Hitler fast berechtigt, das Theorem der Edelrasse an die Stelle des proletarischen zu setzen. Doch auch derartige Erwägungen liegen in der Richtung negativer Kritik.

6. A.) Positive Kritik muß Wahrheitsfindung in sich selber sein. Gegenüber dem Marxismus stehen ihr – wesensgemäß – zwei Hauptwege offen: erstens die empirische Wahrheitsfindung im technisch-ökonomischen Gebiet, und zweitens die erkenntnistheoretische Grundlagenforschung. Hier geht uns vornehmlich der zweite an. U. zw. wird da wohl über die Hegelsche Basis hinausgegangen werden müssen; die Notwendigkeit ihrer logischen Revision und Reinigung liegt auf der Hand (Sorgen, während der Marxismus bereits mit Kanonen auf dem Marsch ist!!). Doch selbst wenn man sich darauf nicht einließe und sich auf Hegels Dialektik be-

schränkte, so wird einem bei seiner Stipulierung der Weltgeist-Endgültigkeit und gar in seiner materialistischen Fassung etwas unheimlich zumute. Denn der dialektische Dreischritt (dessen Zugehörigkeit zur Bewußtseinsstruktur sich auch logisch und logistisch vertreten läßt) trägt alle Merkmale eines unenendlichen Regresses. M. a. W., jede Synthesis ist zugleich eine neue Thesis, die neue Antithesis erzeugt.

6. B.) Ich hasse das Operieren mit wolkigen Bildern. Ich mag es daher auch nicht sehr, wenn die konstitutionelle Monarchie (lt. Hegel) als Synthesis von Revolutionismus und Konservatismus ausgelegt wird; doch wenn man das für einen Augenblick zugestehen will, so haben wir in den Diktaturen schon eine Antithesis dazu zu sehen. Und ebenso müßten wir erwarten, daß im Wirtschaftlichen die Sozialisierung eine neue Synthesis-Thesis-Antithesis zu erzeugen haben wird.

6. C.) Im Empirischen spiegelt sich das Erkenntnistheoretische stets in psychologisch erfaßbaren Haltungen. Es ist mir daher ziemlich klar, daß die Korrektur der Marxschen Theorie von psychologischer Seite her angegangen werden muß, ja daß die neue Sozialform selbst im Ökonomischen eine psychologische Fundierung erfahren wird, nämlich ihre Prägung als neue Synthesis. In dieser Richtung – und ich glaube, es ist die Humanitätsrichtung – liegt meine massenpsychologische Arbeit.

7.) Es ist nicht blinder Optimismus, wenn ich die Zukunft der Welt in solcher Synthesis sehe; ich habe Gründe – bei aller Skepsis –, dies nicht als bloßen Utopismus anzusehen, und ich glaube sogar das Machtkompromiß in Jalta als Symptom solcher Entwicklung auffassen zu dürfen.

Niemals noch ist ein status quo erhalten geblieben: das hat nicht einmal der Wiener Kongreß fertiggebracht. Gerade dem Intellektuellen ist es Pflicht zu erkennen, daß es keinen status quo gibt, ja gerade dies haben wir aktiv zu bejahen. Aber all dies ist bloß sinnvoll, wenn man an Fortschritt glaubt. Und immer zielt der Fortschritt zur Synthesis, nicht zur Thesis, nicht zur Antithesis, nein, zur Synthesis: niemals ist diese wahrhaft erreichbar, aber immer ist ihr der Intellektuelle verpflichtet – gerade hiedurch unterscheidet er sich vom Nur-Politiker, nur hiedurch kann er seine Gesinnungsethik erfüllen. Oder wenn Sie es so ausdrücken wollen: der Intellektuelle ist einem Radikalismus der Mitte verpflichtet, die aber nicht das deutsche Zentrum ist, sondern etwas im Prinzip Unerreichbares, dennoch ewig in seiner Annäherungsarbeit. Allerdings muß man genau wissen, was Annäherung ist: sie ist kein wishful thinking, sondern objektivgerichtete Arbeit, zumeist sogar nur solche auf theoretischem Gebiet. Mit sogenannt »politischen Aktionen« hat unsereins nichts zu tun, umsoweniger als sie, ihrer Natur gemäß, zumeist keine Annäherung, sondern weit eher Abrückung des Zieles sind. Doch ich will mich nicht in Allgemeinheiten verlieren.

Briefe, Diskussionen, Dispute usw. sind aber notwendig den Allgemeinheiten verfallen. Und deshalb bin ich alldem grundsätzlich abgeneigt. Die platonischen Gespräche sind nicht Stenogramme wirklicher Diskussionen, sondern sind von ihrem Autor allein in schwerer und einsamer Zeit zu Bewußtsein gerufen worden. Gewiß, es gibt kollektive Arbeit, doch die muß mit gemeinsamem Objekt mit gemeinsamen Methoden verrichtet werden. Das ist vielleicht rein subjektiv und nicht allgemeingültig, gehört jedoch zu meinem Credo. [. . .]

[GW 8, GP]

1 Vgl. Fußnoten 1 und 2 zum Brief vom 8. 10. 1944.
2 Dorf bei Lublin in Polen. Im Konzentrationslager Maidanek wurden besonders 1943 von SS-Mannschaften Massentötungen jüdischer Häftlinge vorgenommen.
3 Zum Thema Gesinnungs- und Verantwortungsethik vgl. Max Weber, *Politik als Beruf* (München 1919), S. 57 f.

487. An Jean Starr Untermeyer

Thursday [March 29, 1945]

Thanks for the letters, dear. Of course I don't know whether I can place the Sachs-review; if you make the article I shall do my best to place it, just for Sachs' but not for my sake. I am really not very much interested in it, all the more as I have already fulfilled my duty toward him[1]. [. . .]

And about me: I have some insights into reality, perhaps a little more than most of the other people because I am working harder than they do. And I have my difficulties in life, because I have on one side my neurosis, and on the other nobody who knows about the structure of my life and thinking; I am lonely, and it makes me not happy, but it is still better than to be disturbed. I have to defend something which is valuable, at least for myself.

Values for the world? the world likes to live in fictional (fictive?) patterns, shortly in Kitsch. I am always astonished when a phenomenon like Picasso is appreciated by the world. It may be that it is the length of the career which helped him; if he had began where he is now, probably nobody would look at him.

I am lacking this blessed long start. I am not sorry about it, but I shall be sorry when the Virgil will not be a success. I want it for my position (although not for my self-feeling), and I want it for you: a translation has its main rewards in the outside and not in the inside world. Only the success in the outside world can give you the feeling not to have wasted these years.

Anyway, this translation is in many respects a piece of art, and it is done. But how do you know that you are an »artist« now? Do you think that a Picasso would speak of himself as an »artist«? He has an artitistic profession, but not an »approach to life« as an artist: (I enclose your letter, in order you may see that I don't invent.) The »artistic approach to life« makes Kitsch out of life and out of the artistic profession. Well, this is dangerous ground; for you call this »rude«, and so I stop. But I would only add that it is the same with philosophy. There exists a philosophical profession, but no »philosopher«, and outside of my skill in philosophy (which is not sufficient) I never would dare to say that I am a philosopher.

All this *is* important. For the new time which is in the making doesn't allow anymore the half and quarter work, neither in art nor in philosophy. It was just with Picasso that I learned that again. All that minor painting will disappear or is bound to disappear, although, especially in America, it will still have its pseudolife, not knowing that it is already dead. Of course, it is possible, that also the Virgil is only fake life – telling me – but it is, at least, something which is on the right way: in these things I have the Kick gewußt wo, and there Cpt. Finkelstein doesn't make mistakes. Also the political study now and the mass psychology, all this is on the right way, in spite it may be possible that my strength doesn't suffice to carry it through.

But I am also not allowed to write such long letters. My ears are unberufen in order again. All these are Alterszeichen, and is a warning how short the time is I have ahead of me.

Good night, dear. Love

H.

[YUL]

1 Hermann Broch, »Hanns Sachs, *Freud, Master and Friend*«, in: *Aufbau* (N. Y.), 11. Jg., Nr. 1 (5. 1. 1945), S. 7. Ferner in KW 10/1, S. 273-274. Broch war mit dem Freud-Schüler Hanns Sachs befreundet und diskutierte mit ihm die individualpsychologischen Aspekte seiner *Massenwahntheorie*.

488. An Helene Wolff

Princeton, 30. 3. 45

Liebste Frau Helene,
sollen wir jetzt, da es so weit ist, nicht die Prospekt-Propaganda wieder aufnehmen? Haben Sie noch Prospekte[1]?

Jedenfalls wäre es der Zeitpunkt, an dem die bisherigen Nicht-Besteller vermittels eines »followers« erinnert werden sollten. Unter allen Umständen schicken Sie mir bitte etwa 20 Prospekte; ich glaube einiges unternehmen zu können.

Kennen Sie Mumford? In diesem Fall können Sie ihn einfach anrufen: denn er hat den Vergil für Harcourt szt. gelesen, und wenn er die Kritik übernähme, so wäre er vielleicht ein front-pageler. Schade daß Stanley Young noch nicht zurück ist; er war es, der damals das Buch Mumford gegeben hat. (Mumford ist jetzt in Amenia N. Y.)

Ihnen beiden alle guten Osterwünsche, von Herzen Ihr

HB.

»Bei Durchsicht meiner Bücher«, womit einmal nicht der Vergil, sondern – im geliebten Kaufmannsdeutsch – die Pantheon-Rechnungen zwecks Osterbegleich gemeint ist, finde ich auf einer den liebenswürdigen Vermerk »applied against royalties«, der mir weit mehr »against your interests« erscheint: glauben Sie wirklich, daß die royalties je die phantastische Höhe von $ 24,46 (die Summe meiner Schuld) werden erreichen können? Ich bin [über] solchen Optimismus natürlich herzlich froh, bin aber ein pessimistischer Skeptiker, freilich einer, der den schönen Optimismus seiner Gläubiger nicht entmutigen will.

[KWB]

1 Vgl. Fußnote 1 zum Brief vom 28. 9. 1943.

489. An Else Spitzer

Princeton, 4. 5. 45

Liebste, vor etwa vier Wochen erhielt ich eine Urgenzkarte von Dir, welche sich mit meinem von Dir urgierten Brief gekreuzt hat oder hätte kreuzen sollen, denn er wurde, obwohl seitdem wieder zwei Monate vergangen sind, nicht von Dir bestätigt. Also schicke ich anbei die für solche Fälle vorbereitete Kopie.

In diesen zwei Monaten ist allerlei geschehen. Vielerlei Glückliches, und heute ist der Montgomery-Sieg[1]. Daß Roosevelt es nicht mehr hatte erleben dürfen, ist tragisch. Außerdem bräuchte man ihn heute dringendst. Es sieht recht chaotisch aus. (Le Fascisme est mort, vive le fascisme.) Ich bereite ein kleines Buch über Demokratie vor, dessen Manuskript in 14 Tagen druckfertig sein soll, dafür aber nichts zur Klärung der Lage beigetragen haben wird[2]. Der Turmbau von San Francisco[3].

Der »Vergil« erscheint erst im Juni. Die Buchbindereien haben kein Material. Mir ist es recht egal, ob früher oder später; ich bin froh, nichts mehr damit zu tun zu haben.

Ich warte sehr auf Eure Nachrichten. Viel Liebes an Fritz. Und sehr viel Gedanken –

von Herzen
H.

[WSB]

1 Am 4. 5. 1945 erfolgte die Kapitulation des deutschen Heeres, soweit es gegen die Engländer im Kampf stand, und der deutschen Truppen in Holland und Dänemark durch den Generaladmiral von Friedeburg im Hauptquartier Montgomerys in der Nähe von Lüneburg.

2 »Bemerkungen zur Utopie einer ›International Bill of Rights and of Responsibilities‹«, KW 11, S. 243–276.

3 Am 26. 6. 1945 wurde die UNO in San Francisco (USA) von fünfzig Nationen gegründet.

490. An Aldous Huxley

Princeton, 10. Mai 1945

Lieber Mr. Huxley,
als ich den *Vergil* beendet hatte, ging ich daran, die Schäden, die er in mir angerichtet hat, nach Tunlichkeit auszubessern; dazu gehörte auch die Wiederauffüllung meiner Lektüre-Lücken. Eines der ersten Bücher, die ich las, war *Time Must have a Stop*[1], und ich war darob sehr froh, nicht nur, weil es ein großartiges Werk ist, sondern auch, weil es mir eine überraschende Bestätigung für den *Vergil* lieferte: in Ihrem Kapitel XIII, aber natürlich daher auch in vielen andern Stellen, ist genau das gleiche Erfahrungsmaterial wie im *Vergil* verarbeitet, und wenn zwei Menschen auf verschiedenen (im letzten Grunde freilich identischen) Wegen zu einem gemeinsamen Resultat gelangen, so darf wohl daraus geschlossen werden, daß sie wahrscheinlich auf eine echte Realität gestoßen sind.

Hätte ich mich nicht gescheut, Sie mit dem *Vergil,* für den Sie so viel und viel zu viel schon getan haben, noch weiter zu langweilen, so hätte ich Ihnen meine Entdeckung sofort mitgeteilt. Umso bestürzter war ich, als mein Verleger[2] mir mitteilte, daß er Sie um eine Besprechung des Buches gebeten hätte, und nun war ich erst recht behindert Ihnen zu schreiben. Aber ich sagte mir, daß Sie nach Einsichtnahme in das Buch entweder von den Parallelismen zu einer Studie angeregt werden würden, die mir selbstverständlich äußerst wichtig und wertvoll gewesen wäre, oder aber daß Sie, der Sie Ihre Zeit wahrlich für Dringenderes brauchen, das Ansuchen einfach ablehnen würden.

Weder das eine noch das andere ist eingetroffen. Sie haben in einer mehr als generösen Weise sofort der Bitte Kurt Wolffs willfahren, aber aus Ihrer Besprechung[3] habe ich den Eindruck empfangen, daß nicht das Buch als solches Sie hiezu angeregt hat, geschweige denn jene Parallelstellen, die sein eigentliches Kernstück repräsentieren, sondern daß Sie dem Autor der *Sleepwalkers* eine Freundlichkeit, allerdings eine sehr große Freundlichkeit, hatten erweisen wollen. Das ist beunruhigend, und gerade angesichts Ihrer freundschaftlichen Haltung glaube ich, Ihnen einige Erklärungen zu Ihren Einwendungen zu schulden, obwohl ich Ihnen eine weitere Befassung mit dem *Vergil*-Thema so gerne erspart hätte. Doch ich werde trachten, mich tunlichst kurz zu fassen.

Lassen Sie mich mit einem konkreten Beispiel, nämlich gleich mit einem Ihrer Einwände beginnen, nicht um der Polemik willen, sondern pour fixer les idées.

Sie bemängeln meine langen Sätze mit ihren endlosen adjektivischen Repetitionen, und Sie wollen sie bloß gelten lassen, wenn sie von narrativen oder sonstwie »normalen« Passagen unterbrochen werden, da sie in ihrer jetzigen Form die Lesbarkeit beeinträchtigen.

Diese langen Sätze mit all ihren Eigentümlichkeiten waren nicht ausgeklügelt; sie waren schlicht eine Notwendigkeit. Der *Vergil* ist aus Zufallsanfängen gewachsen; ich bin damit in eine Zeit echter Todesbedrohung (durch die Nazi) geraten, und ich habe ihn daher ausschließlich für mich – teilweise sogar im Gefängnis – gewissermaßen als private Todesvorbereitung, sicherlich also nicht für Publikationszwecke geschrieben. Es war ein Versuch, mich imaginativ möglichst an das Todeserlebnis heranzutreiben, und da dies in äußerster psychischer Konzentration vor sich ging, hatte ich das von ihr diktierte Material, einschließlich der Form und demnach auch der des langen Satzes einfach zu akzeptieren.

Gewiß, jetzt wird das Buch publiziert, und es ist nicht mehr für mich allein geschrieben. Ich hatte also mein Material dem Gebot der Lesbarkeit anzupassen. Dies ist freilich ein sehr weiter Begriff, und er ist sicherlich nicht von der üblichen Romanform diktiert; die ist oft genug schon durchbrochen und – nicht zuletzt von Ihnen – erweitert worden. Sie haben den *Vergil* als lyrische Philosophie bezeichnet, und das verträgt sich schon an und für sich schlecht mit der üblichen Romanform; jedenfalls hatte ich nicht die Absicht, mich irgendwie an diese zu halten.

Gleichgültig ob Gedicht oder Epik, ob Malerei oder Musik, die künstlerische Aufgabe besteht immer in der Umsetzung eines ursprünglich lyrisch-subjektiven Materials in ein »architektonisches« Gebilde, das kraft seiner Gleichgewichtsstruktur fähig ist, das ursprüngliche Material topologisch, jedoch ohne Verzerrungen zum Ausdruck zu bringen: das Kunstwerk spricht stets eine topologische Sprache, selbst wo es wie in der Dichtung die Alltagssprache verwendet; nur hiedurch ist es ihm möglich, das Unaussprechbare auszudrücken, nämlich in der Spannung zwischen den Zeilen und Worten, zwischen den Farbflecken auf der Leinwand, zwischen den musikalischen Tönen.

Für mich galt es, mein Material, mein Erkenntnismaterial dem Leser zu übermitteln. Ich mußte den Leser nachleben lassen, wie man sich der Erkenntnis des Todes durch Zerknirschung und Selbstauslöschung annähert (mag man sie auch als noch Lebender niemals erreichen). Mit bloß rationalen Mitteilungen ist dies nicht zu bewerkstelligen, vielmehr mußte der Leser dazu gebracht werden, genau den gleichen Prozeß, den ich durchgemacht habe, nun seinerseits genau so durchzugehen. Und da mir meine Erkenntnis in der Form endloser Litaneien zugekommen ist, waren ebendieselben Litaneien dem Leser aufzuerlegen. Durch ihre Zerhackung hätte ich solchen Zweck niemals erreichen können. Die architektonische Aufgabe lag also anderswo: einesteils in der

Konstruktion der Litaneien selber, andernteils in der Auswägung ihrer übermächtigen Maße durch ebensolche kompakte Massen anderer Konstruktion, so durch die Gespräche, welche für ein »normales« Buch auch viel zu lang wären, etc.

Ob man diesen Vorgang eine Ausweitung der Romanform oder deren Durchbrechung nennen will, ist nebensächlich; ich habe mir niemals darüber den Kopf zerbrochen, empfinde aber das Buch sicherlich nicht als »Roman«, sondern einfach als etwas, das in Notwendigkeit aus seiner Problemkonstellation entstanden ist und diese, eben infolge solcher Notwendigkeit, hoffentlich halbwegs adäquat darstellt.

Hinterher habe ich gewisse technische Prinzipien entdeckt, denen ich beim Aufbau des Buches – im allgemeinen mehr oder minder unbewußt, denn darin besteht eben ihre Notwendigkeit – gefolgt bin. Da sie zum Verständnis des Buches einiges beitragen können, hat sie Mrs. Untermeyer in ihre translator's note (welche in der am 1. Juni erscheinenden definitiven Ausgabe angefügt sein wird, also Ihrem Exemplar noch nicht beigebunden war) untergebracht. Es mag sein, daß sie Sie interessiert, und so lege ich sie bei.

Die langen Sätze können als »Radikalismus« ausgelegt werden, und ich wünschte, daß sie so radikal wären: Kunstwerke sind immer nur durch radikale Forcierung ihrer Grundprinzipien entstanden. Und die Welt hat immer noch solche Radikalität schließlich akzeptiert; ich kenne keinen Künstler (einschließlich Sie selbst), bei dem das nicht zugetroffen wäre.

Eben darum ist mir der *Vergil* eigentlich noch nicht radikal genug. Ich meine damit weniger einen formalen Radikalismus als einen der Gesamtanlage, die freilich wieder auf das Formale zurückwirkt.

Denn – und damit stehe ich vielleicht in einem gewissen Gegensatz zu Ihnen – ich bin überzeugt, daß Rationales und Intellektuelles immer weniger in der Kunst zu suchen haben. Eine Zeit, in der das Unendliche sich bereits mathematisieren läßt (gleichwie es in der Scholastik theologisiert worden ist), eine Zeit, die über Seelenmechanik fast so viel weiß wie einstens die Kirche, usw., eine solche Zeit hat einen scharfen Schnitt zwischen Rationalität und Irrationalität gemacht, und was diskursiv ausgedrückt werden kann, gehört in den wissenschaftlichen, nicht in den dichterischen Bereich.

Diese Überzeugung hat sich mir während der Arbeit am *Vergil* zunehmend verstärkt, und ich war daher bemüht, rationale Elemente immer mehr zu eliminieren. Hätte ich noch drei weitere Jahre darangesetzt, so wäre mir dies vermutlich gelungen.

Wenn Sie also bemängeln, daß die Gespräche zwischen Vergil und seinen verschiedenen Freunden nicht dem Bildungsgrad entsprechen, den sie historisch wahrscheinlich hatten, so würde ich im Gegenteil verlangen, daß alles Intellektuelle daraus ausgemerzt werden sollte. Die Gespräche waren ein Experiment, u. z. eines, das mir wegen seiner Schwierigkeit nicht geglückt ist: das Thema ist klar – das Recht zur Vernichtung der *Aeneis* –, aber ich wollte die Argumente hiezu aus dem tiefsten Unbewußten der handelnden Personen hervorholen, wollte also sozusagen ihre Seelen selber sprechen lassen, ohne jedoch dabei den Charakter eines platonischen Dialogs zu zerstören, und das ist an nur ganz wenigen Stellen gelungen.

Sie mögen fragen, warum ich nicht auf dieser vorgezeichneten Linie weitergearbeitet habe. Es war kein leichter Entschluß, und ohne moralische Gründe – die einzig gültigen – hätte ich ihn nicht gefaßt.

Ich glaube nämlich, daß in dieser Zeit der ivory tower unmoralisch geworden ist; siebzehn Jahre an ein esoterisches Werk zu verwenden, wie Joyce es getan hat, ist heute unerlaubt, besonders wenn man in der Lage ist, etwas Sozialeres zu unternehmen.

Hätte ich an dem *Vergil* weitergearbeitet, so wäre er vollkommen esoterisch geworden. Die topologische Sprache des Kunstwerkes kann nämlich – trotz und ebenso infolge ihrer radikalen Ehrlichkeit – gänzlich unverständlich werden. Es ist möglich, daß das Buch heute noch manchem etwas zu sagen hat: auch wenn ich meiner Problematik mich bloß angenähert und sie nicht gelöst habe, so kann das Aufweisen einer Problematik, wird sie wirklich nacherlebt, allein schon eine aufhellende Wirkung haben. Hätte ich weitergearbeitet, so wäre ich wahrscheinlich selber ein kleines Stück näher zu den Lösungsmöglichkeiten gelangt, doch der Kreis derjenigen, die daran hätten teilhaben können, wäre noch kleiner geworden. Das ist bei der von mir geforderten Ausscheidung alles Rationellen und Diskursiven aus dem Kunstwerk nur eine selbstverständliche Konsequenz.

Zudem ist diese Verweisung des Rationalen in den wissenschaftlichen Bereich auch eine persönliche Angelegenheit für mich. Denn in meiner Massen-Psychologie behandle ich letztlich die nämliche Problematik wie im *Vergil:* auch hier frage ich nach den Prozessen, welche den Menschen zu Verlust und Wiedergewinnung seiner vérités fondamentales, kurzum seiner religiösen Haltungen führen. Und da ich in dieser theoretischen Arbeit zu Resultaten gelange, von denen zu hoffen ist, daß durch sie nicht nur abstrakte, sondern sogar einige praktische Wirkung (in der Wiederhumanisierung der Welt, einschließlich Deutschlands) erzielt werden könnte, halte ich sie für wichtiger als bloß künstlerische Vervollkommnungen, aus denen ich allein Nutzen ziehe. (Abgesehen davon, daß man aus jeder ehrlichen Arbeit Nutzen fürs eigene Seelenheil zieht.)

Und so habe ich es vorgezogen, den *Vergil* in seiner jetzigen Gestalt herauszugeben.

Diese – im Grunde ablehnende – Einstellung zur Kunst hat sich mir bereits vor vielen Jahren aufgedrängt. Sie war mir – wie konnte es anders sein? – zum Problem geworden, und so wurde ich zu Vergil geführt, in dessen Vernichtungswillen hinsichtlich der *Aeneis* ich eine ähnliche Ablehnung vermutete. Diese Vermutung erscheint umso berechtigter als das letzte vorchristliche Jahrhundert eine Fragekonstellation hervorgebracht hat, die der unseren in mehr als einer Beziehung nahesteht.

Vergil war ein »Vor-Christenmensch«. Das geht aus seinem ganzen Werk, nicht nur aus der Ekloge IV hervor (– Kennen Sie übrigens Haeckers Schrift[4], die dieses Thema behandelt? –), und in solcher Eigenschaft, die in ihrer geistigen Bedeutsamkeit sicherlich seine literarische übertrifft, ist er für Jahrhunderte, ja Jahrtausende zur legendenhaften Gestalt geworden, fast zu einem inoffiziellen Heiligen, mit dem sogar die Kirche sich abgefunden hat.

All das weist auf eine metaphysische Substanz dieses Geistes hin, die mich m. E. sehr wohl legitimiert hat, ihn zum Träger der »Erleuchtung« zu machen, freilich erst – und darauf kommt es an – nach vorhergegangener »Zerknirschung« und einer Selbstauslöschung, die sein ganzes Leben umfaßt, so daß er, im christlichen Sinn, der Gnade würdig werden kann, mag er sie auch, infolge mangelnder Taufe, niemals erfahren haben.

Er war noch nicht der Prophet, der die neue Wahrheit ausspricht, aber er gehörte zu jenen, die notwendig sind, damit der Prophet komme; ohne Wegbereiter, ohne Vorarbeit gibt es keinen Propheten. Er war ein Vor-Prophet, und als solcher hat er sich wahrscheinlich selber empfunden. Und darum darf seine Einsamkeit angenommen werden. Mögen auch Augustus und seine andern Freunde das ganze Wissensgut ihrer Zeit besessen haben, wie Sie wohl mit Recht hervorheben, die prophetische oder vor-prophetische Ahnung war keinem von ihnen verliehen (und keiner von ihnen konnte zur Legendengestalt werden). Dies, scheint mir, ist mit einer der Gründe, der mich berechtigt, Vergil scharf von seiner Umgebung zu separieren und ihm ihr Unverständnis entgegenzusetzen.

Vorarbeit für das Kommende: das ist der einzige Trost, den Vergil – der Vergil meines Buches – in seiner Verzweiflung über die Unzulänglichkeit und die menschliche Unwürdigkeit seines Dichterberufes zu finden vermag. Denn es wird ihm klar, daß der Kunst und nur der Kunst die Gabe verliehen ist, das Noch-Unaussprechbare und doch schon Vorhandene erahnen zu lassen. »Noch nicht und doch schon« sagt ihm der Knabe Lysanias.

Wenn ich die letzten Absätze von *Time Must have a Stop* lese, so lassen sie mir keinen Zweifel, daß auch Sie Ihre Arbeit unter das Zeichen «Noch nicht und doch schon« gestellt haben, daß Vorbereitungsarbeit und nichts anderes auch Ihre Absicht ist. Denn wenn der Mensch nicht zur Erweckungs-Sehnsucht erweckt wird, wird die Stimme der Erweckung niemals erklingen; zumindest wird er sie nicht hören können.

Brauche ich nach dieser langen Ausführung nochmals hervorheben, daß dies und nichts anderes auch das Ziel des *Vergil* ist? daß es auch in ihm einzig und allein um die vérités fondamentales und deren Neubegründung in der Menschenseele geht? Ich glaube wohl nicht, und ich brauche wohl auch nicht weiter erklären, warum es mich so tief beunruhigt, daß Sie den *Vergil* nicht unter diesem Gesichtswinkel sehen, sondern ihn in die gleiche Kategorie wie die *Sleepwalkers,* also in die des usuellen Romans stellen und ausschließlich von hier aus beurteilt haben: wenn ich mich nicht einmal Ihnen, also einem Mann, dem ich durch identische Absichten und sogar durch identische Erkenntnisse verbunden bin, verständlich machen konnte, es wäre siebenjährige Arbeit zwecklos gewesen. Und doch fühle ich mich dieser Arbeit, zumindest in ihrer Richtung und ihren Absichten, durchaus sicher.

Es mag sein, daß Sie, der Sie das amerikanische Publikum besser als ich kennen, jeden Hinweis auf die eigentlichen Hintergründe meines Buches absichtlich weggelassen haben, um ihm einen Publikumserfolg zu sichern. In diesem Fall muß ich Sie ob dieser langwierigen Erörterungen ganz besonders um Entschuldigung bitten. Sie sind ja jedenfalls ungebührlich lang geworden, selbst wenn man als Milderungsgrund Ihre Einwände[5] anführen darf, die beantwortet werden wollten. Aber vor allem nehmen Sie meinen Dank für all Ihre gute Freundschaft, einen sehr von Herzen kommenden Dank.

Stets Ihr
H. Broch
[GW 8, MTV]

1 Aldous Huxley, *Time must have a stop* (1944).
2 Kurt Wolff.
3 Aldous Huxley, »Why Virgil Offered a Sacrifice: Historical Narrative in a Massive and Elaborate Work of Art«, in: *New York Harald Tribune Books* (8. 7. 1945), S. 5.
4 Theodor Haecker, *Vergil, Vater des Abendlands* (1931).
5 Huxleys beide Briefe, die Brochs Schreiben vorangingen bzw. folgten, seien hier wiedergegeben (beide in GW 8):

Aldous Huxley an Hermann Broch

Llano, California, April 10th, 1945

Dear Mr. Broch,
I was asked to review your book for the NY Herald Tribune, and I enclose herewith a copy of what I have sent them. They only allowed me 700 words – which I have exceeded anyhow – and it was therefore very hard to say anything much about a work so full of substance as your Virgil. I hope you will not think me unjust in what I have written regarding the two sections – near the beginning and at the end – where the lyrical-philosophical material is used for many pages without contrasting passages of narrative. My own feeling is that quantity destroys quality and that though, intrinsically, the sentences of which these sections are composed are rich with beauty and meaning, the very number of them – because of their intensity and their stylistic strangeness – imposes a strain upon the reader's mind and makes him, in the long run, incapable of reacting adequately to them. What Edgar Allan Poe said about the permissable length of the lyric is sound psychology. In literature one-pointedness is better achieved, it seems to me, by variety (such as you have in the narrative passages of »Virgil«) than by an uniform insistence on the theme which is being pointed at.

As a matter of history, I kept wondering, as I read the admirable conversations between Virgil and his friends, whether Plotius, Varius and Augustus – successful and self-satisfied members of the ruling class of an imperial nation as they were – would have found Virgil's viewpoint as odd and as incomprehensible as, for the purpose of art, you represent them as doing. They were all well educated men and must have known about, even if they did not approve of, the Orphic mysteries, Pythagoreanism und even Hermeticism, whose origins, according to authorities such as Flinders Petrie, go back to a century and a half before Virgil's birth. All of these cults are simply developments of the theme, »Blessed are the pure in heart, for they shall see God«, which was the theme of all those higher aspects of Indian religion from which they had their origins. Even the Jews, whose tradition made them peculiarly impervious to mysticism, took over the Orphic and Pythagorean doctrines in their wisdom literature and in the Hebrew mystery cult, which found its philosophical expression in Philo. So, in historical fact, I imagine Augustus and the rest would have known immediately what Virgil was talking about, and the discussion would have been carried on in the terminology of the already ancient and hallowed Greek mysteries.

Another point ist doctrinal. Virgil's posthumous experience ends in the highest form of enlightenment, in which eternity is perceived within the things of time, and nirvana and samsara are apprehended as ultimately the same. But every exponent of spiritual religion has always insisted that the mere act of dying is not a passport to enlightenment, that there is gnosis or jnana after death only for those who have chosen to pay the price (purity of heart, death to self in charity) of gnosis during life. Virgil's *metanoia* was in the nature of a death-bed repentance, and there is no indication in your book that it amounted to full enlightenment; consequently there would be no reason for supposing that he could have come to full enlightenment merely by dying. For the Tathagata there is no going anywhere after death, for he is there already in the full, unwavering perception of Suchness. But Virgil was not a Tathagata – merely a man of letters who wished, too late, that he had spent his life being something better. In this connection, thank you very much for the true and subtle things you say about beauty and laughter. I wish there had been space in my review to quote you at length on these subjects. But, alas, I had to »make it snappy«.

With all good wishes for yourself and Virgil, I am,

Yours very sincerely,
AH

Aldous Huxley an Hermann Broch

Llano, California, May 14th, 1945

Dear Mr. Broch,
Thank you for your long and very interesting letter. The great difficulty in writing my review of Virgil was the fact that they gave me only 700 words to do it in. With four or five times as much I might have embarked upon a serious discussion of the metaphysical problem with which it deals. As it was, I could only mention the fact that you were concerned with the world of timeless reality as well as with the first century B. C., and come to a stop.

I agree with you that there can be altogether too much intellectualism and analysis, and that our world suffers from having a great deal of knowledge about things, but very little knowledge of or direct acquaintance with them. But what I feel to be a mistake in the statement you make in your letter is this – that you distinguish only two alternatives, intellectualism and metaphysical experience. But in fact there is a third, which is direct experience on the plane of the senses. There is the given material world, and there is the given spiritual world, the first apprehended by the senses, the second by super-intellectual intuition (pure intellect, as the scholastic call it), by the *scintilla animae,* which is a spark of the immanent Godhead, by the *atam* which is identical with Brahman and which can be known, as the result of dying to self, by immediate intuition. Between these two given realities is the human non-reality of notions and ideas about given reality. When I said, in my review, that I thought some of the passages devoted to the exploration of the experience of metaphysical reality were too long and should, in order to clarify them for the reader, have been alternated with passages of »straight« narrative, I was not at all thinking of intellectual commentary – I was thinking of passages describing and expressing the immediate experience of the given, material world, that world which is the product of the Divine, that world whose every particle and event is the *locus,* so to speak, of an intersection between creative emanation through the Logos and a ray of the pure Godhead. Scotus Erigena distinguishes between the two forms of God's giving – the *datum* and the *donum.* The *datum* is the physical world apprehended by the senses; the *donum* the spiritual world apprehended by the spirit, when it has been made capable, through mortification, of collaboration with grace. What I would have liked to see was more of the *datum,* the balance, explain and throw light upon your account of the *donum* – an account necessarily difficult to follow, because it deals with matters which are strictly ineffable. As for intellectual analysis – that home-made, all too human product of the busy mind – there was no need of any more of that; for, obviously, the work of art you were composing was concerned with reality and not with our distorting commentaries on any substitutes for reality.

You call the historical Virgil a pre-Christian, but I would rather be inclined to say that he was a pre-mystic, just as most Christians are and have always been pre-mystics, content with notions about God, feelings about these notions and rites attuned to these notions and feelings, not prepared to go on, through selfnaughting, to »perfection« in contemplation. (There are few contemplatives, says the author of the Imitation, because there are few who are perfectly humble.) Knowledge is a function of being. Only the pure in heart can see God. And they can see Him, of course, at any moment of history, if they so desire. Virgil wanted to see God, but, to judge by his writings, didn't want it quite strongly enough. If he had, he would have subjected himself to the purificatory discipline of one of the mystery religions – the Greek versions of that not merely theoretical, but practical *Philosophia Perennis,* which is the central mystical core of Christianity and the religions of the Orient. The conclusions to which your book – mine also, for that matter – points can be summed up in those wonderful words by Cardinal Berulis, when he says of man that he is »a nothing surrounded by God, indigent of God, capable of God, filled with God if he so desires.« The means for becoming filled have been known from time immemorial. The Prophets and Incarnations of the Divine appear at intervals to remind us of what is always in our power to discover. In some historical epochs it may be a little easier to make the efforts which are necessary if individuals are to cooperate with grace. But I don't think history makes very much difference. One has only to read an account of the medieval »age of faith« to see that most people were just as far from being filled with the God of whom they were capable as were Augustus and Varius. Virgil is certainly a precursor – but a precursor, not of something in history, rather of that everlastingly possible psychological condition, which is the individual's *metanoia,* or change of mind, out of the temporal into the eternal order. And to my mind there is not the faintest prospect of any enduring improvement in human affairs until a larger minority than at present, or in the past, decides that it is worthwhile to bring about this change of mind within itself. The most one can hope to do by means of social reform and rearrangement of economic and political and educational patterns is to remove some of the standing temptations towards remaining with mind unchanged. We pray to be delivered from temptation, because experience shows that, if we are tempted often and strongly enough, we almost inevitably fall. A social rearrangement which shall remove some of the current temptations towards power-lust, covetousness, emotional incontinence, mental distraction, uncharitableness and pride will make it a little easier for the individual man and woman to achieve their final end. The social function of the artist or intellectual, as I see it, is to suggest means for mitigating the strength of the temptations which, now and in the past, the social order has forced upon the individual, luring him away from his true end towards other, necessarily self-stultifying and destructive goals. Your »Virgil« is valuable socially, inasmuch as it indicates the true end and points to the profound dangers of that esthetic temptation, to which the more sensitive and intelligent among our contemporaries so enthusiastically succumb.

Yours very sincerely,
AH

491. An Helene Wolff

Princeton, 28. 5. 45

Liebste Frau Helene, liebe Freundin,
ich muß Sie enttäuschen: Sie sind gar nicht unausstehlich; das Idealbild, dem Sie da nachhängen, ist infolge Identifikation mit dem Gatten entstanden (der's wirklich kann) und wird für Sie ewig unerreichbar bleiben, denn wenn man als rührend aufopferungsvolles und in jeder Beziehung reizendes Geschöpf geboren ist, bleibt man hoffnungslos ausstehlich.

Ein Beispiel nur: wem sonst fiele es sonst ein, einen so lieben spontanen Brief zu schreiben, und dazu inmitten einer nur allzubekannten überwältigenden Arbeitslawine. Ich bin aufs äußerste gerührt. Was aber den Mut des Litterateurs anlangt, den Mut der Feigheit, der ihn zum falschen Genie macht, so ist es einer, der bloß als »blinder Mut« zu bestehen vermag; die Blindheit ist das Wesentliche bei der ganzen Angelegenheit, vielleicht »Blinde Wachsamkeit«, und so habe ich nach Fertigstellung des Vergil folgenden Vers darauf mir gemacht:

Wem's das Wort verrichtet,
Blind ist dem's gelingt:
Blinder Zweifel dichtet
Gläubig da er singt;
Blinder Seher sichtet was er nie geglaubt,
Zweifel, unbeschwichtet, ist von Grün umlaubt.
Wendest du die Worte,
Sind sie gleichen Sinn's;
Stumm vor ihrer Pforte
Hörst du dein »Ich bin's«.[1]

Und so lassen Sie sich einen von Grün umlaubten, sehr innigen Dank sagen von Ihrem getreuen

HB.

[KWB]

1 »Vom Worte aus«, KW 8, S. 56. Zu den Varianten des Gedichts vgl. KW 8, S. 198-199.

492. An Eric W. Voegelin[1]

[June 1945]

Dear Friend:
I didn't answer your letter of April as I would have liked to, but it is somethat your own fault because you have been one of the causes which forced me to rewrite my paper. Your objections showed me that the sketchy form was leading to misunderstandings, and that I therefore had to broaden the scope of my text[2], and as my slowness is the greatest curse of my life it took me more than four months.

Your objections were twofold:

1) The first was a formal one pointing out that a law as I propose it may conceivably be used against any kind of political adversary. I don't think that a real danger exists in this direction for you can only indict a man on the basis of this law if he actually tries to exclude an individual or whole groups from the enjoyment of civil liberties. A simple attack against capitalism or the Catholic Church or against Communist theories is something altogehter different and has nothing to do with the crimes covered by this law.

2) The second objection is based on skeptical reasoning, for you said that we are living in an age of hatred and that one can do nothing but wait until this wave of hatred has receded. I would even go still further; I am pretty sure that the development of technics, on the one hand, pushes mankind toward sadism, and on the other toward slavery. I don't know whether mankind may overcome this terrible threat but there are reasons, dialectical reasons for this optimistic possibility (even in the time of the atomic bomb), of course only when the dialectical trend is supported by the will of the concrete human being. I regard my mass psychology as a part of this optimistic will because it tries to analyze the sadistic pattern of modern man and to find out in which way it could be tamed again. The »Law for the Protection of Human Dignity« is one of the minor results of this research.

I enclose the paper in its new form, and I would be only too glad if you would find it more suitable in its present version.

With my best regards to Mrs. Voegelin and the most cordial greetings

always yours,
Hermann Broch
[YUL]

1 Eric W. Voegelin (geb. 1901), deutsch-amerikanischer Soziologe. Er emigrierte 1938 in die USA. Vgl. *Die politischen Religionen* (1939).
2 Hermann Broch, »Proposal for a Law to Protect Human Dignity«, uv. YUL, 15seitiges Typoskript. Es handelt sich um die zweite Fassung des Essays »Bemerkungen zur Utopie einer ›International Bill of Rights and of Responsibilities‹«, KW 11, S. 243-277. Vgl. auch KW 11, S. 503.

493. An Robert Neumann

One Evelyn Place
Princeton, New Jersey 22. 7. 45

Liebster Robert Neumann,
seien sie für Ihren guten Geschäftsbrief bedankt. Ich habe ihn sofort Kurt Wolff übermittelt und ihm neuerlich gesagt, wie wichtig es mir wäre, eine Neuausgabe der Sleepwalkers zu veranstalten. Ich hoffe also sehr, daß er meinem Wunsch willfahren und Hutchinson[1] vorziehen wird, und ich werde nächster Tage, so bald ich wieder nach N. Y. komme, nochmals darüber mit ihm sprechen. Die Schwierigkeit liegt an seinem Uninteresse an den Sleepwalkers und an seinem Interesse an seinen eigenen Verlagsverbindungen in England, die ihm also wichtiger als meine Wünsche sind. Rechtlich kann ich nichts machen, da er vertragsgemäß allein über den Vergil disponieren darf; ich kann bloß, wie es auf österreichisch heißt, bittlich vorstellig werden.

Sollten Sie aber mit Wolff zu einer Einigung gelangen, so habe ich eine zusätzliche Bedingung zu stellen: der Vergil ist kein Roman und ist überhaupt nichts, was sich in eine der bestehenden Kategorien (auch nicht in die Joycesche) einreihen läßt; er muß also auch verlegerisch separat behandelt werden, denn wenn Sie ihn einfach in eine Romanserie, wie es die der International Authors ist, sozusagen ohne Warnung an den Leser einstellen, so kommt er an die unrichtige Käuferschaft und kann nur Enttäuschung erwecken, überdies auch bei der Kritik, die ja gleichfalls in bestimmten Apperzeptionsschemen denkt. Das Buch müßte also in seiner Aufmachung, Format etc. und sogar mit abweichender Titelseite als Eigenindividuum herausgebracht werden. Sie wissen, daß dies keine Überheblichkeit von mir ist – ich wäre durchaus glücklich, die Sleepwalkers in der International Authors-Serie zu sehen –, wohl aber ist es ein Wissen um die Erfolgsmöglichkeiten, die ein Buch haben oder nicht haben kann, und mir liegt daran, daß der Vergil dorthin gerät, wo er gewürdigt zu werden vermag. Das ist ja schließlich auch das Interesse des Verlags.

Im übrigen bin ich sicher, daß Sie nach der Vergil-Lektüre selber auf die gleichen Ideen kommen werden. Wenn er etwas abseitig ist, so muß seine Abseitigkeit unterstrichen, nicht verhehlt werden. Dies war z. B. auch der Weg des »Ulysses« gewesen; wäre er »normal« behandelt worden, er wäre einfach verschwunden. Der deutsche Vergil ist sofort nach Erscheinen an Sie abgegangen, und ich freue mich, ihn in Ihren Händen zu wissen.

Wenn der Vergil ein Erfolg in England wird, so hoffe ich in absehbarer Zeit hinüberkommen zu können, freilich erst nach Abschluß meiner Massenpsychologie, für die ja in England sicherlich auch ziemlich viel Interesse zu finden sein wird. Böse ist nur, daß ich mit diesem heimtückischen Thema überhaupt nicht fertig werde.

Ihr amerikanischer Erfolg mit dem »Inquest« ist eine große Freude für mich. Besonders erfreulich war es mir, daß doch ein paar der Kritiker, so in der »New Republic«[2] entdeckt haben, daß Sie mithilfe Ihrer raffinierten Technik das Dichterische unter Spannung verstecken, es also dem Leser sozusagen hinterrücks versetzen. Dieses Raffinement ist mir ja beim Inquest ein besonderer Spaß gewesen, und in meinem – verloren gegangenen – Brief (über ein Jahr ist es her) habe ich es Ihnen lang und breit geschrieben. Und ich beneide Sie um den Gusto, mit dem Sie diese Dinge ausführen; man merkt geradezu das Vergnügen, das Ihnen solche Meisterschaft bereitet. Und ich bin aufs äußerste neugierig, wohin Sie das noch führen wird; denn all dies ist Durchgangsstation: man muß bloß Ihre Entwicklung in den letzten zwei Dezennien ansehen, um ermessen zu können, daß sie noch lange nicht abgeschlossen ist.

Könnte Sie der Inquest nicht nun doch auf eine Vortragstour herüberführen? Das wäre wirklich schön.

Ihnen und Rolly sehr viel herzliche und gute Gedanken Ihres

H. B.

Ich lege die Vergil-front-page der Times[3] bei, da sie Ihnen vielleicht für Hutchinson brauchbar sein könnte; der Aufruhr im Wasserglas Literatur zeigt sich ja überhaupt bereits im Begriffe anwesend zu sein (goetheisch ausgedrückt). Außerdem lege ich einen prophetischen Hitler-Artikel[4] vom Vorjahr bei, der Ihnen persönlich vielleicht Spaß machen wird.

[DÖW]

1 Robert Neumann arbeitete als Herausgeber der International Authors Series im Verlag Hutchinson, London. Brochs Vergil-Roman erschien dort nicht.
2 Nicht zu eruieren. Offenbar liegt eine Verwechslung vor.
3 Marguerite Young, »A Poet's Last Hours on Earth«, in *New York Times Book Review,* 8. 7. 1945.
4 Hermann Broch, »Letzter Ausbruch eines Größenwahns: Hitlers Abschiedsrede«, in KW 6, S. 333–343. In der englischen Übersetzung erschien der Text unter dem Titel »Adolf Hitler's Farewell Address« in: *Saturday Review of Literature,* Jg. 27, Nr. 43 (21. 10. 1944), S. 5-8.

494. An Daisy Brody

Princeton, 22. 7. 45

Liebe Frau Daisy, liebe Freundin,
Es war so gut, wieder Ihre Schrift zu sehen, aber ich konnte nicht sofort danken, weil die letzten Wochen wieder einmal

einen Anstrengungsgipfel bedeutet haben. Mit zunehmenden Arbeitsaufgaben und abnehmender Arbeitskraft wird es immer schwieriger, dieses Leben zu leisten.

So seien Sie also etwas verspätet für Ihre guten Worte und Glückwünsche bedankt. Ich nehme sie etwas beschämt entgegen, denn mein Verhältnis zu dem fertigen Buch ist eigentlich bloß das der Scham: so viel Intensität durch so viele Jahre hindurch, bloß um in eine bücherüberfüllte Welt noch ein Stück dieser Spezies hineinzugebären (ausgetragen von einer fremden Dame, wie Dani so schön sagte).

Inzwischen ist wohl das deutsche Exemplar bei Ihnen eingelangt, und trotz Scham möchte ich natürlich, daß Sie dieses und nicht die englische Verkleidung lesen, denn trotz Scham weiß ich, daß es das einzige nachjoycesche Buch ist, das sich sehen lassen kann. Ob es, wie ich eine zeitlang gehofft hatte, einen Fingerzeig für die künftige Entwicklung des dichterischen Ausdruckes gibt, beginne ich freilich zu bezweifeln: niemals noch ist ein Kulturumbruch so rasch wie der unsere vonstatten gegangen, und so ist zu erwarten, daß die nächste oder übernächste Generation überhaupt von einer ganz anderen Seite und ganz frisch anzufangen haben wird.

Bleiben wird immer nur das Lyrische, als das Dichterische an sich. Anbei zwei Vergil-Gedichte, mit denen ich die Überflüssigkeit des dicken Bandes darzutun versuche. Aber das ist natürlich überspitzt ausgedrückt: auch Plato ist geblieben, und sobald ich nur kann, werde ich die Jowett-Übersetzung[1] hernehmen. Dank für den Hinweis! [. . .]

[GW 8]

1 Benjamin Jowett (1817-1893), englischer Alt-Philologe; er lehrte am Balliol College in Oxford. Bekannt wurde er vor allem durch seine Plato-Übersetzungen ins Englische.

495. An Daniel Brody

Princeton, N. J., 25. 7. 45

Sehr Lieber,

[. . .] *Völkerbundstudie*[1]. Dies wird ein Buch, dessen Manuskript im Herbst fertiggestellt sein soll. Vorderhand aber ist das erste Kapitel, das von einer halben juristischen Fakultät von Staatsrechtlern begutachtet worden ist, knapp fertiggeworden, und Du magst Dir vorstellen, wie lange das Ganze dauern wird, wenn es in diesem Tempo vorwärtsgeht. Bis Stockerau[2] gehts, aber dann ziagt sich der Weg, und hier ist es nicht einmal bis Stockerau gegangen. Umarbeitung folgte auf Umarbeitung. Aber das Resultat ist anständig, und die Rechtsgelehrten sind sich darüber einig, daß da ein neues Prinzip in die Sache hineingetragen worden ist. Über die akademische Aufregung hinaus wird jedoch der Effekt kaum reichen, obwohl bereits allerhand Versuche zur Umsetzung in die Praxis unternommen werden; man kann solche Dinge bloß mit der größten Skepsis betrachten, darf aber trotzdem nichts unterlassen, denn eine richtige Idee, d. h. eine, die in der »Realitätsrichtung« liegt, hinterläßt immer ihre Spuren, irgendwie, irgendwann – und man hat sich bloß um das »irgend«, hingegen nicht um das wie und wann zu kümmern. Und dies ist auch meine Überanstrengung; ich sitze täglich an die achtzehn Stunden an der Maschine, und das will bei der hiesigen mörderischen Temperatur schon etwas heißen. [. . .]

[GW 8, BB]

1 Broch arbeitete an dem Essay »Bemerkungen zur Utopie einer ›International Bill of Rights and of Responsibilities‹«, KW 11, S. 243-277.

2 Stockerau: Ortschaft nördlich von Wien.

496. An Hanna Loewy[1]

Princeton, 30. 7. 45

Nur ein geschwind-gerührter Dank, liebstes Hanna-Kind, für Deinen Zorn, den ich aber kaum teile: was der Vergil in der Außenwelt treibt, geht mich – obwohl ich natürlich einen Erfolg aus äußerlichen Gründen brauche – im Grund blutwenig an, berührt also sicherlich keinerlei Gefühlssphären in mir.

Hingegen bin ich von Deiner Schrift berührt: ich will sie nicht sehr analysieren – umsomehr als ich meine schwachen Graphologie-Kenntnisse sehr vergessen habe –, aber das Verkrampfte seh und spür ich doch heraus. Und dazu etwas Persönliches: einstens hatte ich eine ganz ähnliche Schrift gehabt, und plötzlich legte sie sich rechts-schräg um, wurde leserlich und sehr einfach, kurzum menschlich, und vehine (»siehe da« auf hebräisch) es war der Augenblick, in dem ich zu meinem eigentlichen Leben erwacht bin.

Also frage ich mich, ob man nicht auch den umgekehrten Weg gehen könnte; es wäre ein interessantes Experiment: versuche einmal rechts-schräg und in tunlichst vereinfachten Formen zu schreiben; vielleicht befördert dies Deinen Erweckungsprozeß, der ja jedenfalls im Werden ist. Und außerdem bekäme ich solcherart wieder einen Brief von Dir.

Sei umarmt von Deinem
sehr alten Liebhaber
H.

[YUL]

1 Tochter Alice Loewys, später Stieftochter Erich von Kahlers; lebt in New York.

497. An Wolfgang Sauerländer

Princeton, 1. 8. 45

Liebster Wolfgang,
da man in dieser schweigsamen Welt nicht zum Reden kommt, und ich außerdem ein schlechter Diskutant bin, möchte ich mich hier auf diesem Papier mit Ihren Einwänden auseinandersetzen.

Was ist Fascismus? Wenn wir von den »Menschenrechten«, also von der Bill of Rights ausgehen, so heißt Fascismus deren Negierung. Damit ist vielleicht der Fascismus-Begriff nicht in seiner ganzen Breite definitorisch gedeckt, aber für den vorliegenden Zweck mag es ausreichen.

Fascismus versagt dem Volk in seiner Ganzheit Rede- und Pressefreiheit sowie die meisten der anderen Rechte der Bill of Rights. Bei seiner Etablierung sucht er sich zuerst Minoritätsgruppen – die Juden, die Freimauerer, die Sozialisten etc. – heraus, denen er diese Rechte entziehen will, später aber wird dieser Rechtsentzug auf das ganze Volk (mit Ausnahme der herrschenden Clique) ausgedehnt.

Gegen diesen Vorrang wendet sich mein Gesetz[1] und nur gegen ihn. Es dient zur Sicherung der Bill of Rights und sonst zu nichts. Und da die Bill of Rights als juristische Definierung der Menschenwürde aufgefaßt werden darf, ist es mir gestattet, von einem Gesetz zum Schutz der Menschenwürde zu sprechen.

Sie wenden nun ein, daß das Gesetz gegen anti-fascistische Tätigkeiten verwendet werden könnte.

Angenommen nun, daß die amerikanischen Katholiken fascistische Tendenzen hätten – wie dies z. T. tatsächlich der Fall ist – und die Herausgeber des »Protestant«[2] würden daraufhin eine antikatholische Hetze beginnen, so könnten, ja sollten und müßten sie auf Grund des Gesetzes angeklagt werden. Denn En-bloc-Verdächtigungen und En-bloc-Beschuldigungen sollen durch das Gesetz verhütet werden.

Hingegen ist der »Protestant« durchaus berechtigt und sogar verpflichtet, die Verfehlungen bestimmter konkreter Katholiken, die sich – wie Father Caughlin[3] – gegen »die«

Juden, »die« Freimaurer etc. richten, als Verletzungen des Gesetzes zum Schutz der Menschenwürde anzunageln oder bei der Staatsanwaltschaft zur [Anzeige] zu bringen.

All dies scheint mir durch mein Gesetz (dessen Verbesserungsbedürftigkeit deswegen nicht abgestritten sein soll) juristisch ziemlich einwandfrei definiert.

Dahingegen wendet sich das Gesetz *nicht* gegen private Diskriminierung. Ich kann und darf in Amerika niemanden zwingen, Neger-Angestellte in seinem Geschäft aufzunehmen, wenn er die schwarze Hautfarbe nicht leidet; würde ich etwas derartiges anstreben, so würde ich die ohnehin schwachen Verwirklichungsmöglichkeiten des Gesetzes völlig zunichte [machen]. Ich kann auch niemandem verbieten, einen Klub der Rothaarigen, oder der Neutitscheiner, oder der Zwerge zu gründen – warum also nicht auch einen Klub der »Arier«! Gewiß, solch private Diskriminierung ist hochgefährlich, und sie wird immer wieder zu kriminellen Grenzfällen – die dann allerdings im Sinn des Gesetzes erfaßt werden müßten – hinführen, aber da man die Sache an irgend einem Ende anpacken muß, so scheint mir das von mir gewählte noch als das praktischeste: ist einmal diese Bresche gelegt, so kann gehofft werden, daß die private Diskriminierung, gerade weil sie zu kriminellen Grenzfällen führt, sich nach und nach einschränken wird.

Damit sind wir bei Ihrer sehr richtigen Bemerkung über die moralische Realität, aus der allein wirkungsvolle Gesetze entstehen, während alle anderen durch den im Schwang befindlichen Moral-Usus sabotiert werden. Und da heißt es eben, die Probe aufs Exempel machen: findet mein Vorschlag Respons, so zeigt es, daß sich die dazugehörige Moral-Realität eben schon in Vorbereitung befindet und daß ich in der »Realitätsrichtung« liege. Es ist wie mit den Bahnbauten: die meisten Leute wissen erst, daß ein Bedürfnis nach einer Bahnlinie vorhanden war, *nachdem* die Bahn gebaut worden ist; außerdem werden Bedürfnisse durch Gelegenheiten erzeugt, weil dies immer Hand in Hand geht.

Fortsetzung der Diskussion: mit Freude, wann immer Sie wünschen.

Silvers[4] haben besonders nett für den Vergil gedankt und haben sich auch sehr gefreut, Ihren Namen darin zu finden.

Wollen Sie daher vielleicht auch diesen Namen auf die beil. Karte setzen und sie sodann zur Post befördern?

Getreulich und herzlich Ihr
Hermann Broch *[DB]*

1 »Gesetz zum Schutz der Menschenwürde«, KW 11, S. 260-264, Teil von Brochs Essay »Bemerkungen zur Utopie einer ›International Bill of Rights and of Responsibilities‹«, KW 11, S. 243-277.
2 *The Protestant,* eine in Boston zwischen 1938 und 1953 erscheinende Monatsschrift.
3 Ultra konservativer amerikanischer Radio-Kommentator und Kolumnist der vierziger Jahre.
4 Nicht ermittelt.

498. An Volkmar von Zühlsdorff

One Evelyn Place
Princeton, N. J. 9. 8. 45

Liebster Volkmar,
nein, Sie haben mich mißverstanden: ich werde mich persönlich doch nicht als »Opfer« bezeichnen; im Gegenteil, ich bin dem Hitler für meine Austreibung (ja sogar für die vorangegangene Einkerkerung) höchlich dankbar, denn es heißt etwas, in meinem Alter ein im wahrsten Sinn des Wortes »neues« Leben beginnen zu dürfen. Ich möchte für mich nichts davon missen.

Aber unpersönlich bin ich ein Opfer. U. z. als Jude. Es wird Sie vielleicht wundern, daß ich das Judenproblem so herausstelle – Sie haben sich schon über meine Bemerkung im letzten Brief gewundert –, aber ich tue dies nicht aus Ressentiment, sondern nach sehr reiflicher Überlegung.

Am Judenproblem zeigt sich nämlich die »Schule« des deutschen Volkes: durch volle 20 Jahre hat der Deutsche die toll-idiotischeste Judenhetze mit völliger Gleichgültigkeit betrachtet, und kraft dieser bestialischen Gleichgültigkeit ist er zum Helfershelfer eines bestialisch-systematischen Massenmordes geworden. Sie sehen, ich spreche nicht von Politik (obwohl man an Ludendorff sehen kann, wie Kriegsverbrechen und gemeines Verbrechen zusammenhängen), ich spreche von gemeinem Verbrechen, nämlich von jenem, das in den Ghettos verübt worden ist. Jeder Deutsche, der nicht im Konzentrationslager gewesen ist – und sogar mancher Lagerinsasse – ist dieser Beihilfe zum Mord kraft Gleichgültigkeit zumindest verdächtig.

Das soll die übrige Welt nicht reinwaschen. Gleichgültigkeit (und erst recht dem Juden gegenüber) ist eine allgemeine menschliche Eigenschaft. Aber das deutsche Volk – und hier denke ich äußerst rassisch –, dieses im Guten wie im Bösen extremste Volk des Abendlandes, hat sich wiederum als der Brennspiegel des Weltgeistes erwiesen: es hat, wie ich in einem Nazi-Radio gehört habe, den andern Völkern »den Adlerflug gelehrt«.

Auch in der Kriegführung hat Deutschland die andern Völker den »Adlerflug« gelehrt. Deutschland war gerüstet, der Westen ungerüstet; das war vielleicht eine Schlamperei der Demokratien, heute ist es ihr stärkstes Argument. Daß die englischen Städte weniger als die deutschen verwüstet worden sind, ist kein Argument für deutschen Edelmut, sondern Ergebnis der überraschenden westlichen Rüstungsaufholung. Wäre Deutschland dem Westen in der Konstruktion der Atombombe zuvorgekommen, so würde New York heute das Schicksal Nagasakis teilen. Man kann es Hitler fast als Genialität auslegen, daß er, in Erkennung der technischen Möglichkeiten und Notwendigkeiten, die Gesamtmenschheit zu seiner Gefolgschaft verpflichtet hat.

Meine gesamte Arbeit und mein gesamtes Denken ist nun seit vielen Jahren mit diesem einzigen Problem beschäftigt: wie kann der Mensch (also keineswegs nur der Deutsche) wieder auf die Bahn zunehmender Humanisierung gebracht werden? Die eigentliche praktische Lösung wird – dessen bin ich sogar überzeugt – von Deutschland ausgehen, *weil dort die Schuld am akzentuiertesten gewesen ist* und weil dort der mystische Zusammenhang von Schuld und Sühne am handgreiflichsten zutagetritt. In der Regeneration der Welt wird Deutschland die führende Rolle spielen, sobald der Deutsche erfaßt haben wird, was Schuld durch Gleichgültigkeit bedeutet. In diesem Sinn haben Sie durchaus recht, wenn Sie sagen, daß ich für Deutschland schreibe.

Und darum bin ich auch der Ansicht, daß jeder, der guten Willens ist, nach Deutschland zurückkehren kann und soll, jeder und doch kein Jude: denn der Täter wird beim Anblick des Opfers verstockt, und außerdem würden ja nicht die Toten, sondern die Lebenden heimkehren, die sich überdies noch vielfach als »Sieger« benehmen und damit den Hitlergeist nur wieder frisch anfachen würden.

Ich persönlich will außerdem nicht zurückkehren, weil ich nicht wieder in die Zwangslage geraten will, verachten zu müssen. Von allem, was ich im Hitlerdeutschland erlebte, war der Ekel vor dem Menschen und seiner Sturheit das furchtbarste; nichts ist wahrer als das Bild vom »würgenden« Ekel, und nichts ist würgender als der Anblick menschlicher Niedrigkeit. Was ich persönlich so an Niedrigkeit (an [der] Universität etc.) erlebt habe, möchte ich nicht wiedererleben; man mag es Wehleidigkeit nennen, aber ich möchte diese Menschen nicht wiedersehen müssen. *Hier* war ich wenigstens noch nicht zu solcher Verachtung gezwungen.

Ich hoffe, daß ich mich diesmal klarer ausgedrückt habe. Im übrigen bekommen Sie sehr bald ein Kapitel des Massenwahnes; das sei Ihnen nicht erspart.

Grüßen Sie Prinz und Prinzessin[1] in Freundschaft und nehmen Sie sehr herzliche Gedanken Ihres

H.B.

[BA]

1 zu Löwenstein.

AEA: Albert Einstein Archiv, Institute of Advanced Study, Princeton, N. J., USA.

AMB: Privatbesitz Annemarie Meier-Graefe Broch, Saint-Cyr-sur-Mer, Frankreich.

BA: Bundesarchiv, Koblenz.

BB: *Hermann Broch – Daniel Brody. Briefwechsel 1930–1951,* hrsg. v. Bertold Hack und Marietta Kleiß (Frankfurt/Main: Buchhändler-Vereinigung, 1971). (Originale im DLA).

BBr: Briefe an Daniel Brody, in: *Neue Rundschau,* Jg. 81, Nr. 4 (1970), S. 672–681. (Originale im DLA).

BF: Bollingen Foundation Papers. The Library of Congress, Washington D. C., USA.

DB: Deutsche Bibliothek, Frankfurt/Main.

DLA: Deutsches Literaturarchiv, Marbach/Neckar.

DÖL: Dokumentationsstelle für neuere österreichische Literatur, Wien, Österreich.

DÖW: Dokumentationsarchiv des österreichischen Widerstandes, Wien, Österreich.

ERC: Emergency Rescue Committee, New York, N. Y., USA.

FT: Briefe an Friedrich Torberg, in: *Forum,* 8. Jg., Heft 89 (Mai 1961), S. 185–186. (Originale in Privatbesitz Torberg).

FTo: Briefe an Friedrich Torberg, in: *Neue Rundschau,* 62. Jg., Nr. 4 (1951), S. 137–143. (Originale in Privatbesitz Torberg).

GF: The John Simon Guggenheim Memorial Foundation, New York, N. Y., USA.

GP: Hermann Broch, *Gedanken zur Politik,* hrsg. von Dieter Hildebrandt (Frankfurt: Suhrkamp, 1970). (Originale in YUL).

GW8: Hermann Broch, *Briefe von 1929 bis 1951,* Gesammelte Werke Band 8, hrsg. v. Robert Pick (Zürich: Rhein-Verlag, 1957). (Originale in YUL).

GW10: Hermann Broch, *Die Unbekannte Größe und frühe Schriften mit den Briefen an Willa Muir,* Gesammelte Werke Band 10, hrsg. v. Ernst Schönwiese und Eric W. Herd (Zürich: Rhein-Verlag, 1961). (Originale in Privatbesitz Muir).

HK: Hermann Kesten (Hrsg.), *Deutsche Literatur im Exil. Briefe europäischer Autoren 1933–1949* (München: Desch, 1964). (Originale in Privatbesitz Kesten).

KW1-13: *Kommentierte Werkausgabe Hermann Broch*, hrsg. v. Paul Michael Lützeler (Frankfurt/M.: Suhrkamp, 1974–1981).

KWB: *Kurt Wolff. Briefwechsel eines Verlegers 1911–1963*, hrsg. v. Bernhard Zeller und Ellen Otten (Frankfurt/M.: Heinrich Scheffler, 1966). (Originale im Kurt-Wolff-Archiv, YUL).

LBI: Leo Baeck Institute, New York, N. Y., USA.

MTV: *Materialien zu Hermann Broch »Der Tod des Vergil«*, hrsg. v. Paul Michael Lützeler (Frankfurt/M.: Suhrkamp, 1972). (Originale in YUL und DLA).

OAÖ: Drei Briefe Hermann Brochs an Oscar Oeser (hrsg. v. Gerhard Schulz), in: *Festschrift for E. W. Herd*, ed. by August Obermayer, University of Otago, German Department (Dunedin 1980), S. 226–237.

PU: Princeton University Library, (The Christian Gauss Papers), Princeton, N. J., USA.

SZA: Stefan Zweig Archiv, London.

TM: Brief an Thomas Mann: *Blätter der Thomas Mann Gesellschaft*, Nr. 10 (1970), S. 32–33. (Original im Thomas Mann-Archiv, Eidgenössische Technische Hochschule Zürich, Zürich, Schweiz).

UP: University of Pennsylvania Library, Philadelphia, Pennsylvania, USA.

WR: Briefe an Werner Richter, in: *Jahrbuch der deutschen Schillergesellschaft*, 18. Jg. (1974), S. 721–725. (Originale im DLA).

WSB: Wiener Stadt- und Landesbibliothek, Wien, Österreich.

YUL: Yale University Library, Beinecke Rare Book Library, Broch-Archiv, New Haven, Connecticut, USA.

Editorischer Hinweis

Die Anmerkungen des Herausgebers – Auswahlbibliographie zur Sekundärliteratur, Verzeichnis der Briefempfänger, Personenregister, Werkregister, Zeittafel und Editorisches Nachwort – finden sich am Schluß des dritten Briefbandes dieser Ausgabe.

Von Hermann Broch
erschienen im Suhrkamp Verlag

Bergroman. Die drei Originalfassungen textkritisch herausgegeben von Frank Kress und Hans Albert Maier. 1969. 4 Bände in Schuber, zus. 1500 S. Ln. Kt.
Der Denker. Eine Auswahl. 1966. 328 S. Ln.
Der Dichter. 1964. 256 S. Ln.
Der Tod des Vergil. 1958. Sonderausgabe. 542 S. Ln.
Dichter wider Willen. 96 S. Ln.
Die Entsühnung. 1961. 80 S. Pp.
Die Schlafwandler. 1952. Sonderausgabe. 762 S. Ln.

suhrkamp taschenbücher
Barbara und andere Novellen. Eine Auswahl aus dem erzählerischen Werk. Herausgegeben mit Nachwort und Kommentar von Paul Michael Lützeler. 1973. Band 151. 380 S.
Materialien zu Hermann Broch ›Der Tod des Vergil‹. Herausgegeben von Paul Michael Lützeler. Band 317. 361 S.

Kommentierte Werkausgabe
Herausgegeben von Paul Michael Lützeler
Band 1: Die Schlafwandler. Eine Romantrilogie. st 472. 760 S.
Band 2: Die Unbekannte Größe. Roman. st 393. 262 S.
Band 3: Die Verzauberung. Roman. st 350. 417 S.
Band 4: Der Tod des Vergil. st 296. 522 S.
Band 5: Die Schuldlosen. Roman in elf Erzählungen. st 209. 352 S.
Band 6: Novellen. st 621. 359 S.
Band 7: Dramen. st 538. 428 S.
Band 8: Gedichte. st 572. 232 S.
Band 9/1: Schriften zur Literatur. Kritik. st 246. 448 S.
Band 9/2: Schriften zur Literatur. Theorie. st 247. 320 S.
Band 10/1: Philosophische Schriften. Kritik. st 375. 314 S.
Band 10/2: Philosophische Schriften. Theorie. st 375. 334 S.
Band 11: Politische Schriften. st 445. 514 S.
Band 12: Massenwahntheorie. st 502. 584 S.

Kommentierte Werkausgabe (Leinenausgabe)
textidentisch mit der Taschenbuchausgabe. In limitierter Auflage

Bibliothek Suhrkamp
Demeter, Romanfragment. 1967. Band 199. 242 S.
Die Erzählung der Magd Zerline. 1967. Band 204. 80 S.
Pasenow oder die Romantik. 1962. Band 92. 203 S.
Esch oder die Anarchie. 1969. Band 157. 224 S.
Huguenau oder die Sachlichkeit. 1970. Band 187. 328 S.
Gedanken zur Politik. 1970. Band 245. 192 S.
James Joyce und die Gegenwart. Essay. 1972. Band 306. 84 S.
Hofmannsthal und seine Zeit. 1974. Band 372. 147 S.
Menschenrecht und Demokratie. Herausgegeben und eingeleitet von Paul Michael Lützeler. 1978. Band 588. 288 S.

edition suhrkamp
Zur Universitätsreform. Herausgegeben und mit einem Nachwort von Götz Wienold. 1969. Band 301. 144 S.
Materialien zu Hermann Brochs ›Die Schlafwandler‹. Herausgegeben von Gisela Brude-Firnau. 1972. Band 517. 216 S.